# FLASH

# Judith Krantz

# FLASH

*Roman*

FRANCE LOISIRS
123, boulevard de Grenelle, Paris

Titre original : *Dazzle*

Traduit par Valérie Dayre

Édition du Club France Loisirs, Paris,
avec l'autorisation des Presses de la Cité.

ISBN 2-7242-6706-0

# 1

En Californie, un tremblement de terre n'est pas censé avoir eu lieu tant que les gens n'ont pu dénicher un téléphone pour en discuter. Si les amis ne sont pas à la maison, tout inconnu qui décroche à l'autre bout de la ligne fournira une oreille satisfaisante, à condition que la personne ait elle aussi vécu la secousse et puisse, de ce fait, garantir son existence. La secrétaire d'un cabinet dentaire, une employée de bureau intérimaire, une bonne d'enfants constituent un honnête réceptacle pour les échanges post-sismiques. Ce n'est qu'à l'issue d'une telle conversation qu'un Californien estime être quitte avec le séisme et pouvoir le ranger à sa juste place dans l'ordre des choses.

Ce jour-là, la terre avait tremblé. Bien qu'insignifiante, la secousse avait été nette. Jazz Kilkullen se rendait à son travail en voiture et la circulation avait été bloquée pendant une heure ; mais, seule dans sa voiture, avec sa radio depuis longtemps en panne, Jazz n'avait eu pour repère que les visages irrités des conducteurs des autres véhicules. Finalement, la jeune femme avait rangé sa Thunderbird 1956 turquoise et crème à sa place habituelle, bondi du siège et couru à toutes jambes le long de la rue qui menait du parking à Flash, son studio de photographie.

Arriver en retard ce jour-là entre tous! rageait-elle, en dépassant à fond de train les quelques couples en balade qui s'écartaient de sa route et s'arrêtaient pour la suivre des yeux. Ces touristes en goguette à Venice, déjà agréablement inquiétés par la timide mais incontestable secousse, étaient d'humeur à se réjouir de tout ce qu'ils rencontraient dans ce curieux spectacle d'un quartier californien. L'allure de Jazz ne faisait que confirmer la réputation d'excentricité et de naturel de Venice.

En cette matinée un rien menaçante mais par ailleurs ordinaire d'un vendredi de septembre 1990, cette fille qui courait à grandes foulées comme si la rue lui appartenait portait un chapeau impossible comme ils en avaient vu sur les photos des femmes à Ascot : une large roue de paille noire au bord dégoulinant d'énormes fleurs de pavot. Sa jupe en lainage rouge s'arrêtait bien au-dessus de ses genoux, révélant de longues et superbes jambes gainées de noir et perchées sur de hauts talons. Ce devait être *quelqu'un*, décidèrent les touristes en la contemplant. Il ne fallait pas être n'importe qui pour se cacher derrière ces lunettes de soleil géantes, pas n'importe qui pour courir sans se soucier de qui se trouvait sur son passage.

La jeune femme parvint à l'entrée de Flash, poussa la double porte de verre et se retrouva devant Sandy, la réceptionniste.

— Tu as senti la secousse, Sandy ? Combien de temps a-t-elle duré ici ? demanda-t-elle, le souffle court. Zut ! Je déteste faire attendre les gens !

— Ne t'en fais pas. Quelqu'un de son staff a appelé de la limousine. Il sera en retard. Au moins une heure encore, sans doute plus.

— En retard ? *Il* sera en retard ? Alors que je me suis pris la tête dans les embouteillages ? Tu n'as pas senti le tremblement de terre ? Il est sacrément gonflé. J'espère que tu le leur as dit.

— Rien qu'un petit frisson, ton séisme. Mais je l'ai senti, c'est vrai. J'ai appelé ma sœur dans la Vallée ; elle ignorait que la terre avait tremblé. Jazz, se plaignit Sandy, si tu avais le téléphone dans ta voiture, je t'aurais prévenue qu'il n'était pas arrivé.

La standardiste vivait par la grâce du téléphone. Que Jazz refuse de profaner l'intérieur de son tas de boue avec cet indispensable instrument lui était un constant sujet d'irritation.

— Tu as raison, comme toujours, rétorqua Jazz, souriant comme un gosse qui vient de commettre quelque espièglerie indécelable.

Elle prit une profonde inspiration et recouvra son insouciance coutumière : elle possédait la discipline et la confiance invisibles d'un cavalier qui monte à cru dans un cirque et dont les acrobaties les plus difficiles paraissent aisées.

Grimpant l'escalier deux à deux, elle parvint au premier étage où se trouvait son studio. Les murs du bureau d'accueil étaient couverts de grandes photographies. Dans chaque cadre, deux clichés de la même personne — l'un pris au cours des premières minutes d'une séance, lorsque le sujet était encore méfiant, raide, et qu'il se dérobait dans le but de donner de lui-même une image aimable ; l'autre pris en fin de séance, lorsque le sujet s'était métamorphosé en une créature humaine, spontanée, offerte, dont la vérité intérieure se voyait révélée par l'appareil photo de Jazz.

François Mitterrand, Isabelle Adjani, la princesse Anne, Jesse Jackson, Marlon Brando, Muammar Kadhafi, Woody Allen : plus il avait été difficile d'établir une relation, plus Jazz était satisfaite du résultat. Les portraits de ceux qui entretenaient déjà une profonde complicité avec l'appareil photo, de Madonna au Pape, n'étaient jamais exposés sur les murs de ce studio dans lequel la jeune femme était devenue l'un des photographes portraitistes et publicitaires les plus cotés des États-Unis.

— Il y a quelqu'un ? appela Jazz.

Comme elle pénétrait dans le studio immaculé, elle ôta ses chaussures, jeta son chapeau au sol et plongea vers le sofa victorien, meuble incongru dans ce vaste espace blanc dont les immenses fenêtres ouvraient sur l'océan Pacifique au bleu paisible que nul remous ne troublait.

Cinq ans auparavant, Jazz et deux autres photographes de haut niveau, Mel Botvinick, spécialisé dans la photographie des denrées alimentaires, et Pete Di Constanza, voué aux prises de vues automobiles, tous trois flanqués de leur agent, Phoebe Milbank, avaient acheté, sur la promenade du bord de mer, à quelques pas de la plage, un grand immeuble vide dans le style de la place Saint-Marc. Situé sur Windward Boulevard à Venice, le bâtiment avait autrefois abrité une banque, avant d'être abandonné et livré à la décrépitude pendant quarante ans. L'équipe de photographes avait fait une affaire en acquérant la noble ruine, qui s'était vue rebaptisée Flash et convertie en un complexe de trois grands studios, un bureau pour Phoebe, et moult pièces pour leurs assistants et responsables administratifs.

Toby Roe, le premier assistant de Jazz, jeune homme mince vêtu de noir des pieds à la tête, se montra dans l'entrebâillement de la porte qui menait aux bureaux et aux loges.

— Tu vas ? s'enquit Toby. C'est la secousse qui t'a mise en retard ou tu trouvais le boulot d'aujourd'hui trop rasoir ?

— Remarque, on ne t'en a pas voulu, ajouta Melissa Kraft.

La deuxième assistante de Jazz était habillée exactement comme Toby et, comme lui, portait trois appareils photo.

— Quand on y pense, reprit-elle, qu'est-ce qu'il est, sinon le énième macho bas de gamme maqué par un bon agent ?

— De l'écume, acquiesça Jazz. Votre pain quotidien. N'oubliez pas que ce gars est un acteur. Juste un acteur. Vous avez senti le tremblement de terre ?

— Oui, fit Toby. Pas de quoi s'affoler. J'ai appelé ma mère mais je suis tombé sur son répondeur, j'ai laissé un message. Puis j'ai téléphoné à mon frère... ça ne l'avait pas réveillé.

Ils se sourirent, le séisme évincé et déjà oublié. En dépit de la sèche objectivité que, par tradition, les photographes préfèrent entretenir vis-à-vis de leurs sujets, comme s'ils tenaient les fils de ces marionnettes régnant sur le monde, chacun d'eux savait combien les deux autres étaient excités à la perspective de la séance du jour.

En quelques rôles sensationnels, l'Australien Sam Butler avait soudainement éclipsé Tom Cruise, promu à sa place au rang de première vraie révélation de ces dernières années. On le disait le plus jeune, le plus séduisant et le plus talentueux. Contrairement à la majorité des stars américaines, il n'avait jusqu'alors pas consenti à promouvoir ses films en affichant son portrait sur les couvertures de magazines. Aussi cette séance de pose pour la une de *Vanity Fair* était-elle une révolution !

— Sandy m'a dit qu'il ne serait pas ici avant une heure, annonça Jazz à ses assistants.

— Elle nous a prévenus dès qu'ils ont appelé, répondit Toby. C'est la raison pour laquelle notre jeune Melissa n'est pas en train de baver sur la moquette. Elle épargne sa salive pour plus tard.

9

— Toby a l'intention de lui demander où il se fait couper les cheveux, fit Melissa, occupée avec un objectif.

Toby dédaigna de renchérir. Il regarda Jazz qui se reposait sur le sofa, et se répéta la formule incantatoire avec laquelle il attaquait chacune de ses journées de travail : « Dieu merci, je ne tomberai jamais amoureux de Jazz. Elle est riche et célèbre, en plus c'est mon patron. Je ne vais pas tomber amoureux de Jazz. » Protégé par cette incantation, qu'il devait parfois se répéter à plusieurs reprises lorsqu'une séance se prolongeait et que sa concentration se relâchait, Toby était parvenu à endurer deux années d'un amour sans espoir.

Au moins, elle ne s'en était jamais douté, pensait-il en la contemplant, s'efforçant, comme à son habitude, de déchiffrer l'énigme de son visage. Toby était encore incapable de conceptualiser, une fois pour toutes, ce qui en Jazz le fascinait tant. Il s'adonnait à la photo depuis sa prime adolescence et la nature de son travail l'avait accoutumé à observer des femmes occupées de leur seule beauté, dont bon nombre étaient beaucoup plus belles que Jazz, et plus jeunes qu'elle ne l'était avec ses vingt-neuf ans. Mais jamais il ne parvenait à se détacher du visage de Jazz avec cette sensation de finalité visuelle atteinte, de satiété, d'écœurement esthétique qu'il éprouvait vis-à-vis des autres, comme s'il en avait assez vu.

Jazz, toute créature de chair et de sang qu'elle était, ne pouvait être comparée qu'à la topaze, cette gemme rare au riche éclat d'or sourdement mâtiné d'un brun chaud, ce précieux cristal que les anciens Écossais tenaient pour un remède à la démence. Mais ces anciens avaient-ils jamais vu une femme aux yeux d'or ? se demanda Toby. Avaient-ils jamais contemplé une femme dont la fauve parure de cheveux d'or sombre se faisait ambre sous certains éclairages, noisette sous d'autres, chevelure qui dévalait jusque sous ses épaules en ondulations sans apprêt ? Avaient-ils jamais eu à côtoyer une femme dont la peau semblait toujours légèrement hâlée, avec une teinte particulière qui parait ses joues d'un éclat de rose subtilement coloré d'abricot, rose doré fort différent de toutes les couleurs de fleurs parmi tous les jardins ? Si oui, Toby était désolé pour eux, autant qu'il l'était pour lui-même.

Au-dessus des yeux d'or, les sourcils de Jazz formaient deux lignes marquées et hautes. Ils se redressaient lorsqu'elle était surprise, intriguée ou amusée et, souvent, seule l'expression de ses yeux révélait une nuance dans ses émotions. Sous la ligne ferme, précise et parfois impudente de son nez, sa bouche était toute de contraste, avec une lèvre supérieure délicate, presque enfantine, et une lèvre inférieure trop pleine, trop franche, trop gonflée selon les canons classiques de la beauté.

Avec tout cela, se rappela Toby, Jazz Kilkullen était une effrontée, une merveille d'espièglerie, une fabuleuse coquette, une joyeuse, un maître ès dissimulations, créature aux maintes humeurs, diseuse de vérités, une dame aux multiples talents, et une photographe plus rude à la tâche que quiconque.

Dieu merci, je ne tomberai jamais amoureux de Jazz, se répéta Toby tout en vérifiant les appareils photo pour la dixième fois de la matinée. Jazz en possédait une kyrielle dont elle se servait rarement ; mais pour aujourd'hui elle avait demandé à ses assistants d'équiper ses six Canon T-90 des multiples systèmes de mesure qui lui donneraient trois options de mise au point pré-réglées. Elle misait sur la sécurité, constata Toby, car d'ordinaire elle méprisait le réglage automatique.

Tout en vérifiant la multitude d'éclairages mobiles et les minuscules spots, tous branchés sur batteries autonomes, Melissa détaillait la tenue de Jazz, depuis le chapeau à la Cecil Beaton jusqu'à la frivole jupe courte et à la blouse de fin lainage rouge coupée comme un ample sarrau fermé par un unique et géant bouton de jais. Elle se serait attendue à voir la patronne venir relever le défi d'aujourd'hui en bottes de combat, pantalon des surplus de la marine et chemise hawaiienne « Harry Truman » à cinq cents dollars, le tout agrémenté d'antiques pendants d'oreilles grenat ainsi que de vieilles bagues précieuses à chaque doigt ; c'était là l'un des déguisements qu'elle arborait parfois afin de troubler et maîtriser une nouvelle victime.

Mais apparemment, Jazz s'était décidée pour la tactique déjeuner-de-dames-en-ville, autre forme de manipulation, toilette sans simplicité et dans laquelle nulle autre photographe ne se fût sentie à son aise.

Jazz ne se contentait pas de s'habiller le matin, pensa Melissa avec une admiration irritée. Elle se caparaçonnait, se pomponnait, se travestissait, se parait à vous tournebouler, quand elle ne négligeait pas purement et simplement de s'apprêter en mariant à ses jeans un simple polo de couleur vive ; cela pour les jours où elle feignait de vouloir passer inaperçue. Melissa la perçait à jour. Elle savait que, si Jazz avait réellement eu l'intention de passer inaperçue, elle se serait vêtue tout en noir, comme elle. Plus tard, lorsqu'à son tour elle serait devenue une photographe célèbre, Melissa jetterait tous ses effets noirs ; elle en fit le vœu silencieux tout en allant répondre à l'interphone. Sandy les appelait.

— Ils arrivent ! s'écria la réceptionniste. Maintenant ils sont presque en avance... Franchement, ils auraient pu téléphoner, non ?

Melissa raccrocha sans répondre.

— Tous aux postes de combat, lança-t-elle vers Jazz toujours allongée sur le sofa.

Elle se rua hors du studio pour prévenir Sis Levy, la jeune rouquine efficace qui régnait sur les bureaux de Flash.

— Je m'étais presque endormie, protesta Jazz.

Bâillant, elle se leva néanmoins, en deux secondes remit chapeau et souliers, juste avant qu'une petite foule ne jaillisse de l'ascenseur.

— Entrez, dit-elle.

Melissa et Toby avaient disparu dans les coulisses. Jamais Jazz n'avait vu entourage si nombreux, pas même lorsqu'elle avait photographié Stallone et Streisand ensemble pour *Rolling Stones*. Et rien que des femelles, qui semblaient les adeptes d'un culte condamnant les jeunes veuves à porter le deuil le plus noir ; les jupes tombaient à mi-mollet sur des bottines à talons plats, quand elles n'étaient pas coupées au ras des fesses, portées en ce cas avec collants noirs et talons aiguilles.

La plus âgée d'entre elles s'avança pour se présenter.

— Tilly Finish, du magazine. Sam arrive tout de suite. Il a aperçu une drôle de voiture en bas et a voulu y jeter un œil.

— Me voilà punie d'avoir un photographe automobile au rez-de-chaussée, fit plaisamment Jazz.

Intérieurement, elle maudit Pete Di Constanza de n'avoir pas planqué la nouvelle Ferrari Testarossa dans son atelier sous une bâche comme il le faisait quand les prototypes lui étaient livrés. Parfois les véhicules qui allaient et venaient dans le studio devenaient une attraction tellement irrésistible que Jazz et Mel Botvinick devaient s'en plaindre officiellement à Phoebe Milbank.

Tilly Finish entreprit de présenter ses compagnes qui envahissaient peu à peu l'entrée du studio. Jazz et Sis Levy serrèrent des mains alentour. Trois appartenaient à l'agence de relations publiques qui s'occupait de Sam Butler ; deux autres à des stylistes, accompagnées chacune d'une assistante, et toutes portaient des sacs de vêtements que Sam Butler daignerait peut-être porter ; Tilly elle-même avait deux assistantes, cramponnées toutes deux à des téléphones sans fil ; on trouvait aussi une coiffeuse et une maquilleuse. Jazz en dénombra en tout une douzaine, uniformément jeunes, jolies, souriantes ; on aurait dit la photo de famille des épouses d'un Mormon traditionaliste.

Sis Levy prit la direction des opérations, désignant les loges aux assistantes des stylistes ainsi qu'aux préposées à la chevelure et au maquillage afin qu'elles puissent se soulager de leurs fardeaux. Les autres refusèrent de bouger et restèrent debout, les yeux braqués sur l'ascenseur, nerveuses comme des agents secrets qui auraient égaré le président de la République.

Jazz consulta sa montre. Il était presque l'heure de déjeuner et l'on n'était pas près de commencer.

— Je te confie tout ce petit monde, dit-elle à Sis.

Elle dévalait déjà l'escalier. Parvenue au rez-de-chaussée, elle se rua hors de l'immeuble et fila dans la rue perpendiculaire, vers l'entrée des livraisons du studio de Pete. La double porte du garage, assez grande pour livrer passage au plus gros des camions, était ouverte ; à l'intérieur, deux hommes scrutaient la Ferrari comme s'ils avaient sous les yeux la première voiture à avoir vu le jour. La faute à Henry Ford ? songea Jazz, agacée. Ou aux frères Wright.

La jeune femme se dirigea vers Sam Butler d'un pas martial.

— Je suis Jazz Kilkullen, déclara-t-elle en tendant la main.

Butler la lui prit sans la regarder.

— Bien, je suis à vous dans un moment, fit-il.

Et il lui tourna le dos, ouvrit la portière de la voiture à cent cinquante mille dollars et se glissa au volant.

— Ça vous ennuierait que j'aille faire un tour avec ce bijou ? J'en voudrais bien une mais... je ne sais pas, peut-être un peu trop voyant.

— Pour vous, c'est parfait, rétorqua Jazz en refermant les doigts sur la manche de sa veste en tweed. Si vous n'êtes pas le meilleur conducteur du monde, qui d'autre le serait ? Mais ce sera pour plus tard, O.K. ? Votre fan-club trépigne là-haut.

Butler se tourna vers elle avec mauvaise humeur. Jazz dardait sur lui un regard impassible. Sa beauté était tout simplement aberrante, pensa-t-elle — une petite blague génétique. Elle renonça à tenter de traiter avec cette grande et blonde créature avant de se trouver derrière l'appareil photo.

— Elles peuvent bien attendre, fit Sam Butler.

— Moi pas.

— Vous avez toute la journée.

— La matinée a déjà filé. C'est pour une couverture de magazine, ça vous dit quelque chose ?

— De toute façon, je n'ai aucune envie de le faire.

— Moi si.

Jazz releva le menton et la bordure de son chapeau n'ombra plus son visage. Elle regarda Butler droit dans les yeux, en lui souriant, moitié sirène, moitié bobby londonien. Elle était adorable.

— Plus tard, vous aurez quatre Ferrari pour votre petit déjeuner, promit-elle avec un rien de brusquerie. Laissez Pete faire son boulot et allons faire le nôtre ; vous serez plus vite revenu près du bijou. Cela vous va, monsieur Butler ?

— Appelez-moi Sam, fit l'Australien.

Il abandonna Pete sans un regard. Jazz se tourna vers son associé.

— Si tu me refais ce coup-là, mon sucre d'orge, l'avertit-elle, je t'interdis d'assister à la séance avec les minettes en maillot de bain pour *Sports Illustrated*.

Elle suivit Sam Butler jusqu'au studio.

Cinq minutes plus tard, tandis que le club des veuves voletait autour de l'acteur avec autant de frénésie que d'inutilité, Jazz s'entretint avec Sis Levy avant d'aller trouver Tilly Finish.

— Tout va aller de travers, n'est-ce pas, Tilly ?

— Que voulez-vous dire ?

— Ne jouez pas l'innocente, reprit Jazz avec un sourire de conspirateur. Une femme de votre trempe n'en est sûrement pas à son coup d'essai. Toutes ces fillettes sont en chaleur. Qui leur jetterait la pierre ? Mais enfin elles n'ont rien à faire ici. Tout ce qu'elles avaient de cervelle leur est tombé en dessous de la ceinture, vous ne croyez pas ? Si vous les emmeniez déjeuner, au *72, Market Street* — j'ai réservé une table et vous êtes mes invitées. Sis et mes assistants vous accompagneront et d'ici la fin du déjeuner j'aurai ma photo de couverture.

— Vous n'avez pas besoin de vos assistants ?

— Tout est prêt. Six appareils chargés et équipés. De toute façon, j'ai été assistante pendant assez longtemps pour savoir encore manipuler la pellicule dans les pires situations. Quant à la lumière, je m'en occupe toujours moi-même.

— Mais Sam n'est pas encore habillé, couina Tilly. Je n'ai pas choisi ce qu'il porterait. New York m'en a laissé la responsabilité...

— Il sera superbe, promis. Pas besoin de maquillage ou de coiffure...

ils veulent un look naturel. L'important est de décrocher cette une...
J'ai simplement besoin du studio pour moi seule pendant quelques
heures. Rappelez-vous qu'il nous faut également une photo couleur en
extérieur, plus trois en noir et blanc pour l'article. Pour couronner le
tout, Monsieur ne nous accorde qu'aujourd'hui et mercredi. On aura
d'ailleurs de la chance s'il se montre la semaine prochaine... pas très
obéissant, votre M. Butler.

— *Mon* M. Butler, reprit Tilly Finish d'un ton de vague regret.

Elle frappa dans ses mains

— Pause-déjeuner pour tout le monde. Sam, je vous laisse ici, si
vous voulez bien, vous allez commencer.

En deux minutes, le studio s'était vidé.

— Merci, fit l'acteur. Elles commençaient à me rendre nerveux.
Pourquoi sont-elles toutes en noir ? Quelqu'un est mort ?

— C'est tactique, lui assura Jazz, négligeant de le mettre au courant
du dernier cri hollywoodien. Si vous avez faim, je vous fais un
sandwich avant de démarrer.

— Je ne déjeune jamais. Ça me ralentit.

— Bien. Il doit y avoir un imperméable Versace dans la loge. Vous
voulez bien l'essayer ?

— Ouais, sûr. Un imper... j'aime bien.

Il pouvait se le permettre, songea Jazz. Sam Butler était l'acteur le
plus étonnamment beau qu'elle ait vu depuis les photographies de
Gary Cooper jeune. Sans doute annonçait-il le retour de balancier
après une génération de comédiens aux visages ordinaires que l'on
disait « habités » — Richard Dreyfuss, Al Pacino, Robert de Niro, Billy
Crystal, Donald Sutherland...

Sam Butler était parfait, décida Jazz, et elle haussa les épaules. Un
Grand Canyon de virilité, tout en blondeur et yeux bleus. Pas du tout
son genre.

Il revint avec l'imperméable étroitement ceinturé à la taille, le col
relevé.

— Trop rembourré, Sam, commenta Jazz. Je veux une photo de
Butler, pas d'un imper sur un mannequin. Mais ce n'est pas si mal.
Laissez-moi réfléchir... Vous pourriez ôter votre grosse veste et
remettre l'imper ? D'ailleurs, enlevez tous vos vêtements, tant que
vous y êtes.

— Vous êtes frappée ou quoi ?

— Imaginez que l'imperméable est un peignoir. Vous ne resteriez
pas habillé en dessous, si ?

— Bien sûr que non.

— Alors où est la différence ?

— Je ne sais pas, mais il doit y en avoir une, fit l'acteur, déconte-
nancé.

— Oh, essayez, l'encouragea Jazz.

Elle s'exprimait d'un ton capricieux, candide, pour l'inviter à
l'indulgence envers sa lubie. Il abandonna toute résistance.

— Et vous, qu'est-ce que vous enlevez ?

L'acteur ouvrait les négociations.

14

— Mon chapeau ? Mes chaussures ? Non ? Pas assez ? Et... mon collant ?

— Ça marche.

Jazz était pliée de rire quand il alla se déshabiller. Il revint, ceinturé, bouclé, boutonné, l'air d'avoir perdu vingt-cinq kilos. Son expression avait pris une coriacité james-bondienne. En l'attendant, Jazz avait roulé le sofa victorien près de l'une des fenêtres. Elle était jambes nues ; la platine-cassette faisait entendre un morceau de guitare classique.

— Mieux, fit-elle d'un ton tout professionnel. Allongez-vous là-dessus.

— M'allonger en imper sur un canapé ? Je préfère rester debout.

— Je dois me servir de ce flot de lumière qui traverse la baie vitrée et vient baigner le sofa. L'éclairage n'est nulle part meilleur dans le studio. Il aura changé dans une demi-heure, et nous aurons terminé.

— J'avais un dentiste comme vous autrefois. Presque comme vous, soupira Butler en s'asseyant avec raideur.

— Où donc ? questionna Jazz. Chez vous, en Australie ?

— Ouais. A côté de Perth. C'était mon oncle, alors évidemment je devais y aller puisqu'il faisait un prix pour la famille. N'empêche qu'il était calé. Jamais mal. Je n'aurais pas fait de cinéma sans le boulot qu'il a fait sur mes dents.

La mâchoire de Butler s'était décrispée et il se laissa aller contre le dossier du sofa, l'air de se remémorer sans trop de nostalgie le labeur à tarif réduit qui l'avait doté d'un sourire à vingt millions de dollars.

Jazz prit un cliché Polaroïd et le lui tendit. Elle aimait montrer la progression du travail à son modèle qui pouvait mettre son veto s'il détestait. Le papier glacé en main, le sujet se sentait presque chez lui.

— Pas mal, commenta-t-il avec circonspection. C'est... différent, rien de comparable avec les photos hyper-léchées qu'ils veulent tous. C'est peut-être l'imper.

— Votre cou est encore trop crispé, fit Jazz en secouant une tête pensive. Votre gorge est raide. Défaites cinq boutons, ouvrez grand le col et laissez aller votre tête contre le sofa. Posez peut-être vos pieds sur l'accoudoir et étendez-vous de tout votre long... Mettez-vous à l'aise, imaginez que vous êtes sur la plage, allongé au soleil de Surfer's Paradise...

— Vous êtes allée en Australie ? questionna-t-il, se pliant sagement à ses instructions.

— L'an dernier. J'ai adoré...

Jazz se déplaçait tout autour de lui, armée de son premier Canon qui crépitait ; ses mouvements étaient minimes, rassurants, quasi invisibles. Elle aimait beaucoup ce qu'elle voyait dans l'objectif. La sculpture ouvragée du bois de rose du sofa constituait un cadre idéal à l'échancrure pâle de l'imperméable qui révélait un magnifique torse dénudé ; la chevelure blonde sur le velours sombre créait un contraste diablement provocant.

— Vous n'avez pas le mal du pays ? demanda-t-elle d'une voix sourde.

— Sacrément. J'y retourne chaque fois que je peux.

— Parlez-moi de votre famille.

— Ils sont super. Ma mère continue à me faire sortir les poubelles, mes sœurs s'entêtent à me présenter de jolies filles et mon père s'inquiète de savoir si je fais des économies, alors je lui montre tous les rapports de mon homme d'affaires. Chaque week-end, je joue au foot pendant deux jours entiers avec l'équipe où j'étais centre... oui, il va falloir que je rentre bientôt.

Sa voix s'était assourdie, son expression s'était faite vulnérable, mélancolique, ardente. A se souvenir de ses matchs de foot d'antan, Sam Butler semblait aussi sauvagement romantique que le Heathcliff de Lawrence Olivier. Jazz se déplaçait à pas feutrés, changeant d'appareil chaque fois qu'elle arrivait au bout d'un rouleau de pellicule. Sam Butler avait cessé d'être une sorte de perfection risible pour devenir un être réel, aux yeux emplis du souvenir d'une maison et d'êtres chers éloignés de vingt-cinq mille kilomètres.

Il avait complètement oublié qu'on le photographiait ; seules les languides mélodies de la guitare classique habitaient le silence. Les minutes passèrent. Les souvenirs soudain s'effacèrent quand Sam reporta son attention sur la photographe qui l'avait hypnotisé, avec ses volutes de chevelure qui dévalaient de part et d'autre de l'appareil photo, ses jambes hâlées, effrontées, nues sous la jupe courte, ses seins qui oscillaient légèrement dans le sarrau de laine rouge rendu presque transparent dans la lumière qui se déversait par la baie vitrée Sam Butler s'agita dans l'écrin de velours, ses pupilles s'étrécirent sur leur cible, dardées sur l'instant présent... et Jazz obtint tout un rouleau de photos de l'acteur les plus extraordinairement sensuelles, les plus dangereusement lascives jamais prises par quiconque.

Séance terminée, pensa-t-elle avec inquiétude tandis qu'il entreprenait de déboucler la ceinture de l'imperméable.

— C'est le moment de changer les films, annonça-t-elle en se redressant.

Mais l'Australien avait été plus prompt et la saisit.

— Déjà essayé ce sofa ? demanda-t-il en l'attirant près de lui.

D'un bras, il la retenait, de l'autre, il libérait ses épaules de l'imperméable.

— Vous n'êtes pas professionnel, fit Jazz.

Elle parlait avec hauteur tout en s'efforçant de lui envoyer un coup de pied dans les jambes. Il rit, modifia adroitement la position de ses bras, se débarrassa de l'imperméable et le jeta au sol.

— Je vous avais dit d'enlever vos vêtements, s'exclama Jazz, pas vos sous-vêtements.

— Vous ne m'avez pas demandé si j'en portais.

A présent, ses deux mains entreprenaient de la dévêtir ; le poids de son corps nu et musculeux rendait toute lutte vaine. Jazz, regrettant de n'avoir pas pris de cours de self-défense, cherchait le moyen de lui envoyer un coup qui portât. Elle avait tout fait pour que personne ne l'entendît si elle hurlait. A maline, malin et demi, pensa-t-elle confusément en sentant qu'il faisait sauter l'unique bouton de son sarrau et refermait sa paume sur son sein.

— Arrêtez ! cria-t-elle.

Elle cherchait toujours un endroit où frapper.

— Aucune femme ne m'a jamais dit ça.

— Vous êtes malade !

— Tout juste, acquiesça-t-il en lui fermant la bouche d'un baiser.

Tout à coup, le sofa céda sous les gesticulations batailleuses de Jazz, les envoyant tous deux à terre. Le studio entier eut l'air de tournoyer à donner la nausée, le plancher s'agita avec un fracas déchirant, des portes claquèrent bruyamment, il régnait une cacophonie effrayante comme si de lourds objets s'entrechoquaient avec fracas. Jazz et Sam se retrouvèrent blottis l'un contre l'autre au sol, sans voix, proies de la terreur durant les interminables secondes que dura la secousse.

— Qu'est-ce que c'est que ce bordel ? murmura Sam quand l'immeuble eut cessé de trembler.

Avec l'aplomb d'une vraie Californienne, Jazz fut prestement sur pied, ramassa un morceau de verre brisé et courut à la fenêtre, vêtue de sa seule jupe.

— Je me tire de cet enfer, lui lança Sam Butler.

— Restez où vous êtes ! La rue n'est pas plus sûre. Toutes ces vieilles bâtisses peuvent vous tomber dessus. Assurons-nous d'abord qu'il n'y a pas de raz de marée... c'est toujours possible dans ce coin.

— *Un raz de marée ?* répéta Butler.

Sa voix avait monté de quelques tons.

— Il nous arriverait en plein dessus, rétorqua Jazz avec conviction.

Elle désignait l'océan, Sam ne put la voir esquisser un sourire. Quelques remous agitaient les flots, certes, mais pas de raz de marée en vue. En tout cas, pas pour cette fois. Des loges lui parvinrent les jurons de l'homme qui s'empressait de se rhabiller.

— Si vous avez besoin d'autres photos, on les fera en plein air, hurla-t-il en se ruant vers la sortie.

— Et au milieu d'une foule, lui lança Jazz. Maintenant je sais pourquoi vous avez la réputation d'être irrésistible.

Indigné, il fit volte-face.

— Vous n'avez pas été très gentille avec moi. Pas du tout. Si je n'étais pas un gentleman, je vous dirais d'aller vous faire foutre.

— En tout cas, pas par *vous*, Sam Butler.

Rieuse, Jazz couvrit ses seins de ses bras.

— Et dites, en passant, lancez-moi donc mon chapeau.

## 2

Que feraient-ils sans moi ?

Phoebe Milbank — associée de Flash, agent de Jazz Kilkullen, Mel Botvinick et Pete Di Constanza — se posait cette question coutumière tout en étalant une épaisse couche de *creamcheese* sur un *bagel*, sorte de gros bretzel à l'oignon. Elle se vit sanglée dans l'uniforme amidonné d'une digne nounou britannique à l'ancienne, poussant une immense et rutilante voiture d'enfant bleu marine, la Rolls Royce des landaus d'enfants. Comme elle parvenait au carrefour, avec ses trois enfantins fardeaux nichés au chaud sous un édredon brodé d'initiales, gazouillant et babillant entre eux, elle n'avait qu'à esquisser un geste de la main et le policier la saluait avec respect avant d'interrompre la file impatiente des automobiles jusqu'à ce qu'elle fût parvenue, saine et sauve, et sans se hâter, sur le trottoir opposé.

Dans son esprit aussi aiguisé que critique, et dénué de tout complexe d'infériorité, Phoebe Milbank ne doutait point que, livrés à eux-mêmes, ses photographes fussent morts de faim. Elle était leur guide omniscient dans le monde de la publicité et des magazines où ils avaient à se vendre — monde hurlant, hostile et sauvage, tissé de traîtrises et de complexités. Toute leur puissance créatrice ne serait plus rien si elle les abandonnait, car ils étaient fondamentalement faibles et à jamais incapables de conduire leurs propres affaires, pareils à des enfants dans un immeuble en flammes attendant le pompier qui viendra les sauver. Cette situation était exactement ce qu'elle devait être, et Phoebe avait bien l'intention de la conserver en l'état.

Ces plaisantes pensées l'occupèrent durant la première des dix minutes qu'elle accordait à la réflexion juste avant la réunion mensuelle — qui avait toujours lieu un samedi matin — entre les partenaires de Flash. Cette pré-réunion avec elle-même lui était sacrée. Elle la mettait dans l'état d'esprit requis pour faire face à tous les problèmes qui risquaient d'advenir au cours de la discussion.

Phoebe se leva et parcourut vivement son bureau, modifiant la disposition des chaises à assise basse qui lui permettaient de dominer ses interlocuteurs depuis son haut fauteuil. Elle avait une silhouette minuscule, fine, avec un minois de gamine surmonté d'une chevelure jaune vif arrangée — à grand prix et comme le voulait la dernière mode — en couches successives qui donnaient l'impression d'un savant désordre.

Phoebe était satisfaite d'elle-même. Sa coiffure était idéale. Sa mine guillerette, piquante, qui ne laissait pas soupçonner son esprit rusé, était idéale. Son corps menu s'approchait de l'idéal dont rêvait toute Californienne du xxe siècle. Chacune de ses vertèbres était visible sous son mince chandail, ses os iliaques saillaient dans sa courte jupe en jersey, et quoi qu'elle mangeât, elle ne prenait jamais un gramme. A trente-huit ans, elle se flattait que l'on pût la prendre au premier regard pour une étudiante de l'U.C.L.A.

Phoebe choisit un nouveau bagel dans la pile disposée sur son bureau et l'entrelarda généreusement de fromage à la ciboulette. Dieu merci, songea-t-elle, on n'est pas seulement ce qu'on mange. Non, l'agent d'un photographe se déterminait d'après celui dont il gérait la carrière. Comme un entraîneur de chevaux, son statut était défini par son écurie.

Bien que pleine de son sentiment de supériorité, Phoebe était exempte de toute suffisance déplacée. Elle avait une notion fort précise de sa valeur, comme de celle des autres. Ses protégés formaient le trio le plus en vue de la ville, chacun étant parvenu au sommet de sa profession. Sans elle, aucun n'aurait atteint ce zénith. Certes, elle-même ne se fût pas trouvée à cette place sans eux. Mais là n'était pas la question. Si ce n'avait été Jazz, Mel et Pete, trois autres eussent composé son cheptel.

Phoebe jeta un coup d'œil à sa montre. La réunion commençait dans cinq minutes. Encore le temps de poursuivre l'inventaire, comme elle aimait à le faire chaque mois, pour s'assurer que rien ne lui échappait dans une affaire en pleine croissance et qui évoluait de mois en mois.

Chacun de ses partenaires était un non-conformiste, un démon à la tâche; et chacun — c'était le plus important — avait dépassé depuis longtemps le stade de la valeur sûre.

*Valeur sûre.* Aux yeux de Phoebe, c'était le minimum viable dans le domaine de la photographie contemporaine. Tout photographe avec un portfolio correct pouvait s'en sortir, mais seuls quelques-uns d'entre eux allaient plus loin, évoluant sur des terres inexplorées, loin devant le peloton, sans sombrer dans la bohème ni tromper les attentes du client. Et à se tenir ainsi à la proue, ne finissaient-ils pas toujours par se tourner vers elle, leur agent, pour qu'elle les accueille dans son giron, les rassure lorsqu'ils s'effrayaient? Auraient-ils osé s'exposer aux controverses sans la certitude qu'elle les approuvait?

Ce n'était nullement une question de technique. Deux cents photographes possédaient la technique, deux cents autres avaient du goût; des millions de gens étaient capables de prendre de jolies photos. Mais ses poulains? Chacun avait une patte que reconnaissaient à l'instant tous les commanditaires et directeurs artistiques. Ils étaient à la photo ce que tout peintre réellement original est à la toile.

Cela tenait en deux points, réfléchissait Phoebe : choix du point de vue, et connaissance de la lumière. Il n'existait pas de manière de bien éclairer quoi que ce soit, depuis une bougie d'allumage jusqu'à Michelle Pfeiffer, sans point de vue préalable. Inversement, le point de vue ne servait à rien sans la parfaite maîtrise des possibilités quasi illimitées de la lumière.

Il y avait une troisième chose que Phoebe ne savait exactement nommer, pas plus que ses protégés. C'était cette qualité — que certains appelaient, platement, *originalité* mais qu'elle préférait définir comme l'*immodération* — qui faisait de Jazz, Mel et Pete les meilleurs. Les photographes simplement bons, capables et efficaces, étaient trop nombreux aujourd'hui. A moins qu'un photographe ne veuille — non, il ne s'agissait pas seulement de vouloir —, à moins qu'un photographe n'ait un besoin absolu et éperdu de *dépasser* les limites connues de la photographie, à chaque fois, jamais il ne pourrait prétendre aux honoraires les plus élevés. Mel, Pete et Jazz se connaissaient des égaux mais personne ne leur était supérieur, pensait Phoebe, s'efforçant à l'équité. La petite dizaine de photographes qui les valaient était aux mains d'agents aussi talentueux qu'elle-même — cela allait sans dire —, et il n'en existait pas plus de trois en Californie.

Un agent aurait jugé impossible de dénicher de tels photographes à Los Angeles quinze ans auparavant, songeait Phoebe, heureuse mais non surprise d'être née au bon moment et au bon endroit.

Autrefois, la grosse majorité des photographes de haut niveau vivaient et travaillaient à New York. Mais la situation avait rapidement changé, en particulier dans les domaines alimentaire, automobile, ainsi que pour les portraits de célébrités. Aujourd'hui, les plus grands se trouvaient à Los Angeles. Phoebe avait participé au mouvement depuis son début.

Douze ans plus tôt, alors qu'elle venait d'avoir vingt-six ans, elle avait travaillé comme assistante pour Evan Jones, un portraitiste qui gagnait décemment sa vie en prenant de flatteuses photographies de femmes riches qui les offraient à leurs époux pour Noël.

Le vrai génie d'Evan tenait dans la retouche. Jamais il ne montrait les cruelles planches contact à ses clientes. Il effectuait d'abord sa propre sélection, jetant tout au panier à l'exception des meilleures prises. Puis il se livrait à un travail au pinceau discret. Ce n'était qu'après que le sujet ainsi flatté avait fait son choix sur la bande-témoin qu'Evan se livrait à son véritable labeur au moyen de minuscules pinceaux qui lui permettaient d'ajouter ou de retrancher : cils plus longs, veines des mains effacées, pupilles plus brillantes, narines plus fines, lèvres plus pleines, mentons moins saillants, cous parfaits.

Bien qu'intelligent et aimable, Evan n'avait pas la bosse des affaires. Ses comptes n'étaient ni faits ni à faire. Pire, il n'avait pas la moindre idée du juste prix de son travail. Un jour Phoebe, qui avait vite compris qu'elle n'avait ni le talent ni la patience de devenir un photographe hors pair, avait tout simplement fait main basse sur le bureau d'Evan et entrepris de diriger ses affaires.

Le premier jour, elle trouva pour assurer sa relève une assistante autrement meilleure qu'elle. Puis elle prit la liste des clientes de son patron et les appela une à une afin de leur rappeler que leur dernier portrait commençait à dater. Elle doubla les tarifs sans consulter Evan, sachant que les clientes en concluraient que son talent commençait à être reconnu. La sœur de Phoebe, responsable administrative chez l'un des plus grands chirurgiens esthétiques d'Hollywood et membre influent de la mafia des attachés de direction, fournit une liste régulièrement mise à jour des femmes ayant besoin de nouvelles photographies afin de remplacer celles de leur ancien visage.

En l'espace de six mois, la liste d'attente chez Evan s'était considérablement allongée et Phoebe avait triplé ses tarifs, gardant vingt-cinq pour cent en rétribution de ses services, le taux normal.

Désormais, elle était prête à pousser Evan dans l'industrie cinématographique. Elle lui constitua un dossier de ses meilleurs portraits et en envoya un exemplaire à tous les publicitaires, imprésarios, maquilleurs et coiffeurs de Hollywood. Elle quadrupla les tarifs.

Les comédiennes d'un certain âge — âge qui commençait de plus en plus tôt — commencèrent à s'intéresser aux portraits d'Evan. En moins d'un an, il devint le photographe le plus couru de cette inépuisable catégorie : les femmes de plus de vingt et un ans. Ses photos illustrèrent des articles de magazines, on les vit aussi en couverture, à la demande de ses modèles. Maintes femmes n'avaient jamais paru si belles et, très vite, des comédiens rejoignirent leurs rangs. Phoebe s'acheta une Mercedes 560 deux portes, jaune vif pour aller avec ses cheveux.

Une fois Evan solidement installé, Phoebe perdit tout intérêt pour lui. Il ne pouvait aller plus loin, elle ne pouvait gagner plus d'argent en gérant ses affaires. Il n'avait aucun désir de changer, or seuls le nouveau et l'innovation intéressaient Phoebe. En 1980, elle lui trouvait un autre agent, ouvrait sa propre agence, et se lançait dans une étude approfondie des annonces publicitaires dans les magazines américains.

L'on faisait surtout de la publicité pour les produits alimentaires, plus que pour toute autre catégorie, cosmétiques compris. Ensuite venaient les voitures. Phoebe devint une experte des mérites comparés des photographes œuvrant dans ces deux domaines et finit par élire Mel Botvinick et Pete Di Constanza comme éventuels poulains.

Elle leur mit prestement la main dessus, se réservant un pourcentage d'un tiers sur leurs honoraires. Plus elle en faisait pour eux, plus ils avaient besoin d'elle. Plus elle tendait la main, plus avidement ils s'y cramponnaient. Sans sa gestion prudente de leur carrière, jamais ils n'auraient osé demander les tarifs qu'ils exigeaient aujourd'hui. Dès qu'ils convoitaient un contrat intéressant, ils devenaient anxieux, survoltés, certains que quelqu'un d'autre le leur soufflerait. A ce moment crucial, ils étaient prêts à baisser leurs prix.

21

Pas de risque tant qu'elle veillait, se dit Phoebe en souriant. Elle maintenait les tarifs contre vents et marées, refusant toutes les offres à la baisse quand bien même cela signifiait une journée de chômage pour ses protégés. Depuis qu'elle les avait pris en charge, leurs appointements avaient crû régulièrement, aussi demandaient-ils à présent le maximum de ce qui se pratiquait dans le métier. Pete gagnait plus d'un million de dollars par an, Mel presque autant.

Parce qu'elle illustrait si souvent l'édito des magazines, signant la photo de son nom, Jazz Kilkullen était la seule des trois à être célèbre. Elle gagnait environ quatre cent mille dollars dans l'année, car la presse payait nettement moins que la pub. Son potentiel n'en était pas moins inestimable, en particulier dans le domaine des produits de beauté. Si seulement il avait existé deux Jazz : l'une qui aurait tranquillement photographié les mannequins pour les plus gros annonceurs de cosmétiques, l'autre qui aurait travaillé à sa guise pour les magazines de mode et les célébrités. Malheureusement, il n'y avait qu'une Jazz, et celle-ci insistait pour travailler dans la presse parce qu'elle aimait la liberté.

Sur d'autres plans également, Jazz différait de Mel, qui n'acceptait en presse que les contrats approuvés par Phoebe, et de Pete, qui se vouait à la pub. Jazz avait tendance à être ce qui offensait le plus Phoebe : indépendante.

Oui, une maudite tendance, certainement due à ses antécédents, reconnut Phoebe avec un désagrément familier. Le père de Jazz, Mike Kilkullen, possédait le dernier grand ranch d'élevage entre Los Angeles et San Diego, trente mille hectares demeurés vierges, intacts, un empire familial inchangé depuis la répartition des terres au temps de la colonisation espagnole. Jazz était une Californienne de la huitième génération, avec dans ses veines le sang des *rancheros* espagnols, doublé de sang irlandais et suédois. Elle avait toujours été difficile à contrôler. Phoebe ruminait, avalant gloutonnement son bagel. Son métier ressemblait à celui d'un dompteur de lions — savant dosage de gentillesse, de ferme autorité, et d'audace. *Mais il y avait, par-dessus tout*, le contrôle.

**
*

Les trois photographes s'éparpillèrent dans le bureau de Phoebe, irrités comme à l'ordinaire de cette annexion de leur samedi matin.

— Et ce tremblement de terre ? demanda Mel Botvinick à la cantonade. Quand c'est arrivé, je venais de terminer une mise en place pour une double page sur les soufflés Bon Appétit. On a dû rester jusqu'à minuit pour en venir à bout. Tu parles d'une coïncidence !

— Ce n'est rien, rétorqua Pete Di Constanza. Moi j'étais perché sur une échelle pour avoir une plongée sur la nouvelle Ferrari quand tout s'est mis à remuer. Sans mes réflexes, je me retrouvais à l'hôpital avec une patte cassée. Remarquez, ç'aurait pu être pire — la voiture aurait pu être endommagée. Et toi, Jazz ?

— A dire vrai, et tout bien considéré, répondit la jeune femme, le séisme s'est produit avec beaucoup d'à-propos. Je ne faisais rien de particulier.

— Oh, écoutez-moi ces bébés, intervint Phoebe d'un ton maussade. Qu'est-ce qu'un petit tremblement de terre? Tout juste si on l'a remarqué à Beverly Hills.

— Tu faisais des courses? s'enquit Pete.

— J'étais chez mon coiffeur, comme d'habitude. Tu sais que mes vendredis après-midi sont sacrés.

— Exact. Comme mes lundis et mes jeudis avec mon psy. Je n'arrive pas à m'y faire, se plaignit Pete Di Constanza, ce branleur met un point d'honneur à conduire une vieille et affreuse Volvo détraquée, comme si c'était un signe de vertu. Alors quand je lui raconte que je viens de décrocher le nouveau budget anniversaire de la Countach, devinez sa réponse! « Je croyais que vous ne faisiez que les voitures. » Ce crétin ne sait même pas ce que c'est qu'une Countach! Lamborghini l'a sortie en 1971, cela fait dix-neuf ans, elle reste la voiture de sport la plus puissante sur route, et il ne *s'en rend pas compte*.

— Comment connais-tu la caisse de ton psy? questionna Mel Botvinick.

— Je le lui ai demandé.

— Et il te l'a dit? fit Mel, troublé.

Son psy à lui ne répondait jamais aux questions personnelles.

— Oui, il ne fait pas dans les foutaises freudiennes. Si tu lui poses une question banale, acceptable, tu as droit à une réponse.

— D'où tiens-tu qu'il prend la Volvo pour un signe de vertu? interrogea Jazz avec un rire affectueux.

Venu de Fort Lee dans le New Jersey, habillé comme un garde-chasse, Pete avait un physique de surveillant de plage dans un porno soft, et il éclairait les pièces de métal comme un dieu. C'était l'un des meilleurs garçons du monde.

— Je l'ai déduit, fit-il dignement.

— Voilà pourquoi mon psy ne répond pas aux questions, reprit Mel d'un air supérieur. Il ne veut pas que je déduise quoi que ce soit, mais que je projette.

— Il est aussi du genre à te dire de ne pas noter tes rêves par écrit, objecta Pete. Comment veut-il que tu t'en souviennes si tu ne les mets pas par écrit?

— Je peux le faire s'ils sont importants.

— Dites, les enfants, les interrompit Phoebe, si vous gardiez cette passionnante conversation pour plus tard?

Pete s'abîma dans le silence. Il n'aurait pas perdu son temps à cette réunion si Phoebe ne l'avait pas persuadé d'investir dans le studio. Pour sûr, c'était le meilleur investissement qu'il eût fait de sa vie, en fait cela représentait le seul argent qu'il ait réussi à garder, mais être propriétaire ne cadrait pas avec son style, même s'il ne s'agissait que d'un quart d'immeuble.

Depuis que Phoebe avait eu l'idée d'acheter et de reconvertir l'ancienne banque, elle les conviait tous trois à discuter des affaires courantes de Flash, selon le principe que les trois photographes n'auraient pu s'en sortir sans sa médiation mensuelle. Mais de grâce ! En ce qui le concernait, Phoebe n'avait dans la vie qu'une seule fonction clairement définie, et qui était de le libérer des détails insignifiants afin qu'il puisse se livrer à des acrobaties périlleuses pour obtenir les meilleurs clichés.

Il ne s'agissait pas seulement de photographier un produit. N'importe quel minable de Detroit pouvait prendre une photo de voiture, et beaucoup de minables ne s'en privaient pas, avec débauche d'artifices, fumigènes, pétards et effets de miroir qui faisaient ressembler la caisse à un élément de décor pour show à Las Vegas. Mais s'il fallait une photo qui ait saisi l'*essence* existentielle de la voiture ? Un cliché qui sache transmettre l'incroyable expérience *émotionnelle* de conduire à trois cents à l'heure tout en obtenant ce cliché avec un véhicule immobile dans un studio ? Une photo super romantique, une photo super poétique, une photo qui transformait la bagnole en une putain d'icône ? Il suffisait d'appeler Pete Di Constanza.

Quand il aurait consacré quelques semaines à expérimenter ses nouvelles idées de lumières, la dernière version de la classique Countach aurait l'air de sortir en flottant d'un vaisseau spatial, tout éclairée de l'intérieur, à vous faire trembler d'envie de prendre le volant. S'il pouvait obtenir le prototype en studio, il n'y aurait pas de limite à ce qu'il pouvait faire, mais la dernière Countach était sans doute trop précieuse pour se risquer à l'extérieur.

— Compte rendu de la dernière réunion... commença Phoebe d'un ton officiel.

— Lu et approuvé, l'interrompit promptement Mel Botvinick.

— Affaire suivante, hurlèrent de concert Pete et Jazz.

Qu'avait donc Phoebe ? se demanda Mel. Se croyait-elle à la tête de l'une des cinq cents plus grosses fortunes ? A ce propos, avec le tiers qu'elle prélevait sur leurs honoraires à tous trois, elle gagnait plus d'argent que la plupart des grands patrons n'en pouvaient espérer. Elle ne risquait pas de le gaspiller en leur offrant des rafraîchissements, nota-t-il, remarquant avec désapprobation le chiche plateau de bagels, la boîte de *creamcheese* à moitié vide et le pichet de thé glacé qu'elle affirmait avoir fait infuser mais que lui savait être du Lemtea pré-sucré directement sorti de la boîte, et pour lequel elle s'imposait le sacrifice d'un citron coupé en quatre et de quelques glaçons. Elle se fichait éperdument de la nourriture. Mel haussa les épaules tout en regardant la taille fine de Phoebe et ses délicats poignets. Elle aurait pu décider de prendre quelques kilos jusqu'au point d'attirer un homme sensé, mais non, elle préférait cette minceur douloureuse.

Au demeurant, pourquoi râler ? Phoebe valait l'argent qu'elle lui prenait. Il frémit à la pensée d'avoir à démarcher lui-même une commande, d'être contraint de s'aventurer sans protection dans l'univers impitoyable des huiles de tournesol et des pizzas surgelées. Phoebe n'avait cure de l'horrible humiliation qui consistait à prospecter les clients et à proposer Mel Botvinick pour un boulot dont il n'aurait, sinon, jamais entendu parler.

Elle était douée d'un sixième sens qui la prévenait de l'instant précis où un annonceur cherchait une nouvelle approche pour vanter les céréales du petit déjeuner, et jamais elle ne lui imposait plus de deux contrats de fast-food par mois. Nul artiste ne pouvait se soumettre de lui-même au harcèlement que lui épargnait la protection d'un agent, et rester en état de suivre sa vocation, pour appeler les choses par leur nom. Car la photographie alimentaire était une vocation, rien de moins, comme le ballet ou la chirurgie du cerveau, différente uniquement dans les détails.

— Quelqu'un est-il sur une nouvelle affaire ? s'enquit Phoebe.

Pete se vautra sur son siège, s'efforçant ridiculement de paraître encombré de ses longues jambes bottées de cuir gauchement étendues devant lui. Mel était assis comme à son habitude, aussi vertical que le lui permettait le mou dossier toilé de sa chaise, ses mains délicates proprement jointes sur son ventre dodu, avec sa chemise infroissable d'un gris lumineux, ses jambes pantalonnées de noir soigneusement croisées l'une sur l'autre. Il s'habillait comme un moine défroqué, pensa Phoebe, sans compter qu'il en avait la mine, avec ses cheveux subtilement drus et ses traits affables dans un visage en forme d'œuf.

— Non, firent-ils en chœur.

— Moi si, annonça Phoebe avec entrain. J'ai appris que la *Purple Tostada Grande* pensait à vendre ses locaux.

Des lamentations se firent entendre.

Ceux qui œuvrent dans un studio photo sont totalement dépendants des plats à emporter. Jazz, Mel et Pete avaient chacun une demi-douzaine de traiteurs et de gargotes dans le coin où ils commandaient de quoi assurer la subsistance de leur équipe. La *Purple Tostada Grande*, restaurant mexicain bon marché doté d'un grand patio qui ouvrait directement sur la plage, était leur établissement préféré. Les clients qui en franchissaient le seuil avaient l'eau à la bouche en pensant aux *quesadillas* farcies, ces tortillas de maïs grillé fourrées de chile, oignons, crème, tomates et fromage ; ou encore au *burrito combo* avec haricots et bœuf, sans mentionner les célèbres crevettes servies avec une purée d'avocat.

— Comment peuvent-ils nous faire ce coup-là ? gémit Jazz.

— C'est un scandale, s'enflamma Pete. J'attends des clients du Japon et d'Allemagne qui rêvent déjà de leur déjeuner à la *Tostada*. Je vais perdre la face.

— Si nous n'avons plus la *Tostada*, s'inquiéta Mel, mes clients risquent de se jeter sur mes natures mortes ! Comme si je n'avais pas assez de souci avec ceux qui veulent « juste goûter » et qui s'avalent le premier plan de la photo !

— C'est une occasion, affirma Phoebe. Pourquoi ne pas l'acheter ? Ainsi nous continuerions à faire tourner le restaurant et peut-être en tirerions-nous un peu d'argent.

— Pas question, fit promptement Pete. C'est déjà assez de posséder un morceau d'immeuble. Un resto, surtout pas.

— Jazz ? questionna Phoebe.

— Je passe. Je n'ai pas l'esprit à investir en ce moment.

— Mel ?

— Tu blagues ? Je photographie de la nourriture toute la journée. J'ai dans mon studio la cuisine la mieux équipée du monde. Aucune envie de me lancer dans le business, conclut-il d'un air offensé.

— Alors vous ne voyez pas d'inconvénient à ce que je l'achète en mon nom personnel ? interrogea Phoebe.

— Génial !

— Formidable !

— Bravo, Phoebe, applaudit Jazz. Nous voilà sauvés par notre agent.

— Merci, mes amis. Je mentionnerai votre approbation dans le compte rendu.

Phoebe semblait de bonne humeur. Comme elle s'y était attendue, aucun d'eux ne possédait assez de bon sens pour comprendre que la valeur de la moindre parcelle de Venice grimpait en flèche. En particulier sur le bord de mer. Si elle achetait aujourd'hui, la propriété doublerait en un an sans qu'elle ait besoin de faire quoi que ce soit.

Mais il y avait encore mieux. La *Tostada*, avec son grand patio, était un lieu idéal pour ouvrir un restaurant tout à fait nouveau, un restaurant à thème, quelque chose de franchement différent. Et d'affreusement cher. Avec portier et tout, évidemment, et un jeune chef vedette qui se serait déjà fait une solide réputation quelque part au cœur de l'Amérique, à Chicago par exemple, un chef qui saurait que son ascension passait par Los Angeles. Une kyrielle de gros bonnets mettraient de l'argent dans le projet ; chacun dans cette ville avait envie d'investir dans un nouveau restaurant.

— Autre chose ? gazouilla Phoebe.

— Heu... commença Mel.

Puis il se tut.

— Oui, Mel ? As-tu encore l'intention d'améliorer la climatisation de ton studio ? demanda Phoebe d'une voix soupçonneuse. Si c'est le cas, je te préviens qu'il nous faudra changer toute l'installation électrique. Et nous avons déjà assez de jus pour fonder un hôpital.

— Je... heu... vais me marier.

Il rougit violemment.

Il se fit un silence momentané de totale stupeur. Entièrement voué à son travail, Mel avait toujours gardé autour de sa vie privée un tel secret que tous avaient fini par conclure qu'il n'en avait aucune. Comment était-il possible qu'il se marie alors que le téléphone arabe du studio n'en avait soufflé mot ?

— Qui ? interrogea Phoebe, non sans inquiétude.

Elle aurait aimé qu'il lui en parle avant de prendre une si grave décision.

— Qui ? demanda Jazz aux anges.

— Qui ? voulut savoir Pete.

Mel aurait quand même pu se confier à lui en premier.

— Sharon. Vous connaissez tous Sharon.

A présent que la nouvelle était lâchée, Mel rayonnait.

— Sharon... susurra Jazz. J'aurais dû m'en douter. Qui d'autre serait assez bien pour toi ?

Elle se leva pour venir l'embrasser. Elle débordait de tendresse pour Mel ; son premier job dans la photo avait été avec lui.

— Sharon, quelle excellente idée ! s'exclama Phoebe.

*Elle* lui aurait *dit* d'épouser Sharon, la meilleure styliste spécialisée dans l'alimentation de la place. Désormais Sharon connaîtrait le planning du photographe et se rendrait toujours disponible. Parfois — pas toujours mais parfois — Mel s'avérait plus intelligent qu'elle ne le croyait.

— Sharon ! s'émerveilla Pete. La dernière fois que tu as eu besoin d'elle pour la couverture de Noël de *Bon Appétit*, elle était prise. Je me souviens encore de la crise que tu as piquée. Tu as décidé de lui pardonner ?

— C'est un peu à cause de cette histoire, expliqua Mel. J'étais trop furieux qu'elle n'ait pas tout laissé tomber pour cette couverture. Je me suis dit, regardons les choses en face, elle n'est pas la seule styliste dans le métier. J'avais eu une réaction disproportionnée. Alors j'en ai parlé, reparlé à mon psy, je n'y comprenais rien. D'habitude je suis beaucoup plus pondéré ; c'est la règle quand on photographie de la bouffe, il faut une patience d'ange. Bref, j'ai finalement admis que... heu... que j'éprouvais plus qu'un attachement professionnel pour elle.

— Qu'en pense ton psy ? s'inquiéta Pete.

— Je m'en fous, fit calmement Mel. Je ne lui ai même pas dit. De toute façon, je crois qu'il n'en dira rien.

— Le mien serait tout perturbé, affirma Pete. Il demanderait peut-être même à voir sa photo.

— C'est une fille fantastique, fit Jazz. Je comprends maintenant une discussion que nous avons eue récemment. Je lui disais que Mel Gibson et Mel Brooks avaient le même prénom mais que ce nom sonnait de façon complètement différente quand on pensait à eux, parce qu'on évoquait toute la personne, pas seulement « Mel », et Sharon m'avait répondu qu'elle trouvait que Botvinick allait mieux avec Mel qu'aucun des deux autres noms. Sur le coup, j'ai pensé que c'était juste un penchant pour l'exotisme.

— Il faudrait faire un pot pour fêter cela, remarqua Phoebe s'alignant sur l'humeur générale, mais je n'ai que du thé glacé.

— Tu te souviens quand le thé glacé a remplacé le Perrier comme carburant à Hollywood ? rappela Mel qui frémissait tout entier de bonheur.

— Et quand le Perrier avait supplanté le vin blanc ? intervint Pete.

— Vin blanc qui avait lui-même succédé au martini ? renchérit Jazz d'une voix rêveuse.

Son père continuait à boire du martini.

Il se fit un silence tandis que tous se souvenaient du martini, breuvage tombé de désuétude en oubli. Peut-être un jour reviendrait-il. A New York il n'avait jamais disparu, mais ces pauvres âmes de la côte Est se fichaient de ce que leurs organismes ingurgitaient. Phoebe rappela son monde à l'ordre.

— Si personne n'a d'autre nouvelle, bonne ou mauvaise, j'ai un dernier point à vous soumettre. J'ai plus de place qu'il ne m'en faut dans mon bureau. C'est du gaspillage ; or, il se trouve qu'un photographe aimerait en louer une partie. Il est reporter, ne travaille qu'en extérieur, mais il aurait besoin d'un bureau et d'une secrétaire. Je suppose que vous n'y voyez pas d'objection. Entre parenthèses, je vais devenir son agent.

— Son agent ? s'exclamèrent trois voix.

Trois corps se levèrent ensemble de leurs sièges. Trois photographes encerclèrent son bureau et dardèrent sur elle un regard étincelant de fureur jalouse.

— On se calme, les enfants. Inutile d'en faire une maladie, enjoignit Phoebe avec un secret sentiment de gratification.

Elle leva une main fine dans un geste d'autorité qui aurait dû les apaiser ; il n'en fut rien. C'était bien ce qu'elle avait pensé. Ses grands marmots faisaient bloc face à l'éventuel rival. Elle avait prévu leur réaction. Que *feraient-ils* sans elle s'ils réagissaient de la sorte face à la menace de se voir dérober une once de son attention ?

— Quoi, « pas une maladie » ? s'exclama Mel, plus possessif qu'il ne l'avait jamais été avec Sharon. Que veux-tu lui donner au juste ?

— Tu es déjà surchargée de travail avec nous trois ! s'écria Pete. Tu as trop à faire ! Il nous restera la portion congrue.

— Ce n'est pas juste, Phoebe, l'accusa Jazz. Et tu le sais.

— Je ne vous ai pas dit de qui il s'agissait, rétorqua calmement Phoebe. C'est Tony Gabriel.

Elle promena sur eux un regard candide doublé d'un sourire aimant. Ils étaient si délicieusement prévisibles.

— Gabe... mais... il est en Europe, non ? Ou au Moyen-Orient ? fit Pete, soudain tout excité.

— Tony Gabriel ? Comment connais-tu Tony Gabriel ? interrogea Mel, sa colère faisant place au respect.

— Je connais tout le monde, répondit Phoebe avec suffisance. Gabe est resté basé à Paris ces cinq dernières années mais il revient. Il veut s'ancrer à Los Angeles. Évidemment, la plupart du temps il sera parti, mais vous comprenez bien pourquoi je ne l'ai pas envoyé promener.

— Whaou ! s'exclama Pete. Gabe, *ici*. Génial. Sensationnel ! Vivement qu'il arrive !

— J'ai toujours voulu le rencontrer, renchérit Mel. Merde Tony Gabriel ! Je fonds d'admiration devant ce type.

— Alors, affaire conclue, déclara Phoebe en se levant tandis que Mel et Pete se dirigeaient déjà vers la sortie. La réunion de ce mois-ci est terminée.

— Un instant, fit Jazz. Non, la réunion n'est pas finie.

Sa voix vibrait de rage.

— Pas question, Phoebe, que tu nous fasses ce coup-là, et tu ne me forceras pas à accepter que Gabriel passe la porte de Flash.

— Qu'est-ce qui te prend ? lâcha Phoebe, sincèrement étonnée.

Mel et Pete gardaient le silence, stupéfaits de la métamorphose de Jazz en furie. Quelle mouche l'avait piquée ? Gabe était un héros authentique, l'un des grands, aux yeux de tous dans le métier.

— Il ne me prend rien du tout. Je suis la seule ici à avoir un peu de bon sens. Tony Gabriel ne nous apportera que des ennuis. C'est un exploiteur, un profiteur, un arnaqueur... c'est un psychopathe qui n'a encore assassiné personne.

— Jazz, tu es complètement dingue ! bredouilla Phoebe.

— Je me fous de ton opinion d'ignorante, Phoebe. Quand on a acheté cet immeuble ensemble, nous avons décidé que si l'un d'entre nous s'opposait catégoriquement à la venue d'un autre photographe, il aurait droit de veto. Eh bien, je m'y oppose. Irrévocablement. Tu ne peux pas, je répète, *tu ne peux pas* louer ou prêter le moindre centimètre carré à Gabriel. Qu'il mette un pied dans Flash et il foutra tout en l'air. Je ne peux t'empêcher de devenir son agent, c'est ton problème, mais si tu le fais, moi je prends quelqu'un d'autre pour gérer mes affaires. En un coup de fil, ce sera réglé. Je pèse mes mots, Phoebe. Ne fais pas l'erreur de croire que je bluffe.

— Mais, Jazz, qu'est-ce que... ?

— Je n'ai pas à te fournir d'explication, ni à toi ni à personne. Tu fais ton choix.

Jazz tourna les talons et quitta le bureau en claquant violemment la porte.

Tremblante de rage, elle s'élança dans l'escalier qui menait à son studio. Au commencement, le Diable avait créé l'agent...

*<br>**

Naturellement, il est en retard, pensa Phoebe Milbank avec une patience peu habituelle chez elle, tandis qu'elle attendait Tony Gabriel pour déjeuner au *72, Market Street*. Elle fréquentait ce restaurant une dizaine de fois par semaine. Tous ses repas étaient professionnels et il était impératif d'avoir un établissement de choix où l'on dresserait toujours pour elle une table à la dernière minute, à proximité de son bureau, où l'on ne lui présentait jamais la note mais où son compte dûment détaillé — pourboires compris — était envoyé chaque semaine à son bureau pour figurer sur ses notes de frais. Au *Market Street* elle pouvait appeler cinq minutes avant de venir, avec la certitude que, quelle que soit la presse, la direction se débrouillerait pour caser les douze Japonais, directeurs commerciaux dans l'industrie automobile, qu'elle venait à l'improviste d'inviter à dîner.

Elle commanda un autre thé glacé et s'installa pour attendre Gabe. Elle aurait pu arriver une demi-heure plus tard et être encore en avance mais elle avait besoin de quelques instants de réflexion solitaire afin de s'interroger sur l'étrange sortie de Jazz ce matin.

D'évidence, il s'agissait d'un problème personnel et elle saurait tout à l'heure la vérité par Gabe. Mais son choix était fait. Elle n'avait nullement l'intention de perdre Jazz. Reporter, Gabe n'arriverait jamais à gagner assez d'argent pour remplacer le substantiel pourcentage qu'elle tirait des gains de la portraitiste, d'autant que celle-ci semblait promise à un brillant avenir.

Un reporter-photographe était l'archétype de la pierre qui roule, prêt à s'envoler, sur un simple appel téléphonique, vers n'importe quel coin du monde où se déroulait l'actualité. Parfois il avait la chance de prendre *la* photo qui paraîtrait dans la plupart des journaux et magazines de la planète et qui deviendrait un classique. Cela signifiait la fortune pour le photographe comme pour son agent, mais c'était un coup de pot. Même pour quelqu'un d'aussi connu que Gabe.

Il devait avoir quarante ans maintenant, songeait Phoebe. C'était encore un gosse, dix-neuf ans plus tôt, quand il avait commencé à couvrir la guerre du Viêt-nam. Vingt et un ans, tout frais émoulu de l'école de photographes, et pourtant en deux ans il avait signé de son nom la plupart des meilleurs clichés sur le Viêt-nam. Après cela, sa réputation établie, il avait couru le monde : Iran, Pologne, Israël, Nicaragua... Phoebe était épuisée rien que d'y penser, mais c'était la spécificité de cette race d'hommes. Ils n'étaient heureux que dans l'action.

Gabe avait le don étrange de se trouver, l'appareil prêt, à l'endroit précis où se produirait l'inattendu : l'explosion de *Challenger*, le suicide collectif de Jonestown, la chute de Saigon. Il n'existait pas de lieu où il ne pût se débrouiller, pas d'avion dont il ne pût sauter en parachute, pas de reportage trop dur pour lui. Et il possédait le don essentiel d'être invisible, cette qualité mystérieuse qui fait les plus grands reporters photos, de s'approcher à quelques centimètres de la cible et de mitrailler sans que le sujet soit conscient de la présence de l'objectif. Gabe n'avait jamais rien couvert d'aussi anodin que la Maison-Blanche, mais il était comme ce légendaire photographe italien qui était parvenu, peu à peu, à devenir l'invisible septième homme parmi les six photographes officiels de la Maison-Blanche, et qui était le seul à n'être pas tenu de partager ses clichés avec des centaines d'autres reporters.

— Ma Phoebe, vite un baiser.

Tony Gabriel venait d'apparaître à côté d'elle, sur la banquette ; pourtant, elle l'aurait juré, elle n'avait pas quitté des yeux la porte d'entrée du restaurant.

Deux fois il l'embrassa sur les lèvres, avec une tendre attention, puis il la tint à bout de bras pour l'observer.

— Plus jeune qu'un printemps, la petite garce. Tu m'invites dans ton alcôve, ce soir ?

— Gabe, franchement !

Phoebe s'entendit pouffer comme une collégienne. Elle aurait rougi si elle en avait été capable.

Tony Gabriel n'avait pas changé depuis leur dernière rencontre qui remontait à au moins deux ans. Toujours le même baroudeur ébouriffé et nonchalant, toujours trop mince, la peau basanée, les poches gonflées de Dieu seul savait quoi — son passeport, sans doute —, les cheveux noirs pleins d'épis, les yeux bruns victorieux, et ces deux profonds sillons verticaux sur ses joues, de part et d'autre de ses lèvres, qui avaient rendu dingues une centaine de femmes. Deux cents. Mais cela ne suffisait pas à faire de lui un psychopathe.

— Qu'est-ce que tu as dans ton verre ? demanda-t-il.

— Du thé glacé.

— Tu es malade, ma pauvre belle et pitoyable enfant. Je vais te mettre au lit avec un remède de ma façon et tu te sentiras tout de suite mieux. Parfaitement bien, promis. Fais-moi confiance, comme on dit. Garçon, apportez-moi un scotch, sec, double, n'importe quelle marque. Que mange-t-on de bon ici, Phoebe ? Je suis affamé.

— La plupart des clients commandent la terrine de viande hachée qui a fait la réputation de la maison.

— Ah, Hollywood ! Les mères de la plupart des gens qui vivent ici leur servaient ce plat parce qu'elles étaient pauvres, ils ont quitté la maison parce qu'ils en avaient marre du sempiternel hachis, ils ont gagné des millions de dollars à essayer d'oublier la viande hachée, et voilà qu'ils y reviennent. Je prendrai un steak. Énorme, et saignant. Bon, comment tournent nos affaires ? Marché conclu ?

— Pas du tout. Qu'as-tu fait exactement à Jazz Kilkullen ? Elle n'a pas une très haute opinion de toi, mon petit sucre. En fait, elle s'oppose carrément à ce que je sois ton agent, ou même à ce que je te loue une partie de nos locaux.

— Jazz ? Depuis quand es-tu à ses ordres ?

— Il ne s'agit pas de cela, protesta Phoebe, piquée par les mots qu'il avait employés. C'était un accord de principe entre nous quand nous nous sommes associés.

— La location, je comprends encore. Mais que tu t'occupes de mes affaires...

— Elle a convaincu les autres que je n'aurais pas assez de temps pour eux si je te représentais. Raconte-moi ce qui s'est passé entre Jazz et toi.

— Franchement, si je le savais, je te le dirais. Jazz a été une de mes groupies. Tu sais ce que c'est... je ne fais rien pour les encourager, mais qu'est-ce que j'y peux si elles décident de me prendre pour ce que je ne suis pas ?

— Tu es connu pour baiser tes groupies, Gabe, fit gentiment observer Phoebe.

— Je n'ai pas prétendu le contraire. C'est la raison pour laquelle Dieu les a inventées. Mais, Phoebe, à quoi servent les amis ? Les amis comme toi et moi ? Tu t'es battue pour ma cause ?

— Comme une furie. Mais cela n'a rien changé. Je suis réellement désolée, Gabe. Tu feras bien d'essayer une grosse agence. Ils te sauteront dessus.

— Je ne veux pas d'une grosse agence. J'ai eu Gama, j'ai eu Sygma, j'ai fait partie des meilleures, et maintenant je veux autre chose. J'ai envie de faire des reportages juteux où on touche un paquet de fric, et je veux que ce soit toi qui me les décroches. Je veux *Smithsonian*, je veux le *National Geographic*, je veux *Diversions*, et toutes ces revues de voyages sur papier glacé qu'on chipe dans les salles d'attente des médecins, ces magazines qui t'expédient dans un palace grand luxe en te versant de l'or.

— Mon Dieu, Gabe, tu as perdu la foi.

Phoebe était atterrée. Pendant des années, elle l'avait entendu tempêter contre la dépravation que représentaient pour lui ces reportages plus que rentables.

— Tout juste. Tu tiens le bon bout. J'ai toujours dit que t'étais finaude. J'ai fini par percuter le mur. Dix-neuf ans à risquer mon cul, et maintenant je trouve toujours une équipe de cameramen télé qui m'a devancé sur les lieux. Il n'y a plus de boulot pour un type comme moi, Phoebe. L'événement arrive au journal télévisé avant que j'aie eu le temps d'expédier mes films aux rédactions. Personne ne veut plus de photographies de l'actualité. Je suis un dinosaure mais je suis assez futé pour m'en rendre compte. Alors retourne voir Jazz, mets les choses au point, puis tu m'enverras photographier la saison des amours chez les pandas, les joies de la pêche sous-marine, les coulisses de Wimbledon et « un jour dans la vie d'une duchesse ».

— Je ne peux pas, Gabe.

— Elle est si bonne que ça ?

— Oui.

— Remarque, elle a de quoi. Je lui ai appris tout ce qu'elle sait. Allez, t'inquiète et mange ton pâté, je m'occupe de tout.

— Comment ?

— Jazz est un problème de nature femelle. Et j'ai toujours su résoudre ce genre de problème. Laisse-moi faire. Ce steak n'est pas mal. Et ton hachis ?

— Comme le faisait Maman.

# 3

Jazz roulait plein sud, en direction du ranch Kilkullen. Après avoir doublé un camion, elle rétrograda et adopta une vitesse de croisière. Elle n'était pas mécontente du travail accompli pour *Vanity Fair*.

Le second jour des prises de vue, elle avait permis à Sam Butler, de maintes façons aussi discrètes que subtiles, de croire qu'il dominait la situation. Elle s'était pour l'occasion vêtue très comme il faut, d'un petit ensemble Ralph Lauren propret-coquet composé d'une longue jupe plissée en flanelle blanche et d'une blouse victorienne, blanche également, dont elle avait orné le col montant du camée de sa grand-mère. Ses cheveux étaient nattés en une longue tresse qui lui dévalait dans le dos. Elle s'était exprimée doucement, posant sur l'acteur un visage rougissant et modeste. D'un certain point de vue, elle lui savait gré de la réussite des photos, car peut-être l'avait-elle manipulé. La séduction faisait partie intégrante de l'art de la photographie, aucun photographe, mâle, femelle ou homosexuel, n'aurait pu le nier, mais nul n'était censé aller au-delà. Un portraitiste masculin, même Man Ray, ou Herb Ritts dans ses meilleurs jours, n'aurait jamais obtenu d'aussi bons clichés que ceux qu'elle avait pris le jour du tremblement de terre.

Pourquoi prétendait-on que l'appareil photo ne ment pas? Il était ridiculement facile de le pousser au mensonge, de se projeter soi-même dans l'image et de la créer comme on l'avait rêvée. Presque tous les portraits de célébrités étaient un mensonge intelligemment mis en scène, masqué sous une apparence d'hyperréalité. Il était autrement plus difficile de laisser l'appareil libre de dire la vérité, sans vernis, comme elle l'avait fait avec Sam Butler. Il se trouverait pourtant des gens mesquins, pointilleux et prudes, à l'esprit mal tourné, pour affirmer qu'elle n'aurait jamais dû accepter d'enlever son collant.

Le mercredi, second jour de pose, Sam Butler était arrivé à l'heure à Flash, aussi serein que s'il ne s'était rien passé entre eux et apparemment désireux de courir une autre fois sa chance en cas de nouveau tremblement de terre. Jazz comprit que plus jamais elle ne capturerait la vulnérabilité de l'acteur sur la pellicule, car elle n'avait plus sa confiance, mais elle n'avait nul besoin de jouer deux fois la carte de l'intériorité. L'image essentielle, qu'elle trouvait et capturait chaque fois qu'elle photographiait une célébrité, ce *flamboiement* absolu de la personnalité d'un individu sous la renommée, elle l'avait obtenu lors de la première séance, quand l'acteur s'était abandonné à la nostalgie. Fouiller les profondeurs de l'âme avec un appareil photo était une chose que Jazz faisait aussi bien — et généralement mieux — que n'importe quel autre grand photographe dans le monde.

Mel Botvinick travaillait sur une pub de fast-food lorsque Sam et sa suite étaient arrivés ce mercredi, et en dépit de la puissante aération du studio de Mel situé au deuxième, l'odeur de graisse frite était descendue d'un étage pour venir distraire tout le monde.

Jazz avait emmené l'acteur dehors, sur la promenade du bord de mer, et l'avait laissé se balader à sa guise, acheter des babioles aux vendeurs ambulants et parler avec un groupe d'adolescentes en patins à roulettes. Son visage n'était pas encore si connu qu'elle ne puisse confier le contrôle des foules à ses assistants et à l'efficace volée de veuves. La beauté du grand Australien s'était faite plus humaine à mesure qu'il s'entretenait avec les gens, rendant simultanément plus frappant le contraste avec les simples mortels qui l'entouraient.

Ils avaient terminé juste avant le crépuscule. Le jeudi, Jazz et Sis Levy avaient procédé à des repérages pour la nouvelle campagne Vacheron Constantin — les plus anciens fabricants de montres suisses — avec l'équipe de créatifs d'une agence de publicité. D'ordinaire, Jazz laissait les repérages à Sis, mais la campagne était si originale pour la très conservatrice maison suisse que l'agence avait prié Jazz de veiller à tout. Le vendredi, la jeune femme avait décidé de boucler le studio et de filer au ranch un jour plus tôt que prévu.

Elle arriverait dans moins d'une heure, à temps pour aider son père aux préparatifs de la grande Fiesta annuelle qui aurait lieu dimanche, comme chaque septembre depuis le début du XIXe siècle.

Le père de Jazz, Mike Kilkullen, était le quatrième Kilkullen en ligne directe à posséder et diriger cette propriété de trois cents kilomètres carrés. Cet empire privé s'étirait au sud de la petite ville de San Juan Capistrano. Il avait un peu la forme d'un éventail se déployant vers le Pacifique depuis le pic de Portola, haut de mille six cents mètres, qui en figurait la pointe. Des hauteurs de Portola, les terres s'étiraient de part et d'autre, dévalant jusqu'au rivage qui formait la bordure irrégulière de l'éventail. Sur trente kilomètres de rivage, les vagues venaient mourir sur les larges plages sablonneuses des Kilkullen, dans leur large port en forme de fer à cheval, ou sur la pointe Valencia, brise-lame naturel qui s'avançait loin dans la mer. Au-delà de la pointe, les vagues se déchaînaient sur d'énormes rochers blancs qui se dressaient depuis les fonds de l'océan, défiant le Pacifique de jeter à bas leurs masses formidables. Quand Jazz avait cinq ans et que son père lui avait appris à manier son propre petit bateau, il l'avait mise en garde : qu'elle ne s'aventure pas trop au-delà de la Pointe sinon la prochaine terre serait Hawaii.

Cent trente-huit ans auparavant, en 1852, un autre Michael Kilkullen, le grand-père du grand-père de Jazz, était venu en Amérique par bateau depuis l'Irlande. C'était un jeune homme ambitieux, travailleur, sans attache et pourvu de modestes économies. Comme bien d'autres, il avait ouï dire que l'on trouvait de l'or en Californie, mais, contrairement à la plupart des autres, il était malin. Michael Kilkullen comprit qu'il avait davantage de chances de faire fortune en vendant du bois de charpente aux mineurs forcenés plutôt qu'en se joignant à leurs tribulations. En quelque douze années il avait accumulé suffisamment de capital pour s'aventurer vers le sud à la poursuite de son rêve.

Le désir de la terre avait toujours couru dans le sang du jeune Irlandais, s'affirmant au cours des ans depuis qu'il avait quitté son île natale et mesuré les possibilités qu'offraient les États-Unis. Au cours des tragiques années 1863 et 1864, la grande sécheresse ruina la quasi-totalité des éleveurs de bétail californiens. Le prix de la terre chuta terriblement bas et Mike Kilkullen, comme quelques autres, en tira parti, payant quinze mille dollars-or, *mas o menos*, les trente mille hectares du Rancho Montaña de la Luna, propriété de famille de Don Antonio Pablo Valencia. Autrefois flamboyante et hospitalière, à présent sans le sou, la grande famille des Valencia avait possédé cette terre et y avait vécu dans des conditions quasi féodales depuis 1788, date à laquelle Teodosio Maria Valencia, vétéran andalou de la première expédition espagnole à avoir posé le pied sur ce qui allait devenir la Californie, l'avait reçue de la Couronne d'Espagne.

A l'époque, nombreux étaient les ranchs cédés pour une bouchée de pain, mais Mike Kilkullen était tombé amoureux de l'unique fille de Don Antonio, Juanita Isabella, qui eût hérité de la propriété si son père n'avait été contraint de vendre. Dona Juanita Isabella Valencia Kilkullen avait été l'arrière-arrière-grand-mère de Jazz, et la jeune photographe portait son nom, bien que seul son père l'ait jamais appelée de la sorte.

Soudainement impatiente à l'approche de la maison, Jazz quitta la route principale en aval de Three Arch Bay et se dirigea vers le ranch, pestant contre la limitation de vitesse à quatre-vingt-dix kilomètres heure. Elle emprunta bientôt les petites routes intérieures que les Kilkullen avaient construites et entretenues au cours des âges — mais la police d'Orange County n'était guère férue d'histoire, se souvint-elle. Il était de toute façon hors de question de se séparer de sa Thunderbird, bien que quelque chose de tout à fait désinvolte dans l'allure de cette voiture attirât invariablement l'attention déplacée des représentants de la loi.

Jazz resta donc juste en deçà de la limite tandis qu'elle longeait les terres strictement clôturées du ranch Kilkullen. Mais dès qu'elle eut franchi les massives portes de l'entrée principale, elle s'autorisa une pointe de vitesse sur la route privée. A proximité de l'hacienda, l'allée était bordée de deux rangées de nobles figuiers de Nouvelle-Zélande. Très espacés, les arbres étaient au nombre de dix sur chaque rangée ; leur taille immense donnait à croire qu'ils avaient vu le jour pendant la préhistoire ; depuis les troncs au diamètre impressionnant, les branchages ornés d'un feuillage d'un sombre vert olive s'entrelaçaient vigoureusement pour former une arche, gigantesque baldaquin de feuillage, jusqu'à l'entrée de la maison.

Bien qu'elle appartînt à la famille Kilkullen depuis plus de douze décennies, l'hacienda, l'une des plus grandes et des mieux préservées de toutes les demeures californiennes, s'appelait toujours l'Hacienda Valencia et conservait son caractère de ranch espagnol. Sobre et de proportions agréables, la longue façade en adobe abritait trente-cinq pièces sur son unique niveau. Deux ailes parallèles se déployaient sur l'arrière, séparées par un patio au centre duquel coulait une fontaine. Le toit était entièrement couvert de vieilles tuiles rouges patinées. Les pièces principales ouvraient toutes sur de larges galeries donnant sur le patio avec ses parterres de fleurs, sous une inlassable mouvance d'ombre et de soleil. L'hacienda avait toujours évoqué davantage un manoir, une *casa grande*, plutôt que le corps d'habitation d'un ranch.

Elle était entourée par cinq hectares de superbes jardins, plantés à l'origine par les épouses Valencia et embellis ensuite par les épouses Kilkullen. Cette oasis était protégée par de solides plantations arborées destinées à dissimuler les granges et les écuries qui se dressaient au-delà. Le travail d'élevage semblait se faire sur une autre planète, loin de cette île de verdure au sein de laquelle de venteuses sentes bordées de cyprès menaient à une douzaine de jardins secrets : univers intime où chantaient maintes fontaines inattendues, auréolées de cascades de géraniums dont la croissance vorace cachait presque leurs antiques berceaux de terre cuite.

Vite, Jazz rangea son véhicule devant l'hacienda et courut à l'intérieur, délicieusement consciente de la familière fraîcheur de l'air qui se faisait sentir même dans la chaleur de ce septembre californien. Il n'y avait rien d'inamical ou d'humide dans l'ombre fraîche de ces murs d'adobe épais de deux pieds, car l'air était imprégné d'arômes qui invitaient à la nostalgie. Il y flottait l'immémorial parfum de siècles de feux de bois. De subtiles fragrances épicées, impossibles à définir, mais que Jazz n'avait jamais humées ailleurs, émanaient des coffres espagnols massifs, des profonds sofas sculptés et des chaises à haut dossiers, des armoires d'acajou, dont certaines étaient encore tapissées de leur cuir d'origine, lorsqu'elles avaient été expédiées aux Valencia sur des navires qui franchissaient le cap Horn. Les tapis persans qui, dans les premiers temps de l'hacienda, avaient habillé les sols de terre battue, étaient à présent posés sur des parquets. Chaque génération avait ajouté à l'hacienda son propre mobilier et ses propres œuvres d'art, mais rien n'avait jamais altéré le caractère essentiellement espagnol de cet intérieur, dont la rusticité solide était plus masculine que féminine.

Comme chaque fois qu'elle pénétrait dans l'hacienda après une absence, Jazz fut assaillie par le souvenir des soirées de son enfance, quand elle se recroquevillait chaudement dans un fauteuil de cuir sombre dans la pièce de musique, à contempler les reflets du feu sur le plafond aux poutres apparentes, tandis que ses parents écoutaient les Beatles. Combien de gens avaient-ils les larmes aux yeux en retrouvant une odeur de feu de bois et la mélodie de « Strawberry Fields Forever » ? se demanda-t-elle. Elle chassa prestement cette question de son esprit et se dirigea droit sur la cuisine pour y rejoindre son amie Susie Dominguez, la cuisinière.

— Ma seule et unique Susie, comment vas-tu ? s'enquit la jeune femme en la soulevant de terre dans son étreinte.

— Surchargée pour changer, rétorqua la minuscule petite femme.

Susie était de cette race de cuisiniers qui ne sont heureux qu'au moment du coup de feu. Si elle avait pu en décider, Mike Kilkullen eût donné au moins trois dîners par semaine, et l'immense cuisine où autrefois plusieurs cuisiniers chinois préparaient quotidiennement trois repas copieux pour une famille nombreuse, serait toujours pleine de marmitons et d'éclats de voix. Mais son employeur dînait généralement seul, à l'exception des week-ends où Jazz venait. Cependant, le programme de la Fiesta de dimanche promettait de combler son sens de l'hospitalité.

— Où est mon père ? questionna Jazz.

— Dans le vallon, à botter le cul de quelqu'un. Je n'ai pas le temps de me soucier de lui. J'ai mes poulets à préparer.

— N'est-ce pas le travail du traiteur ? fit Jazz avec surprise. Nous avons invité plus de cinq cents personnes à un barbecue, Susie, que viennent faire les poulets là-dedans ?

— Le traiteur sera là demain. Ses gars ont déjà commencé à tout préparer. Mais ce soir, place à ma spécialité de poulet au safran, accompagné de pignons et de raisins, avec pain français, *coleslaw* *, et gâteau fourré aux fraises avec sauce à la...

— Juste pour nous deux ? Tu cherches à te faire élire meilleur cordon bleu d'Orange County ?

— Nous avons des invités au dîner, répliqua Susie d'un air mystérieux.

Et de plisser le nez d'une façon qui avait toujours eu le don de faire sortir Jazz de ses gonds.

— Chouette, fit-elle avec autant d'indifférence que possible.

Mieux valait ne pas brusquer Susie quand elle était d'humeur à faire de la rétention d'informations.

— Je suppose que tu n'as rien à me donner pour mon déjeuner ? Du beurre de cacahuète, ou une lamelle de fromage sous plastique ?

— Regarde dans le frigo. Tu devrais trouver de quoi grignoter tout en bas, mais ne va pas toucher à autre chose.

Jazz trouva un grand plateau couvert de sandwiches accompagnés de salades.

— Génial, merci, Susie. Moi qui croyais que tu ne t'occuperais pas de moi.

Susie marchait parfois aux compliments, parfois aux insultes, quand ce n'était pas une judicieuse combinaison des deux.

— Nellie et Matilda viennent servir à table ce soir, lâcha-t-elle

---

* *Coleslaw* : salade de choux blanc et vert coupés en fines lanières.

tandis que Jazz se restaurait en donnant tous les signes de la satisfaction.

— Parfait. Ce sera plus facile pour toi, ma douce, déclara la jeune femme, toute sollicitude. A ton âge, il ne faut pas en faire trop. Passé les soixante ans, il est normal de ralentir, Susie. Ne prends pas mal le fait d'avoir besoin d'aide pour un dîner de rien du tout. Je m'occuperai des bouquets de fleurs dès que j'aurai fini, ajouta-t-elle, puis tu me diras si tu as besoin que je coupe le chou. Ou alors j'irai en ville te chercher du calcium ; ça te redonnera des forces. En as-tu pris suffisamment, Susie ? Tu ne voudrais pas te tasser encore plus. Je parie que tu manques aussi de potassium.

— Soixante ans !

— Quoi ! Ne les as-tu pas dépassés ? Je me suis trompée ?

— Maudite sois-tu, Jazz, d'accord, je vais te le dire. Tu as gagné. Ce sont tes sœurs. Plus leurs maris. Plus leurs enfants.

— MERDE !

— C'est toi qui as commencé. Soixante ans ! J'en ai cinquante-huit et tu le sais très bien.

— Qui les a invités ?

— Ton père. Tu sais comment il est avec elles.

— Oh, merde deux fois, merde trois fois, merde à l'infini. Merde sur merde.

— C'est mon avis. Mais cela me donne l'occasion de cuisiner un peu. Dieu merci, je ne suis pas de la famille.

— C'est tout comme, fit sombrement Jazz. Depuis le temps que tu es là, tu pourrais.

— Non merci.

— Je te comprends.

L'appétit de Jazz s'évanouit à l'annonce de la venue de ses demi-sœurs ; à l'heure qu'il était, elles devaient se trouver dans l'avion qui les amenait de Manhattan. Certes, elle aurait dû savoir qu'elles viendraient pour la Fiesta ; elle n'avait simplement pas eu envie d'y penser. Fruits du premier mariage de son père, Valerie et Fernanda étaient âgées respectivement de quarante-deux et trente-neuf ans.

Au cours de l'enfance de Jazz, les deux filles aînées avaient séjourné chaque été au ranch, ainsi qu'un long week-end à l'occasion des vacances de Noël et de Pâques. Elles retournaient ensuite dans leur pensionnat de la côte Est, bien que leur mère, Lydia Henry Stack, issue d'une vieille famille de Philadelphie, se soit installée à Marbella, sur la côte espagnole, après son divorce d'avec Mike Kilkullen en 1960.

Rien aujourd'hui de ce que pouvaient faire ou dire les deux sorcières n'aurait pu blesser Jazz comme lorsqu'elle était trop jeune pour se défendre seule, mais leur venue signifiait un week-end de fausseté et de politesse obligée destinées à masquer une défiance mutuelle.

Jazz supportait ces mièvreries pour épargner son père. Jamais il n'avait su comment la traitaient ses aînées. Celles-ci s'étaient toujours débrouillées pour se montrer adorables avec elle dès qu'il était dans les parages, et elle, fière et butée, avait décidé de ne jamais se plaindre à lui des tourments que lui infligeaient les grandes. Leurs armes avaient été nombreuses, y compris les railleries au sujet de sa mère, Sylvie Norberg, que Mike Kilkullen avait épousée aussitôt son divorce. Étoile filante, l'actrice suédoise avait en dix ans changé le visage du cinéma, jusqu'à sa mort survenue en 1969 quand Jazz avait huit ans.

— Je te pardonne, Susie, dit la jeune femme.

Elle se leva brusquement et embrassa la cuisinière sur le front.

— Tu essayais seulement de me cacher une mauvaise nouvelle. J'ai cru que c'était une de tes intrigues habituelles.

— Un peu des deux, avoua généreusement Susie.

Elle aimait Jazz comme elle aurait aimé sa fille, si elle en avait eu une au lieu de trois fils.

— Je vais voir papa.

Jazz gagna sa chambre afin d'enfiler un jean ; elle pourrait ainsi se rendre à cheval dans le profond vallon au creux duquel aurait lieu la Fiesta. Il était situé dans les prairies au-delà de l'hacienda, et sa Thunderbird était bien trop précieuse pour être risquée sur la mauvaise route qui y conduisait.

A l'écurie, Jazz chercha Limonada, sa jument favorite à la robe aubère, que son père gardait pour elle bien qu'elle ne vécût plus au ranch depuis douze ans. Limonada lui rappelait Jazz, affirmait-il, parce que sa robe brillante était un mélange de teintes aux noms indicibles, allant du miel sombre à la confiture de groseilles. Jazz sella rapidement l'alerte et fine bête qui piaffait d'impatience. Ce fut à la vitesse du vent qu'elle atteignit la crête surplombant le vallon. Tirant sur les rênes, elle guida sa monture à l'abri d'un sycomore et, des yeux, chercha son père.

Plusieurs dizaines d'hommes s'affairaient à clouter les planches qui formeraient les estrades, certains dressaient des tentes à la toile rayée bleu et blanc, d'autres montaient des centaines de chaises pliantes sous le couvert des tentes ainsi qu'une multitude de tables rondes qui seraient prêtes pour recevoir demain les nappes bleues et blanches.

Jazz reconnut quelques employés du ranch parmi tout ce monde. Elle les connaissait par leur nom, comme un enfant ses oncles. José lui avait appris à lier un veau avec un lasso ; Luis, Pedro et Juan lui avaient enseigné des rudiments d'espagnol lorsqu'ils avaient eu le loisir de l'emmener à la pêche ; deux fois, elle avait eu l'autorisation d'aller chasser le couguar avec ces deux tireurs d'élite qu'étaient Tiano et Ysidor. Tous étaient des *vaqueros*, des cow-boys qui travaillaient toute l'année au ranch, comme avant eux leurs pères et leurs grands-pères.

Pourtant, rien ne semblait prêt, pensa Jazz. Ni la piste de danse, ni l'espace réservé au concours de lancer de fer à cheval, pas plus que le barbecue ou le coin du ball-trap. Jusqu'à l'allée pour la grande parade et le concours de lasso qui n'avait pas été dégagée. Le vallon avait l'air prêt à accueillir n'importe quoi, du pique-nique au rodéo, en passant par la course de chevaux. Mais Jazz savait que dimanche soir la Fiesta serait aussi bien organisée qu'à l'habitude et que les invités — dont beaucoup, pour l'occasion, venaient d'autres États, et même de pays étrangers — jamais n'imagineraient le travail qui avait précédé ce déploiement des fastes et de l'hospitalité d'antan.

Elle chercha son père pendant un moment puis, quand elle l'eut trouvé, resta à le regarder. Mike Kilkullen était un homme de carrure massive, plus large et plus grand que la plupart de ceux qui l'entouraient. Seul le fait qu'il soit resté un moment à travailler derrière la tribune avait empêché Jazz de le localiser.

Il avait l'attitude d'un chef, songea la jeune femme. Chef il était né, et chef il avait grandi. Quel photographe, même Karsh, d'Ottawa, qui avait su rendre toute la ténacité batailleuse de Churchill en privant le Premier ministre de son cigare, quel photographe eût su traquer dans un studio l'essence de son père ? Mike Kilkullen était un homme des grands espaces. Il était né pour vivre sur ces terres comme il était né pour commander. Même à l'instant, alors qu'il ne dirigeait qu'un groupe d'hommes dressant les longues tables du buffet, ses gestes rapides, précis auraient pu passer pour ceux d'un général disposant ses troupes à l'aube d'une bataille.

Ses cheveux, si fournis qu'il avait rarement besoin de se protéger du soleil dans une région où la plupart des hommes ne sortaient jamais sans chapeau, étaient absolument blancs et coupés très court ; mais ses sourcils étaient demeurés noirs au-dessus d'yeux que Jazz ne pouvait distinguer à cette distance, des yeux d'un bleu si franc qu'ils semblaient féroces à ceux qui le voyaient pour la première fois. Sous un nez aquilin, sa bouche était une ligne droite, sauf lorsqu'il souriait, et il était plus lent à sourire que ses semblables. Aux étrangers, il paraissait presque aussi redoutable qu'impressionnant. Seuls quelques-uns, plus perspicaces, savaient deviner chez cet homme la tristesse cachée et la douceur.

A soixante-cinq ans, Mike Kilkullen se moquait des plaisirs qu'eussent pu lui offrir toutes les villes du monde. Ces dernières années, il avait peu quitté le ranch, et c'était alors pour assister à la vente aux enchères des taureaux à San Francisco, ou pour prendre part à quelque réunion importante du parti démocrate. Rarement il se rendait aux nombreuses soirées où il était convié par le nombre croissant d'hôtesses accomplies que comptait Orange County.

Mike Kilkullen était un enfant unique, ses parents étaient morts tôt, ses quelques amis venaient des familles de propriétaires locaux qu'il avait connues toute sa vie, et seules ses filles savaient éveiller en lui des sentiments aussi profonds que ceux que lui inspirait son ranch.

Dans les générations précédentes, les Kilkullen avaient donné le jour à maintes filles et seulement à un garçon par génération. Ces fils, qu'ils fussent premier-né ou non, avaient chaque fois hérité de la totalité du ranch, tandis que les filles devaient se contenter d'argenterie et de bijoux à l'occasion de leur mariage, assortis d'une certaine somme à la mort de leurs parents. La dureté de la loi salique, aristocratique coutume qui veut que seul le fils aîné hérite de la terre, avait curieusement perduré dans cette famille d'origine irlandaise d'Orange County.

Jazz attendit encore un moment, jusqu'à ce que son père enfourche son cheval. Alors, elle lança Limonada en un petit galop qui l'amena au creux du vallon.

— Que faisais-tu là-haut, Juanita Isabella? Tu comptais les chaises? lui demanda Mike Kilkullen.

Se penchant hors de sa selle, il l'enlaça, l'arrachant presque à son cheval.

— Comment le sais-tu? Je peux jurer que tu n'as pas levé les yeux.

— Vieux savoir indien. Je t'apprendrai un jour.

Il rit, embrassa sa fille sur ses deux joues chauffées par le soleil, et toute la sévérité, toute la tristesse secrète, toujours sous-jacentes dans son comportement de chef, quittèrent son visage.

— Que t'es-tu mis sur le dos? s'enquit-il. On se croirait à Halloween.

— Tu le sais et tu fais semblant d'avoir oublié.

Jazz lissa la veste de satin pourpre et doré que ses assistants lui avaient offerte pour Noël.

— J'aime bien te taquiner, reprit son père. A quoi d'autre me servirait ma vaurienne de fille?

— Avec Valerie et Fernanda, tu auras ton content de filles pour le week-end, répondit Jazz. Pourquoi ne pas te retenir jusqu'à ce qu'elles soient là?

— Elles ne marchent jamais aussi bien que toi, fillette. De toute façon, elles sont parfaites.

— Vrai, trop vrai, acquiesça Jazz.

— J'espère que tu as apporté une robe. Nous avons quatre orchestres : deux de *mariachis*, un de country et un autre pour le bal.

— Pourquoi pas du rock?

— C'est ma fête, Jazzbo, et je ne reconnais pas l'existence du rock'n roll.

— Pas de reggae non plus? Pas de Top Cinquante?

— Je ne sais pas de quoi tu parles. D'abord, le bal revient à la mode. Je l'ai lu dans le *Register*, alors je croyais te faire plaisir.

— Foutaise, tu as engagé cet orchestre pour avoir l'occasion de danser. Une fois n'est pas coutume. Dieu nous garde, le roi du fox-trot d'Orange County est de retour! Gentes dames, bouclez vos filles!

Mike Kilkullen lui pinça le menton.

— Tu as amené un petit ami?

— Non. J'espère trouver sur place un chien perdu. Le petit ami, c'est trop contraignant.

Kilkullen la couva du regard. Pas de mariage à l'horizon. Qu'est-ce qui n'allait pas avec elle? Valerie et Fernanda avaient déjà donné le jour à six gosses, mais Jazz semblait voguer de type en type, sans jamais les prendre assez au sérieux pour même envisager de se marier. Sans doute la faute de sa profession. Il était diablement fier d'elle, mais enfin! vingt-neuf ans, c'était vingt-neuf ans.

— Môme, as-tu déjà songé à ta... euh... à ton horloge biologique?

— Mon Dieu, papa! Tu as lu *Cosmo*!

— Non, j'ai écouté Susie. Elle est ma fenêtre sur le monde.

— Tu es indécent! Celui qui a inventé l'horloge biologique mériterait d'être transformé en sushi, et congelé.

— C'était juste pour savoir, savoir que tu savais. Je n'effectuais que mon devoir paternel.

— Estime que tu l'as fait pour l'année. Pour la décennie.

— C'est un conseil?

— *Un ordre.* Le premier arrivé aux écuries!

*
**

Valerie Kilkullen Malvern porta un regard dépourvu d'expression au-delà de la vitre en verre teinté de la limousine avec chauffeur que son mari, Billy Malvern Jr., avait louée afin de transporter toute la famille depuis l'aéroport de San Diego jusqu'au ranch. Ne désirant pas participer à la conversation entre les trois adolescentes et son époux, elle réfugia dans ses pensées. Valerie savait que rien de ce qu'elle pourrait observer le long du trajet ne risquait de l'intéresser; une heure et demie à endurer en silence.

Elle se tenait assise bien droite, les mains sagement croisées sur ses cuisses, son profil ne trahissant nulle émotion hormis une totale confiance en elle-même. Elle ressemblait exactement à ses photos fréquemment publiées dans la rubrique mondaine de *Womens Wear*. Valerie Kilkullen Malvern, célèbre décoratrice d'intérieur, figure marquante de la bonne société new-yorkaise, n'avait jamais été surprise dans une pose désavantageuse. Toujours, elle était pleinement consciente de ses limites physiques et de l'impression qu'elle produisait.

Des années plus tôt, elle avait choisi son look, sachant, comme le savent toutes les femmes dotées d'une véritable classe, que seule une forte impression visuelle suscite un intérêt durable. Valerie s'était étudiée et avait compris que la forme parfaite de son crâne lui permettait de porter ses cheveux châtain foncé tirés en arrière, parfaitement lisses et plats, rangés derrière les oreilles et assemblés par un simple nœud sur sa nuque; coiffure sévère qui, du fait de sa sobriété classique, échappait à l'emprise des modes. Sous son front délicat, son nez était décidément trop pointu, trop mince et trop long pour être beau; son menton souffrait de l'absence de quelques millimètres.

Dès qu'elle se trouvait dans les parages d'un appareil photo — et jamais elle ne se laissait surprendre —, elle offrait sans sourire la découpe de ce visage imparfait; elle avait tant et si bien œuvré qu'il était devenu une sorte de marque déposée, et les femmes au nez adorable, au menton charmant, lui enviaient ce distingué profil.

Pour le jour, Valerie avait délibérément adopté une sorte d'uniforme; elle portait soit des chandails sombres à col roulé, sans fioriture aucune, soit des blouses sans col, qui mettaient en valeur la longueur de son cou comme la minceur de son torse, tout en avantageant sa poitrine menue. Elle glissait ces hauts dans des jupes unies coupées à la perfection ou dans des pantalons, ceignant sa taille étroite d'une large ceinture et ne s'autorisant jamais que des chaussures plates et brillamment cirées. Lorsqu'elle ne s'en servait pas, elle relevait sur sa tête ses lunettes à monture d'écailles ; sa collection d'énormes boucles d'oreilles aux formes barbares et de larges bracelets constellés de grosses pierres semi-précieuses rendaient mesquins les bijoux plus discrets.

Cette façade bien lissée devait beaucoup à Diana Vreeland et à *Vogue*, reconnaissait Valerie en son for intérieur, mais elle fonctionnait. Sa signification n'échappait à personne et en intimidait plus d'un. Par-dessus tout, elle la situait sur un autre pied que ses clientes, ces femmes qui, par définition, n'avaient pas assez de goût ni de style pour savoir arranger leur propre intérieur.

A long terme, cette apparence ne coûtait pas cher, mais Valerie savait que nul n'était assez perspicace pour s'en douter. Rien de bon marché, certes, car chacun de ses atours était le meilleur de sa catégorie, mais dans la mesure où elle pouvait porter des années tout ce qu'elle achetait, quelles que soient les fluctuations de la mode, elle ne possédait rien qui n'ait été rentabilisé une bonne douzaine dc fois. Voilà qui lui laissait de l'argent pour satisfaire ses vices autrement coûteux : les chaussures du soir brodées à la main, sa collection de sacs et de gants Hermès, les somptueuses robes de soirée qu'elle arborait aux bals de charité... elle était assez fine pour comprendre que son uniforme n'était pas de mise en pareilles occasions.

Oui, elle avait assez d'argent pour se vêtir d'une manière que tout le monde associait à la richesse. Elle s'était très bien débrouillée, songea-t-elle.

Les gens pensaient que M. et Mme William Malvern Jr. étaient riches, et Valerie avait bien l'intention de ne jamais les détromper. Elle avait cru elle aussi, lorsqu'elle s'était mariée en 1969, qu'elle serait riche, car le beau, le charmant, le chaleureux Billy avait hérité de son père une fortune amassée dans l'industrie au cours de la Seconde Guerre mondiale.

William Malvern Sr. avait été le premier et unique membre de la famille Malvern à émerger de la classe moyenne, et il avait été fier d'en transmettre tous les avantages à son fils ; il avait expédié Billy dans la meilleurc des écoles primaires qui avaient bien voulu l'admettre ; il l'avait poussé à prendre des leçons d'équitation et de tennis ; puis il l'avait envoyé à l'université de Virginie, le dotant d'une généreuse pension, et avait fermé les yeux sur les médiocres résultats de son fils quand celui-ci avait été engagé dans l'équipe de tennis. Après que Billy eut obtenu son diplôme, son père lui avait acheté une charge d'agent de change. Quand William Malvern Sr. s'éteignit en 1967, William Malvern Jr. découvrit, à l'issue de la validation du testament paternel, qu'il héritait d'un revenu de cinq millions de dollars en emprunts contractés par la ville, net d'impôts.

William Malvern Sr. avait atteint son but d'avoir un fils qui fût indéniablement un gentleman doublé d'un aimable compagnon. S'il s'avisa que son rejeton compensait en bonne volonté les carences de son intelligence, il n'en souffla mot à âme qui vive.

En dépit de ses origines modestes, Billy Malvern avait épousé le bon parti en choisissant l'intelligente et dominatrice Valerie Kilkullen. Elle n'était pas belle, sauf quand elle souriait, mais le nonchalant et doux Billy, contrairement aux autres jeunes gens, avait été captivé par son air d'autorité, de parfaite connaissance et de maîtrise de soi-même. Ils s'étaient mariés trois mois seulement après leur rencontre et Valerie, qui jamais n'avait osé espérer un homme beau, et encore moins riche, n'avait guère prêté attention à cette grave absence d'intelligence, sinon longtemps après la fin de leur lune de miel.

Valerie avait été aussi amoureuse que sa nature le lui permettait, et pendant les premières années, quand les revenus de Billy étaient plus que suffisants pour acheter tout ce qu'ils désiraient, les défauts de son époux n'avaient pas compté. Mais à présent, dans le New York de 1990, il n'y avait guère de place pour un homme dépourvu d'astuce autant que d'agressivité.

Du fait de sa nature aimable, Billy manquait totalement du cran comme de l'instinct indispensables sur le marché des changes, aussi en était-il arrivé à perdre son propre argent à l'heure où d'autres se constituaient des fortunes.

Il conservait encore quelques clients, de vieux copains aussi timorés que lui-même, mais sa commission était ridicule. Peu à peu, il avait vendu ses obligations, et aujourd'hui la rente des Malvern ne dépassait pas les deux cent mille dollars par an. L'inflation avait transformé cette somme en vétille dans le cercle de Manhattan où Valerie évoluait, cercle qui s'était vu infiltré et prestement confisqué, ces dix dernières années, par une nouvelle classe de gens incroyablement riches, riches à couper le souffle, comme on n'en avait plus vu depuis des lustres.

De façon tout à fait surprenante, ils étaient devenus des *nouveaux pauvres* *, songea Valerie avec une douleur familière. Leur grand appartement sur la Cinquième Avenue avait été acheté dans les années soixante, et leur maison de Southport dans le Connecticut au début des années soixante-dix, mais il ne leur était plus loisible à ce jour de s'offrir un chalet de vacances dans une station de ski. Certes, les Malvern étaient invités partout, mais ce n'était pas la même chose que de posséder son propre bien. Afin que sa demeure soit de temps en temps photographiée pour les magazines, Valerie avait employé tout son talent à refaire l'aménagement de leur maison de bois de Southport qui n'était plus tout à fait le *nec plus ultra*. De surcroît, elle et Billy donnaient deux grandes soirées annuelles, entourées de beaucoup de publicité, l'une à Southport, l'autre à New York, sans lesquelles ils n'eussent pas compté au nombre des propriétaires de multiples demeures, le plus probant des signes extérieurs de richesse.

Billy Malvern Jr. chérissait profondément sa position dans le mouvant microcosme new-yorkais ; il se voyait encore comme le jeune homme séduisant qu'il avait été dans les années soixante. Néanmoins,

---

* En français dans le texte.

44

seul l'argent que gagnait Valerie leur permettait désormais de demeurer à New York.

Valerie avait obtenu son diplôme à l'école des Arts-Déco de New York, puis avait fait ses premières armes chez un décorateur avant de lancer sa propre affaire. Bien qu'elle n'ait jamais fait preuve d'un talent innovateur, elle était capable d'œuvrer en professionnelle pour des femmes qui pouvaient s'offrir une décoratrice issue d'une aussi vieille famille.

Valerie leur facturait carrément une hausse d'un tiers sur l'ensemble des dépenses, en sus de ses honoraires. Elle réalisait plusieurs projets dans l'année, autant qu'elle en pouvait accomplir, avec une assistante et une secrétaire-comptable. Tant que personne ne soupçonnerait que les Malvern avaient besoin de cet argent, les contrats continueraient à tomber.

Certes, songeait-elle tandis que la limousine roulait vers le nord, elle, Billy et leurs filles pouvaient s'installer à Philadelphie, la ville de ses ancêtres maternels; alors, elle n'aurait plus à se battre pour sauver les apparences. Ils vivraient confortablement de leurs revenus sans devoir renoncer à tenir leur rang au sein des vieilles familles de la cité. Là-bas, où ne sévissaient pas les valeurs new-yorkaises, où Valerie possédait un lien de parenté avec la moitié de la ville et d'amitié avec l'autre moitié, ils seraient considérés comme ayant autant d'argent qu'il est nécessaire.

Mais, pour sa famille, Billy représentait la première génération à jouir d'un certain rang dans la société. Il n'avait aucune des attitudes d'un aristocrate nourri au biberon de la vieille fortune, qui eût dédaigné de conserver sa position dans la vertigineuse course à l'ascension sociale du New York de 1990. Tout au contraire, Billy Malvern était imbu de son statut et refusait résolument de déménager à Philadelphie, ville qu'il jugeait collet monté, démodée et terriblement provinciale.

Entre eux, il ne pouvait être question de divorce. Valerie savait qu'être mariée à un homme présentable, aussi incapable et infatué soit-il, valait beaucoup mieux que de vivre à son gré et de son salaire comme n'importe quelle autre divorcée; sans compter que Billy, alors disponible et séduisant, se ferait piéger par quelque femelle milliardaire.

Dès qu'elle pensait divorce, Valerie frissonnait d'un dégoût exagéré; elle se demandait comment Fernanda, sa sœur cadette, avait pu endurer les à-coups d'un veuvage suivi de trois divorces, pour se retrouver aujourd'hui l'épouse d'un cinquième mari qui, d'évidence, n'allait pas durer plus longtemps que les autres. Pourtant, Fernanda paraissait prospérer tout au long de son périple conjugal accidenté, soutenue par l'argent que lui avait laissé son premier époux, et sa certitude de posséder une indéfinissable qualité qui, au-delà du charme, au-delà de la beauté, au-delà de l'intelligence, lui assurait qu'elle ne manquerait jamais d'hommes pour quêter ses faveurs.

Il était heureux que journaux et magazines parlent invariablement des deux sœurs comme des « héritières des terres attribuées par la

Couronne espagnole », se dit Valerie en réprimant une moue acide. La plupart des gens supposaient que Fernanda et elle avaient déjà hérité de sommes substantielles. Tout cela était fort bien, excepté que, pour elles deux, « héritage » rimait encore avec attente et incertitude. Ni elle, ni sa sœur, ni leurs enfants n'avaient reçu quoi que ce soit de leur père, hormis les présents ordinaires des naissances et anniversaires.

L'argent de Mike Kilkullen était entièrement immobilisé dans la terre. Si l'on prenait en compte la valeur foncière à Orange County — ce dont Valerie ne se privait pas ! —, le ranch Kilkullen valait des milliards de dollars pour les investisseurs qui brûlaient d'acquérir et de développer les terrains vierges de la « Côte de Platine ».

Mais jamais, de son vivant, leur père ne vendrait. Il l'avait décidé du jour où il avait eu l'âge de penser, et Valerie savait que cet homme entêté, déraisonnable, inébranlable, ne changerait jamais. Il s'identifiait à sa terre et eût préféré se trancher un bras plutôt que se défaire de la moindre parcelle, même deux mille hectares.

Valerie jeta un bref regard vers Billy. Charmant comme d'habitude, convint-elle, et toujours adorable, mais en dernière analyse un époux plutôt décevant, qui travaillait dans un domaine où il n'était pas assez brillant pour rester compétitif mais pas assez stupide pour être découvert. Billy Malvern, dont les gènes avaient donné le jour à trois filles ! Pas même au petit-fils qui se fût peut-être attiré les bonnes grâces du grand-père.

La dernière partie du voyage semblait interminable. Dieu merci, ce week-end serait très court. Lundi matin, après la Fiesta, Billy et elle argueraient de leur travail et du retour des enfants à l'école pour repartir. Cette année, Valerie avait espéré échapper à la Fiesta, car un grand dîner se donnait samedi à New York, mais sa mère lui avait téléphoné de Marbella pour lui dire que c'était hors de question.

— Fernanda et toi n'êtes pas allées au ranch depuis près de huit mois, avait-elle sèchement déclaré à sa fille aînée. Je ne comprends pas comment vous pouvez vous montrer si stupidement négligentes, Valerie. Ne va pas croire qu'il te suffit d'envoyer de temps en temps tes enfants en Californie.

— Père aime beaucoup mes filles, avait objecté Valerie.

— Ridicule. Fernanda et toi êtes sa chair, son sang, ce n'est pas le cas de tes filles. Pourquoi crois-tu que Jazz retourne là-bas chaque week-end ? Elle n'est pas idiote, elle connaît cet homme, et si nous n'y veillons pas elle remplacera le fils qu'il n'a pas eu. Aimeriez-vous, ta sœur et toi, être supplantées par Jazz dans son testament ?

— Père ne ferait pas cela, avait rétorqué Valerie.

Elle affectait la confiance d'une aînée tout en se demandant, avec une rage coutumière, comment cette mère dominatrice s'arrangeait toujours, depuis l'Espagne, pour savoir exactement ce qu'elle faisait de sa vie.

— Je sais mieux que toi de quoi ton père est capable, avait répondu Lydia Stack Kilkullen. Il n'en fera qu'à sa tête, et quand tu t'y attendras le moins. Combien de fois devrai-je te répéter que c'est un monstre d'égoïsme, l'esclave de ses impulsions ? Je ne doute pas que, plus il vieillit, plus il devient égoïste et influençable. Il a soixante-cinq ans, Valerie, il ne peut pas vivre éternellement.

— Il n'a pas pris une ride en dix ans. Il sera centenaire, Mère.

— Raison de plus pour lui rappeler combien vous lui êtes attachées. As-tu pensé qu'il pourrait se remarier ? Il y aura toujours des candidates pour devenir la troisième Mme Michael Kilkullen. Comment peux-tu oublier un seul instant ce qu'il m'a fait ?

— Personne n'est parvenu à le coincer en vingt et un ans, avait rappelé Valerie à sa mère.

Un soupir irrité lui avait signifié combien elle manquait de jugement.

Sa mère avait probablement raison, admit Valerie alors que la limousine traversait la ville de Carlsbad. A New York, nombre d'hommes, veufs ou divorcés, prenaient de jeunes épouses. C'était monnaie courante, une chose si attendue, si naturelle qu'on la remarquait à peine. Si un homme de soixante-cinq ans épousait une femme de son âge, alors il alimentait les conversations de Manhattan ! Comment n'avait-elle pas pensé toute seule à cette éventualité ? Et Fernanda, cette experte ès divorces, pourquoi n'y avait-elle pas songé ?

Valerie se mordit l'intérieur de la lèvre, se disant qu'elle avait manqué de vigilance.

Il n'en avait pas toujours été ainsi. Après son divorce, sa mère avait insisté pour que Fernanda et elle passent au ranch plusieurs semaines par an. C'était un véritable bannissement pour les deux adolescentes que d'être envoyées en Californie alors que leurs cousins de Philadelphie les invitaient à séjourner chez eux durant les vacances scolaires. Eté après été, elles avaient dû endurer le long séjour dans la demeure vieillotte et lugubre dont leur père était si ridiculement fier, quand elles ne rêvaient que de rejoindre leurs pareilles sur la côte Est, pour faire de la voile et assister aux nombreuses fêtes à Long Island ou dans le Maine. Elles avaient été contraintes de côtoyer Jazz, ce nouvel enfant humiliant, et, pire que tout, Sylvie, la seconde femme de leur père.

Valerie n'avait pas souvenir d'avoir jamais cru au bonheur de ses parents lorsqu'ils étaient ensemble. Toutes les frustrations de leur mère en Californie s'étaient transmises aux deux filles de cent façons détournées. Valerie avait douze ans au moment du divorce, treize lorsque Jazz était née ; elle avait tout interprété à travers le regard amer de sa génitrice. Quoi qu'il en soit, Liddy Kilkullen avait insisté pour que ses filles « préservent leur place dans la famille ». La famille Kilkullen ! Comme si elle s'en était jamais souciée !

Elle, Valerie Malvern, dont la mère avait été une Stack de Philadelphie, dont les grands-mères maternelles avaient été une Greene de Philadelphie et une James de Philadelphie, qui pouvait compter parmi ses ancêtres cinq gentlemen de Philadelphie — un Dickinson, un Morris, un Ingersoll, un Pemberton et un Drinker —, cinq *tories* loyalistes qui avaient eu l'élégance et la conviction de *refuser* de signer la Déclaration d'Indépendance, pourquoi devait-elle se considérer comme une Kilkullen ? Qu'y avait-il de prestigieux dans cette moitié de ses origines ? Comment un pauvre immigrant irlandais de 1852, boutiquier avant d'acquérir de la terre, pouvait-il être comparé aux pères fondateurs de la cité la plus « comme il faut » des États-Unis, à des hommes que des liens si étroits attachaient aux grandes familles d'Angleterre qu'ils avaient refusé de se révolter contre elle ?

Et qu'avaient été les générations suivantes de Kilkullen sinon des éleveurs de bétail qui avaient connu eux aussi la misère ? Elle savait peu de choses des Valencia, cette lointaine origine qui remontait à l'attribution des terres par la Couronne espagnole. La famille semblait s'être évaporée après que l'une des filles avait épousé le premier Kilkullen américain. Ils avaient disparu dans les violents tourbillons de l'histoire californienne, histoire complexe qui avait toujours paru trop étrangère à Valerie pour susciter son intérêt. Quant à leur goût en matière d'ameublement !

— Maman ! On y est presque, s'exclama Holly.

A dix-sept ans, sa fille aînée ne promettait de devenir ni une beauté ni un cerveau. Tirée de ses rêveries, Valerie passa rapidement les mains dans ses cheveux, en un geste de coquetterie involontaire, donna à ses lèvres une retouche de rouge sombre et se prépara à faire face à un père qu'elle avait appris à rendre coupable du malheur de sa mère. Pourtant, à sa façon dépourvue d'émotion, elle avait toujours eu envie de l'aimer. Mais jamais elle ne l'avait admis, même en son for intérieur, car on lui avait aussi appris à croire que lui ne l'avait jamais chérie.

\*
\*\*

Fernanda Kilkullen Donaldson Flynn Saint-Martin Smith Nicolini, si souvent mariée qu'elle était connue des lecteurs de chroniques mondaines depuis Bar Harbor jusqu'à La Jolla sous le simple patronyme de Fern Kilkullen, était accompagnée de ses deux fils, Jeremiah Donaldson et Matthew Donaldson, fruits de son premier mariage — union qui l'avait laissée veuve à vingt-cinq ans avec une estimable fortune. Les garçons étaient âgés de dix-neuf et dix-sept ans, plus qu'assez pour se relayer au volant de la Chrysler Imperial. Leur mère avait pris place sur le siège arrière et se préparait mentalement au week-end à venir.

Évidemment, son père voudrait savoir pourquoi Heidi Flynn, sa fille de quinze ans, ne l'avait pas accompagnée à la Fiesta. Il attendait Heidi, comme d'habitude, et peut-être même Nick Nicolini, bien qu'il désapprouvât ce dernier gendre qui n'avait que vingt-neuf ans et pas de profession définie. Mike Kilkullen estimait que la famille en son entier devait assister à la Fiesta. Or Fernanda et Nick étaient sur le point de divorcer après un orageux mariage de deux ans, et elle ne tenait pas à ce que son père apprenne ce dernier échec avant qu'il ne soit indispensable de faire connaître la nouvelle. Quant à Heidi, elle était tout simplement devenue trop jolie ces six derniers mois.

Seul un dermatologue eût pu deviner l'âge de Fernanda, et seulement sous le meilleur éclairage. Elle savait, sans vanité, qu'elle paraissait encore dans ses vingt ans. Mais si on la voyait à côté de Heidi ? La différence entre la plus jolie femme de trente-neuf ans et une charmante adolescente de quinze ans se résume en un seul mot : la jeunesse. Et cette jeunesse authentique, ravageuse, exaltée, était la seule chose que Fernanda n'aurait jamais plus.

Elle n'avait jamais été d'une grande beauté — c'était une parfaite miniature dans la plus pure intensité de son afféterie, à l'orée du véritable royaume de la beauté — mais lorsqu'il s'agissait des hommes (et ses préoccupations avaient toujours tourné autour des hommes), être mignonne se révélait bien plus important qu'être belle. La beauté pouvait les effrayer, la joliesse les encourageait à s'approcher.

Fernanda mesurait un mètre cinquante-deux et ses longs cheveux platine dévalaient droit presque jusqu'à sa taille. Il lui fallait se faire éclaircir ses racines brunes toutes les deux semaines, mais rester blonde valait largement ce tracas. De plus courtes mèches étaient encouragées à tomber sur l'un de ses yeux ou même sur sa bouche, de façon à pouvoir être fortuitement écartées avec une charmante impatience. Ses yeux, aussi brillants et turquoise que le carrelage d'une piscine, étaient toujours lourdement frangés de généreuses couches de mascara noir ; son nez petit et fin, ses narines étroites possédaient le charme de ceux des enfants. Sa bouche était délicate bien que très ourlée et savait se livrer à une moue adorablement enfantine au-dessus de son petit menton bien dessiné. Si parfaitement rose et blanche était sa peau qu'on aurait pu la prendre pour celle d'une poupée de prix qui se serait retrouvée habillée en hippie par hasard plutôt qu'à dessein.

Fernanda portait toujours des jeans moulants, à taille basse, quand ce n'était pas des minijupes de cuir des plus courtes, assortis de vestes bien ajustées et délibérément taillées de façon à révéler l'exquise et féminine courbe de son ventre troué de la fossette de son nombril. Elle possédait des douzaines de paires de bottes Western bien pointues, en toutes sortes de cuirs, un placard bourré de vestes de daim somptueusement décorées, et des kilos de bijoux en argent et turquoise. Ses fourrures venaient de chez les sœurs Fendi, teintes des couleurs les plus folles, garnies de perles et d'incrustations d'étoffes.

Ronde, appétissante, la taille menue, petit bout de femme délicieux et plein de sève, dotée de seins et d'une croupe délectables, Fernanda pouvait encore exposer le moindre centimètre carré de sa mince silhouette sévèrement entretenue. Son ventre, ses cuisses et ses bras, ces endroits où la texture de la peau change à mesure que se perd la fermeté de la jeunesse, étaient encore splendides. Elle avait travaillé pour avoir ce corps, prenant tout ce que la nature lui avait donné et le cultivant au moyen de cours quotidiens et d'un régime strict, aussi vigilante qu'un fervent conservateur de manuscrits rares.

Fernanda savait, car elle était fine mouche, qu'elle s'habillait à la limite du mauvais goût. Se voulait-elle à la ressemblance des filles échevelées des pubs pour Guess ? Sauf qu'elle ne laissait jamais entrevoir le moindre morceau de lingerie pour la bonne raison qu'elle n'en portait pas. Lorsqu'elle s'étudiait des pieds à la tête dans son miroir, c'était pour s'assurer qu'elle correspondait au rêve érotique d'un motard ; cependant, Fernanda Kilkullen ne pouvait pas être prise pour une putain. Chefs de rangs, portiers, vendeurs savaient tout de suite qu'il fallait réserver à cette femme le meilleur service.

C'eût pu être la simplicité même que de se couler dans des vêtements à la mode qui avaient l'avantage de lui donner un air de jeunesse, mais un *air* de jeunesse n'était pas *la jeunesse*, et seule la jeunesse importait pour Fernanda. Cela voulait dire les hommes, des hommes constamment disponibles, des hommes au cœur léger, trop jeunes pour avoir jamais songé qu'ils se retrouveraient un jour au seuil de l'âge mûr. Tout ce qu'elle se mettait sur le dos, le moindre de ses cheveux, chaque couche de mascara étaient destinés à signaler à ces hommes qu'elle était baisable.

Fernanda n'avait qu'une loi : la quête du sexe. Quelques centimètres carrés entre ses jambes expliquaient ses actes, ses motifs, ses choix, son passé comme son avenir.

Son plus ancien souvenir était son premier orgasme, qu'elle s'était elle-même donné alors qu'elle était censée faire la sieste un après-midi. En se remémorant le lit d'enfant, la couleur et le toucher de la couverture, elle aurait pu affirmer qu'elle n'avait pas encore trois ans à l'époque. Dès que s'était apaisée la merveilleuse surprise, elle avait su, avec une certitude absolue et instinctive, que personne ne devait savoir ce qu'elle venait de découvrir.

Enfant, elle avait partagé une chambre avec Valerie, et son principal problème avait consisté à trouver des prétextes pour s'enfermer dans la salle de bains ; alors elle pouvait se conduire lentement au sommet du plaisir Ses orgasmes n'étaient jamais rapides mais exigeaient de longues, douces caresses de ses doigts humides, caresses savamment accentuées délibérément accélérées ; si le bruit d'un pas dans le couloir venait la troubler, tout était à recommencer. Pire, l'impatience de sa sœur à exiger à son tour l'usage de la salle de bains devait souvent la faire renoncer.

Après le divorce et l'installation de sa mère à Marbella, les deux filles avaient été envoyées dans un strict pensionnat de jeunes filles de la Nouvelle-Angleterre, avec compagnes de chambres et pas de verrous aux portes. Là, Fernanda avait découvert la sûre retraite de la salle de lecture de la bibliothèque. Elle s'emparait d'un siège profond et confortable dans un angle à moitié dissimulé. Puis elle prenait un livre, jetait un manteau ou un cardigan sur ses cuisses, abandonnait le livre ouvert sur le dossier du fauteuil, fermait les yeux comme pour se laisser aller au sommeil et, sans être dérangée, subrepticement, consacrait des heures à son plaisir. Elle imaginait que ses doigts étaient ceux d'un homme, un homme sans visage et sans nom, un homme qui était son esclave total, adorateur, un homme qui ne voulait rien pour lui-même, qui n'existait que pour sa félicité. Personne en la regardant n'eût pu deviner à quoi elle se livrait ; elle avait si bien maîtrisé l'art de la dissimulation que lorsqu'elle atteignait le moment ultime, seules ses lèvres se crispaient tandis qu'elle retenait son souffle.

Cette activité clandestine dans la salle de lecture était le meilleur moment de ses journées. Après le dîner, elle étudiait dans le dortoir avec une forte concentration, afin de libérer ses fins d'après-midi. Il lui restait peu de temps pour nouer amitié avec ses camarades. Pendant les impétueuses années soixante qui firent souffler le vent du renouveau jusque dans cette institution recluse, Fernanda n'écouta que d'une oreille les discussions des filles à table; tout cela lui semblait si peu important.

Seul le plaisir sexuel l'intéressait, mais jamais elle ne se trahit. Son besoin de se cacher, qui datait de son enfance, s'était vu renforcé au fil des ans par l'attitude de sa mère. Fernanda avait été profondément marquée par le climat dans lequel vivait sa mère : celle-ci était froide et réservée, sauf quand elle déversait son amertume à l'encontre de leur père. Valerie, portrait de leur génitrice en bien des points, ne faisait qu'envenimer les choses. Les vacances et les étés au ranch n'avaient pas poussé la cadette à se fier à son père. Et année après année, elle avait développé une peur de lui irraisonnée, car Fernanda avait le sentiment qu'il pouvait, plus que quiconque dans la famille, deviner son unique préoccupation.

Une semaine après l'obtention de son diplôme de fin d'études secondaires, Fernanda rencontra Jack Donaldson, qui avait passé cinq ans à la fac de droit de Harvard. Proche de la trentaine, le brillant avocat se montra incrédule en découvrant que cette ravissante friandise de dix-huit ans n'avait jamais eu de petit ami. Son expérience lui avait appris que ce genre de fille n'existait plus à l'ère de Woodstock. Il lui offrit immédiatement le mariage, avant qu'un autre ne la remarque.

Au cours de leur lune de miel, Jack Donaldson commença à se demander s'il n'avait pas commis une bêtise en voulant initier une vierge ignorante. Il eut recours à toutes les techniques qui avaient fait leurs preuves avec d'autres femmes, il se montrait avec Fernanda aussi gentil et tendre que possible; mais bientôt, enivré par son corps, il ne savait se retenir de la pénétrer, survolté par une demi-heure de préludes. Après avoir atteint l'orgasme, il tentait de satisfaire Fernanda avec ses doigts et sa bouche, mais toujours en vain. Ce n'est pas grave, chéri, disait-elle, aucune importance, cela m'est égal, franchement.

Quand Fernanda fut enceinte de son premier enfant, Jack Donaldson remit la solution du problème à plus tard. Peut-être les hormones maternelles mettraient-elles un terme à son absence de désir. Allait-elle toujours rester frigide? s'interrogea-t-il vaguement après la naissance de leur premier fils.

Le second naquit en 1973. Fernanda avait vingt-deux ans et son mari avait presque cessé de se soucier d'elle. Autant qu'il le sache, elle lui était fidèle, se montrait docilement disponible lorsqu'il la voulait, mais elle ne pouvait lui répondre au-delà d'un certain seuil. C'était sans remède.

D'autres hommes vivaient une situation semblable, avec des épouses moins adorables que Fernanda. Il ne sut jamais qu'après l'amour, alors qu'il était profondément endormi, elle quittait le lit conjugal et, à l'abri de son cabinet de toilette, se donnait elle-même le lent orgasme progressif et secret qu'elle ne connaissait jamais avec lui.

Si seulement, pensait Fernanda, oh, si seulement elle n'avait pas *su*, chaque fois que Jack commençait à lui faire l'amour que, quoi qu'il lui fît, son seul but était de jouir en elle. Si seulement elle n'avait pas été consciente de ce besoin qui palpitait dans la moindre de ses caresses, inspirait chaque attouchement, si seulement elle n'avait pas si clairement vu ses efforts pour cacher son impatience, si seulement elle avait pu ignorer qu'il guettait l'instant décent où il s'autoriserait à la pénétrer. *Si seulement il ne s'était pas tant pressé.* Il pensait honnête-ment lui avoir donné tout le temps, plus qu'assez, mais jamais, jamais ce n'était le cas ; et elle ne pouvait attendre cela de lui, vu ce qu'étaient les hommes. Qu'importaient les efforts de Jack, elle ne pouvait *compter sur lui*, comme elle comptait sur l'esclave sans visage, sans nom, sans ego de son fantasme.

Lorsqu'il mourut dans un accident de voiture en 1976, laissant des millions à Fernanda, Jack Donaldson ne se souciait plus depuis longtemps de l'insuffisance sexuelle de sa femme. Il avait d'autres filles pour répondre ardemment à ses avances et n'éprouvait plus envers Fernanda qu'une faible rancune, et l'amour d'un homme pour une enfant mignonne.

Fernanda l'avait un peu pleuré ; plus exactement, elle avait pleuré sur leurs sept ans de mariage dont pas un seul jour ne l'avait comblée. Puis, libre, riche, et âgée de vingt-cinq ans, elle s'était lancée dans une quête de l'homme qui répondrait à ses besoins. Un homme jeune, qui pourrait durer et durer toujours. Quelque part cet homme devait exister, qui lui donnerait l'orgasme qu'elle n'avait jamais eu, sinon par elle-même.

Pourquoi s'était-elle *mariée ?* se demandait aujourd'hui Fernanda, en route vers le ranch. Jeremiah venait d'allumer l'autoradio sur une station musicale New Age et une musique de clavecin synthétisé envahit la voiture.

Cinq jeunes maris et des douzaines de jeunes amants pour les quatorze années écoulées — Dieu sait que ce n'était pas la vie pour laquelle sa mère l'avait élevée ! Mais chaque fois qu'elle couchait avec un nouvel homme, un renouveau d'optimisme lui faisait espérer que cette fois ce serait bien, que ça marcherait, que ce serait magique.

Jim Flynn, Hubert Saint-Martin, Hayden Smith et Nick Nicolini étaient tous plus jeunes qu'elle lorsqu'elle les avait rencontrés. Chacun d'eux avait été si enchanté par sa joliesse délicieusement sexy qu'ils s'étaient montrés capables de miracles. Tous, au début, lui avaient fait l'amour trois ou quatre fois par nuit. La dernière fois, immanquable-ment, ils étaient lents à s'exciter, presque paresseux et détachés, débarrassés de la fatale urgence qui la glaçait, et parfois alors elle connaissait un bref et minuscule spasme, presque un orgasme. Peut-être était-ce là le véritable orgasme, se disait-elle, celui que les autres femmes éprouvaient avec les hommes, mais impossible de le savoir. En tout état de cause, il ne s'approchait en rien de ce qu'elle savait se donner.

Très vite, beaucoup trop vite, chacun de ses maris, comme chacun de ses amants — comme tous les hommes au monde —, voulait moins souvent faire l'amour. Un amant, Fernanda le laissait simplement tomber. Mais un mari, elle se retrouvait face à la nécessité de feindre l'orgasme afin d'éviter une discussion désespérément prévisible qui lui rappelait l'insupportable ennui de son premier mariage. Tôt ou tard, quand elle ne supportait plus ses orgasmes factices, le divorce devenait inévitable.

Trente-neuf ans, songea Fernanda, et toujours à la recherche d'une expérience qu'elle *devait* connaître. Trente-neuf ans et elle ressentait toujours le tourment de cette lourde et envahissante présence, chaque fois qu'elle imaginait un homme assez endurant au lit.

Trente-neuf ans, un âge dégoûtant, le pire. Un jour, d'ici peu, elle se réveillerait pour découvrir qu'elle avait quarante-trois, quarante-cinq, même quarante-sept ans. Un jour, elle ne passerait plus pour une jolie fille, quel que soit le soin qu'elle prenne d'elle. Et, au-delà d'un certain âge, seule une femme *très, très riche*, pouvait espérer attirer les hommes jeunes.

Elle n'avait pas encore atteint cet âge, pas encore, oh non. L'effrayante limite était encore loin. Mais bon nombre des millions de Jack Donaldson avaient été dépensés d'un lieu de divertissement à l'autre de par le monde. Elle était encore à flot, largement, encore à même de s'acheter tout ce dont elle avait besoin, mais pas aussi riche qu'il lui *faudrait* être en vieillissant. Tout était relatif, n'est-ce pas ? Il était insupportablement difficile de voir venir son quarantième anniversaire, à moins d'être une femme richissime.

Comme la voiture s'engageait sur la route qui menait au ranch, une pensée familière traversa l'esprit de Fernanda. Un jour, quand son père mourrait et qu'il serait possible de vendre le ranch, ses sœurs et elle deviendraient riches à un point quasi inimaginable. Des centaines de millions de dollars, pour chacune. Mais quand ? Combien de temps lui faudrait-il attendre ? Obtiendrait-elle l'argent avant d'en avoir besoin ? Ou viendrait-il trop tard ?

4

Tandis que tombait la nuit, la Fiesta battait son plein. L'orchestre avait attaqué un pot-pourri des arrangements de Glenn Miller et, aux premières notes de *Midnight Cocktail*, une foule avait envahi la piste de danse. Chacune des familles invitées à la Fiesta était autorisée à amener tous ses enfants de plus de seize ans, et les adolescents redécouvraient avidement le swing, leurs parents s'efforçaient énergiquement de s'en souvenir à partir de vieux films, et les plus de cinquante ans leur montraient comment swinguer dans les règles. Les hôtes de la Fiesta s'étaient mis sur leur trente et un pour l'occasion : les hommes en tenues de cow-boy élaborées, même s'ils n'étaient jamais montés à cheval ; les femmes en robes de daim frangées (pas à moins de quatre mille dollars) ou en jupes à cerceaux inspirées de Scarlett O'Hara.

Mike Kilkullen se retira dans l'ombre sous le couvert de la tribune afin d'observer un moment la fête. Il pouvait tout voir à la lueur des flammes des barbecues, des milliers de bougies abritées par des verres de lampe et du pâle clignotement des ampoules suspendues un peu partout. Toutes les précautions avaient été prises contre l'incendie mais il avait néanmoins posté des hommes autour du vallon de crainte qu'un brandon ne s'envole et provoque un accident.

Comme il aurait aimé que son grand-père fût près de lui ce soir ; il en éprouva une douleur soudaine et inattendue. Hugh Kilkullen avait été le premier enfant Kilkullen à naître au ranch, en 1867 ; il y avait vécu quatre-vingt-cinq ans. Il arborait encore une verte et vigoureuse soixantaine lorsqu'il avait entrepris d'emmener son petit-fils de six ans, à dos de poney, pour l'initier aux multiples tâches d'un éleveur. Ils chevauchaient alors par les pâturages qui semblaient sans limites, par les *mesas* * herbeuses et arrondies, séparées par de petits cañons où coulaient des ruisseaux aux rives boisées, couvertes de chênes, de sycomores et de lauriers.

---

\* Mesas : plateaux résultant de l'érosion. De l'espagnol *mesa :* « table ».

Hugh Kilkullen avait grandi à une époque où le ranch fonctionnait encore comme par le passé ; il avait assisté à l'arrivée du chemin de fer de Santa Fe, et au passage des énormes attelages de quarante-deux chevaux qui tiraient une batteuse géante pendant les moissons. Il se souvenait du temps où il n'y avait pas encore l'eau courante dans l'hacienda ; où les lampes à kérosène étaient allumées au coucher du soleil ; où une année trop sèche contraignait les femmes de la famille à sacrifier leurs précieux parterres de fleurs ; alors l'eau trop rare, conservée dans de grands réservoirs surélevés, ne servait qu'au bétail. Il avait vu les cerfs majestueux et les ours voleurs de miel qui habitaient encore les pentes les plus basses du pic de Portola.

Le Pic se dressait abruptement en deçà de la limite du ranch. Il était surprenant de trouver une montagne si près de la mer ; les géologues la considéraient comme l'ultime extension à l'ouest de la chaîne de Santa Ana, et elle avait donné au ranch son nom d'origine, Rancho Montaña de la Luna. On eût dit un doigt pointant vers le ciel et, sous certains angles, on pouvait voir la lune se lever directement de derrière ce sommet. Tout âme vivant alentour était marquée par la gloire des soleils levants, quand l'astre effleurait ce sommet, au-delà duquel s'étageaient, souvent visibles, les crêtes neigeuses des montagnes plus hautes du Parc national de Cleveland.

Parfois, lorsqu'ils revenaient à l'hacienda, son grand-père lui avait conté des histoires sur le ranch au tournant du siècle, quand sa femme et lui avaient rempli les nombreuses pièces de l'hacienda Valencia avec ses propres sœurs, toutes quatre mariées, leurs époux et leurs enfants, sans compter ses deux ravissantes belles-sœurs célibataires qui vivaient avec eux en attendant que l'on sollicite leur main. Hugh Kilkullen avait épousé Amilia Moncada y Rivera, descendante d'une autre vieille famille californienne espagnole, éleveurs comme les Valencia et plus ou moins apparentés à la poignée de familles qui avaient autrefois possédé toute la Californie : les Avila, Ortega, Vallejo, Cordero et Amador.

L'hacienda était longtemps restée le fief des traditions familiales, un lieu d'habitation qui, au temps des Valencia, avait formé un petit village. Elle avait eu sa propre école, une petite chapelle, une forge, une tannerie, un abattoir et une laiterie. Près d'une centaine d'employés avaient travaillé pour la seule famille : cordonniers, fabricants de fromages, couturières, charpentiers, boulangers et même un joaillier installé à demeure.

Les bateaux à voiles jetaient fréquemment l'ancre dans le port Valencia, apportant d'Alaska la glace qui rafraîchirait les boissons de l'été, d'Allemagne un grand piano pour l'arrière-arrière-arrière-grand-mère de Mike, d'Angleterre le cristal et les porcelaines pour la table. Cette époque somptueuse et hospitalière avait pris fin avec la disparition des derniers rancheros espagnols, comme était morte la vie des plantations du Sud à l'issue de la guerre civile, mais beaucoup de cet esprit généreux avait survécu jusqu'à la fin des règnes victorien et edwardien. Hugh Kilkullen, photographe amateur passionné, l'avait emprisonnée dans des milliers de photos qui étaient aujourd'hui soigneusement conservées dans une chambre ignifugée.

Les pièces de l'hacienda, alors débordantes d'enfants et de nurses, de parents et d'amis qui venaient séjourner plusieurs mois ; ces jours de gaieté ; les courses de chevaux, les grands pique-niques jusqu'au soir, les grands bals, les mariages brillamment célébrés, les soirées musicales et les fiestas hebdomadaires... comment toute cette joie, toute cette vie avaient-elles pu dépérir, jusqu'à ne plus survivre qu'en lui-même, un homme solitaire qui donnait cette grande fête une fois l'an pour avoir le prétexte de rassembler toutes ses filles et ses petits-enfants autour de lui ? N'aurait-il pas fallu conserver, pour les générations à venir, autre chose que des photographies et ses souvenirs des récits de son grand-père ? se demanda Mike Kilkullen.

Quelque chose demeurait, se répondit-il résolument en silence, quelque chose d'infiniment plus important que l'histoire individuelle d'une famille. La terre restait, la terre ne changeait pas, la terre que son grand-père lui avait dit de ne jamais vendre, parce qu'elle serait toujours là pour prendre soin des Kilkullen. Oui, la terre avait été préservée pour l'avenir.

De son poste d'observation dans la pénombre, il repéra Valerie à une table au milieu d'un groupe de voisins et de ses plus vieux amis. Beaucoup d'entre eux étaient devenus milliardaires au cours des trente années écoulées, transformant leur terre en centres commerciaux ou en zones industrielles, ou y développant de vastes quartiers résidentiels. Il n'y avait pas de limite au nombre toujours croissant de ceux qui désiraient s'installer à Orange County. Chaque fois qu'une maison était mise en vente, il fallait organiser une sorte de loterie pour que le gagnant ait le privilège de l'acheter. Sans doute le considérait-on comme un idiot de ne pas les rejoindre sur la route certaine de la fortune, mais le ranch Kilkullen appartenait encore, jusqu'au moindre hectare, à la famille. Tant que Mike Kilkullen aurait son mot à dire, il resterait un ranch d'élevage dans la région.

Regardant Fernanda, moulée dans son pantalon en daim et son bustier en jean brodé de perles turquoise, en train de danser avec un gosse empressé qui n'avait pas la moitié de son âge, Mike se demanda, avec une douleur familière, ce qu'eût été le futur s'il avait eu un fils, quelqu'un pour faire perdurer les rudes traditions laborieuses de l'éleveur.

Et s'il n'avait pas divorcé de Lydia ? Ou, tant qu'il y était, s'il ne l'avait pas rencontrée en 1947 ? Il était alors un grand gosse de vingt-deux ans, plein de toupet et de vigueur, qui avait intégré l'armée à dix-sept ans pour en sortir trois ans plus tard, la poitrine bardée de médailles et l'impression d'être adulte.

Avant sa mort survenue au cours de la guerre, sa mère avait souvent dit à son père que le jeune Mike devrait terminer ses études quand la guerre serait finie. Bien qu'il brûlât de revenir au ranch aussi vite que possible, son père avait insisté pour tenir la promesse faite à sa femme. Mike avait passé deux ans à Stanford ; à la fin des vacances d'été, juste avant le début de sa seconde année, il s'était rendu à une partie à Pasadena ; c'était là qu'il avait vu pour la première fois Lydia Henry Stack.

Elle venait d'avoir dix-huit ans et resplendissait de la perfection d'une fleur cultivée pour une exposition florale : ses yeux brillaient d'une paisible confiance à la perspective de ses triomphants débuts dans le monde de Philadelphie. Sa meilleure amie de Foxcroft, leur pensionnat de Virginie, l'avait persuadée de l'accompagner dans l'Ouest pour quelques semaines. Il n'avait fallu à Mike qu'une demi-heure pour la convaincre de quitter la fête avec lui.

Il se souvenait encore combien elle était ravissante dans sa longue robe de taffetas bleu pâle avec la veste assortie ; décente à rendre fou avec ses petits gants blancs et ses escarpins de satin ; si gracieusement attirante avec ses manières modestes, policées, mesurées ; ses brillants cheveux brun sombre retombant sur ses épaules en vagues parfaitement disciplinées, ses lèvres souriantes à peine teintées d'un rose qui donnait l'impression que les autres filles étaient outrageusement fardées.

Oui, elle l'avait rendu fou avec sa sophistication de pensionnaire bien élevée, son exceptionnelle allure, une classe enfin qu'il n'avait jamais vue chez aucune des charmantes filles de Californie du Sud avec lesquelles il était sorti jusqu'alors.

Et sans doute avait-il représenté pour elle quelque chose d'aussi fascinant, nouveau et irrésistible, sinon pourquoi lui aurait-elle permis de l'emmener de la fête ? Pourquoi aurait-elle passé avec lui chaque moment de son séjour, l'autorisant à l'embrasser pendant des heures sur le siège avant de sa décapotable jusqu'à ce que leurs lèvres soient irritées et gonflées, jusqu'à ce qu'ils tremblent tous deux de la fièvre du désir ?

Jamais elle ne lui avait permis de toucher ses seins. Rien en dessous du cou, telle avait été la règle édictée par Lydia. Oh, il se remémorait encore la violence de cette frustration, plus puissante que sa meilleure baise, frustration qu'aucun d'eux ne savait apaiser parce qu'en 1947, une jeune fille de bonne famille de Philadelphie ne connaissait rien d'autre que les baisers. Pareil pour les Californiennes, d'ailleurs.

Alors Mike Kilkullen et Lydia Henry Stack s'étaient enfuis. Deux gosses criminellement stupides, entichés l'un de l'autre, obsédés de sexe, qui n'auraient jamais dû se rencontrer — encore moins se marier —, s'étaient enfuis parce qu'ils ne pouvaient sauter le pas et s'envoyer en l'air pendant quelques semaines. La moitié de sa génération avait probablement fait de même mais c'était, rétrospectivement, une façon catastrophique de prendre une décision, surtout quand il ne pouvait être question de divorce facile, ni pour lui avec sa famille catholique, ni pour elle avec sa stricte éducation anglicane.

A regarder en arrière, il comprit qu'il n'avait mesuré que très tard à quel point leur mariage était une erreur — des années après elle. Au début, il lui avait semblé que tout marchait bien, quand ils avaient loué un petit appartement à Palo Alto après la rentrée. Mais, une fois légalisé le fait de coucher ensemble, leurs étreintes n'avaient jamais été aussi merveilleuses que ce qu'ils avaient tous deux imaginé dans leur ignorance. Liddy, qui avait adoré être embrassée, ne goûtait pas le sexe. Cela l'effrayait, l'angoissait, et aussi gentil qu'il fût, elle ne domina jamais un dégoût viscéral pour ce qu'elle considérait comme un acte dégradant et importun. Mais lui était convaincu que son attitude se modifierait avec le temps, entre autres parce qu'elle se retrouva si vite enceinte.

Les premiers mois, il la découvrit souvent en train de pleurer dans la salle de bains, en cachette, pour qu'il ne l'entende pas. Elle expliquait son bouleversement par le fait de n'avoir pas voulu de bébé si tôt, ou parce que ses parents étaient encore furieux contre elle à cause de sa fugue. Mais, plus tard, il comprit qu'elle était en rage contre elle-même, en rage car elle gâchait sa vie, rage désespérée, sans fin, sans mots pour s'exprimer. Elle se retrouvait prisonnière d'un mariage impulsif, *nullement nécessaire*, quand elle aurait dû être de retour dans l'Est, chez elle, dans la ville qu'elle aimait, parmi des gens de son monde, avec l'avenir ouvert devant elle.

Ils avaient été beaucoup trop jeunes pour se marier sans vivre une grande passion. Ou même *en vivant* une grande passion, songea amèrement Mike. Leur attirance n'était fondée que sur une sorte de frustration et les idées, tout aussi imparfaites, qu'ils se faisaient l'un de l'autre. Elle avait été la princesse qu'il avait ravie, tel un trésor, dans ce fief de la civilisation et de la culture américaines qu'était l'Est ; il avait été l'incarnation du pseudo-romantisme de l'Ouest sauvage, héritier d'un grand ranch, héros de guerre, déjà un homme aux yeux inexpérimentés de Lydia. Leur grand amour n'avait été qu'une version plus chic, plus riche, du Cow-boy et de la Lady.

Une affligeante erreur, un beau gâchis, mais Valerie était née onze mois après leur fuite. Puis, avant que ne commence la troisième année d'études de Mike, son père avait été victime d'une attaque fatale. En une nuit, préparé seulement par ce qu'il avait appris avant de partir à l'armée, lui, le dernier mâle Kilkullen, était devenu le grand patron du ranch. Emilio Hermosa, un vieil homme, occupait alors le poste de régisseur et Mike s'était attaché à ses pas afin d'apprendre les moindres détails de l'élevage. Ils partaient tous deux au petit matin, en camionnette, car l'espace dont Mike devait tout savoir était beaucoup trop vaste pour être parcouru à cheval. Liddy s'était retrouvée à la tête de la grande hacienda, chargée de superviser le travail des serviteurs et des jardiniers tout en prenant soin de Valerie. Les époux avaient été tous deux trop occupés pour se faire part de leur malheur. Fernanda était née deux ans plus tard, et c'étaient les filles qui avaient maintenu le couple pendant encore quelques années.

— Papa, que fais-tu ici, à l'écart ? demanda Jazz en apparaissant près de lui.

— Je me souviens, répondit-il en toute franchise.

— De quoi ?

— Du vin rouge d'Anaheim. Tout ce champagne et cette vodka et ce vin blanc qui coulent à flots ce soir... sais-tu qu'autrefois on ne buvait ici que le simple vin rouge des vignes d'Anaheim ?

— Le rouge de Disneyland ?

— Disney n'était pas né. Et les dames ne buvaient pas, ou peut-être une fois par an.

— Tu regrettes les ségrégations du bon vieux temps ?

— Probablement. Je songeais à ce que ton arrière-grand-père me racontait.

— Si on dansait ? invita Jazz.

— Pour mon plus grand plaisir, acquiesça-t-il.

Et il l'entraîna de l'ombre jusque sur la piste de danse.

*
**

Je m'amuse follement ce soir, pensa Jazz, euphorique.

Elle se promenait dans la foule, après avoir dansé avec son père, s'arrêtant pour saluer chacun car aucun des invités ne lui était inconnu.

Elle s'était décidée pour une robe précieuse et apparemment simple qu'elle avait achetée lors d'une fiévreuse vente aux enchères d'anciens vêtements de grands couturiers. Elle avait bataillé pour gagner cette robe de Madame Grès, qui datait du début des années soixante : robe longue en mousseline de soie blanche, à la grecque, avec une épaule drapée et l'autre nue. Ce discret triomphe de la très prestigieuse maison de haute couture était si bellement travaillé que des dizaines de mètres de mousseline plissée retombaient en une étroite colonne qui se mouvait doucement autour d'elle dès qu'elle marchait ou dansait. Même debout, immobile, Jazz avait l'impression d'être caressée par une brise poétique. Évidemment, pour les non-initiés, ce n'était qu'une robe de soirée, appropriée à toute grande occasion.

L'air du soir était un rien humide, comme toujours en bordure de l'océan, et Jazz avait jeté sur ses épaules un magnifique châle espagnol en soie brodée que son arrière-grand-mère, Amilia Moncada y Rivera, avait porté voilà cent ans pour présider aux grands jours de l'hacienda Valencia. Ce châle représentait un héritage très convoité dans la famille ; il n'appartenait à aucune des trois filles, mais son père avait permis à Jazz de l'emprunter pour ce soir.

Elle avait relevé ses cheveux sur sa tête, cherchant une coiffure qui suggérât l'Espagne et qui tenait grâce à quelques invisibles peignes d'écaille. Ne manquent que la rose entre les dents et trois ardents toreros pour se jeter à mes pieds, se moqua Jazz. Elle ne s'en réjouissait pas moins de l'effet obtenu, qui lui semblait en parfaite harmonie avec l'esprit paisible de la soirée qui planait au-dessus du vallon illuminé, âme venue d'un autre siècle et que l'on captait rarement dans Orange County, où seules quelques traditions de convivialité remontaient au-delà de 1950.

Jazz s'éloigna presque jusqu'aux confins du vallon éclairé, là où il y avait moins de monde, et posa un regard méditatif alentour. Si seulement il était possible d'immortaliser cet instant dans un cliché, souhaita-t-elle. Son vœu fut de courte durée car elle savait la chose impossible ; elle ne pouvait à la fois être photographe et faire partie du tableau, or toute la joie qu'elle éprouvait était liée au fait d'être dans sa propre peau, de se savoir chez elle dans un lieu aimé, de porter une robe dont elle seule appréciait la valeur, avec un châle de famille inestimable. Sans compter qu'elle les portait avec une élégance qu'aucune autre femme ici n'aurait pu concurrencer... pourquoi s'essayer à la fausse modestie par une telle nuit ? D'ailleurs, par n'importe quelle nuit ?

Incapable de résister au désir de cadrer la scène de son œil de photographe, Jazz s'improvisa un viseur d'un cercle formé de son pouce et de son index. Impulsivement, elle s'éloigna vers les derniers éclats de lumière, afin d'élargir son cadre, et recula de trois pas rapides.

Un choc brutal faillit la faire trébucher. Elle s'était cognée à quelqu'un qui était en train... d'avaler un énorme plat de chili, supposa-t-elle avec horreur. Et elle demeura pétrifiée en sentant un paquet de mixture à moitié liquide l'atteindre dans un jet chaud et huileux : tomates, haricots et viande hachée, dégoulinaient de la bordure du châle jusqu'au milieu de sa robe. Lentement, très lentement — comme si cela devait minimiser les dégâts —, elle tourna la tête pour regarder derrière elle.

— Non, oh mon Dieu, non. Dites-moi que je n'ai pas fait ça !

C'était la voix d'un homme.

Jazz leva les yeux du saccage pour voir son agresseur. Le débile, le maladroit, l'impardonnable lourdaud était un parfait inconnu, empourpré de confusion, un grand dadet rouquin en costume rayé bleu marine et chaussures de ville noires, plus déplacé qu'un clown parmi les autres hommes de la fête. Serait-ce vraiment peu distingué de lui envoyer un coup dans les couilles ?

— Pourtant... vous... l'avez... fait, rétorqua Jazz, à peine capable d'articuler.

— Je cours chercher du soda, du sel, ne bougez pas, implora-t-il, restez où vous êtes, je reviens tout de suite.

— Du soda ? Du sel ? Ça ne marche pas, même pour une petite tache sur une nappe. *Vous avez tout saccagé. Pour de bon !*

— Non, attendez ! Ne vous mettez pas dans cet état ! Je vous achèterai une autre robe, je trouverai un autre châle. Je vous promets de les remplacer. Comme neufs. Mieux même !

— Vraiment ? Vous croyez que c'est facile ? Écoutez-moi, tête de nœud, l'une des dix femmes les mieux habillées du monde devra mourir avant qu'une autre robe comme celle-ci soit disponible, à condition qu'elle ne la lègue pas à sa fille ! Quant au châle, il appartenait à mon arrière-grand-mère ; il est unique, irremplaçable, un héritage de famille. Du moins il l'était, avant que vous ne le preniez pour cible.

— Merde !

— C'est le premier mot à moitié intelligent que je vous entends prononcer. Merde, c'est le mot exact. Il faut vraiment être un crétin pour manger son chili debout. Vous êtes un vrai danger public. N'avez-vous pas vu toutes ces tables et ces chaises, là-bas ? Jamais été dans une soirée ?

Plus elle parlait, plus la colère la gagnait. Le chili gouttait maintenant sur le sol.

— Je suis aussi désolé que possible, vraiment très confus, mais je me tenais simplement dans un coin tranquille, à réfléchir et à regarder les gens, quand vous avez surgi de nulle part pour vous cogner à mon épaule. Je tenais bien mon assiette mais vous l'avez fait sauter de ma main. Je prends tout sur moi, jusqu'à la dernière miette, mais si l'on veut être juste ce n'était pas ma faute à cent pour cent.

— Aha! Le couplet sur la culpabilité de la victime! Dans deux secondes, vous allez prétendre que j'essayais d'attirer votre attention et que je n'ai pas trouvé d'autre moyen.

— Non, mais si vous vous efforciez de faire preuve d'une once d'objectivité, nous devrions admettre que ce n'est quand même pas la marée noire en Alaska, rétorqua-t-il, furieux à son tour.

— Génial. Conceptualisons un peu. Ce n'est pas non plus Three Mile Island. Ni Tchernobyl. A vous. Qu'est-ce que ce n'est pas encore?

— La putain de fin du monde, lâcha calmement l'inconnu. Laissez-moi essayer de nettoyer votre châle avant qu'il soit trop tard. Je vais vous l'ôter aussi prudemment que possible.

Il s'avança, tendit raidement les bras et souleva le châle des épaules de Jazz. La pointe détrempée pendait de façon lamentable quand il se tourna pour se diriger lentement vers deux tréteaux sur lesquels il déposa le vêtement. Jazz se rua sur la table la plus proche, saisit deux couteaux et une poignée de serviettes avant de le rejoindre. Tous deux se penchèrent sur le grand triangle de soie noire.

— Essayez d'enlever les résidus visibles, ordonna-t-il, mais ne grattez pas la soie. Elle a l'air affreusement fragile.

— Vous tenez un pressing dans la vie? marmonna Jazz.

Elle suivit pourtant ses instructions.

— Jazz, Casey, que faites-vous?

La voix de Mike Kilkullen venait de résonner derrière eux. Ils se redressèrent de concert et s'arrangèrent pour se coller l'un contre l'autre devant le châle.

— Ne me dites pas que vous avez déjà quelque chose à cacher! s'exclama Mike, riant de voir leurs mines coupables.

— Un accident, Mike. Je crains d'avoir aspergé de chili le châle ancien de cette jeune personne, déclara l'étranger.

— Zut, souffla Mike. Chaque fois que je sers du chili, il se produit ce genre de chose. Plus jamais.

Il se pencha pour inspecter les dégâts.

— Grand Dieu! Mais on peut sûrement réparer. N'y touchez pas, à mon avis... Laissez cela à un spécialiste.

— Voyez, fit l'inconnu en se tournant vers Jazz. Je savais qu'il y aurait une solution.

— Alors tout va bien pour vous? Je sais, vous avez dit que vous étiez désolé! Tant que vous y êtes, suggérez-moi de teindre ma robe en rouge brique. On n'y verra que du feu.

La voix de Jazz restait menaçante, mais la présence de son père lui faisait baisser le ton.

— Juanita Isabella, est-ce une façon de parler à ton cousin retrouvé ?

— Cousin ? Pas question, fit platement Jazz.

— Cousine ? Impossible, déclara en même temps l'inconnu.

— Vous ne vous êtes pas présentés ? Jazz, voici Casey Nelson. Son arrière-grand-mère était une Kilkullen. Casey, voici ma plus jeune fille, Jazz. Ta cousine au troisième degré, si j'ai bien calculé.

— Qui était cette arrière-grand-mère ? demanda Jazz, les poings sur les hanches. Je n'en ai jamais entendu parler.

— Moi non plus, jusqu'à ce que Casey me retrouve et m'écrive voilà quelques semaines.

— T'écrive ? répéta Jazz. Comme ça, du néant ? Pourquoi donc ?

— Je ne t'attendais pas ce soir, Casey, reprit Mike ignorant la question de Jazz. Pas avant la semaine prochaine. Mais je suis ravi que tu aies pu venir pour la Fiesta.

— J'ai conclu plus tôt que prévu mes affaires à Chicago, alors j'ai sauté dans le premier avion. Je n'ai pas pris le temps de me changer, j'ai juste déposé mes bagages dans la maison et j'ai rappliqué.

— Va te chercher une autre assiette de chili, je m'occupe du châle.

— Sûr ? O.K., j'ai honte de l'admettre mais j'ai encore faim.

Casey s'éloigna, laissant seuls Jazz et son père.

— Papa, fit Jazz d'un ton indifférent, tu dis que Casey Nelson t'a recherché et t'a écrit. Que voulait-il ?

— Un boulot.

— Il n'a plus de travail et il en a besoin, c'est ça ? Pourquoi pense-t-il que tu peux l'aider ?

— Il veut travailler ici, au ranch.

— Je vois le tableau, ricana Jazz. Je l'imagine bien propre dans un costume de cow-boy Ralph Lauren, en super macho tout neuf.

— Ne commets pas l'erreur de le prendre pour un cow-boy d'opérette, chérie. Il ne l'est pas.

— Que sais-tu de lui, exactement ?

— J'ai fait des recherches après avoir reçu sa lettre. Mon grand-père avait une jeune sœur, Lillian, qui épousa un type du nom de Jack Nelson. Il était venu d'Irlande vers 1880. Grand-père m'avait dit que ce Nelson n'aimait pas la Californie ; aussi Lillian et lui étaient partis pour New York où il avait travaillé dans les remorqueurs. Ils ont eu beaucoup de gosses. Grand-père garda le contact un temps mais après la mort de sa sœur, voilà peut-être soixante ans, il cessa d'écrire. Il m'a parlé d'elle une ou deux fois, mais j'avais complètement oublié que nous avions des cousins dans l'Est. L'arrière-grand-mère de Casey était ma grand-tante Lillian.

— Et ça fait de lui un cousin ?

— Autant que je sache, oui.

— Ils sont toujours dans les remorqueurs ?

— Le père de Casey s'en est très bien sorti dans ce business.

Jazz le regarda, bouche bée. Son père utilisait cette expression pour des voisins comme les Segerstrom, desquels il avait dit : « Ils s'en sont très bien sortis en vendant. » C'était juste après que le Plaza South

Coast, le plus grand et le plus luxueux centre commercial des États-Unis, avait fait un milliard de dollars de chiffre d'affaires à l'endroit où s'étiraient autrefois les champs de haricots beurre des Segerstrom. Du point de vue de Mike Kilkullen, le premier John D. Rockfeller était sans doute un homme qui « s'en était très bien sorti » dans le pétrole.

— Alors pourquoi cherche-t-il un job dans un ranch ? Pourquoi ne s'occupe-t-il pas de remorqueurs ?

— Il semble qu'il ait toujours voulu être éleveur. Depuis qu'il est môme. Qui sait, peut-être le sang des Kilkullen ? Il a acquis un peu d'expérience dans des ranches ici et là pendant des années ; cow-boy dans le Wyoming, le Nevada et en Australie, régisseur adjoint du ranch Stanton au Texas... Il projette d'acheter une grande exploitation dans le Nevada, mais il veut d'abord travailler un an sur le tas... voilà pourquoi il m'a écrit.

— Le Nevada ? La terre vaut une fortune là-bas. Plus une deuxième fortune pour monter l'exploitation.

— Casey s'en sort bien — en fait, je devrais dire qu'il s'en sort *très* bien — en affaires. Il a étudié à la Business School de Harvard. Il a un flair du tonnerre pour les investissements, mais son cœur va à l'élevage.

Jazz digéra l'information.

— Que vas-tu faire de lui ? s'enquit-elle, étonnée.

— Mon régisseur, rétorqua brièvement son père.

— Allez, P'pa, fit-elle en riant. Que vas-tu faire de lui ?

— Jazz, je viens de te le dire. Mon régisseur.

— *Tu ne parles pas sérieusement !*

— Pourquoi non ?

— Parce que c'est *ton* boulot ! Tu t'es occupé de tout ici pendant quarante ans ! C'est insensé. Absurde. Impossible ! Tu ne connais même pas ce type. Régisseur ! *Tu dois avoir perdu la tête !*

— Ne me parle pas sur ce ton, Juanita Isabella, et n'essaie pas de m'apprendre à diriger mon ranch.

Mike était calme mais profondément fâché.

Jazz regarda son père avec un mélange de confusion et d'indignation, rejetant de tout son être l'idée que quelqu'un d'autre que son père pût diriger le ranch. Elle chercha ses mots mais le regard de Mike la dissuada de protester davantage. Après quelques secondes de silence, il reprit la parole, sa colère rapidement passée.

— Enfin, Jazz, il me sera utile. Je ne parcours plus les terres comme autrefois. Nous avons perdu l'herbe de deux prairies le mois dernier, transformée en chardons, parce que je ne m'étais pas rendu sur ces pâturages depuis belle lurette... et mardi dernier encore, j'ai découvert deux pompes à eau cassées, Dieu seul sait depuis quand. Ces maudits vandales ! Ils viennent en moto, saccagent les clôtures, tirent sur le bétail et font exploser les canalisations. Cela les amuse, et c'est pire de jour en jour.

— D'accord... mais pourquoi le nommer régisseur ? hasarda Jazz.

Elle avait repris courage à écouter l'ordinaire complainte de l'éleveur.

— Aucun autre titre ne lui donnera l'autorité sur les vaqueros. Arrivant en étranger, il aura besoin de les tenir ferme. C'est mon ranch, alors où est le problème ?

— Aucun problème, papa, s'empressa de répondre Jazz. Je suis seulement surprise. C'est... c'est arrivé si rapidement.

De tout le week-end, son père n'avait soufflé mot à propos de Casey Nelson alors qu'il l'attendait sous peu. Ainsi, il n'avait pu se résoudre à le lui dire, et aurait continué à se taire jusqu'à l'arrivée du lourdaud, se dit Jazz. Mike Kilkullen avait décidé de se faire remplacer — même si ce n'était que pour un an — dans le seul poste qu'il ait voulu de toute sa vie.

Être le grand patron, ou le propriétaire, ou quel que soit le nom qu'on voulait employer, suffisait à la plupart des autres éleveurs, mais jamais Mike Kilkullen ne s'en était contenté. L'appellation plus modeste de régisseur convenait mieux à cet homme qui avait si bien su exercer cette responsabilité ; qui chevauchait dès le lever du soleil et donnait des ordres jusqu'au crépuscule ; qui était capable d'accomplir lui-même toutes les tâches du ranch, depuis l'installation des clôtures jusqu'aux enchères lors de la vente des jeunes têtes au Cow Palace de San Francisco ; qui savait repérer d'un regard une bête malade au milieu d'un troupeau et la soigner en moins d'une minute ; qui était le chef enfin, chef incontesté, absolu et fier de sa terre, vivant tout le jour à cheval avec le bétail et les vaqueros, un chef sans égal.

Un régisseur ressemblait à un général au cœur d'une perpétuelle bataille, et cela n'avait pas changé depuis que le premier cavalier avait enfermé les premières bêtes dans un enclos. Un grand patron pouvait être n'importe quel citadin, avec Stetson et cigare, qui aimait l'idée de posséder du bétail. Son père n'aurait jamais abandonné son titre de régisseur pour une invasion de chardons et quelques pompes cassées. Sans doute se sentait-il... quoi ? Le cœur de Jazz s'emballa comme elle scrutait son visage. Las ? Fatigué ? Il n'y paraissait pas, mais ce devait être cela, il fallait qu'il soit épuisé pour songer à nommer Casey Nelson régisseur. Était-ce possible ? Mike Kilkullen abandonnerait-il sa fonction de régisseur du ranch Kilkullen pour simple raison de fatigue ?

— Ma chérie, n'as-tu pas autre chose à te mettre ? demanda-t-il. Tu ne peux pas rester ainsi.

— Je vais trouver, fit Jazz d'un ton absent.

— Tout de suite.

— Bien, chef.

La crise de l'âge mûr frappait-elle souvent les hommes de soixante-cinq ans ?

**
*

Quelques rares lampes brillaient dans l'hacienda déserte. D'une nature économe, Susie ne pouvait quitter un lieu à la nuit sans penser

à ménager l'électricité. Jazz conduisit la Jeep qu'elle avait réquisition-
née aussi près que possible de la porte arrière du patio, afin de ne pas
risquer de répandre les reliquats de chili encore humides qui macu-
laient sa robe ailleurs que dans sa propre chambre. Elle s'orienta
prudemment dans les allées, tenant des deux mains son vêtement
relevé, et parvint à la véranda. Là, elle poussa une porte de l'épaule et
entra dans sa chambre. Tout à l'heure, elle avait laissé allumée la
lampe de chevet, Susie l'avait éteinte. Dans le noir total, elle fit quatre
pas en direction de la salle de bains. Une douleur violente lui déchira
le genou gauche. Elle chancela un instant sur ses hauts talons, tout en
s'efforçant de garder sa robe relevée, puis s'affala sur une masse
d'objets durs et anguleux qui la blessèrent à l'épaule et à la cheville.
  — QU'EST-CE QUE C'EST QUE CETTE MERDE! cria-t-elle dans
le silence.
  Lentement, elle s'extirpa du guet-apens, lâcha sa robe et, mains
tendues devant elle pour repérer dans l'obscurité un éventuel autre
obstacle, se fraya un chemin jusqu'à la table de chevet où elle pressa
l'interrupteur de la lampe.
  Une pile de valises Vuitton — les plus solides, avec angles droits et
coins métalliques assassins — se dressait au beau milieu de sa
chambre.
  — J'ai juste déposé mes bagages dans la maison, dit Jazz à voix
haute. J'ai juste déposé mes bagages ... *juste... déposé...*! Tu trouves que
ça ressemble à une chambre d'amis, petite tête?
  Elle jeta un regard sauvage à l'entour. Comme d'habitude, quand
elle était à la maison, elle avait à cœur que sa chambre soit bien
rangée, comme on le lui avait appris quand elle était petite. Ce soir,
elle s'était montrée particulièrement soigneuse dans l'hypothèse que
quelques invités viennent prendre un dernier verre après la fête et
soient conviés à faire le tour du propriétaire. Après s'être habillée pour
la soirée, elle avait mis tous ses accessoires dans le premier tiroir du
bureau; la salle de bains, elle aussi, était impersonnellement propre.
  — Oui, Jazz, marmonna-t-elle en se frottant le genou, on dirait bel
et bien une chambre d'amis, une très jolie chambre d'amis, surtout
pour cet arriéré de crétin de cousin Casey.
  La douleur l'élançait mais, heureusement, l'épaisseur plissée de
l'étoffe lui avait épargné un bleu.
  Jazz parvint à s'extirper de sa robe Grès et l'enroula tendrement
dans une serviette. Plantée devant son placard à se demander ce
qu'elle allait mettre, elle ôta les peignes de ses cheveux, trouva sa
brosse et défit sa savante coiffure espagnole. Des jeans et une chemise
auraient fait l'affaire n'importe quel autre soir, mais pas pour la
Fiesta. Elle troqua ses collants beiges contre des collants dorés et, vite,
se saisit d'un cintre auquel était suspendu par de fines attaches un
petit morceau de tissu doré, sans forme, très court. Elle le passa par-
dessus sa tête. En une seconde, Jazz renaissait, toute en seins, toute en
cul, toute en jambes. Les jambes du bon vieux temps glorieux de
Hollywood, les jambes de Betty Grable, les jambes de Ginger Rogers,
les jambes de Cyd Charisse, des jambes faites pour les rêves.

Le morceau de chiffon doré se transforma en la dernière création de Calvin Klein, tunique-minirobe aussi courte que possible, le genre de vêtement le plus diaboliquement difficultueux à porter de la haute couture américaine, un vêtement qui ressortait à chaque saison dans une matière différente mais toujours dans le même style ; une robe apparemment destinée à narguer toute femme dont le corps n'est pas une perfection. Une robe qui défiait toutes les femmes, surtout celles qui ne la porteraient jamais.

Jazz était née pour la porter. Après l'avoir photographiée sur un modèle pour une pub, elle avait appelé le créateur à New York et obtenu qu'il lui en envoie une plusieurs mois avant la mise en vente à travers tous les États-Unis. Elle se saisit d'un pot acheté dans une boutique de Melrose Avenue et jeta une pleine poignée de poussière d'or sur sa chevelure qui cascadait maintenant dans son dos comme un soleil d'automne sur les forêts.

— Tiens bon, se murmura-t-elle, non sans une inflexion de plaisir.

Elle troqua ses sandales blanches pour des dorées et accrocha à ses oreilles de longs pendants étincelants en faux diamants jaunes.

Laissant sa chambre dans le plus grand désordre, elle retourna à la Jeep. En quelques minutes, elle était revenue à la fête. Elle scruta la foule un moment avant de s'y jeter. Son œil fut brusquement attiré par la rouge chevelure d'une femme, coupée si court sur la nuque qu'on aurait dit un petit garçon. Elle n'avait pas encore remarqué cette invitée. Quelque chose lui agaçait la mémoire dans le port particulier de cette tête, la ligne allongée du cou, la courbe élégante de ces épaules.

Pourtant, elle était certaine de n'avoir jamais vu cette femme dans aucune Fiesta antérieure, qui qu'elle soit. Elle venait d'un autre univers. Comme Jazz s'avançait, intriguée, elle remarqua que l'interlocuteur de l'inconnue dont elle n'avait pas encore vu le visage n'était autre que son père ; il parlait avec une animation inhabituelle.

Mike Kilkullen leva les yeux et aperçut sa fille. Jazz agita la main, il lui fit signe de s'approcher, et son visage prit soudain une expression que Jazz ne sut déchiffrer, mêlant la tendre bienveillance coutumière à ce qui semblait être... impatience ? confusion ? embarras ? La femme se retourna.

— Red ! hurla Jazz.

Elle se précipita pour l'étreindre.

— Red, Red chérie, je t'aurais reconnue sur-le-champ si tu ne t'étais pas coupé les cheveux. Que fais-tu donc à notre petite fête ?

— Mike m'a invitée, répondit Red en serrant la jeune femme dans ses bras.

Elles gardèrent le silence un instant, se contemplant l'une l'autre, cherchant les indices d'un changement, comme le font des femmes qui ne se sont pas vues pendant six ans. Jazz avait vingt-trois ans la dernière fois qu'elles avaient travaillé ensemble. Red Appleton avait été l'un des plus grands mannequins du début des années soixante-dix, avant de diriger un prestigieux magazine de mode dans les années quatre-vingts. Au sommet de sa carrière de rédactrice en chef, elle s'était retirée, optant pour la vie conjugale.

— Où *étais*-tu, Red ? voulut savoir Jazz. Tu t'es volatilisée.

— Cap Ferrat, Saint-Moritz et une dizaine d'autres endroits où l'on s'encanaille à grands frais.

Red s'exprimait avec un accent texan que la moitié des filles du métier avaient imité. Elle avait été la chouchoute de tous, mannequin favori, brillante rédactrice en chef, le boute-en-train de toutes les séances de pose, d'un naturel enjoué, infatigable, et sans ego débordant.

— Et tu repars où ?

— Nulle part. Je ne bouclerai plus jamais une valise. J'ai acheté un appartement sublime à Lido Island.

— Toi ? Tu habites à Newport Beach ? Tu es notre voisine ? Je n'arrive pas à y croire. Comment cela ? Où est ton mari ?

— La page est tournée, et j'ai d'ailleurs laissé le bouquin dans un avion, rétorqua Red avec ce grand sourire texan que nul ne pouvait imiter.

— Divorcée ?

— Absolument.

— Bienvenue au pays !

Jazz était ravie. Red et elle avaient partagé ce qu'aucune femme ne peut feindre, aussi douée soit-elle dans l'art du mensonge : une authentique affection. Jazz en avait sourdement voulu au richissime mari de son amie, qui l'avait arrachée à la presse où elle était devenue une star, pour l'entraîner dans le tourbillon d'une vie de plaisirs migratoires. Mais Red, si indépendante sur bien des plans, avait toujours eu une faiblesse : elle adorait les hommes plus âgés qu'elle, autoritaires et dominateurs.

— Papa, tu me réserves bien des surprises ce soir. Où as-tu déniché ma Red chérie ? Serait-elle aussi une lointaine cousine ?

— Nous nous sommes rencontrés à une soirée, répondit Mike.

— Quand ? interrogea Jazz, surprise.

Son père ne sortait presque jamais.

— Il y a environ deux semaines.

— Tu aurais pu me le dire, protesta-t-elle. J'ignorais que Red vivait ici.

— J'ignorais qu'elle était « ta Red chérie ». Suis-je tenu de te faire des rapports hebdomadaires sur ma vie sociale ? Maintenant, va t'amuser, Jazzbo. Red est ma cavalière ce soir. Elle n'a pas pu arriver plus tôt et nous allons danser jusqu'à nous écrouler.

Mike Kilkullen s'empara fermement du bras de Red et l'entraîna vers la piste de danse. Par-dessus son épaule, Red agita la main vers Jazz et se laissa emmener, gracieusement abandonnée contre son cavalier.

Jazz en resta bouche bée. Sa vie sociale ? A sa connaissance, son père n'en avait jamais eu. Il ne sortait pas. Jamais il n'avait invité l'une des plus belles femmes du monde à la Fiesta, d'ordinaire réservée à la famille et aux vieux amis. *Il n'avait jamais eu de cavalière pour la Fiesta.* Deux semaines ? Combien de fois s'étaient-ils vus dans l'intervalle ? Que se passait-il ? Pouvait-il se passer quelque chose ? Pouvait-il ne *rien* se passer ? Son père était encore un homme superbe. Quel âge avait Red ? La quarantaine, en tout cas. Et divorcée. Donc, disponible. Sans compter qu'elle avait toujours eu un faible pour les hommes qui lui donnaient des ordres. Mike donnait des ordres à tout le monde. Red n'aimait que les hommes beaucoup plus âgés qu'elle. Il l'était. IL SE PASSAIT QUELQUE CHOSE.

Bien. Bien. Bien. La tête et le cœur de Jazz se livrèrent à quelques zigzags, quelques sauts périlleux et trois aller et retour de yoyo tandis qu'elle ruminait la nouvelle. Elle s'efforça d'être impartiale. D'avoir l'esprit large. Existait-il une seule raison qui empêchât son père d'avoir, ce soir, choisi Red pour cavalière ? N'était-ce pas sa soirée, son ranch ? N'avait-il pas droit à une vie sociale ? N'avait-il pas droit au plaisir de... flirter... avec une belle femme ? Red lui avait certainement appris qu'elles étaient de vieilles amies. Était-ce pour autant un crime de la part de Mike de ne pas lui avoir dit qu'il connaissait Red depuis deux semaines, au cours desquelles elle, sa fille bien-aimée, devait lui avoir parlé six ou sept fois au téléphone ? Il avait droit à un peu d'intimité, non ?

Oui, oui et oui, à tout point de vue. Mais que signifiait ce regard de Mike quand elle s'était approchée ? Elle avait pensé à de l'embarras, de la confusion, peut-être un peu des deux, mais c'était surtout... de la fierté.

Et pourquoi pas ? Quel homme ne serait pas fier d'escorter Red Appleton ? Inutile d'en tirer de folles conclusions, et d'abord cela ne la regardait pas. Même s'il se passait quelque chose, se dit Jazz sévèrement. Elle remit son cœur à sa place, reprit le contrôle de son cerveau inquisiteur, lui intima le silence, afficha un sourire et, résolument, tourna le dos à la piste de danse. Se demandant à quel groupe elle se joindrait, elle regarda les tables.

Non loin d'elle, Casey Nelson était assis entre Valerie et Fernanda, et mangeait tranquillement un dessert. Les deux femmes étaient penchées vers lui avec une évidente fascination. Bien sûr, pensa Jazz, si Charles Manson était libéré sur parole et pouvait encore assurer, Fernanda lui ferait un plan d'enfer ; mais Valerie, face à de nouveaux venus, réservait d'ordinaire son intérêt jusqu'à ce qu'elle ait trouvé en quoi ils pouvaient lui être utiles.

Jazz se glissa dans la foule, refusant toutes les invitations à danser, et prit place à ce qui semblait être devenu la table familiale. Elle était maîtresse dans l'art de se joindre à un groupe sans déranger, se rendant quasi invisible jusqu'au moment où elle désirait être remarquée. Elle se livra à une discrète étude de la nouvelle carte arrivée dans le jeu.

Après ce que son père lui avait dit, elle se devait de considérer le lointain cousin comme autre chose qu'une aberrante irritation qui disparaîtrait au matin. Il ne tiendrait pas le coup longtemps, évidemment. C'était, ce devait être, une sorte d'expérience de la part de son père, une lubie passagère pour ce digne et réfléchi héritier des remorqueurs, qui au demeurant n'avait rien d'un mauvais garçon.

Peut-être même Mike avait-il le désir inconscient de faire de ce type impossible — trente-deux ou trente-trois ans, si elle était bon juge, et elle l'était — un substitut du fils qu'il n'avait jamais eu. Jazz se dérida, et la panique éprouvée un moment plus tôt l'abandonna. Bien sûr! Pile! Casey Nelson était un mâle Kilkullen. A peine attaché à la lignée par quelques gouttes de sang, mais là était le lien essentiel. Grands dieux, elle avait mis dans le mille!

Il n'avait pas l'air d'un Kilkullen, à part les cheveux, pensa-t-elle, promenant discrètement les yeux sur lui. Ses cheveux épais, d'un roux sombre et qui bouclaient ici et là, étaient la marque de la famille; Mike Kilkullen avait eu les mêmes avant qu'ils ne deviennent blancs. Mais jamais un Kilkullen n'avait ainsi ressemblé à un lionceau trop grand, avec un front que creusaient de profonds sillons lorsqu'il parlait. Ce Nelson arborait une large éclaboussure de taches de rousseur sur une peau blanche qui devait facilement brûler au soleil; des sourcils épais et indisciplinés, roux-dorés, sur des yeux audacieux couleur noisette; et un nez un peu large à la base. Au regard entraîné de Jazz, pareils traits révélaient obstination et générosité. Il serait sans doute inintéressant à photographier, son visage était trop neutre, sans aspérité, pas assez anguleux; pourtant, quand on le scrutait, une individualité certaine se dégageait de lui, qu'un appareil photo pouvait saisir. Non pas cette distinction quasi décadente, cet air « vieille Angleterre » qui était encore recherché chez les mannequins masculins, mais une espèce de... à défaut de trouver mieux : décence. Ignorait-il que la décence avait passé l'arme à gauche? Passée de mode, comme ses sales bagages Ninja.

— Oh, Jazz, s'exclama Valerie.

Elle se tourna vers sa demi-sœur et posa une main possessive sur le bras de Casey Nelson.

— As-tu été présentée à notre cousin Casey Nelson?

— On est de vieux potes, rétorqua Jazz. J'ai même l'impression qu'il va dormir dans ma chambre.

L'intéressé leva les yeux et la regarda pour la première fois depuis qu'elle s'était installée à la table.

— Je suis désolé... une fois de plus. J'ai cru que c'était une chambre d'amis.

— Erreur compréhensible. Vous en êtes à deux ce soir, Casey... pour le moment.

En prime, Jazz lui décocha un sourire ravageur, sourire impudique, parfaitement coquin et qu'elle réservait aux grandes occasions, histoire de ne pas perdre la main.

— Je disais à Casey que j'avais rencontré son père, Gregory, fit Valerie, refusant de paraître troublée par le fait que Jazz et Casey se connaissent. Il est président de l'association des Œuvres de Madison Avenue. Tu sais bien, Jazz, cette grande manifestation de charité qui me terrifie chaque année.

Comme pour beaucoup de décorateurs, le summum de l'année, pour Valerie, était l'invitation annuelle à créer une pièce modèle pour l'association des Œuvres de Madison Avenue. C'était une ancienne institution de bienfaisance new-yorkaise, qui se dévouait à l'éducation des enfants pauvres mais doués. Tous les ans, le comité investissait la plus belle maison vide sur le marché de l'immobilier et demandait à un groupe choisi de zélés décorateurs, concourant en solitaire et pour l'honneur, de concevoir chacun l'aménagement d'une pièce.

— J'étais loin de me douter que Gregory Nelson avait un fils attiré par les ranches, continua Valerie. Il me vient la plus drôle des inspirations. Cette année, l'on m'a assigné une chambre d'enfant. Maintenant que j'ai rencontré Casey, je vais faire une chambre de jeune garçon. Ne l'imagine-t-on pas blotti dans son lit, sa petite tête pleine à craquer de rêves de western ? Il se trouve que je sais où dénicher deux des plus extraordinaires anciens chevaux à bascule — des pièces de musée — puis des tapis navajos, évidemment, et des piles de couvertures indiennes dans un coin. Je peux faire la tapisserie des sièges et le cadre de lit en cuir, même les murs, du moment que je trouve la bonne couleur. Des cactus partout, dans de grands pots de terre cuite. Le rouge des portes d'écurie pour les moulures, vous ne croyez pas, Casey, et une grosse corde nouée plusieurs fois pour les pieds de lampes ? Une selle transformée en table de chevet, pourquoi pas ?

— Y aura-t-il une étagère pour les bandes dessinées et les magazines de western ? questionna Casey. C'est tout ce dont un gosse a vraiment besoin.

— Je ne le crois pas. Non, absolument pas. Une étagère pour les livres, certes, mais pas pour les BD. Il peut les garder dans la salle de bains. Elles gâcheraient l'ensemble.

— Je n'y avais pas pensé, fit Casey.

Il avala un demi-verre de vin rouge et se resservit aussitôt. Son visage arborait une expression prudemment indéchiffrable.

— Vous voyez ce que je veux faire, fit Valerie, souriante. Je savais que vous comprendriez.

Elle se sentait si bien dans son ensemble pantalon d'un vert de feuillage, si joliment froissé comme seul le pur lin sait l'être. Gregory Nelson, vraiment, son lointain cousin ? Quelle chance. Imaginer un arrière-grand-père qui ait laissé les ponts se rompre, et Père qui s'était débrouillé pour oublier. On pouvait faire confiance à des éleveurs californiens pour être frappés de cette myopie sociale. Les Nelson devaient posséder tous les remorqueurs du port de New York, sans parler de ceux de Hoboken, Boston, et Dieu savait où encore. Les remorqueurs n'étaient pas des pétroliers, d'accord, mais de toute façon les pétroliers n'étaient plus ce qu'ils avaient été.

— Cousin Casey, ronronna Fernanda, maintenant que nous nous sommes rencontrés, je dois vous dire que rien, absolument rien, de ce que vous avez lu à mon sujet sous la plume d'Andy Warhol n'est vrai. Je ne sais d'où il a sorti cette histoire entre moi, Joe Dallesandro et Mick, mais...

— Je ne l'ai pas lue, lâcha abruptement Casey.

— J'ai pensé porter plainte quand le livre est sorti, mais j'ai pris exemple sur Halston, du temps qu'il était en vie. Il disait que ça ne valait pas le coup — que ça ne faisait que répandre le mensonge. Croyez-vous que si Andy était encore vivant, il serait lâché par tous ses amis, comme l'a été Truman ? Pauvre Truman... il disait toujours que j'étais exactement comme il avait imaginé Holly Golightly. A l'origine le rôle dans le film avait été écrit pour Marilyn Monroe, pas pour Audrey Hepburn. Vous n'adorez pas Tru ?

— « Adorer » n'est pas le mot que je choisirais pour Capote.

Il avala un peu plus de vin.

— Alors, dites-moi seulement qui est votre écrivain préféré ? demanda Fernanda.

Elle se pencha en avant de façon que la savoureuse demi-lune de ses seins presque découverts touche la main de Casey.

— Louis L'Amour.

— Qui ?

— L'Amour. Louis L'Amour.

— Hmmm... mais cela m'a l'air tout à fait fascinant. Où trouve-t-on ses œuvres ?

— Partout.

— Oh, souffla Fernanda, déçue. Je croyais que ce serait quelque chose de très spécial.

— Ça l'est, assura Casey.

Il termina son verre et le remplit de nouveau.

Je ferais mieux de voler au secours du pauvre nigaud, décida Jazz. Quoi qu'il ait fait, il ne mérite pas de tomber sous les tirs croisés de Valerie et Fernanda.

— Casey, lança-t-elle.

Impérieuse, elle se leva de son siège et secoua sa chevelure. Pendant un instant, un arachnéen nuage d'or tomba en pluie sur ses épaules.

— Vous dansez ?

— Diable, oui ! répondit-il avec ferveur.

Il bondit, le verre toujours à la main. Jazz s'approcha de lui en quelques pas dansants ; son miroitement d'or n'était rien moins qu'une invitation flagrante à des délices aisées à deviner, et tout le monde à la table la contempla un instant bouche bée. Casey s'élança, fit un pas aussi grand que pressé en sa direction, trébucha sur le pied de Fernanda et envoya valser le contenu de son verre. Le vin rouge éclaboussa toute la robe de Jazz.

— Ça fait trois, annonça Jazz dans un éclat de rire nullement surpris. A six, vous décrochez la timbale.

# 5

Contrariée d'être privée de son nouveau cousin de façon si peu cérémonieuse, Fernanda enfonça ses ongles dans ses paumes. Il n'était pas très bavard, mais un homme aussi viril que Casey Nelson valait d'être travaillé. Il suffisait de trouver la bonne corde de son instrument, obtenir sa totale attention, puis le regarder tomber. D'évidence, il estimait devoir avancer prudemment avec sa nouvelle et lointaine parentèle, sinon il n'aurait pas jugé bon de dissimuler sa réaction quand elle avait laissé ses seins lui toucher la main.

Casey avait un potentiel, un énorme potentiel, songea Fernanda tout en le regardant danser avec Jazz. Il bougeait bien, avec une grâce agressive. Sauf qu'il dansait avec cette garce de Jazz qui paraissait décidée à le monopoliser. Jazz qui jouissait de dix précieuses années de jeunesse de plus qu'elle, Jazz qui avait commis l'impardonnable péché de devenir mondialement célèbre, tellement célèbre que les hommes la trouveraient toujours fascinante quel que soit son âge. Fernanda n'avait pas aimé Jazz enfant, à présent elle la détestait. Sa bouche enfantine se crispa dans une moue jusqu'à ne plus former qu'une mince ligne rose, et sa peau de pêche vira au blanc sous l'assaut d'une vague d'envie.

Agacée, désireuse de secouer son humeur sombre, Fernanda regarda aux abords de la piste de danse. La petite aristocratie terrienne d'Orange County n'était pas sa tasse de thé. Tous les hommes étaient des contemporains de son père, ou à peu près, quand ils n'étaient pas les gosses de quelque famille du coin. Elle soupira et se résigna à une soirée de devoir filial. Mais comment accomplir son devoir quand son père tourbillonnait sur la piste, absorbé par une rousse à la mine vaguement familière ? Mystère.

— Excusez-moi, m'dame, fit une voix masculine. Me permettez-vous de m'asseoir ?

Fernanda leva les yeux sur un très jeune homme en pantalon de treillis et chemise kaki au col ouvert qu'il portait avec un air tout militaire. Il ne souriait pas, ses traits étaient presque sévères, sa mâchoire crispée et ses larges épaules rejetées en arrière comme s'il se tenait au garde-à-vous.

— Mais dis-moi... Tu *es* Sam Emmett, non ?

— Oui, m'dame. Je ne pensais pas que vous vous souviendriez de moi.

— Comme tu as grandi, je ne peux pas le croire ! Viens, assieds-toi, Sam. Quel âge as-tu maintenant ? Je n'en sais plus rien. Je n'ai pas vu ta mère depuis si longtemps.

— Presque dix-sept ans, m'dame. Vous n'êtes pas la seule à être étonnée : j'ai dû prendre trente centimètres par an, et je ne vous ai pas vue depuis trois ans. J'étais juste un gosse alors.

— Tu l'as dit, murmura Fernanda.

Sam Emmett, fils d'une vieille amie, avait été envoyé dans une école militaire de l'Est alors qu'il n'avait que treize ans et demi, môme dodu avec la chevelure décolorée d'un surfer et des taches de rousseur partout sur sa bouille ronde. Il était si difficile à discipliner qu'en désespoir de cause ses parents s'étaient résolus à se séparer de lui.

— Je parle donc bien au terrible Sam, la terreur de Laguna Beach ? s'enquit Fernanda, amusée.

— Non, m'dame, j'ai bien tourné. L'an prochain, je passe capitaine des cadets, répondit-il de sa nouvelle voix d'homme.

— Ta mère doit être très fière.

Il était de ces adolescents qui prennent de l'âge à mesure qu'on les regarde, constata Fernanda.

— Elle le dit, m'dame.

— Qu'est-ce que c'est que tous ces « m'dame », Sam ? Je te connais depuis des années.

— Ma façon de m'adresser à une lady, m'dame, rétorqua Sam avec raideur.

— Très rassurant, pouffa Fernanda. Je suis contente de savoir qu'il existe encore des jeunes gens qui savent reconnaître une lady. Mais, arrête, s'il te plaît. Appelle-moi Fern ou je vais me sentir vieille.

— Impossible que vous soyez vieille, m'dame, répliqua-t-il timidement.

Fernanda le détailla des pieds à la tête. Il devait mesurer un mètre quatre-vingts. Sa croissance rapide lui avait laissé une silhouette dégingandée, ses cheveux blonds n'avaient pas encore foncé bien qu'ils soient coupés presque en brosse. Il était de quelques mois plus jeune que son fils Matthew mais, contrairement à ce dernier qui restait un adolescent, il avait franchi en trois ans la dernière frontière de l'enfance pour aborder l'âge d'homme. Sa voix grave, la rude structure de son visage, la ligne déterminée de ses lèvres, le dessin marqué de ses traits, tout le séparait des autres gosses de son âge. Certes, il était timide. Mais c'était prévu au programme.

— Tes parents sont ici, Sam ?

— Non, ils sont absents en ce moment, alors je suis venu seul. J'ai mon permis de conduire depuis près d'un an.

La fierté pointait sous le vernis militaire.

— Sam, je dois aller à l'hacienda chercher une veste — c'est si humide ici. Pourrais-tu m'accompagner avec l'une des Jeep ? Je n'aime pas cette route la nuit...

— Bien sûr, m'dame.

Fernanda le précéda jusqu'à la Jeep dont Jazz s'était servie un moment plus tôt, et ils furent bientôt arrivés à l'hacienda déserte.

— Je vous attends dehors, m'dame, dit Sam Emmett.

— Oh, je t'en prie, entre, Sam. Je n'aime pas me trouver seule dans une maison vide. C'est idiot mais j'ai toujours peur que quelqu'un s'y soit caché.

Il sauta du véhicule, suivit la jeune femme jusqu'à la porte de sa chambre éclairée, et se tint sur le seuil. Fernanda ouvrit le placard et fouilla dedans à la recherche de sa veste.

— Zut, je ne la trouve pas... Sam, viens par ici et regarde si tu vois une veste rouge, tu veux ? Il n'y a pas assez de lumière dans cette pièce... En plus, je suis daltonienne.

Dès que Sam fut occupé à chercher, Fernanda s'empressa de verrouiller sans bruit la porte de la chambre. Elle prit une serviette dans la salle de bains, la jeta sur le lit ; puis elle revint au placard et posa la main sur l'épaule du garçon.

— Laisse tomber, Sam. Je n'ai pas vraiment besoin de veste.

— Hein ?

— Je voulais seulement m'éloigner de cette foule et être seule avec toi, tu ne l'as pas compris, Sam ?

— Vous plaisantez !

Il se raidit, à moitié dans le placard, trop stupéfait pour bouger.

— Oui, seule comme ça, dit Fernanda.

Elle passa les bras autour de son cou. Sa langue rose se montra sur sa boudeuse lèvre supérieure tandis qu'elle levait vers Sam un regard d'attente tout de turquoise. Un sourire malicieux éclaira son visage comme elle savourait l'idée singulière qui l'avait conduite à sa chambre.

— Je n'ai pas pensé... que vous voudriez...

L'élève officier recula, toujours militaire, une lueur de nervosité dans ses jeunes yeux sévères.

— Sam, arrête. Détends-toi. Maintenant, assieds-toi sur le lit. J'ai à te parler.

Fernanda usait du ton de commandement qu'elle avait employé avec ses enfants. Il obéit à son autorité et se laissa maladroitement aller sur la courtepointe. Elle prit place à quinze centimètres de lui.

— Maintenant, Sam...

Sa voix était plus sourde, soudain dépourvue de toute intonation maternelle, une voix destinée à créer un lien entre eux, une voix de conspiratrice.

— ... crois-tu que j'ignore que tu m'avais repérée avant de venir à ma table ? A ce moment, n'as-tu pas pensé que tu aimerais... oh... je ne sais pas... m'embrasser, peut-être ? Me toucher ? Même... faire certaines choses que tu n'as probablement jamais faites à une femme ? Certainement pas à une lady. N'as-tu pas eu ces idées, Sam ? Dis-moi la vérité, sur ton honneur de cadet.

— Vous vous moquez de moi, c'est ça ? Vous vous souvenez de moi comme d'un gosse. Vous ne voyez pas que je suis grand maintenant. Vous trouvez amusant de jouer à ce jeu avec moi, d'accord, puis vous irez raconter à ma mère que j'ai eu des idées cochonnes !

— Aucun de nous ne dira un seul mot à ta mère. *Jamais.* Et je ne joue pas avec un grand gars comme toi. As-tu eu des pensées de ce genre, Sam ? Tu ne m'as toujours pas répondu.

— Eh bien... danser avec vous, peut-être, marmonna-t-il. C'est tout.

— Mieux, Sam. Beaucoup, beaucoup mieux.

— Je ne comprends pas, murmura-t-il.

Mais il ne se leva pas du lit. Il restait assis, bien droit, les pieds sur le plancher, une main posée à plat sur chacune de ses cuisses, le regard droit devant lui, au garde-à-vous.

Fernanda ne tenta pas de le toucher, bien qu'elle le trouvât adorable, avec cet air effrayé et boudeur ; la lueur de la lampe se reflétait sur sa jeune peau, ses jeunes lèvres, sa jeune nuque. Tout en parlant, elle baissa les yeux afin de voir l'effet que produiraient ses paroles. Sa voix était devenue très douce et elle veillait à ne pas bouger, à préserver la distance entre eux.

— L'idée ne t'a pas traversé l'esprit, Sam, qu'une femme comme moi pouvait trouver très... intéressant un jeune homme de ton âge ? Quand on est aussi jeune que toi, Sam, on a... une puissance que les hommes plus âgés n'ont plus. Mais tu n'as guère d'occasion, n'est-ce pas, surtout à l'école militaire ? Je ne trouve pas cela juste. Toute cette vigueur gaspillée...

Elle marqua un temps et répéta, caressante :

— Toute cette vigueur...

Elle regardait le garçon trembler, crisper ses mains sur ses cuisses. De si grandes mains, pensa-t-elle, les mains d'un homme fait.

— Dis-moi... énonça-t-elle, dans un murmure cajoleur et secret, as-tu déjà eu une femme, Sam ? Sois honnête. As-tu déjà eu une femme nue dans ton lit, une femme qui te laisserait lui faire tout ? Mmmm ? Je crois savoir des choses très intimes sur toi, Sam. Je crois que dans ton école militaire, nuit après nuit, tu vas au lit mais tu ne peux t'endormir, pendant des heures, parce que tu bandes, Sam. Ta bite devient si dure, si terriblement grosse, tellement tu as besoin d'une femme, et plus tu y penses, plus elle durcit et grossit, si dure que tu te dis que tu vas mourir si tu n'as pas une femme... ce n'est pas vrai, Sam ?

— Assez, grogna-t-il, je vous en prie, arrêtez.

Ses jambes étaient toujours fermement plantées au sol, mais Fernanda pouvait voir dans l'entrecuisse tendue de son treillis la chair qui grossissait, s'allongeait contre son ventre, plus qu'à mi-chemin de sa ceinture. Il demeurait immobile, sauf ses mains qui punissaient ses cuisses, craignant de faire un mouvement vers Fernanda, trop embarrassé pour la regarder, mais terriblement conscient de l'incontrôlable excitation que provoquaient ses paroles murmurées. Il continuait à fixer la pénombre mais il savait que son pénis battait contre le tissu de son pantalon, éminemment visible. Pendant des années, l'image de

Fern Kilkullen avait dominé ses fantasmes sexuels, mais Sam était si timide... il lui avait fallu un tel courage ce soir pour l'aborder. A présent, il avait peur d'éjaculer dans son pantalon si elle continuait à lui parler de cette façon.

— Sais-tu ce que je pense, Sam? reprit-elle de sa voix joueuse de petite fille murmurant des secrets. Dans ton lit, à l'école, tu imagines une femme, une femme qui ne porte qu'un slip minuscule, si transparent que tu vois presque au travers, presque, pas tout à fait, mais tu distingues une ombre entre ses jambes. Ensuite, tu imagines que cette femme enlève sa culotte, avec une lenteur délibérée, alors tu peux voir pleinement la merveilleuse toison blonde, comme la mienne, si douce et secrète entre ses jambes. Tu bandes de plus en plus dru et tu ne peux plus t'empêcher de refermer les mains sur ta bite pour te branler. Un peu d'abord, et de plus en plus fort, puis tu imagines que la femme a achevé d'ôter son slip, elle s'en est débarrassée, et il n'entrave plus ses jambes. Elle est complètement nue maintenant mais elle ne dit rien, elle reste allongée là, les jambes légèrement écartées et elle roule son cul sur le lit, elle ne peut pas se retenir, Sam, car elle est brûlante de savoir que tu la regardes et qu'à la voir tu deviens de plus en plus prêt pour elle, oh, si dur, Sam, si prêt. Et toi non plus tu ne peux plus te retenir, tu t'imagines que tu approches et que tu plonges les doigts dans sa chatte, et la femme ne dit toujours rien, mais elle ne peut cesser de se tortiller, elle tente de se lever vers toi, puis à son tour elle met ses mains sur sa chatte, par-dessus les tiennes, et ouvre ses jambes très, très lentement pour que tu puisses voir ce que cache la blondeur et maintenant tu le sais, maintenant tu peux la lui mettre... oh, mon Dieu... Sam, je vais devoir retirer ta trique de ton pantalon ou tu seras embêté, non?

Fernanda se pencha rapidement, défit adroitement la fermeture et s'empara du pénis tendu et tumescent.

— Oh, il est si gros, si beau et si gros.

Elle le tint entre ses paumes, sans bouger les doigts. Comme elle parlait, le garçon, excité au-delà de toute retenue, tomba en arrière sur le lit et se mordit les lèvres pour faire taire ses cris. Il éjacula aussitôt dans les mains de Fernanda, en jets rapides et violents qui lui faisaient chacun serrer plus fort les lèvres pour qu'aucun son ne s'échappe de sa bouche. Finalement, son pénis reposa lourdement dans les paumes de Fernanda. Elle l'abandonna sur la courtepointe et prit la serviette pour s'essuyer les mains. Le garçon se recroquevilla sur le lit, saisit son pantalon, les paupières toujours fermement closes, haletant et soulagé. Fernanda se pencha sur lui et comprit qu'il n'osait la regarder, honteux de la rapidité de ses spasmes.

— Oh, Sam, tu as fait exactement ce que je voulais, assura-t-elle. Tu vas recommencer, encore et encore, jusqu'à ce que tu n'en puisses plus. *Je vais te mettre à sec.*

— Je ne comprends pas, fit-il, le souffle court.

Il sanglotait presque. Il ouvrit les yeux et la regarda.

— Pourquoi m'avez-vous fait ça? Si vite... ces choses que vous disiez, vous saviez que je ne pourrais pas me retenir. Vous m'avez traité comme un jouet !

— Écoute, Sam, répondit Fernanda d'une voix lente et toujours sensuelle. Je vais te laisser faire et voir tout ce dont tu as rêvé, et même plus... si ce n'est pas assez bien pour toi, tu pourras partir. Nous n'en sommes qu'au début, c'était un échantillon. Tu n'as pas envie de t'en aller, non ? Ne préfères-tu pas rester avec moi, Sam ?

Tout en parlant, elle commençait à défaire son haut, ouvrir son pantalon en peau, de façon à les faire glisser au sol. Elle se tint entièrement nue devant lui ; il se redressa sur les coudes, bouche bée, trop stupéfait pour articuler une syllabe.

— Maintenant, Sam, contente-toi de regarder, ne t'avise pas de bouger.

Elle promena ses mains sur son corps, enveloppant et soulevant ses seins superbes, les resserrant l'un contre l'autre, puis descendit doucement pour caresser son ventre légèrement arrondi, ses hanches délicatement pleines, avant de frotter langoureusement son pubis. Ses cuisses s'écartèrent de quelques centimètres.

— Ah... oui... je savais que je ne pouvais pas te faire confiance, souffla-t-elle, tout en arborant sans honte la douceur et les formes de son corps. Tu bandes à nouveau, Sam.

Elle n'avait pas l'intention de le laisser la toucher, pas avant qu'il ne soit assez épuisé pour lui obéir. Elle lécha ses doigts et agaça le bout de ses seins jusqu'à ce qu'ils se dressent, durs et fermes, d'un brun pâle sur sa chair rose. Le cadet commença à respirer avec difficulté.

— Déshabille-toi mais reste sur le lit, ordonna Fernanda.

Sans lâcher ses seins, elle le regarda se débarrasser rapidement de ses habits ; elle respira profondément quand il révéla son corps nu, grand et maigre mais puissant.

— Maintenant, étends-toi sur les coussins et dis : « Je suis ton esclave. » A voix haute.

— Non ! protesta-t-il.

— Si tu ne le dis pas, je te laisse. Dis-le et joue en même temps avec ta bite. Frotte-toi comme tu le fais quand tu es seul. Montre-moi.

— Mon Dieu !

— Dis-le !

— Je suis ton esclave, je ferai tout, laisse-moi te prendre.

— Oh non, non, pas encore. Tu dois encore faire toutes mes volontés, Sam. Ne t'occupe de rien, regarde-moi seulement, regarde ce que je fais, et continue à te branler. Je veux te voir le faire. Ne t'arrête pas, ne t'arrête pas et n'essaie pas de me toucher, quoi que je fasse.

Fernanda s'approcha de lui comme il s'allongeait sur le lit, afin qu'il puisse la voir se lécher le majeur et le glisser entre ses jambes. Elle fit aller et venir son doigt, le porta de nouveau à sa bouche, le suça avant de le remettre dans sa chair généreuse.

— Qu'est-ce que tu es, Sam ?

— Je suis ton esclave, maugréa-t-il, les lèvres sèches.

Son pénis se dressait et gonflait sous ses gestes rapides.

— Qu'est-ce que je suis en train de faire, Sam ?

— Vous vous... touchez. Oh, laissez-moi vous prendre, s'il vous plaît, juste une fois, implora-t-il.

— Je suis toute mouillée à l'intérieur, Sam... mais tu ne peux pas me la mettre, tu ne peux pas me toucher, tu peux regarder mais pas toucher. Continue à t'occuper de toi.

— Non, fit-il, tremblant. Non. Je ne suis pas un bébé.

— Alors, je vais le faire pour toi, répondit-elle impitoyablement.

Elle se pencha pour que ses cheveux effleurent les testicules de Sam, prit dans ses mains le pénis tressautant, cabré, plein de substance et, à coups de caresses sûres, rapides, vindicatives, dominatrices, lui imposa son rythme. Sam retomba sur le lit, s'abandonnant à elle sans résistance, la suppliant de ne pas s'arrêter, ne pas s'arrêter, ne jamais s'arrêter. Il éjacula au bout de quelques secondes ; ce ne fut pas le flot aisé de la première fois, mais des contractions convulsives, des jets intermittents qui furent si violents que, cette fois, il ne put retenir ses cris.

— Bien, Sam, c'était très bien, loua Fernanda en essuyant ses mains sur la serviette. Mon esclave, voilà exactement ce que tu es. Et tu as fini par apprendre à m'obéir.

Elle s'allongea près du garçon et le regarda. Le petit soldat était complètement alangui, comme inconscient, chaque muscle, chaque articulation, chaque tendon de son jeune corps détendu. Couché sur le flanc, il tournait le dos à Fernanda.

Oui, il était l'esclave dévoué, sans nom et sans visage, dont elle avait rêvé pendant tant d'années — du moins, il s'en approchait d'aussi près que possible. Il était épuisé, tout désir disparu. Dans une minute, elle l'autoriserait à la toucher ; il ferait tout ce qu'elle dirait. Quand il banderait de nouveau, il apprendrait qu'il lui fallait attendre qu'elle soit prête. Il lui appartenait, il se souviendrait de la leçon, elle le dresserait. Pourquoi n'avait-elle encore jamais essayé un garçon, un enfant esclave ? se demanda-t-elle rêveusement. Et pour quelques instants elle se laissa aller au sommeil.

Elle s'éveilla pour se retrouver prisonnière du corps de Sam. Son pénis, grossi à la taille presque impossible d'un sexe stimulé pour la troisième fois, battait à l'entrée de son vagin ; de ses genoux, il lui maintenait les jambes écartées. Avec un grognement, il s'enfonça rudement en elle, jusqu'à l'emplir complètement.

— Alors, je suis ton esclave ? Je te baise bien, allumeuse. Un esclave peut faire ça ? demanda-t-il férocement. Je vais te montrer quel genre d'esclave je suis.

— Arrête ! Arrête ou je hurle.

— Je m'en fous. Tu vas avoir ma queue et ça te plaira.

— Sam, je le dirai à ta mère !

— Sûr. Comment suis-je entré dans ta chambre ? La ferme. Je sais que tu en as envie.

— Non !

— Si !

Il se tut, les dents serrées tandis qu'il se retirait violemment pour pouvoir s'élancer de toute sa force, la labourant avec cette puissance démente, débridée que seul possède un très jeune homme. Sa respiration était irrégulière, il ne la touchait ni de ses lèvres ni de ses mains, tout concentré sur son pénis ; et bien que Fernanda bataille pour l'arrêter, c'était comme s'il avait bloqué sa verge en elle. Il allait de plus en plus vite, malmenant le lit, aussi indifférent à la femme que s'il s'était trouvé dans une maison de passe. Finalement, il parvint à un orgasme bref, délité, déchirant. Il s'écroula lourdement sur Fernanda, encore tumescent, jusqu'à ce qu'elle le bourre de coups et qu'il s'écarte d'elle, sans un mot.

Tremblante de fureur, choquée, Fernanda sauta sur ses pieds et courut à son placard pour vite enfiler une robe.

— Sors d'ici, petit salaud dégueulasse !

— Oh, laisse-moi souffler. Tu as eu ce que tu voulais, non ? Je parie que ce n'est pas comme ça tous les jours.

— Fous le camp !

— D'accord.

Il tituba jusqu'à ses vêtements. Il était si faible qu'il tenait à peine debout.

— Whaou, quand je pense à ce que j'imaginais... rien d'approchant. Dis, Fern, c'est O.K. si je prends la Jeep ? Je dois aller rechercher ma voiture.

— Prends-la, marmonna Fernanda. Dépêche.

— Je m'en vais. Ne t'inquiète pas, je ne le dirai à personne. De toute façon, on ne le croirait pas. Contente ?

*<br>**

— Une des meilleures Fiestas dont je me souvienne, affirma Jazz à son père.

Le départ des derniers invités les avait tenus éveillés jusqu'aux alentours de trois heures du matin.

— Tu as l'air de pouvoir rester encore debout toute la nuit, fit Mike. Mais pas dans cette robe.

— Non, le cousin Casey a eu raison de celle-là aussi. Je me serais bien changée une deuxième fois mais je n'avais que des jeans. Et je n'ose pas imaginer ce qu'il aurait infligé à une troisième robe. Je n'ai pas couru le risque.

— Il ne l'a pas fait exprès, protesta Mike Kilkullen.

Il s'installa dans l'un des deux fauteuils de sa chambre, où Jazz et lui s'étaient retirés en attendant que Casey transporte ses bagages depuis la chambre de Jazz jusqu'à celle qu'il occuperait cette année.

— Freud affirme que les accidents n'existent pas, souligna Jazz, les sourcils dressés dans une expression amusée.

— Foutaises, répondit-il paresseusement.

— Va le lui dire, p'pa.

— Vous avez fini par devenir amis, Casey et toi ?

— Il sait danser, si c'est ce que tu veux dire.

— Vous avez dansé toute la nuit.

— Toi aussi, rétorqua Jazz, un rien aigre. Avec Red.

— Exact. J'ignorais que tu l'avais remarqué.

— Rien ne m'échappe. Bon, je vais au lit, p'pa. Et zut, je dois rentrer demain à L.A.

Jazz se leva de son siège et vint embrasser son père sur le front. Comme elle s'apprêtait à quitter la pièce, elle vit la photo qu'elle avait prise de sa mère et qui trônait toujours sur la table de chevet de Mike. D'abord, c'était comme regarder son propre portrait. Mais rapidement cette impression se dissipait dans l'agrandissement familier de cet instantané qui avait été l'une de ses premières photos. Jazz avait hérité des yeux de sa mère ainsi que de la courbe de ses sourcils, rien de plus, mais c'était toujours le premier détail qu'elle remarquait. Des étrangers le notaient aussi parfois, mais les différences entre son teint et celui de Sylvie Norberg, entre leurs bouches, entre l'implantation de leurs cheveux estompaient fréquemment leur ressemblance.

Son père restait-il parfois les yeux plongés dans ceux du portrait, se demanda Jazz, ou n'était-ce plus que par habitude qu'il conservait cette unique photographie dans sa chambre ?

**
*

Sylvie Norberg était arrivée en Californie en janvier 1959. La jeune comédienne suédoise, qui n'avait pas encore vingt ans, avait été découverte par Hollywood à la suite d'un petit rôle dans un film d'Ingmar Bergman. Elle était la fille unique d'un couple d'intellectuels de Stockholm ; son père était critique d'art, sa mère une décoratrice en renom. Tous deux menaient une passionnante vie de bohème dont le centre restait leur enfant. Les Norberg avaient eu soin de nourrir le précoce et évident talent de Sylvie, et d'encourager son sens inné de l'indépendance.

Ils lui avaient donné cette sorte de puissance personnelle qui ne vient qu'à ceux qui n'ont jamais eu à quêter l'approbation. Ils l'avaient toujours encouragée, discrètement, totalement, et cette attitude était aussi évidente pour eux que la loi de la gravitation universelle.

Sylvie Norberg jouissait d'une confiance sans faille quant à ses propres choix, confiance qui s'avérait précieuse pour la femme mûre. Durant son enfance et son adolescence, ses parents libres penseurs insistèrent sur le fait que son seul devoir était de vivre de la manière qui lui semblait la plus juste. Sylvie Norberg était si paisiblement certaine de ses décisions, et si convaincante pour les imposer, que nul ne discutait ses droits.

Elle devint une star internationale dès son premier long métrage américain — le genre de star qui, dès qu'elle est correctement filmée, devient *incontournable*, comme Audrey Hepburn dans *Vacances romaines*. Sylvie accepta ce statut avec une grâce lumineuse et suprêmement modeste, pas plus ébranlée ou surprise du tour des événements qu'une jeune princesse qui aurait su depuis sa naissance qu'elle était destinée à porter la couronne.

Le caractère même de ses attitudes, son éducation et ses manières étrangères, sa gravité enchanteresse la démarquaient si nettement des autres jeunes étoiles hollywoodiennes que la presse traitait avec respect la moindre de ses paroles. Elle conquit les journalistes sans en avoir aucunement l'intention. Elle s'exprimait dans un anglais parfait, avec un léger accent scandinave qui parait ses mots d'un charme et d'un poids qu'en anglais nul autre accent ne peut produire.

Sylvie Norberg n'avait pas les classiques cheveux blonds suédois, comme décolorés, mais une chevelure d'un blond sombre à la légère ondulation naturelle, coupée au carré juste sous le menton. Une lumière aussi mouvante et mystérieuse que l'alliage d'un rayon et d'une pierre de lune émanait de ses yeux gris clair, lumière qu'un mot pouvait allumer, qu'un mot pouvait éteindre, éclat hypnotisant qui poussait chacun à s'interroger sur ce qu'elle pensait. Hormis ce regard stupéfiant, la beauté de Sylvie, émouvante dans sa simplicité, n'avait rien de théâtral : elle semblait une dryade des pays boisés, parée d'une effronterie tout à fait de mise en cette aube des années soixante. On aurait dit un garçon manqué indépendant, et c'était là l'essence de ce à quoi tendaient les femmes, en réaction à la sophistication des stars du passé.

Indifférente à l'opinion publique et libre de toutes les restrictions que la vie impose aux gens ordinaires, Sylvie avait un credo très simple. Ce qu'elle voulait, elle l'obtenait.

Dès son plus jeune âge elle avait su prendre les bons tournants sur le chemin de la vie. Mais la Suède, elle le savait, n'était pas aussi compliquée que Hollywood. Dans l'industrie cinématographique, il lui faudrait soit se défendre seule, soit s'abandonner à un système dont les idéaux ne correspondaient pas aux siens.

Après son deuxième film, l'été 1959, Sylvie Norberg décida de prendre des vacances, au moment précis où toute actrice américaine ambitieuse se serait jetée dans sa carrière sans une pensée pour autre chose. Mais Sylvie venait de terminer deux grands films, l'un après l'autre, accompagnés de toutes les obligations — interviews, séances photos — qui saluent la naissance d'une nouvelle star, et elle se dit qu'elle avait besoin de temps pour digérer ses dernières expériences.

Il ne lui était pas possible de passer l'été en Suède car elle avait un engagement pour un autre film dès septembre, dont la préparation exigerait maints essayages de costumes et de perruques à Hollywood au cours des mois de juillet et août. Pourtant, elle savait qu'elle avait à nouveau besoin d'entendre et de pratiquer le suédois. La cadence de sa langue maternelle lui manquait plus qu'elle ne l'aurait cru. Elle accepta donc une invitation à séjourner chez un cousin de son père, Sven Hansen, qui possédait une petite coffee-shop suédoise à San Juan Capistrano.

A San Juan, elle serait assez près de Los Angeles pour faire l'aller et retour en train dans la journée, mais la petite ville, construite autour des ruines d'une ancienne Mission, était si pittoresque, si surannée et si éloignée des sentiers battus, que le séjour estival y serait aussi régénérant qu'un voyage dans un pays étranger. Son premier film n'était pas encore passé dans l'unique salle de cinéma de San Juan, lui assura Sven, et le second ne serait pas distribué avant l'automne.

— Des gens te reconnaîtront peut-être, l'avertit Sven, surtout maintenant que tu as fait la couverture de *Life*, mais ils ne t'embêteront pas. Et tu peux compter sur moi pour ne pas vanter ma célèbre cousine.

**\***

Au printemps 1959, Mike et Liddy Kilkullen finirent par s'avouer que leur union touchait à sa fin. L'éducation des filles avait été le maigre lien qui les avait attachés l'un à l'autre pendant si longtemps. Jamais ils n'avaient pu déguiser le fait qu'ils avaient, simplement, épousé celui et celle qui ne leur convenait pas.

Son trentième anniversaire poussa Liddy à prendre en compte son insatisfaction et la décida à partir tant qu'il était encore temps. Valerie avait onze ans, Fernanda huit, et elle nourrissait pour elles de grandes ambitions. Elle voulait leur donner tout ce à quoi elle avait renoncé, tout ce qu'elles n'auraient jamais si elles continuaient à grandir au ranch. Cela faisait dix interminables années qu'elle vivait loin de tout, et si elle ne les emmenait pas tout de suite dans l'Est afin de les placer dans de bonnes écoles, ses filles n'auraient jamais le savoir-vivre nécessaire pour tenir leur juste place dans le monde.

Liddy prit ses filles et retourna chez ses parents à Chesnut Hill, près de Philadelphie, dans le but d'y passer l'été avant de demander le divorce. Elle souhaitait consulter les avocats de sa famille avant de sauter le pas.

Mike Kilkullen n'essaya pas de la retenir. Il était bien trop tard pour cela, pensa-t-il, acceptant l'inévitable malgré un profond sentiment d'échec. Sans les enfants, Liddy et lui n'eussent plus été l'un pour l'autre que des souvenirs. Ils conviendraient d'un arrangement pour que les filles passent auprès de lui autant de temps que possible, mais il savait depuis longtemps que sa femme retournerait un jour à l'existence qu'elle n'aurait jamais dû quitter.

Cela faisait plus de deux ans qu'elle n'avait plus laissé son mari la toucher. Il ne l'en blâmait pas plus qu'il ne se blâmait lui-même de ne pas se plier à la suggestion de Liddy de vendre le ranch pour tenter de refaire leur vie à Philadelphie. Le fait même qu'elle pût entretenir cet espoir insensé démontrait à quel point ils s'étaient trompés en se mariant.

Le temps de ce printemps avait été aussi clément que les pensées de Mike avaient été lugubres. Après les grosses pluies hivernales, les *mesas* étaient devenues aussi verdoyantes que l'Irlande, le bétail s'était repu, et à l'issue du rassemblement des bêtes en mars, la moisson de veaux gras et grands avait atteint des prix records. Mike Kilkullen acheta deux taureaux de prix lors de la vente au Cow Palace de San Francisco et plaça le solde de ses bénéfices de l'année à la banque de San Clemente, où il effectuait toutes ses opérations.

Un éleveur ne peut faire fortune en Californie, réfléchit Mike, mais avec un niveau de vie raisonnable, si l'on prend soin de sa terre et de ses bêtes, si l'on loue régulièrement une partie des terres afin de s'assurer un revenu annuel fixe, eh bien, on ne meurt pas de faim, certes non.

Au Texas, ses trente mille hectares eussent constitué une petite propriété ; mais, à trente-quatre ans, Mike Kilkullen se retrouvait l'un des plus grands propriétaires de toute la Californie du Sud. Le ranch couvrait presque un sixième d'Orange County, et quand bien même il votait démocrate, on le regardait comme un citoyen de première importance — si l'on excluait le fait que sa vie privée était aussi stérile qu'un trou d'évier et aussi morne que le paysage qui s'étirait au-delà de la ligne boisée d'Old Saddleback.

Cet apitoiement sur moi-même me donne envie de vomir, se dit Mike. Et il se rendit à San Juan pour voir si la coffee-shop de Sven Hansen était encore ouverte. Un morceau de gâteau accompagné d'une tasse de café lui feraient du bien. Ce soir, il n'était pas d'humeur à aller se mêler à la foule joyeuse et ivre du *Swallows,* mais l'hacienda était si vide après dîner, sans les enfants, qu'il lui fallait sortir pour fuir cette désolation. Le problème était que son travail exigeait le sommeil en contrepartie. S'il avait pu s'en passer, il ne se serait pas arrêté de travailler, ainsi il n'aurait pas eu le temps de penser.

La coffee-shop était vide quand Mike y jeta un œil depuis la rue. Mais une fille en robe d'été se tenait derrière le comptoir, en train de laver une tasse et une soucoupe. Sven avait sans doute engagé une serveuse, se dit Mike, et il entra pour s'asseoir.

— Est-il trop tard pour commander, Mademoiselle ?

— Que désirez-vous, monsieur ? demanda Sylvie.

Elle était descendue de sa chambre pour se servir un café et s'apprêtait à fermer pour la nuit puisque Sven était sorti. Elle avait déjà joué le rôle d'une serveuse et, soudain, cela l'amusa de le reprendre un soir. Ses yeux brillèrent à cette pensée.

— Un café, s'il vous plaît, et une part de gâteau au carvi, s'il en reste.

Sainte Marie, Mère de Dieu, que désirait-il ? Qu'on lui montre une autre serveuse qui le regardât avec cette délicate moquerie, qui posât cette question avec cet accent merveilleux, prononçant les mêmes mots incendiaires, et il lui montrerait quel était son désir. L'embrasser jusqu'à lui donner le vertige, puis...

— Puis-je vous offrir de la crème ou le préférez-vous noir ? s'enquit Sylvie.

— Noir, ce sera parfait. Vous travaillez ici depuis longtemps ?

— Une semaine. Sven est le cousin de mon père.

— Vous êtes ici pour longtemps ?

— Pour l'été seulement, fit Sylvie à regret.

— Vous avez un prénom ? interrogea Mike Kilkullen.

— Sylvie.

Il était splendide, pensa Sylvie. Après six mois très occupés mais solitaires à Hollywood, elle avait commencé à se demander où trouver le seul genre d'homme qui l'attirât — un homme adulte mais sans complication, éminemment viril comme il en existait en Suède. Elle n'avait pas de temps à perdre avec les acteurs ou les producteurs, les metteurs en scène et les scénaristes de Hollywood. Tous étaient trop confus, trop artificiels, trop pris par le rythme fou et nécessaire du cinéma.

Cet étranger lui rappelait les géants de la mythologie qu'elle avait étudiée à l'école, si grand, si large, si impérieux. Il semblait un meneur d'hommes, il semblait un amoureux des femmes, il semblait un homme des grands espaces. Elle observa ses traits fortement marqués dans un visage carré, ses féroces yeux bleus, son nez aristocratique, fin et aquilin, se demandant quelles origines avaient façonné cet homme. Elle l'aurait, décida-t-elle. Elle le voulait. Maintenant.

— Je suis Mike Kilkullen, déclara-t-il en se levant pour lui serrer la main. Accepteriez-vous de vous asseoir et de prendre un café avec moi ?

— Une serveuse a-t-elle le droit de s'attabler avec un client ?

— A San Juan Capistrano, tout est permis, répondit Mike avec son lent sourire. Bienvenue au pays de la liberté.

— Vivez-vous dans les environs, Mike Kilkullen ? interrogea-t-elle gravement, en prenant place.

Il devait être irlandais. Pourquoi ne l'avait-elle pas deviné tout de suite ? Une créature du Nord, comme elle. Un homme au sang chaud et au mauvais caractère, d'une loyauté profonde, entêté, parfois enclin à la mélancolie, parfois pris d'un petit grain de folie.

— Je possède de la terre à huit kilomètres d'ici.

— Que cultivez-vous ?

— Cultiver ? Je suis éleveur.

Il prononça ce mot avec orgueil. Il était fier de se présenter à cette femme adorable — car elle était trop calme, trop sûre d'elle pour être regardée comme une jeune fille.

— Aimeriez-vous visiter mon ranch ? Bientôt ? Je peux m'arranger avec Sven. Montez-vous à cheval ?

Il était anxieux comme un lycéen qui invite une fille au bal de fin d'année. Cette femme savait-elle à quel point elle était belle ? Cela le troublait de la voir travailler dans un lieu si modeste, faire un job pareil, mais il jugea qu'il serait trop brutal de lui poser des questions personnelles.

— J'adore monter à cheval. Vous pouvez m'en fournir un ?

— Aucun problème.

— Demain, c'est mon jour de congé, déclara Sylvie.

— Le samedi ? Sven n'aura pas besoin de vous ?

— Peut-être, mais je ne serai pas là. Je chevaucherai avec vous, n'est-ce pas ? Au pays de la liberté.

Quand Sylvie souriait, la chair douce sous ses yeux se plissait d'amusement, métamorphosant soudain sa gravité en une joie pure.

— Vous avez déjà assimilé les coutumes du pays.

— On dit que je suis une élève rapide.

— Je viens vous chercher quand vous voulez. Je peux emporter de quoi déjeuner et nous irons jusqu'à l'océan pour pique-niquer près des falaises.

— Oh, oui ! C'est exactement ce que j'ai envie de faire demain... et je fais toujours ce qui me plaît.

84

— Mon père descendait ici, marchait dans l'eau et attrapait les homards quasiment à mains nues.

Mike et Sylvie avaient galopé jusqu'à une petite baie abritée au creux des falaises jaunes parsemées de bougainvillées magenta et pourpres. Ils mirent pied à terre ; Mike installa une couverture, un paquet de sandwiches et une bouteille thermos au pied d'un tas de bois qui les abriterait de la brise qui soufflait sans relâche sur le rivage.

A leur gauche, le Pacifique se brisait en inlassables rouleaux écumeux et en gerbes hautes qui venaient heurter les rochers de la pointe Valencia.

Entre l'anse et l'eau s'étirait la large plage au sable sombre qui, à marée basse, était tout tissée d'un lacis de goémons, de lisérés écumeux, de filaments mousseux de varechs et d'ajoncs marins. Au-dessus d'eux, l'azur ensoleillé les baignait de cette lumière particulièrement brillante, aveuglante, qui ne naît que de la rencontre du ciel avec l'océan.

Mike dessella les chevaux afin qu'ils puissent aller et venir. Sylvie courut sur la plage où la mer, en se retirant, avait laissé de petites flaques. A la lisière de la marée basse, elle protégea ses yeux du plein soleil et se mit à tournoyer. L'océan, la plage, les kilomètres de prairie, le sommet de la montagne visible dans le lointain, au-dessus de la crête des petites falaises... elle tourna et tourna et contempla l'horizon et ouvrit les bras de ravissement face à la liberté sans limite de ce lieu.

— C'est le paradis ! cria-t-elle.

Et elle se mit à courir follement sur la plage vide, réaction commune à beaucoup d'êtres humains quand ils se retrouvent au bout d'un continent. Mike Kilkullen rit de voir les chevaux s'élancer à leur tour au galop, ivres d'air, de mer, de soleil, et du rythme éternel du ressac. Il courut rejoindre Sylvie et tous deux se poursuivirent le long de la plage, se livrant à toutes les facéties, changements de direction, écarts, dérapages, et se cognant l'un l'autre tels des chiots déchaînés. Ils durent finir par s'arrêter quand le souffle leur manqua.

Ils tombèrent sur le sable, s'aperçurent aussitôt qu'il était détrempé, s'aidèrent à se relever, riant aux éclats, et titubèrent jusqu'à la petite anse où ils s'écroulèrent sur la couverture, riant toujours.

— N'avez-vous pas envie de m'embrasser ? demanda Sylvie dès qu'elle put parler.

— Voilà la question la plus sotte que j'aie entendue, répondit Mike.

Il emprisonna Sylvie de ses bras. Elle était fine et menue, il était grand et solide, mais tous deux étaient forts et également possédés de la folie qui les avait frappés dès qu'ils avaient posé les yeux l'un sur l'autre, le soir précédent, besoin qui les avait tenus éveillés toute la nuit, dans les frémissements de leur imagination fiévreuse.

Impétueux, maladroits, gauches tant leur désir était forcené, ils s'embrassèrent et s'étreignirent avec une hâte qui leur meurtrit les lèvres.

Sylvie entreprit de déboutonner la chemise de Mike. Il lui fallait voir la ligne où le bronzage cédait la place à une peau toute blanche sous le col de la chemise, il lui fallait poser les mains sur les muscles de ce torse large et sentir sa force, il lui fallait éprouver au creux de ses paumes la pilosité de cette poitrine. Elle avait eu des amants dès l'âge de seize ans, mais aucun n'avait suscité cette urgence débridée, oublieuse de tout le reste, comme si la vie ne pouvait commencer qu'après.

— Attends! souffla Mike comme elle s'attaquait impatiemment à sa ceinture. Tu es certaine de savoir ce que tu fais?

— La question *la plus sotte*... aide-moi, plutôt.

Il plongea les yeux dans ceux de Sylvie, et il comprit alors qu'avec cette femme il avait pénétré dans un monde étrange, étranger, où les questions n'étaient plus nécessaires. Il n'avait qu'à la suivre.

— Je t'aide, dit-il.

Et il fut nu en quelques secondes. Il allongea Sylvie sur la couverture, défit sa chemise de lin blanc, la fermeture de son pantalon. Ses doigts tremblaient.

— Vite, ordonna-t-elle.

Elle se débarrassa de ses vêtements sans la moindre hésitation.

— Vite?

Il avait envie d'explorer les merveilles de son corps, lentement, posément.

— Je te veux tout de suite, fit-elle.

Sa voix sourde, vibrante, était sans appel et, dans un mouvement aussi souple que soudain, elle se redressa et s'élança sur Mike, le renversa et fut sur lui, jambes écartées, lui enserrant les cuisses. Elle prit dans ses mains son pénis en érection, marqua une pause, goûtant sa grosseur, sa dureté puis, sans un mot, lentement, sûrement, s'empala sur lui. Affermie sur la pointe de ses mains tendues, elle était une mince, solide et pâle colonne de chair, les seins pointés, la tête rejetée en arrière et les lèvres entrouvertes en une grimace de victoire et de douleur mêlées, pareille à celle d'un coureur qui aurait gagné la course dans la dernière ligne droite.

Puis elle s'allongea sur la poitrine de Mike, étira ses jambes sur les siennes, pesant sur lui de tout son poids pour que leurs corps s'épousent, chair contre chair. Il était tellement plus grand qu'elle que ce poids sur lui ne lui était presque rien. Il se réfréna, attendant de voir ce qu'elle ferait ensuite de lui. Elle ne bougea pas pendant une minute, le sentant croître encore en elle, écoutant les palpitations de son cœur, mesurant le bruit de son souffle, éprouvant le battement de son pouls.

Il était comme un grand animal indompté qu'elle aurait traqué sur un rivage sauvage et amené à reddition, songea-t-elle, le dos baigné de soleil et, sur les lèvres, un goût de sel. A présent, nul besoin de se dépêcher, elle le possédait. Ce qu'elle voulait, elle l'obtenait. Elle se livra alors à un mouvement délibérément sensuel, contractant ses muscles pelviens, si légèrement que le changement ainsi provoqué aurait pu échapper à un homme moins excité que Mike.

Ce minuscule signal était tout ce qu'il attendait. Il referma les bras sur son corps parfait et mince et, sans se retirer d'elle, la souleva aisément et la coucha sous lui, les yeux plongés dans les siens. Ils se regardèrent ; il vit qu'elle comprenait qu'aucune femme ne le soumettrait, qu'aucune femme ne le précipiterait vers un orgasme pour lequel il n'était pas prêt.

Lentement, il sortit d'elle et, doucement, promena son pénis dans l'axe de sa vulve, chair brûlante et humide entre ses jambes. Puis il la pénétra de nouveau, progressivement, tandis qu'elle nouait et dénouait ses muscles autour de lui. Aucun mot ne fut prononcé comme il se retirait de nouveau pour se frotter sans hâte contre l'endroit tendre, enflammé, le plus secret de son corps, la sentant lever les hanches de plus en plus haut, écoutant son souffle qui s'accélérait, s'éteignait, reprenait ; elle gardait les paupières hermétiquement closes. Ce ne fut que lorsqu'il sentit le mouvement de ses fesses, quand il l'entendit commencer à gémir, qu'il s'autorisa à revenir dans sa chaleur et à débrider le rythme qui les mènerait ensemble à la plénitude de leur passion.

Ils reposaient sur le flanc, dans les bras l'un de l'autre, Mike toujours en elle.

— Ce qui s'est produit n'est pas possible, dit-il d'une voix qui lui parut celle d'un étranger.

— Généralement, cela n'arrive pas, acquiesça-t-elle avec un doux sourire.

— Ne ris pas ou je me retire.

— Tu le feras tôt ou tard, assura-t-elle, toujours rieuse.

— Es-tu si experte ? interrogea Mike.

Il était soudain en alerte et le sous-entendu de sa question poussa Sylvie à s'arracher à son étreinte et à s'asseoir, créature d'une forêt magique qui se serait aventurée au plein soleil, les bras noués autour de ses genoux, dissimulant ses seins.

— Il n'existe pas d'autre sport qui vaille qu'on y excelle, fit-elle.

Nul défi dans sa voix, seulement la sereine certitude d'un état de fait, mais ses yeux ne riaient plus.

— Ce que je veux dire... ce que j'essaie de dire...

Se sentant soudain à son désavantage, Mike s'assit à son tour.

— Ce que tu voudrais dire sans y parvenir, mon amour, est que tu es surpris — non, choqué — de voir une femme que tu ne connais que depuis la veille se donner si librement. Et qu'elle considère l'amour comme un sport où tout le monde devrait exceller. C'est bien cela ? Inutile de me répondre, je le lis sur ton visage. Tu t'attendais à devoir me faire la cour pendant des semaines avant que je te laisse me prendre ainsi, et encore, je n'aurais pas eu l'initiative. Et cela se serait passé la nuit, n'est-ce pas ? Et j'aurais d'abord dû « apprendre à te connaître ».

— Tu as trop d'imagination, protesta-t-il.

Mais tout ce qu'elle disait était vrai.

— Pas du tout, je lis dans ton esprit. Tu es un mâle américain, et j'ai appris à les comprendre : comment ils pensent, ce à quoi ils croient, comment ils estiment que devraient se conduire les femmes. Je n'espérais pas que tu serais l'exception de ce pays.

Elle était d'une dignité parfaite et émouvante, sa gentille autorité implicite dans le moindre de ses mots, bien qu'elle fût encore tout à l'éclat d'après l'amour, et si ébouriffée qu'on lui aurait donné moins que ses vingt ans.

— Je ne te comprends pas! s'exclama Mike, agacé. Tu me dis d'abord être la gosse d'un parent de Sven, venue travailler dans sa coffee-shop pour un bref séjour... ensuite tu te déclares experte des us et coutumes du mâle américain. Mais tu es trop belle pour être sociologue ou anthropologue ou professeur de je ne sais quoi. Tu es à la fois trop belle, trop sûre de toi et trop expérimentée pour être une femme ordinaire. Eclaire-moi.

A genoux, il saisit Sylvie par les épaules et l'attira à lui, lui prit le menton et plongea le regard dans le sien.

— Dis-moi simplement ce qui est vrai, reprit-il. Es-tu une sirène, ou un enfant des fées, ou encore un elfe déguisé en être humain ?

— Seulement une actrice, dit-elle, baissant les cils et souriant innocemment.

— « Seulement une actrice » ? Seulement une actrice où ?

— Stockholm... et... Hollywood.

— Dans des films ? Je ne t'ai jamais vue. Qu'as-tu tourné en anglais ?

— Deux longs métrages. Le premier s'appelait *De parfaits étrangers*. Le deuxième, *L'épouse volage*, n'est pas encore sorti.

— Je ne suis pas allé au cinéma depuis six mois mais je lis les journaux de temps en temps. *De parfaits étrangers* a été un succès. Quel rôle jouais-tu ?

— Le premier.

— La fille qu'on dit être la nouvelle Ingrid Bergman, la fille qui...

— Oui, oui, oui ! J'allais te le dire, de toute façon, alors cesse l'interrogatoire. Je suis une vedette, pas seulement une actrice. Cela t'ennuie ?

— Je crois que ça devrait m'ennuyer mais je ne sais pas trop pourquoi, répondit lentement Mike.

Il essayait de digérer cette nouvelle curieusement désagréable. Il était surpris, troublé, désorienté, comme si quelque chose avait obscurci le paysage, un nuage qui serait passé devant le soleil.

— Est-ce que cela t'ennuie, toi ?

— C'est mon métier, répondit légèrement Sylvie. Mais il n'est pas facile aux gens de me parler s'ils pensent que je suis une « star de cinéma »... Voilà pourquoi j'ai prétendu être serveuse hier soir... Je ne l'aurais fait pour personne d'autre que toi.

— Sven est-il vraiment un cousin de ton père ?

— Oh, oui, vrai de vrai. Le café aussi, c'était du vrai.

— Que dois-je savoir d'autre sur toi ? demanda-t-il vivement, piqué par ses moqueries.

— Tu en sais déjà plus que n'importe quel homme en Amérique. Et je ne sais rien de toi, Mike Kilkullen, sinon que tu fais merveilleusement l'amour. Et que tu peux rougir sous ton hâle. Remarquable.

— Je suis marié, Sylvie, mais ma femme et moi sommes séparés. Elle va demander le divorce en automne. Sven ne le sait pas. Personne. J'ai deux filles, de huit et onze ans. Moi j'en ai trente-quatre. A part l'armée, j'ai toujours vécu ici. Je suis un homme simple, Sylvie. Je ne sais rien de ton genre de vie.

— Pourquoi le faudrait-il ? Tu es planté ici, comme un arbre superbe dans cet endroit extraordinaire, *extraordinaire*. Tu es chez toi, Mike, sur tes terres. Ce doit être si bon de posséder ce que nul ne peut te prendre, une plage en bordure d'océan, une montagne, et des kilomètres, des kilomètres entre les deux. Tu étais si solide, si réel quand je me suis couchée sur toi, comme la terre elle-même.

A cet instant, Mike la trouva mélancolique, presque triste.

— La Suède te manque ? As-tu le mal du pays, ma belle et folle petite étoile ?

— Je l'avais jusqu'à aujourd'hui. Je ne l'aurai plus si tu me prends dans tes bras. C'est le seul remède que je connaisse.

— Allons-nous faire l'amour comme un remède ou comme un sport ?

— Les deux, murmura Sylvie contre ses lèvres.

Ce qu'elle voulait, elle l'obtenait.

*
**

Au cours des deux mois suivants, Mike Kilkullen expédia les tâches qui lui incombaient au ranch, déléguant abondamment son autorité pour la première fois depuis la mort de son père, afin que Sylvie et lui puissent passer ensemble autant de temps que possible. Il parla immédiatement à son ami Sven Hansen, lui apprit sa séparation d'avec sa femme et le prochain divorce, nouvelles que Sven reçut avec un peu d'étonnement et qu'il garda pour lui.

Cependant, Mike sut qu'il ne pouvait aller chercher Sylvie à la coffee-shop sans jeter toute la petite ville dans un torrent de spéculations et de ragots. L'hacienda s'était pourvue d'une nouvelle cuisinière, Susie Dominguez, et de deux domestiques qui furent ravies qu'on leur demande de rentrer tôt chez elles le soir, en laissant la maison vide et le dîner dans le four. Sylvie acheta une petite voiture et, au crépuscule, à l'heure où la lumière était la plus belle, elle gagnait le ranch pour être avec Mike. Leurs rencontres étaient sauvages, marquées par une faim insatiable qui transforma promptement leur passion en amour.

La nuit, avant de dormir, ils allaient souvent se promener dans le paradis secret des jardins paisibles et enclos, labyrinthe aux murs de feuillage, s'arrêtant ici et là pour caresser une rose blanche que leur avait signalée le clair de lune, cueillir quelques brins de lavande pour les frotter entre leurs doigts, tremper leurs mains dans la fontaine qui se dressait au milieu du grand patio, humer les nombreux parfums que libérait le soir, dénichant sous la végétation de vieux sièges de jardin sur lesquels ils pouvaient s'asseoir pour contempler en silence l'immensité de leur bonheur, par des nuits si paisibles qu'ils entendaient le moindre hennissement venu des écuries. Avec une même muette superstition mâtinée d'un aveuglement volontaire, ils se refusaient à parler du futur avant qu'il fût temps pour Sylvie de rentrer à Los Angeles pour commencer son nouveau tournage. Leurs nuits n'avaient ni limites ni frontières. Bien que le temps qu'ils passaient ensemble fût circonscrit au royaume du ranch, ces heures de parfaite plénitude envahissaient leurs jours, et l'amour qu'ils se portaient l'un à l'autre était une présence constante, obstinée, douloureuse, qui brouillait leur perception du monde extérieur usé et ordinaire.

Un vendredi de la fin août, Sylvie finit par briser le silence.

— Plus qu'une semaine... et je devrai reprendre le travail, fit-elle d'une voix plate.

Elle tira les pétales d'une fleur de géranium fanée qui tomba à ses pieds dans une pluie de confettis roses.

— Tu crois que je ne le sais pas? Je compte à l'heure près. A la minute près.

— Qu'allons-nous faire? Je ne peux l'imaginer. Je n'ose pas y penser.

— C'est très simple, ma chérie. J'ai reçu une lettre de l'avocat de ma femme la semaine dernière. Elle va revenir en Californie et demander le divorce. Dans un an, à dater de ce jour, le divorce sera prononcé. L'année prochaine, à cette époque, si tu m'aimes encore, nous nous marierons.

— Cela ne peut pas être aussi simple, soupira Sylvie.

— Si, c'est aussi simple, répondit Mike avec conviction.

Il négligeait le détail de la lettre. Il devrait verser à Liddy une pension de vingt-cinq mille dollars par an, jusqu'à ce qu'elle se remarie — si elle le faisait; il assumerait toutes les dépenses des enfants, y compris leur habillement, les frais médicaux, les écoles privées et huit années de la meilleure éducation supérieure. Il paierait trois cent cinquante dollars par mois pour chaque enfant lorsqu'elles ne seraient pas à l'école, à moins qu'elles ne soient avec lui. Liddy obtenait la moitié de tous les bénéfices qu'il avait réalisés depuis leur mariage. La seule raison pour laquelle elle n'exigeait pas de posséder en titre la moitié du ranch et la moitié de l'hacienda était qu'ils lui appartenaient par héritage.

L'avocat de Mike avait vertement protesté, arguant qu'on le dépouillait, qu'on le volait, que la pension alimentaire était bien plus élevée que ne l'admettrait un tribunal, plus forte que toutes celles que l'on imposait habituellement sinon à quelques rares millionnaires, mais Mike avait accepté toutes les conditions.

Il possédait sa terre, ses troupeaux, l'hacienda Valencia, il serait toujours en mesure de prendre soin de Sylvie, et il était prêt à laisser à Liddy tout ce qu'elle demandait, en échange de sa liberté.

— C'est aussi simple, répéta-t-il comme Sylvie le dévisageait avec scepticisme.

— Mike Kilkullen, tu simplifies tout.

— J'ai dit, si tu m'aimes encore... Je ne présume de rien.

— Je t'aimerai toujours.

Sylvie Norberg n'avait jamais été aussi belle que lorsqu'elle prononça ces mots. Jamais, non plus, la lumière mystérieuse qui irradiait de ses yeux n'avait été si troublante. La confiance qu'elle avait en elle-même, toujours si fiable, fut profondément ébranlée quand elle mesura la gravité de la décision de Mike.

— Il y a tellement d'autres choses dont nous n'avons jamais parlé, fit-elle d'une voix hésitante. Mon nouveau film... Je n'ai pas voulu gâcher notre plaisir avec les détails... mais le tournage aura lieu en Angleterre et en Italie. Je serai absente au moins trois mois. A mon retour, j'aurai de nouveau quelques semaines avec toi, après Noël, puis un autre film suivra, que j'ai déjà accepté. Nous tournerons tous les jours de la semaine. Oh, mon amour, je ne pourrai passer avec toi que les week-ends. Trois mois, Mike, trois mois de séparation... seulement quelques semaines ensemble avant que je recommence à travailler, et puis... seulement des week-ends. As-tu envie de vivre ainsi ?

— Oui, si tu le veux, répondit-il prudemment, s'efforçant de ne pas montrer sa peine.

Il n'avait pas pensé sérieusement à ce que signifiait le travail d'une star en termes de temps. Il s'était refusé à faire face à une réalité qu'il espérait voir s'estomper d'elle-même. Mais il ne pourrait jamais la laisser partir. C'était hors de question.

— Mais, Mike, crois-tu que tu penseras encore ainsi à l'avenir... disons, dans cinq ans ? Je t'avertis, mon chéri : il n'est pas facile pour une actrice d'être une bonne épouse. Jouer n'est pas seulement mon métier, c'est la chose dont j'ai absolument *besoin* et *je dois me sentir libre de m'y consacrer*. Libre, Mike, réellement et véritablement libre, sans culpabilité, sans être torturée par des compromis, sans jamais regretter un rôle que j'aurais refusé pour ne pas te faire de mal. *Ce que je veux, je dois l'avoir.* La seule façon dont je puisse vivre, la seule façon dont je veuille vivre, c'est pleinement, profondément, en prenant tout ce que je peux de l'existence. C'est aussi simple que cela pour moi — je suis égoïste, tu vois, affreusement égoïste, de cet égoïsme qu'il est juste de qualifier d'impitoyable. Je suis déterminée à vivre exactement de la façon que j'ai choisie, sans me soucier de ce que veulent ou de ce que disent les gens. Cet été, ces mois avec toi... ont été... en dehors... du reste de ma vie. Je peux très bien ne plus jamais *être* ainsi. Peut-être ne vivrons-nous plus jamais des semaines comme celles-là. Si tu changes d'avis à mon sujet, je ne te le reprocherai jamais.

— Je veux courir ma chance, répliqua-t-il avec confiance.

A cet instant, il lui aurait été plus facile de s'arracher le cœur de ses propres mains que de renoncer à elle. Et comment une fille de vingt ans, même cette adorable, ardente et éloquente nymphe, pouvait-elle imaginer ce qu'elle éprouverait dans cinq ans ? Elle se croyait philosophe, capable de lire dans l'avenir, à même de savoir comment elle mènerait sa vie, mais déjà l'amour l'avait changée plus qu'elle ne le supposait. Comment pouvait-elle se croire égoïste, impitoyable ? Ces mots ridicules prouvaient à eux seuls qu'elle dramatisait la situation. Certes, elle serait toujours libre de jouer, mais n'avait-elle pas compris que l'amour l'avait d'ores et déjà privée de sa totale liberté ? Que personne n'avait *jamais* joui des deux ? Elle le découvrirait tôt ou tard, car le mariage métamorphosait les femmes encore plus que les hommes.

— Je me dis, reprit Sylvie, si songeuse qu'elle en paraissait triste et sombre, je me dis qu'une femme telle que moi ne devrait peut-être pas se marier. Ce n'est pas honnête vis-à-vis d'un homme, quel qu'il soit.

Mike Kilkullen fut alors certain qu'elle ne tournait pas tout à fait rond. Il la fit taire sous un ouragan de baisers. Si jamais femme avait été faite pour le mariage, c'était elle, entre toutes. S'il laissait sa Suédoise adorée courir le monde sans un anneau au doigt, aucun homme ne serait en sécurité. Elle désirait s'éloigner de temps en temps, faire le métier qu'elle chérissait presque autant qu'elle l'aimait, lui ? Qu'il en soit ainsi. De toute façon, avait-il le choix ?

# 6

Au cours de l'été 1960, Lydia Henry Stack Kilkullen s'envola pour la Californie afin d'aller chercher les derniers documents de son divorce. Elle loua une voiture à l'aéroport et descendit au *Beverly Wilshire Hotel*. C'était la première fois qu'elle passait une nuit seule à Los Angeles, ville située à une heure et demie seulement de San Juan Capistrano, mais sur une autre galaxie.

Durant les premières années de sa vie au ranch, Liddy s'était obstinément isolée du monde. Dans la mesure où elle savait d'ores et déjà qu'Orange County ne lui offrirait jamais le genre de société qui était sienne, elle lui avait tourné le dos. Orange County ne s'en était pas formalisé. Néanmoins, la sixième année de son mariage, elle avait noué amitié avec un couple sans enfant de San Clemente, Nora et Deems White, fils et belle-fille de Henry White qui était depuis longtemps le banquier des Kilkullen.

Orpheline ayant hérité d'une grande fortune de sa famille de San Diego, Nora était immensément riche ; mais, malgré son argent et la fréquentation des meilleures écoles, elle n'avait jamais eu aucun intérêt aux yeux de Liddy. Nora était courtaude et sans beauté, sans charme ni conversation. Elle adorait son mari et nourrissait pour lui de grandes ambitions qu'elle partageait avec son beau-père.

Deems White, avocat, était un homme d'une séduction si exceptionnelle qu'il était clair aux yeux de tous qu'il ne pouvait avoir épousé Nora que pour son argent. Au demeurant, la puissance de son charme était telle que non seulement les gens ne lui tenaient pas rigueur de ce mariage de raison, mais estimaient que Nora avait eu une sacrée chance.

Deems White était de stature moyenne, avec des cheveux couleur sable couronnant un visage finement modelé, sensible, et avec un rien d'espièglerie. Avec son long nez un peu courbe, son demi-sourire en coin, son éternelle pipe et la nonchalance avec laquelle il portait les vêtements les mieux choisis, il évoquait un jeune professeur d'université britannique des années vingt.

Bien qu'il fût aussi intelligent que doit l'être un avocat, Deems était incapable de prendre sa profession de juriste au sérieux. Cependant, c'était un moyen de rassurer son père quant à son avenir car Henry White, géniteur dominateur de cet enfant unique, avait toujours affirmé que Deems avait la capacité d'accomplir dans sa vie de grandes choses. De fait, le banquier avait arrangé le mariage de son fils, fort de la pensée que l'argent de Nora aiderait à l'ascension de Deems ; ce dernier avait jugé utile de se plier au dessein paternel.

Si Deems White avait pu jouir d'un revenu personnel, il eût gagné l'Europe pour se mêler au groupe de jeunes gens tapageurs, argentés et bohèmes qui vivaient de la fortune familiale, peignant par-ci, écrivant par-là, skiant un peu, buvant beaucoup, et couchant avec n'importe qui. L'argent de Nora était ce qui s'approchait le plus d'une fortune héritée, puisque son père ne lui donnait rien d'autre que les affaires juridiques qu'il drainait vers lui. L'imposante demeure du jeune couple ainsi que de fréquents voyages en Europe constituaient le plus proche équivalent de l'existence à laquelle Deems se sentait destiné.

Heureusement pour lui, Nora était une femme honorable, douloureusement consciente de son manque de charme, facile à contenter et encore plus facile à ignorer. Elle était convaincue que c'était sa seule faute si son époux ne lui faisait l'amour que dans de rares occasions. Le sexe n'était pas important pour elle, avait-elle décrété, mais il lui était essentiel de se faire une place dans l'ombre adorée de Deems, et elle lui était reconnaissante de lui permettre de le rendre heureux grâce à ses importants revenus.

En 1953, Henry White donna un dîner pour célébrer le quinzième anniversaire de sa désignation à la présidence de la banque de San Clemente. Mike Kilkullen insista pour que Liddy fît un effort et l'accompagnât, afin d'honorer l'homme qui avait été le banquier de son père et dont le grand-père avait été le banquier de son propre grand-père.

Liddy accepta, bien que la perspective d'une soirée avec la petite communauté provinciale et bourgeoise de San Clemente la rebutât. Elle avait alors vingt-quatre ans, elle était mère d'une enfant de cinq ans qui souffrait d'un méchant rhume et d'une autre de deux ans qui faisait ses dents. Mais dès qu'elle se fut maquillée et habillée, Liddy se métamorphosa en une femme sophistiquée — qui ne pouvait en rien être californienne —, plus cassante et plus sèche qu'elle ne l'avait été lorsque Mike Kilkullen avait posé les yeux sur elle pour la première fois. Sa bouche était peinte de rouge vif, sa peau poudrée de blanc, et elle avait appris à se maquiller les yeux d'une façon discrète mais frappante. Elle savait qu'elle évoquerait pour les invités une version plus jeune de la duchesse de Windsor et ne fit rien pour atténuer la ressemblance.

Liddy venait d'un milieu où les femmes se départaient rarement de la coiffure qu'elles avaient portée lors de leurs débuts dans le monde. Néanmoins, les vagues qui autrefois tombaient sur ses épaules avaient été coupées au niveau du menton et séparées par une raie centrale. Sa silhouette semblait presque exotique à force de sévérité, et son sens de l'élégance inné restait du dernier cri grâce aux magazines de mode qu'elle dévorait chaque mois avec une frustration chagrine. A l'occasion du dîner des White, elle avait opté pour une robe Donald Brooks en lin noir, très côte Est, commandée chez Bullock's à Los Angeles sans réel espoir de la porter un jour.

A table, Liddy se trouva assise à côté de Deems White. Tous deux du même âge, tous deux déçus par leur existence, également incapables de remédier à leur situation peu satisfaisante — ou peu désireux de le faire — s'absorbèrent immédiatement dans une conversation intime et grave qu'ils surent devoir poursuivre aussitôt que possible.

Dès cette première soirée, ils devinèrent l'un chez l'autre ce qu'ils ne s'étaient pas encore dit ; ils comprirent qu'ils allaient devenir importants l'un pour l'autre ; et, sans un mot, ils convinrent qu'il était essentiel de cacher cette affinité soudaine et intense aux yeux du monde. C'était trop fort pour être analysé, trop fort pour porter un nom. Plus que de l'amitié, plus qu'un flirt, cela n'avait rien à voir avec le sexe. C'était la rencontre de deux êtres qui avaient besoin l'un de l'autre pour des raisons qu'ils n'auraient pu expliquer, qu'ils n'avaient pas besoin d'expliquer, qu'ils ne voulaient expliquer. Mais ce besoin était réel.

Il n'y avait aucune raison pour que Liddy Kilkullen rencontre de nouveau Deems White. Seules les relations sociales incluant Mike et Nora étaient possibles ; aussi ce soir-là Liddy invita-t-elle les White à dîner au ranch le samedi suivant. L'invitation fut rendue et, bientôt, les White et les Kilkullen formèrent un quatuor notoire.

Sans trouver un intérêt particulier à ce couple ami, Mike Kilkullen se fit à cet état de choses avec l'espoir que Liddy viendrait à goûter la vie sociale en Californie du Sud. Nora fut flattée d'être traitée en amie par la brillante Liddy Kilkullen, que chacun considérait comme une snob de la côte Est sans toutefois pouvoir s'empêcher de l'admirer.

— Je ne comprends pas ce que tu as contre Deems White, reprocha Liddy à son mari.

— Je trouve qu'il ne traite pas bien sa femme. D'ailleurs, je ne pense pas qu'il aime les femmes.

— C'est absurde ! Elles sont folles de lui.

— Ce n'est pas ce que je veux dire, Liddy. Je ne le crois pas physiquement attiré par les femmes.

— Est-ce une façon de juger quelqu'un ?

— Qu'importe, Liddy. Tu as raison. Ce n'est pas important.

Oh, mais ça l'était, pensa Liddy. Si Mike avait raison, cela signifiait qu'aucune autre femme ne deviendrait plus chère à Deems qu'elle-même. Aucune autre n'entrerait dans sa vie pour le séduire par le sexe, ces accouplements fastidieux et brutaux auxquels elle devait occasionnellement se livrer avec son mari, aussi maigre fût le plaisir qu'elle en tirait.

Dans la mesure où les White, grâce à Deems, formaient un couple très apprécié, les Kilkullen furent inévitablement conviés à des soirées. Liddy donna elle-même des dîners car c'était en ces seules occasions que Deems et elle pouvaient renouer leur dialogue intime, si incroyablement fort et tellement nécessaire ; l'important n'était pas tant ce qu'ils se disaient que le fait qu'ils se le confiaient l'un à l'autre.

Ils ne s'éprouvaient pas à la manière ouvertement sensuelle de deux jeunes gens, pas même lorsqu'ils dansaient ensemble. Une profonde inhibition, doublée d'une incapacité à parler avec une totale franchise, empêchait un contact que tous deux désiraient, un lien physique différent de l'attirance sexuelle que deux autres eussent satisfaite par un rendez-vous dans un motel.

Liddy et Deems aspiraient à la liberté de s'étreindre l'un l'autre en silence, étroitement, pendant très longtemps, pour se consoler de tout ce qui n'avait pas marché, tout ce qui leur avait été dérobé, tous les compromis qu'ils avaient acceptés. Ils voulaient s'étreindre comme si chacun avait été à la fois la mère et l'enfant de l'autre.

S'il avait existé entre eux une attirance charnelle, ils eussent pu la satisfaire aisément, mais leurs besoins étaient trop complexes, trop étranges. Quand un jeune homme et une jeune femme éprouvent la nécessité d'être seuls ensemble sans qu'il soit question de sexe, et quand il leur est impossible de s'expliquer mutuellement, précisément, pourquoi le sexe n'est pas leur but, ils se trouvent condamnés à la plus âpre frustration.

A l'exception du conventionnel baiser sur les joues échangé lorsque les couples se quittaient après une soirée chez l'un ou l'autre, Deems et elle ne s'étaient jamais touchés, songea Liddy, assise dans sa chambre du *Beverly Wilshire*, la veille de son divorce.

Au cours de l'année passée à Philadelphie, elle était restée en relation téléphonique avec les White. Ils étaient les seuls en Californie à avoir de ses nouvelles ; elle s'arrangeait pour appeler quand Deems était chez lui. A présent, elle réfléchissait au moyen de faire venir Deems à Los Angeles pour passer la soirée avec lui. Elle aurait dû s'en préoccuper avant son départ, il était trop tard. Elle se résigna à une soirée solitaire. Demain, elle effectuerait le voyage obligatoire au tribunal de Santa Ana, prendrait son attestation de divorce, puis regagnerait Philadelphie le jour suivant.

*
**

Liddy bouclait ses bagages pour son vol retour lorsqu'un journaliste du *Los Angeles Times* parvint à la joindre au téléphone dans sa chambre d'hôtel.

— Madame Kilkullen, que pensez-vous du mariage de votre ancien mari avec Sylvie Norberg hier après-midi ?

— Comment ?

— Vous êtes au courant, n'est-ce pas ?

— Mais... oui... oui, bien sûr.

Se sentant chuter dans le traquenard que lui tendait le reporter, elle n'eut qu'une pensée : il ne fallait surtout pas avoir l'air surpris.

— Puis-je vous importuner avec quelques questions, madame Kilkullen ? Comment votre ex-mari et Sylvie Norberg se sont-ils rencontrés ? Depuis quand êtes-vous au courant de leur idylle ? Quel genre de belle-mère pensez-vous qu'elle sera si l'on considère qu'elle a quinze ans de moins que lui ?

— Je n'ai rien à déclarer.

— Allons, madame Kilkullen ! Votre époux vient de s'unir à la star de cinéma la plus en vue, quelques heures à peine après votre divorce, et vous n'avez rien à dire ? Je peux comprendre votre désir de discrétion, mais Sylvie Norberg appartient au domaine public.

— En ce cas, pourquoi ne l'appelez-vous pas ?

Liddy raccrocha le téléphone et demanda au standard qu'on ne lui passe plus aucun appel. Elle tomba sur un siège, si étourdie par le choc que toute émotion l'avait désertée. Son esprit se remit lentement à fonctionner à mesure qu'elle s'efforçait d'assembler les pièces du puzzle. Mike ne pouvait avoir rencontré Sylvie Norberg avant qu'elle et les filles ne quittent le ranch l'été dernier, sinon elle l'aurait su. Ils avaient dû se connaître au cours de l'année écoulée, et garder le secret. *Star de cinéma. Quinze ans de moins que lui.* A cet instant, éclata en Liddy Kilkullen une haine violente, une amertume corrosive, qui ne s'éteindraient qu'avec elle et qui lui enveloppèrent les épaules comme un lourd et sombre manteau.

Elle se leva, alla verrouiller sa porte sans savoir pourquoi, et revint s'asseoir, en état de totale confusion, tentant de rassembler ses pensées.

Tandis qu'elle attendait la proclamation de son divorce, ses filles et elle avaient séjourné chez ses parents à Philadelphie, la cité fondée par les Quakers et dirigée par des hommes tellement conservateurs que les Bostoniens traditionalistes semblaient frivoles à côté. Si, comme prévu, elle avait débuté au Bal de l'Assemblée du *Bellevue-Stratford*, elle aurait été présentée à la meilleure société dans le cadre de cette institution existant depuis 1768 auquel ni les divorcés ni les personnes remariées n'étaient invités. Les gens de Philadelphie n'exécraient rien tant que le scandale public. Les gens de Philadelphie n'avaient aucune pitié pour ceux qu'un amour romantique avait égarés ; l'amour était une émotion ravageuse qui jouait contre la pérennité de la famille et du rang.

Liddy avait souffert de devoir annoncer son divorce au cercle d'amis et de parents. Elle s'en était acquittée à l'heure du thé à l'*Acorn Club* dans Locus Street, l'équivalent féminin de l'aristocratique *Philadelphia Club*. Là, elle s'était confiée à chaque femme de sa connaissance, une par une, depuis ses grands-tantes jusqu'à ses anciennes condisciples de Foxcroft.

— J'étais si jeune, si inexpérimentée quand j'ai rencontré Mike que j'ai commis la pire erreur : épouser un homme avec lequel je n'avais rien de commun, avait-elle admis.

Elle savait que chacune de ses interlocutrices frissonnait à entendre cet impensable constat, dans une cité où les « intérêts communs » représentaient la pierre angulaire de la plupart des mariages.

— J'ai pensé qu'il changerait, il me l'avait promis, mais je dois reconnaître maintenant qu'il ne le pouvait simplement pas. Seule, j'aurais enduré mon sort, mais il n'était pas juste de priver mes filles d'une bonne éducation.

Elle avait brossé le portrait d'un mari qui, malgré toutes ses qualités personnelles, ne connaissait rien en dehors de son bétail, n'avait aucune vie spirituelle, nul intérêt pour tout ce qui était à l'honneur à Philadelphie : art, littérature, antiquités, jardinage, et cette cuisine de gourmets qui, dans la plupart des ménages, était du ressort du mari.

Chacune de ses amies et parentes lui avait manifesté une chaude sympathie, d'autant que toutes se félicitaient intérieurement d'avoir échappé à pareil destin. Liddy avait espéré être prise en pitié plutôt qu'être exclue du monde qui avait été le sien, et au sein duquel, avec un peu de chance, elle pourrait revenir malgré son divorce, car les célibataires étaient nombreux à Philadelphie.

Comme toutes ces femmes allaient se gausser d'elle, maintenant ! Dans la charmante ville de Philadelphie, les caquetages pouvaient à peine être qualifiés de commérages : quelques mots chuchotés juste avant la réunion du cercle du musée des Arts ; une conversation discrète menée par deux femmes dans une boutique d'antiquités sur la 17e Rue, devant une porcelaine de Chine ; une autre, à cœur ouvert, chez Bailey, Banks & Biddle, en passant commande de cartons d'invitations gravés ; un murmure pendant l'entracte au concert du vendredi après-midi à l'académie de Musique, ou au cours d'un déjeuner privé dans une demeure de Chesnut Hill. Chaque femme importante de Philadelphie lirait la presse du jour et se souviendrait avec mépris de ses justifications.

Si Mike Kilkullen était le péquenot qu'elle avait décrit, comment était-il parvenu à gagner le cœur de l'insaisissable et fascinante star suédoise, fille d'intellectuels de Stockholm comme tout le monde avait déjà pu le lire, la plus grande actrice, la plus grande beauté ? *Comment et quand ?* Chacun penserait qu'elle avait menti. On en conclurait que Mike était tombé si amoureux de Sylvie Norberg qu'il avait tout fait pour briser leur mariage afin de l'épouser, et ce quelques heures à peine après la prononciation du divorce.

Liddy alla vers sa coiffeuse et se regarda dans le miroir. Elle n'avait que trente et un ans, et plus de charme que jamais. Elle portait encore l'empreinte enviable, impossible à imiter, de ceux qui sont nés dans les plus anciennes familles de la meilleure société de la côte Est. Tout allait bien, excepté qu'on l'avait dupée. Publiquement et de la façon la plus humiliante qui puisse être pour une femme.

Tout homme de Philadelphie qui l'ignorait encore ce matin apprendrait ce soir au dîner que Lydia Henry Stack, la femme qui, voilà seulement douze ans, était la reine des débutantes, celle qui aurait pu épouser le meilleur parti de la ville, avait été abandonnée pour Sylvie Norberg. Parfaitement, Sylvie Norberg, la star de cinéma, susurreraient les femmes à leurs époux, existe-t-il *une autre* Sylvie Norberg ? Liddy m'a certainement raconté des mensonges, ajouteraient-elles. Pauvre Liddy, pourquoi s'est-elle livrée à cette pathétique mise en scène quand elle aurait dû se douter que tout finirait par se savoir ?

*Si seulement elle avait su.* Rien n'aurait pu la faire divorcer de Mike si elle avait imaginé un instant qu'il se remarierait avec une femme comme Sylvie Norberg. Elle l'aurait quitté, lui aurait pris les enfants, mais l'aurait gardé enchaîné à elle, enchaîné à jamais, sans recours, plutôt que de lui permettre de la placer dans pareille situation. Pas étonnant qu'il ait accepté sans discuter les conditions du divorce. Son propre avocat avait avisé Liddy qu'elle exigeait trop, mais elle avait insisté pour qu'il réclamât le maximum. *Si seulement elle avait su.*

Liddy se mit à arpenter sa chambre. L'heure approchait de se rendre à l'aéroport, mais elle savait déjà qu'elle ne retournerait jamais à Philadelphie. C'était l'unique endroit au monde où elle ne devait plus se montrer. Elle appela la compagnie aérienne, annula son vol et prévint le standard qu'elle prenait de nouveau les appels.

Où pouvait-elle aller? Philadelphie était certes repliée sur elle-même, mais pas au point que ses habitants ne bavardent jamais avec leurs amis de l'extérieur. Toute autre ville de la côte Est lui était donc interdite pour quelques années. L'Europe, bien sûr, mais où? L'argent n'était pas un problème. La moitié des bénéfices du ranch représentait une somme substantielle et, l'hiver dernier, elle avait fait un héritage qui ajoutait dix mille dollars à son revenu annuel. Avec trente-cinq mille dollars par an, elle vivrait fort bien en Europe.

Quand le téléphone sonna de nouveau, elle était prête.

— Madame Kilkullen, Hank Jamison, du *Herald Examiner*. Accepteriez-vous de me livrer quelques commentaires sur le mariage de votre ancien époux avec Sylvie Norberg?

— Avec plaisir, monsieur Jamison.

— Comment réagissez-vous à cette nouvelle?

— J'espère qu'ils seront très heureux. D'ailleurs, je n'en doute pas.

— Saviez-vous, hier, que cela devait se produire?

— Naturellement. Mon ancien mari et moi-même sommes restés bons amis.

— Que pensez-vous de Sylvie Norberg?

— Je ne l'ai pas rencontrée mais j'admire son travail. Elle est aussi talentueuse qu'adorable.

— La différence d'âge ne vous choque donc pas?

— Je suis une femme moderne, monsieur Jamison. Pourquoi m'en formaliserais-je si elle ne s'en préoccupe pas?

— Qu'en pensent vos enfants?

— C'est difficile à dire maintenant. Il faudra d'abord qu'ils fassent sa connaissance. Vous savez comment sont les enfants.

— En d'autres termes, vous n'éprouvez aucun ressentiment?

— Monsieur Jamison, c'est moi qui ai demandé le divorce. J'avais depuis longtemps quitté mon époux quand il a rencontré Mlle Norberg. Mes raisons étaient purement personnelles et privées. Je veux qu'il ait une vie heureuse, et je ne doute pas qu'il me souhaite la même chose.

— Merci, madame Kilkullen. C'est un plaisir de s'entretenir avec une véritable lady.

— Merci, monsieur Jamison.

Qu'importait la façon dont elle bluffait les journalistes, personne de sa connaissance à Philadelphie ne croirait ce que raconterait la presse. Mais cette version de l'histoire paraîtrait dans les journaux de tous les continents et, un jour, à force d'être suffisamment répétée, elle deviendrait la vérité.

**\***

Peu après son mariage avec Mike Kilkullen, Sylvie fut stupéfaite de découvrir qu'elle allait avoir un bébé.

— Mais je n'ai jamais voulu d'enfant, avant, je n'y ai jamais pensé, dit-elle à Mike.

— Je parie qu'inconsciemment tu en voulais un, lui répondit Mike qui voyait joyeusement poindre les changements secrètement escomptés.

Leur fille naquit en janvier 1961 et fut appelée Juanita Isabella, à l'instar de l'arrière-arrière-grand-mère de Mike, et sur l'insistance de Sylvie. Celle-ci désirait cette continuité dans la famille comme avec la terre qui appartiendrait à sa fille plus qu'elle ne lui appartiendrait jamais. Après la naissance de son enfant, Sylvie tourna le dos à Hollywood pour goûter pleinement la maternité.

Dix mois plus tard, elle avait fait le tour des droits et devoirs maternels. C'était délicieux, mais plus vraiment une nouveauté... plus vraiment... Elle en avait plutôt... *assez*. Le besoin de travailler commença de la tenailler tandis qu'elle jouait avec le joli bébé blond plein de vie que Mike et elle avaient décidé de surnommer Jazz. Sylvie s'efforça de l'ignorer pendant des semaines, mais il devint si fort qu'elle comprit qu'elle devait le combler pour rester sincère avec elle-même.

Toute femme *doit* avoir un enfant, déclara-t-elle à la presse mondiale, alors qu'elle achevait le tournage de son dernier film à Londres. C'était une expérience extraordinaire. Absorbante, unique. Aucune femme ne pouvait se réaliser pleinement avant d'avoir donné le jour à un bébé.

Comptait-elle en avoir un second ? Ah, mais qui pouvait répondre à une question si difficile, rétorqua-t-elle, partant de son merveilleux rire de gorge. Elle se réservait le droit de mettre au monde une douzaine d'enfants, sûr, une douzaine, si elle les voulait. Tout était possible — le mariage, la maternité et son indispensable métier —, car elle était mariée à un homme unique, qui comprenait ses aspirations artistiques. Oui, son époux était plus qu'assez solide pour expérimenter un nouveau modèle d'existence, une nouvelle façon de vivre la relation conjugale, qui lui permettrait de s'éloigner de temps en temps du foyer pour tourner un film tandis que lui restait sur la terre qu'il aimait. Quand elle travaillait à Hollywood, elle habitait dans un petit appartement près des studios et revenait au ranch pour les week-ends. Quant au bébé, Jazz vivait adorée et heureuse dans un environnement stable qui, comme chacun le sait, est nécessaire au développement de l'enfant.

Partout, les femmes l'envièrent.

Lorsque Sylvie retournait au ranch entre deux films, elle métamorphosait chaque pièce où elle pénétrait. Sa simple présence embellissait l'atmosphère de l'hacienda plus brillamment que l'éclat du soleil, et la vie de chacun dans la demeure prenait un rythme plus intense. Parfois, elle restait un mois ou deux, parfois davantage. Durant ces périodes de détente, Mike et Jazz étaient le centre de l'univers enchanté qu'elle s'était constitué.

Son empreinte était partout, comme la fragrance d'une bougie parfumée : livres et magazines traînaient sur les parquets ; la musique des nouveaux disques qu'elle rapportait emplissait la maison ; ses merveilleuses robes du soir étaient jetées comme des tapisseries sur les bras de ses fauteuils favoris ; les pleines brassées de fleurs qu'elle cueillait au jardin trônaient artistiquement sur chaque table ; elle cuisinait d'énormes gâteaux suédois, de délicieux ragoûts longuement mijotés, et transformait chaque dîner en fête. Elle s'installait sur le vieux rocking-chair familial dans le patio, prenait Jazz sur ses genoux et, des heures durant, lui contait d'anciennes légendes et des histoires de fées. Même Susie Dominguez, qui désapprouvait les absences de Sylvie, tombait sous son charme. Souvent, quand Jazz eut appris à monter un poney, Sylvie l'emmenait sur les falaises qui dominaient la plage, accompagnant l'enfant sans peur au petit galop, contrôlant sa propre monture d'une main si légère qu'aucun cheval, aucun homme, aucun enfant n'eût pu la contrarier.

Sylvie invitait leurs voisins à de délicieux et distrayants dîners ; elle adorait se rendre au *Swallows Bar* où Liddy avait refusé de mettre les pieds ; elle se montrait une superbe hôtesse à la Fiesta annuelle et jamais ne manquait la fête d'anniversaire de Jazz, même s'il lui fallait traverser océans et continents pour ces deux occasions. Elle rendait visite à ses parents au moins une fois l'an et, à trois reprises, comme elle savait qu'elle allait passer au moins six semaines au ranch, elle leur envoya des billets d'avion pour venir de Suède ; ainsi purent-ils y passer quelques semaines et faire la connaissance de leur beau-fils et de leur petite-fille. Quand Jazz entra à l'école, Sylvie s'inscrivit à la PTA *. Elle fit la connaissance de tous les membres des familles des vaqueros travaillant au ranch. Elle remeubla maintes pièces de l'hacienda Valencia, sans en altérer le cachet espagnol, et œuvra de concert avec les jardiniers afin de redonner aux jardins leur splendeur d'antan.

Mais, inévitablement, un jour, son agent osait interrompre l'idylle bucolique de Sylvie Norberg. Il lui envoyait un scénario qu'elle s'empressait de laisser de côté. Un autre suivait au courrier, une semaine plus tard, qu'elle n'ouvrait pas non plus. Quand une pile s'était formée sur son bureau, sous le regard doré et anxieux de Jazz, le jour arrivait où Sylvie Norberg en prenait un, éprouvant les prémices de ce désir aigu et familier, ce désir créateur qu'elle ne pouvait que

---

* *Parents-Teachers Association :* association de parents susceptibles de remplacer éventuellement des professeurs manquants.

bien accueillir. Elle lisait le script et le jetait avec une exclamation de dédain. Bientôt, elle en lisait un autre, puis un autre, jusqu'au moment où elle tombait sur le rôle qu'il lui fallait, rôle qui l'éloignerait de la maison pendant des mois. Alors, elle commençait à boucler les bagages qu'elle n'avait jamais défaits pour de bon. Ce qu'elle voulait, elle l'obtenait.

Tout mariage est un marché, presque toujours non dit. Sylvie Norberg, qui ne se fiait pas aux pactes tacites, avait exactement décrit à Mike Kilkullen, avant leur mariage, ce à quoi il devait s'attendre. Elle ne l'avait trompé en rien. Le drame de Mike était de ne pas l'avoir crue ; son destin, de vivre avec le marché qu'il avait conclu.

**
*

— Dis au revoir à maman, faisait la voix de son père dans le premier souvenir d'enfance de Jazz.

Il la tenait haut dans ses bras et lui agitait la main. Elle ne se rappelait rien d'autre, ni où ni quand ni comment était sa mère à ce moment-là. Seulement les bras de son père et ces quelques mots.

Beaucoup d'autres réminiscences similaires s'étaient superposées à celle-là, souvenirs plus vifs des retours tant attendus et des départs douloureux. Jazz ne se rappelait pas avoir pensé une seule fois dans son enfance que si sa mère était à la maison cela signifiait qu'elle ne repartirait plus. Son père lui avait raconté, lorsqu'elle fut assez grande pour poser des questions, que, pendant près d'un an après sa naissance en 1961, sa mère était restée au ranch et avait rejeté tous les scénarios afin de s'occuper de son bébé.

— Mais tu étais toute petite, tu ne peux pas t'en souvenir, ajoutait Mike Kilkullen.

Et il s'oubliait un instant dans le passé.

Jazz Kilkullen connut le goût de l'abandon avant de savoir marcher. Sa mère partit avant même qu'elle puisse s'en souvenir ; une disparition pour toujours, comprit son cerveau d'enfant.

Ses années de petite enfance étaient une série de contradictions. Parfois, sa mère réapparaissait, pleine d'amour, son attention toute dédiée à sa fille, étourdissant Jazz de jeux, de promenades, de baisers, l'endormant le soir avec des berceuses suédoises. Parfois, elle disparaissait, emportant avec elle l'amour, les bras, les lèvres chaudes et les chansons, laissant derrière elle un univers devenu inexplicablement gris, vide et triste au-delà des larmes. Jazz accepta la chose comme normale puisqu'elle ne connaissait pas d'autre vie.

Lorsqu'elle fut plus grande et commença à comprendre les explications répétées de ses parents quant à la raison des absences maternelles, elle refoula la gravité de ses sentiments. Puisque les enfants redoutent l'abandon plus que tout, l'abandon définitif étant la pire chose qui puisse leur arriver, il lui devint essentiel de nier ses peurs.

Bien sûr, elle n'aimait pas quand maman devait partir faire un film, mais c'était le travail de maman. Elle avait son père et Susie et Rosie, sa nurse, pour prendre soin d'elle, elle avait son poney, et tous les vaqueros jouaient avec elle quand ils en avaient le temps. Maman reviendrait dès que le film serait fini. Il n'y avait rien, vraiment, qui puisse inquiéter une petite fille raisonnable.

Mike Kilkullen l'aida à nier son propre chagrin, car il était bien trop grand pour savoir dissimuler ses émotions aussi bien qu'un enfant. Jazz s'efforça donc de le consoler de l'absence de Sylvie. Le cœur vaillant et la langue bien pendue, elle lui tenait compagnie, partageant avec lui le dîner qu'ils prenaient tôt dans la cuisine chaleureuse, avec Susie et Rosie qui vaquaient tout autour à leurs tâches ; ainsi ils n'étaient pas seuls dans la salle à manger, juste eux deux, à la table à laquelle Sylvie s'était assise, riante et aimante, seulement une semaine plus tôt.

Parfois, après dîner, son père l'invitait à regarder les photos de la famille Kilkullen, la grande collection de son arrière-grand-père que l'on conservait dans la salle des archives, tout au bout de l'une des ailes de l'hacienda. Jazz était la première de la famille de Mike à s'y intéresser. Là-bas, derrière les portes coupe-feu dont lui seul avait la clef, se trouvait une longue table en bois, bien éclairée par les lampes vertes, devant de profondes étagères couvertes d'albums poussiéreux. Il lui demandait de choisir une année, n'importe laquelle du moment que ce n'était pas avant 1875, date à laquelle son arrière-grand-père, le jeune Hugh Kilkullen, avait reçu son premier appareil photo, et la fillette lançait « 1888 » ou « 1931 » comme des formules magiques.

Et cela lui semblait effectivement magique que d'être transportée soudain loin en arrière, dans le ranch qu'elle connaissait bien, et de découvrir les bâtiments familiers comme ils étaient alors, mystérieusement semblables et pourtant différents dans de petits détails : certains jeunes arbres étaient maintenant énormes ; les minuscules pousses de vigne couvraient à présent les murs ; les vieillards qu'elle connaissait avaient été de simples enfants ; les pères de ces mêmes hommes — qui, parfois, elle en était certaine, portaient le même chapeau que leurs fils aujourd'hui — montaient des chevaux qu'elle n'avait jamais vus ; on avait autrefois puisé l'eau dans le vieux puits, couvert désormais de belles de jour ; le jeune massif de roses sur la photo était maintenant riche de centaines d'arbustes ; des femmes décédées depuis longtemps, jolies et rondes dans leurs longues robes blanches d'été garnies de dentelles, reposaient sous les parasols en prenant le thé dans le patio ; des enfants à dos de poneys — qui ressemblaient beaucoup à son propre poney — posaient devant la même écurie, mais ils portaient plus d'habits qu'elle n'en avait jamais vus sur un enfant et avaient une drôle de façon de coiffer leurs cheveux.

Jazz était fascinée par les photographies de mariage, de baptêmes, de fiestas et de funérailles, les photos des moissons, des parties de pêche et de chasse. Son arrière-grand-père avait travaillé à la lumière naturelle la majeure partie de sa vie, mais il s'était montré singulièrement doué pour la composition ; et ces vieux clichés étaient d'une densité, d'une clarté qui avaient eu le grand pouvoir d'activer l'imagination de la fillette. Elle voulait savoir les noms de tous, s'ils lui étaient ou non apparentés. Quelle était cette nourriture dans la gamelle autour de laquelle les vaqueros faisaient cercle, leur assiette à la main ? Une « White Steamer » ? A qui avait appartenu cette voiture au nom si bizarre ? Son arrière-grand-père avait-il appris le chinois avec les cuisiniers chinois, ou ceux-ci parlaient-ils l'anglais ? Pourquoi le rassemblement du bétail était-il l'événement le plus important de l'année ? Il fallait vraiment marquer les veaux au fer rouge ? Cela ne leur faisait pas mal ?

Plus que tout, Jazz aimait les sagas du ranch Kilkullen, les longs combats contre les maladies qui frappaient les troupeaux, les bains hebdomadaires et les épouillages qu'enduraient les enfants du ranch.

Il existait même des légendes, peut-être vraies, comme celle du sanctuaire franciscain, si ancien que nul ne pouvait dire son âge. Le lieu saint était censé se trouver sur les hauteurs du Pic de Portola, et l'arrière-grand-père de Jazz était certain de l'avoir découvert quand il était jeune homme. Son grand-père n'était jamais monté au sommet du pic, aussi son père ne pouvait-il lui garantir la véracité de l'histoire.

Dans la douillette chambre aux archives, après que Susie et les deux domestiques avaient quitté l'hacienda, après que Rosie avait fini par accepter d'aller se coucher, Jazz se perchait sur un tabouret près de son père et pénétrait dans un univers de gens et d'histoires qui lui semblaient plus réels que ceux du présent. Mike Kilkullen autorisait sa fille à rester ainsi bien plus longtemps que ne l'approuvait Rosie ; et entre l'homme qui ne parlait jamais de sa solitude et l'enfant qui refusait de reconnaître la sienne se forgeait un lien de plus en plus étroit. Quand il s'apercevait, à contrecœur, qu'il était l'heure de la mettre au lit, il allait la border puis lui chantait une chanson : *Clementine* ou *Oh, Susannah*, ou la préférée de l'enfant, *On Top of Old Smokey*. Si Jazz se souvenait alors de la mélodie d'une berceuse suédoise, elle ne se risquait à la fredonner qu'une fois son père sorti de la chambre.

*
**

Au bout de quelques années de mariage, Mike Kilkullen commença à recevoir certains échos du petit monde du cinéma, insinuant que Sylvie Norberg avait une liaison avec le partenaire masculin de son dernier film. Même sans lire les journaux à scandale, l'époux d'une célébrité ne peut rester dans l'ignorance de ce qui se dit ou s'écrit au sujet de sa femme. Avant leur mariage, Sylvie l'avait préparé à ce genre d'épreuves. « S'ils ne disent pas que je couche avec les hommes, l'avait-elle prévenu, ils diront que je couche avec les femmes. Tu dois être capable d'ignorer le ragots si tu me veux. »

A dire vrai, les commérages avaient été fort rares autour de Sylvie, pensa-t-il, si l'on considérait sa jeunesse, sa beauté, et le fait qu'elle vive si souvent seule ; il espéra que ni Susie ni Rosie n'auraient vent de ces mensonges. Certes, elles n'y accorderaient pas plus de crédit que lui, mais l'idée le troublait que ces vilenies puissent atteindre quiconque vivant au ranch.

Les années suivantes, les rumeurs persistèrent, comme une blessure saignant lentement et jamais refermée, mais Mike refusa d'en parler avec Sylvie lorsqu'elle séjournait au ranch entre deux films. La présence irradiante de la jeune femme ne s'était modifiée en rien. Jamais il ne l'avait sentie distante, insatisfaite ou distraite, comme si elle avait songé à quelqu'un d'autre, ou à autre chose. Son sourire était toujours aussi lumineux. Quand elle se trouvait au ranch, elle était totalement *présente*. Elle rassurait Mike par son amour ; évoquer les rumeurs, se dit-il, eût été leur faire trop d'honneur.

En 1967, Mike Kilkullen comprit que Jazz, qui effectuait sa première année à l'école primaire, aurait bientôt l'âge d'être blessée par les bavardages, colportés soit par les mères des enfants qui fréquentaient l'école de San Juan Capistrano, soit par les instituteurs, conversant entre eux, soit par Dieu sait quelle source mal intentionnée.

Il fit alors pour sa fille ce que la confiance l'avait retenu de faire pour lui-même : il parla à Sylvie. Ne pouvait-elle rien faire pour faire cesser ces ragots ? lui demanda-t-il. Les attachés de presse de ses films n'avaient-ils aucun moyen de mettre un terme à des mensonges qui, un jour, finiraient par atteindre Jazz ?

— On ne peut rien contre la presse, excepté la dédaigner, répondit Sylvie avec un soupir exaspéré. Je t'avais prévenu, mon chéri, tu t'en souviens ? Le seul moyen de faire cesser ces histoires serait que je me retire, que je cesse de tourner, que je reste ici pour toujours. Ces odieux plumitifs de la presse cinématographique n'auraient rien à imprimer s'ils s'en tenaient à la vérité. Nous nous aimons, toi et moi, nous avons tous les deux besoin de travailler ; nous ne pouvions espérer vivre notre vie sans en payer le prix.

*
**

Quelle horreur de mentir, songea Sylvie, aussi facile que ce soit. Elle se serait méprisée d'émettre un mensonge gratuit, mais elle devait admettre la nécessité de cette tromperie, pour protéger ses deux univers.

Elle ne pouvait s'attendre à ce qu'un mari, et Mike en particulier, comprenne qu'elle avait deux mondes, absolument différents et séparés l'un de l'autre, sans rien de commun, deux univers qui, pour demeurer parfaits, devaient continuer à ne pas empiéter l'un sur l'autre.

C'était presque deux ans après la naissance de Jazz qu'elle avait été pour la première fois « infidèle » à Mike — pour employer ce mot absurde. Elle était en tournage à Paris quand elle avait eu une aventure avec la vedette masculine, aventure qui s'était achevée avec la fin du film. Cette liaison lui avait été nécessaire.

Non qu'elle eût besoin de vivre une passion pour jouer, réfléchit-elle en se souvenant de cet été. Elle avait désiré cet acteur, c'était aussi simple que cela, terriblement, dès le premier jour de tournage. Et lui la voulait si violemment qu'il en oubliait son texte quand ils avaient une scène ensemble.

Elle aurait pu étouffer son désir et garder ses distances, mais cela eût imposé une limite inutile à son existence, cela eût réduit, amoindri la liberté qu'elle s'octroyait de vivre sa vie. L'aventure avait été purement physique, presque muette, mais son partenaire était un amant superbement doué et elle s'était découverte plus qu'encline à cette façon de vivre la sexualité — sans mariage, sans responsabilité, sans lien affectif ni permanence, et sans la moindre culpabilité.

Oui, pensa Sylvie, elle avait tiré une leçon importante de cet été à Paris. Elle avait compris qu'elle était capable de redéfinir sa vie, de l'enrichir. Elle *avait besoin* de prendre des amants, décida-t-elle, forte de la certitude que jamais elle ne se trompait dans ses choix.

D'autres liaisons avaient suivi. Sylvie se sentait aussi jeune, mûre et ardente qu'avant son mariage, lorsqu'elle vivait à Stockholm. Une fois goûté le plaisir de faire l'amour avec un homme qu'elle n'aurait pas à revoir, elle avait quasiment pris un amant avec chaque film ; à défaut d'un acteur, le metteur en scène.

Elle comptait sur les règles tacites qui régissaient les histoires d'amour dans le monde cinématographique ; aucun des deux amants ne souhaitait que ces liaisons fassent intrusion dans sa vie familiale. Leurs familles, ces familles qui ne respiraient pas l'air du studio et l'ambiance du tournage, ces familles qui les attendaient à la maison, ne seraient jamais impliquées. La rumeur ne parvenait à se propager qu'à cause de ces informateurs, à l'oreille fine et à l'œil aiguisé, que l'on rencontre sur tous les plateaux — une assistante costumière, une script-girl, une maquilleuse — et qui monnayent leurs renseignements auprès des chroniqueurs. Nul ne savait qui ils étaient, et l'on ne pouvait rien contre eux, sinon les ignorer.

Mais oh, qu'il était palpitant de savoir, quel que soit le bonheur qu'elle tirât de sa vie d'épouse et de mère, que ce second univers existait, que sa vie ne connaissait pas de frontières, que quelques semaines après un coup de fil à son agent elle commencerait un autre film, rencontrerait un autre homme, partagerait avec lui une intensité secrète qui ne blesserait personne.

Cela valait bien quelques mensonges.

**\*\***

Valerie et Fernanda, les demi-sœurs de Jazz, avaient été très présentes dans les jeunes années de la fillette. Elles venaient pour un mois chaque été, et au moins une semaine à l'occasion des fêtes de Noël et de Pâques. Depuis l'exil européen qu'elle s'était imposé, Liddy Kilkullen n'ignorait rien de la mutation qui s'opérait à Orange County.

Assise à l'ombre, à l'abri du soleil espagnol, le journal de Los Angeles entre les mains, elle ruminait une amère nouvelle : en 1960, l'année de son divorce, le plan d'aménagement de l'université de Californie dont l'installation était prévue sur la terre des Irvine, située au nord du ranch Kilkullen, avait été lancé. Il prévoyait l'urbanisation de quatorze mille hectares vierges qui couraient depuis la côte jusqu'à la future université. Bientôt, Lydia le savait, ses anciens voisins les Irvine seraient plus riches que jamais, et Dieu savait qu'ils l'étaient depuis longtemps, presque aussi longtemps que certains « nouveaux riches » de Philadelphie.

Aux yeux de Liddy, il était évident qu'un entrepreneur conclurait prochainement un marché avec son ex-mari qui céderait une part de sa terre — certainement la partie la plus convoitée : les trente-deux kilomètres de littoral qui ne servaient pas au bétail mais étaient loués à des fermiers pour la culture des haricots. A son avis, Mike ne vendrait pas à proprement parler mais préserverait ses intérêts sur cette zone ainsi qu'un droit de veto aux projets d'aménagement. Peut-être même déciderait-il de l'aménager lui-même.

Les générations Kilkullen précédentes avaient loué de grandes parcelles de leurs terres basses à de petits fermiers, afin d'assurer un revenu annuel stable qui compensait les hauts et les bas de l'élevage. Maints hectares du ranch Kilkullen étaient couverts de champs de fleurs, de vergers et de noyers. Mike Kilkullen y avait construit des maisons pour les fermiers ; avec le temps, il en construirait sûrement pour les étrangers. Il en tirerait une fortune incroyable, surtout avec la récente mise en service de l'autoroute de Los Angeles.

Non seulement elle avait été idiote de ne pas se marier pour l'argent et le rang social, se disait Liddy en s'abreuvant de reproches plus difficiles à supporter que les critiques extérieures, mais de surcroît elle avait décidé de divorcer au moment où le ranch allait valoir une fortune. Si elle avait pu dire son mot aujourd'hui, elle aurait *poussé* Mike Kilkullen à vendre un peu de sa terre. Elle avait manqué et de clairvoyance et de chance, elle qui les aurait méritées de par sa naissance et sa beauté. Mais il n'était pas encore trop tard, il fallait se montrer prévoyante. Liddy fit le vœu que ses filles ne se détachent pas de leur père avant que celui-ci ne soit devenu riche.

**

Tant que Jazz fut petite, ses sœurs l'ignorèrent, absorbées par leurs activités d'adolescentes ; la majeure partie du jour, elles partaient à cheval. Dès qu'elle put marcher, la fillette s'attacha avec espoir à leurs pas quand elles venaient. Elles la dédaignèrent jusqu'à son quatrième anniversaire, date à laquelle Rosie décréta que Jazz était assez grande pour être de temps en temps confiée à ses aînées. Alors, celles-ci entreprirent de la tourmenter ; la vigilante influence maternelle leur avait en effet appris à croire que Jazz n'avait pas droit à l'existence. Elle était l'enfant d'une femme mauvaise et puissante qui leur avait arraché leur père, femme qui les obligeait à courtiser et flatter ce dernier comme un roi, car si elles le négligeaient il cesserait de se soucier d'elles, accaparé qu'il était par sa nouvelle épouse et son nouvel enfant.

Fernanda et Valerie, malveillantes et jalouses, prétendirent coiffer

Jazz à la dernière mode et tressèrent ses cheveux en tant de nattes minuscules que les élastiques à chaque extrémité lui arrachèrent les cheveux ; elles lui volèrent sa poupée préférée et la lui rendirent subtilement défigurée ; elles lui chipèrent l'ampoule de la veilleuse dans sa chambre et la remirent au matin pour que Rosie ne remarque rien ; elles lançaient des parties de cache-cache et disparaissaient pendant des heures.

Devant leur père, les deux filles laissaient Jazz en paix et, bien que capables de tromper Rosie, n'osèrent jamais pratiquer leurs tours lorsque Sylvie était au ranch. Jazz aspirait si fort à l'affection des grandes qu'elle se persuada que leurs cruautés n'étaient que des jeux. Elle n'en parla jamais ni à ses parents ni à sa nurse, car rapporter était sournois — d'une façon ou d'une autre, elle avait acquis cette idée-là de la justice. Elle pensait que, si elle tenait sa langue, Fernanda et Valerie, deux déesses à ses yeux, comprendraient qu'elle était gentille et la laisseraient entrer dans le monde envié de leurs secrets.

Quand elles eurent grandi et constaté que Jazz ne se laisserait pas décourager, elles essayèrent d'autres méthodes. Dès qu'elles étaient seules avec la fillette, elles prétendaient que cette dernière était invisible. Elles se passaient le beurre ou la salade par-dessus sa tête, aussi l'enfant devait-elle se baisser pour ne pas être cognée ; elles parlaient d'elle à la troisième personne.

— Savais-tu qu'Annie l'Orpheline* a eu un bulletin affreux ? demandait Fernanda.

— Parce qu'elle passe son temps à jouer avec son chien, ce sale Sandy, répliquait Valerie. Cette orpheline ne progressera jamais. J'ai entendu Susie le dire encore hier.

— Ce n'est pas vrai ! s'écriait Jazz.

Ses mots tombaient dans le vide.

— On raconte que l'orpheline a une mère qui se trouve quelque part en train de faire quelque chose d'important, mais je n'en crois pas un mot, et toi ?

— Si elle avait vraiment une mère, elle ne serait pas orpheline, était la réponse rituelle.

— Elle est en Angleterre ! hurlait Jazz. J'ai reçu une lettre d'elle !

— N'as-tu pas entendu un chien aboyer ? demandait Fernanda à Valerie. Ce doit être encore cet affreux vieux Sandy.

— Si l'orpheline a bien une mère, ce n'est certainement pas une bonne mère.

— Une très, très, très mauvaise mère pour s'en aller tout le temps. Mais je ne crois pas qu'elle existe.

Quand l'une ou l'autre croisait Jazz dans le jardin, elle chuchotait « orpheline » sans la regarder. « Orpheline » articulaient-elles sans un bruit, à table, quand leur père ne les regardait pas. Devant lui, elles

---

* « The Orphink Annie », héroïne orpheline d'une célèbre histoire pour les enfants qui se déroule sous la présidence de Roosevelt. John Huston en a fait un film.

l'appelaient « Annie » et prétendaient que c'était là un surnom affectueux.

Jazz ferma les yeux et tut sa détresse. Ne l'aimaient-elles pas, même un tout petit peu ? se demandait-elle inlassablement. Qu'avait-elle pour qu'elles la harcèlent de la sorte ? Néanmoins, elle n'en souffla mot. Elle éprouvait une sorte de honte, la honte du persécuté. Elle ne voulait pas que les choses empirent. Si elle ne répétait pas les mots, ce serait comme s'ils n'existaient pas. Si elle ne montrait pas ses blessures, celles-ci ne seraient pas réelles.

Jazz ne sut rien de l'histoire du divorce. Élevée dans la franchise par ses deux parents, elle découvrit la duplicité et la cruauté par le biais de Fernanda et Valerie, elles-mêmes guidées par Liddy.

Quand Jazz eut huit ans, ses demi-sœurs cessèrent de la tourmenter. Elle était trop stupide pour que ça en vaille la peine, décidèrent ses aînées, et leurs propres vies étaient trop pleines. Les années suivantes, les jeunes femmes récemment mariées vinrent rarement au ranch, en dépit de l'insistance de leur mère.

*
**

Lorsque Jazz fut dans sa huitième année, Sylvie Norberg se sentit l'envie de prendre ses distances avec le cinéma. Jamais elle n'avait été plus demandée. Son agent s'arracha les cheveux de la voir dédaigner de nombreuses occasions, mais elle lui interdit jusqu'à l'envoi des scénarios, quel qu'en soit l'auteur. Elle avait besoin d'un répit ; s'il ne le comprenait pas, tant pis pour lui.

Jazz connut alors le paradis. Rosie s'en alla, non sans chagrin, pour aller s'occuper d'une autre petite fille, car Jazz était maintenant trop grande pour avoir une nurse et, de surcroît, elle avait désormais sa mère à la maison.

Au cours de l'été de cette année-là, alors que Jazz était en vacances, Sylvie et elle passèrent ensemble plus de temps qu'elles ne l'avaient jamais fait. Jazz tenait compagnie à sa mère pendant la journée, tandis que son père travaillait au ranch, et c'était ensemble qu'elles établissaient le programme du jour. Souvent, elles partaient à cheval pour pique-niquer sur la plage, empruntant la route privée sous l'autoroute de San Diego qui, maintenant, bordait toute la propriété à trois kilomètres du rivage. Elles allaient parfois faire de la voile, et Jazz se montrait plus experte que sa mère ; fréquemment elles se rendaient l'après-midi à San Juan Capistrano pour manger une glace.

Plus tard, elles furent amenées à visiter la Mission. De nombreuses dépendances cernaient une immense église — laborieusement érigée en neuf ans et, affirmait la légende familiale, avec des pierres prises à Valencia Point. Les ambitions des bâtisseurs avaient été grandioses, trop grandioses, souligna Sylvie, seul jugement moral qu'elle ait jamais proféré ; car six ans après la fin des travaux, le clocher avait été détruit par un tremblement de terre, pour s'écrouler à l'heure où l'on célébrait l'office et tuer quarante personnes.

La mère comme la fille aimaient l'atmosphère étonnamment européenne de la Mission, ces monumentales ruines voûtées qui auraient aussi bien pu se trouver en Italie ou en Espagne ; l'accueillante, charmante et humble chapelle où l'on disait encore la messe ; les pigeons blancs stupides et familiers qui jamais ne pressaient leurs minuscules pas guindés sur le vieux pavé ; le gazouillis des milliers d'hirondelles qui nichaient dans les bâtiments de la Mission et y revenaient invariablement le 19 mars de chaque année, inspirant maintes théories contradictoires quant à l'explication d'un pareil phénomène.

Souvent, Jazz et Sylvie venaient s'asseoir avec leur cône de glace sur un banc de bois situé contre le mur de gauche de l'enceinte de la Mission. De ce point de vue privilégié, elles contemplaient un gigantesque poivrier de Californie, un vieux puits, un mur couvert de bougainvillées rouges, l'arche d'une arcade en ruine, et une roseraie qui avait connu des jours meilleurs ; assises là, elles goûtaient une profonde tranquillité qui semblait n'exister nulle part ailleurs.

— Un jour, nous irons en Europe ensemble, promit Sylvie en enroulant autour de son doigt une boucle des cheveux de Jazz.

Elle en fit un petit anneau et ôta son doigt ; la boucle aussitôt se défit en une douce vague. D'où venaient ces yeux d'or ? se demanda Sylvie en regardant sa fille. Leur forme et leur disposition dans le visage venaient d'elle, mais l'éclat topaze des iris de Jazz ne se retrouvait chez personne dans sa famille, ni dans celle de Mike. Elle sera grande, pensa Sylvie, plus grande que moi, et adorable. Oui, elle avait eu raison de ne pas avoir d'autre enfant. Un seul suffisait quand cet enfant était Jazz. Comme elle avait bien mené sa vie !

Des mois et des mois passèrent, au cours desquels Jazz savait exactement de quoi demain serait fait. On lui permettait de se pelotonner le soir dans un fauteuil après dîner et de regarder ses parents danser ensemble dans le salon de musique, sous les basses solives du plafond qui avaient été liées ensemble avant qu'il n'existât des clous au ranch. Des lacets de cuir les tenaient, si solides que le temps restait sur eux sans effet ; seuls les changements de température les faisaient craquer. L'hacienda semblait alors un bateau au milieu des flots. *Oh, comme elle aurait aimé que ce fût un bateau.* Un petit navire rassurant, voguant ici et là, avec seulement eux trois à son bord, sous le clair de lune comme sous le soleil, jour après jour, nuit après nuit, et rien qui ne changerait jamais, pas même la musique des Beatles. Toujours et toujours. *Strawberry Fields* à jamais.

**\***

Cet été de grâce de ses huit ans, Jazz commença à prendre des photos. Son père lui acheta un Kodak et quelques rouleaux de pellicule, fort du principe qu'un enfant devait commencer avec un équipement minime, surtout si son enthousiasme était appelé à ne pas durer.

Le premier sujet de Jazz fut Sylvie, assise sous la véranda de l'hacienda, dans l'éclat tacheté du soleil matinal, lisant un livre, habillée d'une robe d'intérieur à fleurs bleues et blanches.

La première fois qu'elle regarda dans le viseur et vit les épaules ainsi que le profil de sa mère, paupières baissées vers le livre, cadrés par l'objectif, Jazz fut submergée par une joie aussi violente qu'inoubliable. Elle appuya sur le bouton et sut que, désormais, elle *possédait* cet instant, *possédait* cette image de sa mère, qui lui appartenait, à elle et à personne d'autre au monde, et qu'on ne la lui prendrait jamais.

Sylvie leva les yeux et sourit, comme les photographes le lui demandaient toujours ; Jazz fit une autre photographie. Sylvie continua de sourire, se tint immobile et regarda l'appareil, coopérant avec la fillette. Mais Jazz ne voulait pas gaspiller la précieuse pellicule en duplicata de son premier cliché.

— Fais comme si je n'étais pas là, maman, pria-t-elle.

Sylvie sourit de cet ordre impérieux. Jazz semblait aussi sûre d'elle qu'elle-même avait dû le paraître, enfant, pensa-t-elle. Elle revint paisiblement à son livre tandis que Jazz tournait autour d'elle, s'approchant, reculant, examinant ce qu'elle voyait dans le viseur sans prendre de photo.

La nouveauté de ce champ de vision réduit la fascinait. Elle pourrait, si elle le voulait, ne photographier que les mains de sa mère, ou ses pieds, ou sa manche. Elle pouvait aussi se tenir à distance et réduire sa mère à un élément minuscule d'une grande photo, tout en la gardant entière, des pieds à la tête ; ou encore, approcher très près, jusqu'à n'avoir plus que la tête de son modèle dans le champ, bizarrement déformée.

Elle ignorait tout du cadrage et de l'exposition. Elle ignorait même qu'il y avait quelque chose à savoir. Le fait de presser le bouton pour prendre la photo comptait moins que la découverte d'une capacité toute nouvelle à *capturer la vie*, à la tenir étroitement dans les limites d'un carré ou d'un rectangle, puis, en bougeant un peu, à modifier l'image, à en délimiter elle-même les frontières, à saisir les choses au gré de sa volonté.

Jamais auparavant Jazz ne s'était sentie aussi totalement puissante. Jusqu'à la fin de ses jours, aussi longtemps qu'elle aurait un appareil photo, plus jamais elle ne serait complètement démunie de cette puissance.

— Vas-tu terminer enfin ce rouleau de pellicule ? s'enquit gentiment Sylvie. Il va être l'heure de déjeuner. Je dois m'habiller.

Elle tourna la tête vers Jazz qui s'était glissée derrière elle ; à l'instant, Jazz prit son troisième cliché, comme Sylvie commençait à se lever.

— Encore une, maman, implora la fillette. Tu as bougé. Juste une.

Sylvie rit ouvertement de cet ordre familier.

— Juste une, répéta-t-elle. Mon pauvre bébé, grandi au milieu de paparazzi... ce doit être l'influence prénatale.

— Oh, maman, tiens-toi tranquille ! supplia Jazz. Je veux en faire une bonne.

Sylvie se rassit.

— Non, fit l'enfant en secouant la tête, pas comme ça. Lève un peu les sourcils, s'il te plaît, maman, comme tout à l'heure quand tu m'as demandé si j'avais fini.

— Pas seulement paparazzo, mais perfectionniste en plus! Les ennuis ne font que commencer, commenta Sylvie.

Elle s'exécuta, regrettant un peu que son mari ne lui ait rien demandé avant de décider que Jazz était assez grande pour avoir un appareil photo. Elle n'avait jamais joué avec un appareil étant enfant et, toutes ces années où elle n'avait cessé d'être photographiée, n'avait jamais éprouvé la moindre curiosité pour le mystère de la chambre noire. Elle était l'éternel sujet et, contrairement à la plupart des stars, ne se souciait nullement de la lumière ou des angles. Ma fille, se dit-elle, apprendrait davantage si sa mère était Sophia Loren.

*<br>**

Après le déjeuner, Sylvie alla faire un tour avec Susie au marché local, qui offrait du maïs fraîchement cueilli ainsi que des pêches mûres à point pour les tartes. Jazz était si absorbée par son appareil photo tout neuf qu'elle ne les accompagna pas à cette sortie que, d'ordinaire, elle ne manquait jamais.

Au lieu de cela, elle erra dans les jardins de l'hacienda, essayant de voir si une fleur ou un arbre lui restitueraient la sensation de posséder un instant de vie qu'elle avait éprouvée le matin même. Elle parcourut la verte oasis des jardins, puis les granges et les écuries — désertes car tous les vaqueros étaient au travail —, pointant son appareil sur son poney, sur les chiens, sur de vieux râteaux suspendus à un mur, ainsi que sur certains vieux bâtiments que son grand-père avait photographiés dans leur prime jeunesse. Elle usait parcimonieusement de sa pellicule, craignant de ne plus en avoir assez pour prendre son père lorsqu'il rentrerait.

A la fin de l'après-midi, Jazz avait décidé qu'elle ne photographierait que les gens. La maîtrise, la sensation de capturer l'instant, la fièvre nouvelle qui l'avait saisie lorsqu'elle avait photographié sa mère, elle ne ressentait rien de tout cela devant les paysages et les objets, et impossible de dire aux animaux ce qu'il fallait faire.

Le reste de l'été, la fillette ne fit que traquer les êtres humains, harcelant Susie, les vaqueros, les fermiers qui louaient leurs terres, leurs enfants, le facteur, le laitier, et tous les représentants de passage. Nul ne lui échappa. Les habitants de San Juan, qui tous la connaissaient, leurs enfants, ses camarades de classe, se laissèrent convaincre de poser chaque fois qu'elle arrivait à dos de poney au village, l'appareil photo autour du cou.

Elle fit son apprentissage, à coups d'essais et d'erreurs ; bientôt, elle travailla un peu plus vite, avec un soupçon de maîtrise et de compréhension de la lumière. La composition et le sens de l'instant exact où il fallait appuyer sur le bouton lui vinrent naturellement. Sa toute première photo de sa mère lisant était si réussie qu'elle fut jugée assez bonne pour être agrandie et mise à la place d'honneur sur la table de chevet de son père.

Sylvie fouilla toutes les papeteries de San Juan Capistrano, Laguna Beach et San Clemente, jusqu'à trouver un album qui ressemblât à ceux du grand-père de Mike ; Jazz commença à y classer ses photos, et rangea ses négatifs dans de grandes enveloppes soigneusement libellées et datées. Son père fit faire une seconde clef de la chambre aux archives et la lui donna solennellement. Jazz la garda pendue autour du cou au bout d'une ficelle jusqu'à ce que Sylvie la persuade de la ranger dans une boîte spéciale qu'elle conserverait dans sa commode.

— Je me demande s'il ne s'agit que d'une passade, dit Mike à Sylvie.

— J'ai commencé à jouer la comédie avant mes huit ans, rétorqua Sylvie. Je sais qu'il ne faut pas généraliser mais, de ce jour, j'ai su ce que je voulais faire de ma vie. Je n'ai pas eu un moment de doute.

— A sept ans, ajouta Mike, songeur, j'ai gagné le concours de lasso de la Fiesta. Contre tous les vaqueros et mon propre père.

— Tu me racontes des histoires, cow-boy, sourit Sylvie.

— Parole. Il ne s'agit pas d'être grand ou fort mais de bien lancer. C'est la façon dont le nœud se resserre autour des sabots qui arrête le veau.

— Quelle famille pleine de prodiges ! Je suis contente que Jazz n'ait pas passé son été à attraper des veaux au lasso, fit Sylvie dans un rire.

Elle embrassa son mari sur les lèvres.

— Oh, chérie, dois-tu...

Mike s'interrompit, honteux des mots qui lui avaient échappé. Il s'était promis depuis si longtemps de ne jamais lui demander de ne pas partir et ne plus faire de film ; mais Sylvie était au ranch depuis tant de mois maintenant que, juste une seconde, il avait oublié la sévère interdiction qui rendait possible leur vie commune. A son intonation, Sylvie comprit ce qu'il allait dire.

— Je t'ai dit hier que j'étais prête, fit-elle, tendrement mais fermement. J'ai appelé mon agent ce matin.

— A-t-il quelque chose d'intéressant ?

— Oui, à l'entendre. Il m'envoie demain les scénarios par porteur.

— Le courrier ne va-t-il pas assez vite ?

— Pour moi, oui. Mais pas pour lui.

Encore un mensonge nécessaire, se dit Sylvie. C'était elle qui avait demandé un envoi par coursier. Depuis des semaines, son besoin de retourner travailler avait grandi, pression aussi solide, aussi intime et inlassable qu'un enfant qui demande à venir au monde. Seul l'évident bonheur de son mari et de sa fille lui avait fait différer le coup de fil passé ce matin.

C'était comme un charme qui l'envoûtait, mettant sa volonté en sommeil. Le statu quo était d'autant plus difficile à briser qu'elle n'avait pas travaillé depuis longtemps. Une semaine encore, deux au maximum, et elle commencerait à s'ennuyer, à se montrer irritante et irritable. Le bonheur familial en souffrirait. Mais pourquoi était-elle en train de *se justifier* de la sorte ? C'était la preuve, s'il en était besoin, que rester trop longtemps sans travailler ne lui réussissait pas.

Jazz attendait avec impatience d'entrer en troisième année à l'école primaire de la Mission de San Juan. Mike était toujours très occupé, quelle que soit la saison. Elle avait assez fainéanté au soleil, à s'empâter mentalement et à devenir aussi paresseuse qu'un gros chat trop bien nourri. C'était fini. Et qu'importait le script qu'elle choisirait, qu'importait la destination où il la conduirait, elle savait qu'elle pourrait promettre à Mike et Jazz d'être revenue pour Noël. Ce qu'elle ne ferait d'ailleurs pas, car les promesses limitaient sa liberté, ce qui était contre ses principes — qu'elle trahissait déjà bien assez en mentant.

*
**

Sylvie Norberg s'enferma dans sa chambre et attaqua la pile de scénarios. D'ordinaire si difficile, elle était tentée par chacun à la première lecture. Dès l'arrivée des scripts, la simplicité de la vie au ranch lui était devenue une prison. Le rythme calme d'une vie paisible, prévisible, saine, ce rythme qui lui avait tant manqué l'hiver dernier, lui était intolérable à l'approche du nouvel automne. Elle aspirait à se soumettre à la discipline de son métier. Son art. Son seul art.

A la seconde lecture, seuls deux projets restèrent en lice ; à la troisième, elle sut quel rôle elle voulait. Et ce qu'elle voulait, elle l'obtenait.

Elle téléphona à son agent et lui fit part de sa décision. Elle en avait été certaine, le rôle n'était pas distribué. Le metteur en scène, un vieil ami, l'avait attendue, réservant le studio mois après mois, tant il était certain que Sylvie Norberg ferait justice à ce film. La production avait été si soigneusement préparée, même en l'absence de l'accord espéré de la star, que l'on pourrait commencer à tourner en Grèce dès la fin du mois de septembre. Cela signifiait un départ pour Los Angeles à la fin de la semaine — réunions, essayages de costumes, répétitions et... oh, toute cette fièvre, cette agitation, cette multitude de choses exaltantes qui lui avaient tant manqué sans même qu'elle en ait conscience.

Pour une fois dans sa vie, Sylvie Norberg fit le mauvais choix. Pendant vingt-neuf ans, elle avait vécu selon ses propres règles, pris librement ses décisions, attendant et recevant l'exécution naturelle de ses désirs. La chance, toujours aléatoire, la chance qui se moque des règles et de la liberté avait toujours été avec elle. Jamais elle ne pensait à cette chance, s'estimant née sous une bonne étoile. Mais la seule loi qui régisse la chance est d'aller et venir éternellement dans les affaires humaines.

Au début de la troisième semaine de décembre 1969, après la fête qui clôturait le tournage, Sylvie et son partenaire regagnèrent en voiture le petit hôtel dans lequel avaient séjourné tous les acteurs durant le tournage sur l'île grecque. Ils avaient quitté tôt l'équipe en liesse, pressés de se retrouver discrètement pour une dernière nuit ensemble, avant de se dire adieu et de retourner à leurs foyers, lui à

Rome, elle au ranch. La nuit était noire, la route mauvaise, les virages non signalés, et l'acteur italien conduisait dangereusement vite. Il manqua un virage serré et la voiture quitta la route pour atterrir beaucoup plus bas, tout en bas de la falaise. Aucun des deux passagers ne survécut.

Sylvie Norberg ne fut pas à la maison pour le Noël 1969. Pour une fois dans sa vie, elle n'eut pas ce qu'elle voulait.

# 7

Ni Mike ni Jazz n'auraient supporté les années qui suivirent la mort de Sylvie sans le réconfort qu'ils s'apportèrent l'un l'autre. Au-delà du chagrin immédiat et atroce qui les terrassa, ils éprouvèrent un sentiment de perte profonde et durable que personne d'autre ne pouvait partager. Ils devinrent absolument nécessaires l'un à l'autre, deux êtres qui savaient que l'autre guettait encore le même pas rapide, le même rire argentin dans la pièce voisine ; deux êtres qui voyaient la même fine silhouette se pencher sur une brassée de fleurs fraîchement cueillies, s'interrogeant un instant avant de composer le bouquet ; deux êtres qui savaient quels disques ils n'oseraient jamais plus écouter, quels livres il faudrait remiser, quels meubles familiers il faudrait redisposer afin que le fauteuil vide de Sylvie ne demeurât pas comme le rappel constant d'une absence qu'ils devaient s'efforcer d'apprendre à accepter.

Les six années suivantes, Jazz se rendit chaque jour à l'école de San Juan Capistrano, à dos de poney. La petite ville était si paisible que la fillette n'y vit pas de policier avant ses dix ans. Quand elle fut plus grande, les voisins de Mike Kilkullen lui conseillèrent d'envoyer Jazz en pension et lui soufflèrent le nom de l'excellent collège de Santa Catalina, plus haut sur la côte. Bien qu'il ne pût imaginer la vie au ranch sans sa fille, Mike savait qu'ils avaient raison.

Lorsque Jazz entendit parler d'une éventuelle séparation, elle la refusa violemment, mais quand elle eut quatorze ans, à l'issue d'une lutte de plusieurs années, elle se laissa persuader d'entrer dans l'institution religieuse de La Jolla, assez proche du ranch pour qu'elle pût y revenir chaque week-end.

Au printemps 1978, près d'avoir son diplôme de fin d'études secondaires, Jazz forma le projet d'intégrer Graphics Central à l'automne. Cette école d'art appliqués, située à Los Angeles, avait la réputation d'enseigner la photographie aussi bien que celle de Brooks à Santa Barbara ou que l'Art Center de Pasadena.

De nombreuses années avaient passé depuis la mort de Sylvie, et le

« travail de deuil », comme les gens avaient décidé de l'appeler, aurait dû se terminer depuis longtemps, pensait sombrement Mike Kilkullen.

Dieu était témoin que, quatre ans après l'accident de voiture, il avait commencé à regarder autour de lui, s'efforçant sincèrement de trouver une femme qui pût lui devenir chère. Les candidates n'avaient pas manqué dès que le bruit s'était répandu qu'il était de nouveau disponible. Un homme seul ne pouvait échapper à la pluie d'invitations d'hôtesses bien intentionnées, surtout s'il demeurait si près des cercles mondains de Newport Beach et Laguna Beach, alors en pleine expansion. Mike Kilkullen s'était aventuré à quelques soirées le long de la côte, de San Diego à Los Angeles, qu'il se sentît ou non d'humeur sociable, considérant qu'il était de son devoir de ne point devenir un ermite.

Il avait eu une série d'aventures discrètes mais aucune de ces liaisons ne s'était teintée de sentiment. Tôt ou tard, toute tentative d'aller au-delà de la bienveillance et de la satisfaction physique s'altérait, se fanait.

A l'époque où Jazz obtint son diplôme de fin d'études secondaires, Mike Kilkullen comprit que son cœur était mort avec Sylvie. Son amour était désormais tout entier pour Jazz, bien qu'il continuât à souhaiter que ses filles aînées passent un peu plus de temps au ranch, dans l'espoir de renouer la relation qu'il avait eue avec elles avant le divorce. Aussi absurde que soit cet espoir vu l'emprise de Liddy sur ses filles, il n'avait jamais renoncé ; et chaque automne, il les conviait à la Fiesta avec leurs enfants.

Le ranch Kilkullen et sa préservation devenaient de plus en plus essentiels pour Mike à mesure que passaient les années et qu'il assistait au morcellement et à l'aménagement de toutes les terres d'Orange County. Depuis l'autoroute, la région n'était plus qu'un assemblage inhumain, gigantesque et sans âme, de zones résidentielles, centres commerciaux et tours de bureaux, une machine à fabriquer de l'argent qui souillait l'océan et jusqu'aux montagnes. Les salauds avaient transformé ce paradis en parking, très bien, enrageait-il en repoussant offre après offre pour sa propriété. *Quelque part*, bon Dieu, *quelqu'un devrait les arrêter.*

\*\*\*

Jazz allait être sérieusement refroidie par sa première année à Graphics Central, même si elle savait que, pour devenir une photographe professionnelle, elle avait besoin d'un sérieux entraînement technique. Elle devait en effet être capable de résoudre tout problème qui pourrait se présenter en cours de contrat.

Elle entra à l'école avec l'idée qu'elle maîtriserait aisément les aspects purement techniques de la photo, puisqu'elle en avait déjà tellement appris seule, passant d'appareils simples à de plus sophistiqués, lisant tout ce qu'elle trouvait sur le sujet, prenant et développant des milliers de clichés. Tous ceux qui avaient vu son travail pensaient qu'elle était douée, mais aucun professionnel ne figurait parmi eux.

117

Jazz s'aperçut qu'elle était encore un amateur qui n'avait eu personne pour la guider. Elle avait besoin des professeurs et des célèbres ateliers de Graphics Central : le Zen Workshop, où l'on apprenait à prendre une photo sans même regarder dans le viseur ; les cours de chorégraphie, qui enseignaient à faire le point sur une cible mouvante jusqu'à ce que cela devienne quasiment une aptitude naturelle ; les classes de confrontation, où chaque élève prenait une photo de tous les autres, dans un style qu'il choisissait et en s'efforçant de dessiner une personnalité.

Cependant, Graphics Central n'offrait pas ces cours ésotériques aux étudiants de première année. Cette année-là, Jazz la passa à assimiler les bases. Elle apprit à charger et décharger n'importe quel appareil dans l'obscurité en étant chronométrée par l'instructeur. Elle suivit un cours sur le b.a-ba de la chambre noire, bien qu'elle ait eu son propre labo à la maison depuis des années. Mais le principal acquis de cette première année concerna l'éclairage.

Éclairage intérieur, ruminait Jazz, jamais de lumière naturelle, mais cent millions de variantes et de combinaisons de tous les genres d'illumination artificielle jamais inventés, depuis l'ampoule électrique nue jusqu'au stroboscope de pointe. Quant à la sévère simplicité des sujets à éclairer ! Le tube de pâte dentifrice était le plus exaltant, car au moins on permettait aux élèves d'en faire sortir un peu pour l'arranger à la forme de leur choix ; mais le tube de dentifrice n'intervenait qu'en toute fin d'année, l'apogée du cours.

Ces prémices d'enseignement de la lumière menaient tout droit, en seconde année, à la photographie de natures mortes, aussi appelées « dessus de table », art qui deviendrait sûrement la principale source de revenus de la majorité des élèves, comprit Jazz, que cette perspective n'enchantait guère.

La nature morte incluait tout ce qui pouvait être photographié sur une surface immobile, depuis la bouteille de parfum jusqu'au grille-pain, du collier de diamants au rôti en cocotte. En attendant, Jazz et ses condisciples de première année, dont les neuf dixièmes étaient des hommes, éclairaient et photographiaient des noix et des clous — au sens propre : des noix, des clous, des billets, des punaises et des grains de sel. Rien qui pût se gâter, pourrir, s'abîmer, ni fleurs ni pommes, car chaque objet devait durer des années, tandis que des générations d'étudiants les éclaireraient en une douzaine de positions différentes, dûment indiquées par les manuels, sans laisser la moindre place à l'improvisation.

Le cours sur la lumière était si épuisant et difficile qu'on le considérait comme l'équivalent d'une première année d'internat en hôpital. Aucun des élèves ne dormait plus de quelques heures pendant les semaines où il s'échinait à découvrir une solution pour éclairer clous, boutons et fils. A quelques exceptions près, comme l'impatiente Jazz qui savait qu'elle ne ferait jamais de dessus de table, les étudiants étaient reconnaissants de ce rude entraînement qui leur permettrait d'éclairer à peu près n'importe quoi sur la surface du globe, et pourquoi pas dans l'espace s'ils parvenaient à monter là-haut avec une lampe-torche ou un groupe électrogène, voire une allumette.

A dix-huit ans, Jazz se sentait plus mûre que ses condisciples et ne s'intéressa à aucun de ces petits mâles qui suaient sang et eau à bricoler leurs objectifs et leurs spots et parlaient de Nikon et de Leica avec adoration. Si l'un d'entre eux, au moins, s'était intéressé aux Lakers *, pensait-elle en écoutant ses condisciples... mais non, ils étaient désespérément obtus et l'auraient regardée avec stupeur si elle leur avait demandé leur avis sur les chances de la nouvelle recrue du Michigan, Earvin « Magic » Johnson. Jazz le jugeait trop grand pour faire un défenseur, plutôt taillé en attaquant, mais son père, qui avait suivi le basket-ball toute sa vie et avait emmené Jazz à des centaines de matches, lui assurait que si Jerry West, l'entraîneur des Lakers, avait choisi Magic dans la première sélection, il devait avoir une sacrée bonne raison.

*<br>* *

Tony Gabriel ne sut jamais vraiment pourquoi il avait accepté de faire une conférence à Graphics Central à la fin du printemps 1979. Ce n'était pas son truc de pontifier et de répondre à des questions, mais il avait quelques jours à passer à L.A. avant de partir pour le Nicaragua et le nouveau doyen de l'école, David Collins, était un vieux copain, complètement ravagé après son quatrième divorce, et qui — en prévision d'un nouveau mariage — avait décidé de prendre un job lui permettant de passer les nuits à la maison.

— Si tu n'avais pas commencé à te marier, Dave, tu n'aurais pas quatre divorces à ton actif, lui conseilla gentiment Gabe. Tu devrais laisser tomber.

— Tout le monde n'a pas tes tripes, Gabe. Certains d'entre nous tombent amoureux.

— Quatre fois?

Il était incrédule.

— Ne me demande pas de t'expliquer. Viens et permets aux gosses de t'adorer un peu, Gabe. Ils ont travaillé si dur toute l'année qu'ils ont oublié ce qu'ils faisaient là. Ils ont besoin d'inspiration.

La salle de conférence était bondée, les mômes s'entassaient presque jusqu'au plafond. Gabe improvisa une prestation tranquille, expliquant où, quand et comment il avait pris ses clichés célèbres dans le monde entier. Ensuite, durant une heure, il répondit aux questions. Une fille silencieuse, assise au premier rang et qui semblait sortie tout droit d'une forêt sauvage, ne le quittait pas des yeux. Elle brûlait de demander quelque chose, il l'aurait parié, et il se surprit plusieurs fois à la regarder, attendant qu'elle lève la main. Mais elle ne bougeait pas. Ses longs cheveux ondulés tombaient en désordre autour de son

---

* Équipe de basket-ball de Los Angeles.

visage, ses yeux brillaient d'une curiosité réprimée sous ses sourcils relevés.

Enfin, Gabe annonça la clôture de la conférence; fini pour les questions. Il accepta la tempête d'applaudissements et se retourna pour rassembler ses affaires tandis que la salle derrière lui se vidait. Il fut prêt à partir. La fille était toujours tranquillement assise, à le regarder, seule, sa question toujours au fond des yeux. Il devinait ce qu'elle voulait, s'aperçut-il avec plaisir. L'heure des groupies avait sonné.

— Excusez-moi, monsieur Gabriel, puis-je vous demander quelque chose?

— Je dois filer, mignonne, mais pourquoi pas?

— Ai-je raison de penser que le photo-reportage, c'est à 90 % le fait de savoir mentir, discuter et convaincre les gens de vous laisser parvenir au bon endroit; à 9,9 % la simple chance d'*être* au bon endroit au bon moment; et à 0,1 % le fait de prendre effectivement la photo?

— On peut le dire comme ça.

Une approche d'un nouveau genre, mais en tout cas elle le cherchait.

— C'est ce que je pensais. Je savais que je n'avais pas envie d'être reporter photo, mais je ne savais pas pourquoi. Merci d'avoir été honnête.

Jazz se leva et partit. Elle se trouvait au milieu de l'allée quand il l'arrêta.

— Alors pourquoi êtes-vous restée jusqu'à la fin?

— Je ne voulais pas vous demander cela devant tout le monde. Ç'aurait pu paraître grossier.

— *Vous* avez eu peur de *me* mettre dans l'embarras? s'indigna-t-il.

— Évidemment.

Elle marcha plus vite vers la sortie. Il la suivit et lui prit le bras.

— Expliquez-moi : si tout ne tient qu'à 0,1 %, pourquoi est-ce moi qui prends la photo géniale et pas le gars d'à côté?

— Je dirais que vous avez une chance extraordinaire.

— Vous pensez qu'il n'y a pas de métier dans ce que je fais?

— Bien sûr que si. Ce n'est *que* du métier. Voilà le problème. J'aime qu'il y ait un petit quelque chose en plus dans mon travail.

— Jésus! Une artiste! Vous photographiez des arbres morts sur fond de coucher de soleil, des reflets des montagnes dans les lacs, des prairies ondulant sous le vent et de la merde de ce genre?

— Pas tout à fait. Je dois m'en aller.

— Partez.

— Vous tenez mon chandail.

— Allons boire un verre. Vous me montrerez votre travail.

Ouais, c'était comme ça que ça avait commencé. Il ne saurait jamais si elle l'avait dragué ou si c'était lui, mais c'était sa punition pour avoir fait une fleur au vieux Dave. Une bonne action ne reste jamais impunie, comme disait sa grand-mère, qu'elle repose en paix.

\*
\*\*

Le charme humain, dans ses manifestations superficielles, peut s'expliquer par le timbre d'une voix, la qualité singulière d'un rire, le contraste d'un regard étrangement séduisant dans deux yeux par ailleurs ordinaires, le sens de l'humour ou la fantaisie. Pourtant le charme est fondamentalement inexplicable et résiste à toute description.

Par une grâce des plus injustes, Tony Gabriel avait été doté d'un charme inouï. Il avait charmé depuis le berceau. Ses performances relevaient plus de son charme que de la sagacité, de la persévérance, du courage et du talent, toutes qualités qu'il possédait par ailleurs en bonne mesure. Une part de son charme tenait au fait qu'il ne l'exerçait jamais délibérément, comme ces gens à moitié charmants qui deviennent charmeurs dès que l'occasion l'exige.

Tony Gabriel n'aurait pu forcer la dose puisqu'il ne pouvait la diminuer.

Beaucoup de reporters photographes l'appelaient « le Hongrois », car dans l'histoire du monde occidental, les Hongrois avaient été et restaient les êtres les plus notoirement charmants qui aient jamais existé. Tony Gabriel connaissait son surnom, en savait le sens caché, mais ne s'en souciait guère dans la mesure où il ne faisait pas exprès de déployer tant de séduction. Il n'avait aucune raison de se montrer offensé. La Hongrie n'était pas si éloignée de la source confuse de ses origines familiales, plus ou moins localisée vers l'Europe centrale. Si on était parvenu à dresser son arbre généalogique, il se serait probablement trouvé un Hongrois ici ou là. La seule chose importante avec le charme était de se souvenir que ça marchait.

**
*

— Je ressens un intéressant plaisir à me trouver exactement à l'endroit où je me trouve, dit Tony Gabriel à Jazz.

— C'est tellement inhabituel ?

— C'est... nouveau. Et plutôt agréable. D'habitude, je reste rarement assis à ne rien faire.

— Peut-être est-ce la lumière, suggéra Jazz. Il fallait penser à mettre des bougies sur les tables. Cela fait très authentique. Et ces petites alcôves en cuir rouge, et ces serviettes en papier. On ne voit jamais cela dans un bar.

— Ouais, sans compter les tables en Formica et les posters de Toulouse-Lautrec aux murs. On pourrait être n'importe où. Mexico City... Kansas City... même Jersey City.

— J'ai remarqué aussi, dès que nous sommes entrés. L'ambiance « comme à la maison ». Ce qui veut sans doute dire qu'il n'y a pas trop d'eau dans l'alcool, à moins que ce soit pour écarter les soupçons.

— Depuis quand appelle-t-on le vin blanc un alcool ?

— Je parlais de votre scotch.

— Vous n'étiez pas née qu'on ne mettait déjà plus de flotte dans le scotch.

— C'est mon père qui me l'a raconté.

— Le mien aussi.

— Quel âge avez-vous ?

— Vingt-neuf.

Jazz l'observa prudemment. Débraillé mais propre, un peu fruste mais non sans une certaine sophistication, un air rustique à cause de sa peau bronzée et de sa silhouette maigre, plus de rides sur le visage que n'aurait dû en avoir un homme de vingt-neuf ans.

— Vous faites plus vieux. Vraiment plus vieux. Au moins trente-deux ans.

— Ah oui ? Et vous, quel âge ?

— Dix-huit. Je vous appelle Tony ?

— Gabe.

— Vous allez souvent à Jersey City ?

— Assez. Pourquoi vous appelle-t-on Jazz ?

— Parce que Juanita Isabella est un peu long.

— Alors, vous êtes d'origine espagnole ?

— Un peu. Surtout irlandaise et suédoise, mais pure californienne.

— Une indigène ?

— La première que vous rencontrez ?

— Je crois bien. Attendez, j'ai connu un type, il était né à Las Vegas. Non. Ça ne compte pas. Et cette fille de Corona Del Mar. Non plus. Vous êtes ma première indigène. Vous saviez que la première fois qu'on rencontre un indigène il faut faire un vœu ?

— Vous savez parfaitement que Corona Del Mar est en Californie. Pas de vœu.

— Vous êtes rafraîchissante. Pourquoi ne m'abreuvez-vous pas de questions ? Pourquoi ne me demandez-vous pas comment j'ai marché jusqu'au Tibet ou traversé le Gobi à dos de chameau, ou combien de fois je me suis hissé dans un hélicoptère en plein vol ? Où est le respect qu'une petite étudiante de première année doit montrer à un célèbre reporter ?

— Vous auriez dû prendre un verre avec l'un des garçons de la classe.

— A vrai dire, je ne suis pas d'humeur à l'adoration stupide. J'en ai soupé. Votre subtil dédain est rafraîchissant. Mais vous pourriez essayer de flirter. Nous appartenons à des mondes différents. Peut-être à des espèces absolument différentes. Il serait simplement poli de m'indiquer que vous reconnaissez la différence.

— Je ne flirte jamais, fit vertueusement Jazz.

— Je sais. Pourquoi le feriez-vous ? Vous êtes trop belle pour flirter. Trop intelligente pour flirter. Trop orgueilleuse pour flirter.

— Je ne suis pas orgueilleuse, le contredit Jazz.

Une lueur rieuse dans les yeux, elle avala une gorgée de vin.

— Ma langue a fourché. Belle et intelligente, mais pas orgueilleuse.

— Tout juste. Je suis aussi exceptionnellement modeste.

— Je crois que vous me plaisez.

— Je le sais, fit-elle d'un ton amusé.

— Alors je vous plais aussi ? *Oubliez ça !* Je n'ai jamais posé cette question à personne.

Jazz vit une expression d'horreur sur son visage.

— Ne craignez rien, je ne vous en veux pas, s'exclama-t-elle en riant. D'une certaine façon, vous me plaisez bien. Vous êtes plutôt agréable, en gros. Alors pourquoi pas ?

— Eh bien, vous ne me connaissez pas encore. Il y aurait beaucoup à découvrir.

— Je n'en doute pas. Ce serait très désagréable ?

— Il n'y a qu'un seul moyen de le savoir. On dîne ensemble ?

— Bien sûr, acquiesça-t-elle sans une hésitation.

Elle avait présumé que le verre conduirait au dîner.

— Alors, vous n'avez pas d'autre rendez-vous ?

— Non. Pourquoi commencez-vous tant de phrases par « alors » ?

— Je fais ça, moi ?

— Tant pis. Je crains que ce soit contagieux. Alors, où dînons-nous ? demanda-t-elle.

Elle se savait correctement habillée pour n'importe quel restaurant californien en 1979, avec son pantalon blanc et son chandail blanc également, tricoté main.

— Je pensais aller chez vous.

— Sérieusement ? Oh, vous *êtes* sérieux. Je partage mon appartement avec deux filles. Nous avons du beurre de cacahuète, des bananes et du lait écrémé. Mes copines ne rechignent pas à partager. Ça vous va ?

— Même pas pour un petit déjeuner, répondit Gabe en frissonnant. Ce qui nous laisse le thai, le chinois, l'indien, le marocain, le japonais, l'italien, mais pas le français, je déteste. Les gens réellement civilisés haïssent la nourriture française, dont le sommet est le steak-frites noyé dans deux bouteilles de vin rouge, et accompagné d'un ou deux paquets de cigarettes. Évidemment, reste la pizza. Ou encore, simplifions-nous la vie et commandons un hamburger ici même.

— Ça me va, décida Jazz. Leur hamburgers sont sûrement aussi authentiques que leur scotch.

— Il y a en vous... quelque chose de... différent. Je ne trouve pas ce que c'est et je n'ai pas l'habitude de ne pas savoir. Cela me rend nerveux. Je ne vous cerne pas très bien — quelque chose... de singulier, pas d'excentrique, mais... quelque chose en vous que je ne parviens pas à définir.

— Prenez votre temps. Je ne m'en vais pas.

Jazz haussa les épaules d'une façon provocante, car elle signifiait à son interlocuteur qu'il lui était indifférent d'être analysée et qu'elle ne modifierait jamais sa conduite pour plaire à quiconque ; mais elle en atténua l'effet avec un sourire aussi étrange que séduisant. Un sourire qui arrêtait le temps.

— J'y suis ! Cette histoire comme quoi vous seriez espagnole et irlandaise et suédoise... Une blague : vous êtes *hongroise !* Mon Dieu, ne suis-je pas dans une belle merde !

— Je ne sais pas, fit Jazz en riant. Vous croyez ?

— Ce n'était pas une question, mais une constatation.

Jazz savait n'avoir jamais été amoureuse. Elle avait eu le béguin pour l'un de ses professeurs en septième, et avait éprouvé un petit émoi de trois semaines pour le garçon qui jouait avec elle dans une pièce de théâtre en cinquième. Ensuite, au cours de sa rigoureuse première année à Graphics Central, elle n'avait même pas eu le temps de penser aux hommes.

Quoi qu'il en soit, ses souvenirs d'école suffisaient à l'informer, comme elle essayait en vain d'avaler le hamburger pour lequel elle s'était cru tant d'appétit, que ce qu'elle éprouvait pour Tony Gabriel avait quelque chose à voir avec le cœur.

Quand il prit une boucle de ses cheveux et la contempla fixement avant de demander : « Comment appelez-vous cette couleur ? Pain de maïs au sirop d'érable ? », elle fut aussi troublée que s'il s'était jeté à ses genoux pour lui dire qu'elle était bien plus adorable qu'une Vénus de Botticelli.

Elle se surprit à étudier les deux profonds sillons de part et d'autre de sa bouche, toujours marqués qu'il sourît ou non, comme s'ils pouvaient l'empêcher de détourner le regard de ce nez parfaitement ordinaire, grand mais sans autre signe distinctif, de ces intelligents yeux marron semblables à tous les autres, et de cette bouche plutôt rieuse, qui n'était après tout qu'une bouche d'homme avec une lèvre supérieure ordinairement jolie, une lèvre inférieure ordinairement jolie et des dents ordinairement jolies. Il n'y avait rien dans ses traits, pris séparément ou dans leur ensemble, qu'elle pût qualifier de spécial, et la topographie du visage humain était un champ d'étude sur lequel elle s'était penchée pendant des années. Gabe était... attirant, très attirant, et assez intéressant à regarder, mais comme des millions d'hommes. On ne pouvait le dire beau, décida-t-elle, s'efforçant désespérément de se cramponner à la réalité. Ce devait être toutes les boucles folles de ses cheveux.

Elle ne pouvait arrêter de le fixer.

— Ça ne va pas, le hamburger ? s'enquit-il.

— Si, si. Seulement, je... je n'ai pas faim.

— Moi non plus, fit-il, contemplant avec surprise le hamburger à peine entamé dans son assiette. Peut-être aurions-nous dû choisir quelque chose de plus exotique.

— Je ne crois pas que... ç'aurait été mieux.

Jazz avait du mal à parler. Ses lèvres étaient comme gelées et son cerveau ne fonctionnait pas normalement. A dire vrai, il était en panne.

— Je n'ai pas faim, dit Gabe, émerveillé, et je n'ai rien mangé depuis le petit déjeuner.

Il semblait désorienté, en homme qui vient de faire une découverte qu'il sait essentielle même s'il en ignore encore la raison.

Jazz émit un bruit non compromettant qui pouvait passer pour une réponse. Quelque chose dans la façon dont il avait fourni cette information avait déclenché une formidable fanfare de trompettes d'or invisibles. Il n'avait pas faim et elle n'avait pas faim. Elle éprouva un dangereux et violent spasme dans la poitrine, comme si elle allait fondre en larmes, ou éclater de rire sans pouvoir s'arrêter.

— Ne le prenez pas personnellement, mais croyez-vous au coup de foudre ? questionna Gabe.

Tout en s'entendant prononcer des mots qu'il n'avait jamais dits et qu'il ne s'était jamais attendu à dire, il arborait une expression de doute terrifié.

— Si vous m'aviez demandé cela il y a cinq minutes...

Jazz hésita et baissa les paupières, incapable de soutenir son regard.

— Oui ?

— Je vous aurais répondu non... mais je suppose que tout peut arriver...

— Ne vous arrêtez pas, l'implora Gabe. Dites ce qui vous passe par la tête.

— Maintenant... je commence à...

— A quoi ?

Il lui prit la main et serra ses doigts tremblants.

— ... commence à me demander...

— *A vous demander quoi ?*

— Si ce n'est pas... possible, murmura-t-elle.

Saisie d'une timidité aussi soudaine que nouvelle, elle inclina le menton jusqu'à ne plus voir que la table.

— Pour quelques êtres ou pour tout le monde ?

— Aucune idée, dit-elle en secouant la tête.

— Pour vous et moi ?

— Comment le saurais-je ? Pourquoi devrais-je tout savoir ?

Elle releva la tête pour protester contre cet interrogatoire.

— Parce que je suis fou de vous, fou d'amour, je l'ai été à la seconde où je vous ai vue et cela paraît impossible. Cela ne m'est jamais arrivé avant, alors *vous* devez me dire que c'est vrai.

— Oh, fit Jazz.

Elle sentait son cœur, qu'elle avait jugé froid et immature, se libérer de ses entraves, et danser sauvagement au son des trompettes annonciatrices de joie.

— Vous allez seulement rester assise ici et dire « oh » ?

Incapable de parler, Jazz hocha la tête.

— Ça me suffit. Vous n'avez pas dit non, n'est-ce pas ? Vous éprouvez la même chose ? Ce n'est pas moi tout seul ? Ça ne peut pas être *seulement* moi, si ?

Jazz ne pouvait même plus faire un geste. Elle demeura immobile ; il lui suffisait d'admettre les paroles de Gabe et d'attendre. Leurs mains tremblaient autant, mais celles de Gabe étaient chaudes, et les siennes froides.

— C'est ça. Le coup de foudre, comme on dit, c'est ce qui vient de nous arriver.

Jazz s'efforça de sourire. Elle échoua. Effrayée, elle ne savait que faire. Jamais elle ne serait capable de se lever pour quitter l'alcôve de cuir rouge. Elle devrait passer le reste de sa vie ici. Comment était-elle parvenue à lui parler avant ? Quelle partie de son cerveau lui avait-elle permis tous ces mots ? Tant qu'il ne lui lâchait pas les mains, tout irait bien.

— Vous saviez, dans la salle de conférence ? demanda-t-il tendrement.

— Je ne me souviens pas. C'était il y a trop longtemps. Oui. Peut-être. Je ne sais pas.

— Mais vous avez failli partir, Jazz. Si je ne vous avais pas retenue ?

— Impossible.

— Impossible, acquiesça Gabe. Vous rendez-vous compte que je ne vous ai pas encore embrassée ?

— Ce n'est pas grave, marmonna timidement Jazz.

— Vous avez raison. Ce sera pour plus tard.

— Pas de hâte, souffla-t-elle, presque incapable de respirer.

— Ce n'est pas important pour vous ?

— C'est trop important.

— Pour moi aussi. Autant en finir. Plus nous attendrons, plus ce sera dur, décida Gabe.

Il avait la détermination et l'expérience d'un homme qui passait sa vie à prendre des risques qu'aucun homme sensé n'aurait courus.

— Vous venez à mon hôtel ?

— Bien sûr. Mais ne me lâchez pas la main. Ne la lâchez pas.

*<br>**

Dès qu'ils parvinrent dans la chambre d'hôtel, Gabe lâcha la main de Jazz qu'il avait tenue serrée pendant tout le trajet, sauf à l'instant de mettre la clef de contact. Le dos appuyé à la porte, il la prit étroitement dans ses bras.

— Tu es en sûreté, maintenant, lui dit-il parce qu'elle tremblait malgré son gros chandail.

— Continue à me serrer dans tes bras.

La voix de Jazz était sourde et tyrannique. Elle enfouit sa tête contre le torse de Gabe.

— Tu as peur à ce point-là ?

— Oui, répondit-elle, aussi résolument que si elle avait nié sa crainte.

— Moi aussi.

— Mais tu es beaucoup plus vieux que moi. Tu dois être courageux.

Pour la première fois de sa vie, elle était prise d'une timidité terrible. Gabe l'éloigna légèrement de lui, l'obligea à relever le visage, d'un doigt caressa doucement ses lèvres et sourit.

— Il va falloir que je sois assez brave au moins pour t'embrasser.

Il inclina la tête, posa la bouche sur la sienne ; son baiser délicat, presque ironique, permit à Jazz de relâcher un tant soit peu la pression qui nouait les muscles de ses épaules.

— Je suis même assez courageux pour t'embrasser, murmura-t-il.

Et il l'embrassa encore et encore, sentant ses lèvres froides se faire chaudes, son tremblement s'apaiser, à mesure qu'il goûtait sa bouche.

Une bouche plus pleine qu'il n'y paraissait, pensa-t-il, plus pleine qu'il ne l'avait imaginé, succulente, tendre, ferme, fraîche, une bouche à nulle autre pareille.

Jazz lui répondit avec une bonne volonté maladroite, entreprenant peu à peu de lui rendre baiser pour baiser, comme elle se serait livrée à un jeu merveilleux où l'on ne perdait ni ne gagnait, un jeu qui pouvait se décliner à l'infini.

— On ne peut pas rester ici à se bécoter, dit enfin Gabe entre deux baisers.

— Si, murmura Jazz. Personne pour nous arrêter.

— Ce n'est pas confortable. Tu veux. t'asseoir ?

— Je veux ce que tu veux.

Il n'avait encore jamais vu une fille — et Dieu sait si beaucoup étaient venues dans sa chambre — qui voulût rester debout à l'embrasser toute la nuit ; mais il n'avait jamais été amoureux, ce devait être ça. Les anciennes règles n'avaient plus cours. Le jeu était entièrement nouveau.

— Alors, que penses-tu du divan ? suggéra-t-il.

Il se sentait ridicule et cela lui plaisait.

— Quoi, le divan ? demanda Jazz en déposant un baiser sur son nez.

— On peut le regarder, ou bien en parler, ou le retapisser... ou encore s'y asseoir.

— Oh, asseyons-nous, acquiesça-t-elle, riant pour la première fois depuis que la porte de la chambre s'était refermée. Est-ce que ce n'est pas fait pour cela ?

Gabe la prit par la main et l'entraîna vers le canapé où il la regarda s'asseoir avec soin, raideur presque.

— Comme ça ? fit-elle.

Elle lui faisait le coup de la blonde évaporée, en conclut-il. Un genre nouveau.

— Pour une interview, c'est parfait. Mais ce n'est pas la situation.

Il la fit s'installer dans une position semi-allongée.

— O.K., maintenant tu ne bouges plus. J'aperçois cet endroit, juste au-dessus de ton oreille, où tes cheveux commencent à boucler... J'y ai pensé toute la soirée. J'ai envie de t'embrasser là. Tu n'es pas chatouilleuse ?

— Seulement sous la plante des pieds.

Gabe s'agenouilla, car le divan était bas et étroit, et se pencha sur Jazz. Il glissa un bras sous sa tête et de son autre main dégagea les cheveux sur sa nuque, fouillant de ses lèvres l'arrière de son oreille, traçant un chemin de petits baisers jusque dans son cou.

Ils n'avaient allumé aucune lampe dans la chambre. Gabe la devinait seulement dans la pénombre, la tête détournée pour lui offrir sa nuque ; mais le contraste tactile entre la douceur de sa peau et la naissance de ses cheveux, promesse de mille découvertes à venir, était presque aussi excitant que ses lèvres. Obstinément silencieuse, Jazz entrouvrit les lèvres de plaisir et ferma les yeux pour se concentrer sur la bouche chaude et mouvante, comme elle aurait écouté une musique qui n'admettait aucune distraction.

127

Les lèvres de Gabe s'aventurèrent plus haut, doucement, derrière son oreille, puis sa tempe, sa paupière. Il promena le bout de sa langue sur la lisière courbe où naissaient les cils, où la peau était si fine qu'il osait seulement l'effleurer. Sa langue trembla sur la pointe des cils de Jazz et elle poussa une exclamation soudaine, le premier son qu'elle émettait depuis qu'ils étaient sur le divan.

— Tu aimes, murmura-t-il.

Jazz jeta les bras autour de son cou et l'attira vers elle.

— Allonge-toi près de moi, supplia-t-elle.

— Pas la place.

— Sur le lit.

— Merveilleuse idée. J'aurais voulu y penser le premier.

— C'est toi qui as proposé le divan, rétorqua Jazz, presque d'un ton de reproche.

Elle se leva, traversa la chambre, se débarrassa de ses chaussures et se coucha sur le lit.

— C'est entièrement ma faute, admit Gabe. Je ne recommencerai pas. Direct au lit, dès la porte. A quoi est-ce que je pensais ?

Il se tint debout au-dessus d'elle, la regarda.

— Pantalon blanc et pull blanc sur dessus-de-lit blanc ? Ça ne va pas. Comment vais-je te trouver... c'est comme chercher un lapin blanc dans la neige.

— Cherche un museau rose, rétorqua Jazz.

Elle s'assit et ôta son chandail. A la vue de ses seins, il retint son souffle. Le pull était si épais qu'il n'avait pas imaginé ces seins-là, si jeunes, et pourtant lourds et opulents ; des seins si mûrs et si fermes qu'ils remontaient haut sur son torse, les pointes durcies et dressées.

Gabe se laissa glisser sur le lit et attira Jazz sur lui afin que sa poitrine soit au niveau de son visage. Appuyée sur les coudes, elle le contemplait avec une intense curiosité. Il gémit, referma ses grandes mains sur ses seins et les pressa l'un contre l'autre pour en prendre dans sa bouche les deux pointes à la fois. De toute la force vorace de ses lèvres, de sa langue, de ses joues, il fit un festin de ces chauds bourgeons comme pour les forcer à s'ouvrir et fleurir dans sa bouche.

Pendant de longues minutes, tout son être fut concentré sur les mamelons qu'il étreignait. Il les suça impitoyablement, les agaçant de légers coups de dent ; Jazz éprouvait un tel plaisir qu'elle se mordit les lèvres. Elle se pressait contre lui de tout le poids de son torse, de toute la force de ses hanches, sans savoir ce qu'elle faisait, mouvante, avec urgence, et tant d'insistance que Gabe finit par abandonner sa caresse. Il la prit par les épaules, la coucha sur le dos et, avec la hardiesse d'un hors-la-loi, lui ôta ce qui lui restait de vêtements.

Jazz reposait envoûtée, soudain immobile, avec ses seuls cheveux pour lui couvrir les épaules ; elle regardait Gabe, une question au fond des yeux. Il quitta le lit pour se déshabiller à son tour. Les yeux de Jazz s'élargirent à la vue de son corps hâlé dans la pénombre. Il était aussi mince qu'elle l'avait pensé, mais elle n'avait pas imaginé tant de vigueur dans ses bras, ses jambes, ses épaules, ni un torse si large. Pas plus qu'elle n'avait tenté de se figurer le puissant, pesant et impérieux pénis, plus gros et plus long qu'elle ne l'aurait cru, qui jaillissait de la toison noire entre ses jambes. Elle retint son souffle, étourdie, incrédule, incapable de détourner les yeux.

Gabe s'agenouilla sur le lit, entre les cuisses ouvertes de la jeune femme, prit plusieurs fois sa bouche offerte, pantelante. Elle jeta les bras autour de son cou, de toute sa force maladroite et désespérée s'efforça de l'attirer sur elle, pour être écrasée sous son poids, pour sentir sa peau partout sur la sienne.

Gabe fut soudain consumé par un besoin si sauvage qu'il n'eut plus de temps à donner au corps voluptueux, abandonné. Il tendit une main pressante vers le généreux triangle bouclé de son pubis, le fouilla. Elle était prête, oh oui, plus qu'il ne le fallait. Il s'enfonça en elle, profondément, avec une ardeur si violente qu'il ne prêta pas l'oreille aux plaintes étouffées qui rompaient maintenant le silence de Jazz. Elle cria sauvagement, mais il n'entendit pas, rendu sourd par son désir de la posséder. Il aurait pu tenter de se retenir pour qu'elle le rejoigne, mais il savait qu'il la prendrait de nombreuses fois cette nuit, oui, oui, de nombreuses fois, mais pour l'instant il ne pouvait attendre. Il se dédia tout entier au flux brûlant, impérieux qui voulait jaillir de lui, se fit plus envahissant, plus serré, plus dur, jusqu'à ce qu'il explose en elle dans des spasmes de feu atrocement bons qui portèrent jusqu'à ses lèvres un vorace et triomphal hurlement animal.

Il resta en elle et finit par rouler sur le flanc, la tenant étroitement contre lui. Peu à peu, il devint conscient de ce qu'il voyait et entendait. Jazz, la respiration lourde, pleurait à gros sanglots.

— Mon Dieu, je suis désolé, dit-il, profondément contrit. Mais je n'ai pas pu m'arrêter. Cela ne m'est pas arrivé depuis que j'étais môme.

Elle hoquetait, inconsolable.

— Jazz, Jazz, mon amour, ne pleure pas ! Ce n'est pas une tragédie. Je vais t'aimer encore, juste pour toi, et encore, et encore, seulement pour toi. Ne pleure pas !

Il l'étreignit, caressa ses cheveux, embrassa son visage trempé, mais les larmes continuaient à couler. Enfin, elle se rendit à sa prière, petit à petit sanglota moins fort, jusqu'à émettre un reniflement et une plainte minuscule.

— Je ne m'attendais pas à ce que ça fasse si mal.

— Oh, merde ! Je t'ai fait mal ? Merde ! *Comment ai-je pu ?* Est-ce que tu me pardonneras ?

— Bien sûr... ne t'en veux pas... on dit que ça fait toujours mal, n'est-ce pas... la première fois ?

— La *quoi ?*

— La première fois.

La stupeur l'envahit à la façon d'une tornade, et il comprit tout en un éclair. Sa peur, ses lèvres froides, son attitude réservée sur le divan, ses tentatives maladroites de l'attirer contre elle, son mélange de timidité et d'audace.

— Pourquoi ne m'as-tu rien dit ? s'exclama-t-il, partagé entre le ravissement et la culpabilité.

— Sais pas, marmonna Jazz.

Elle voulut cacher son visage contre l'épaule de Gabe. Il l'en empêcha.

— Pourquoi ? Pourquoi ?

— J'avais... peur... que tu ne veuilles... que tu en fasses toute une histoire... oh, tu sais bien.

— Et comment, j'en aurais fait une histoire ! Je suis si amoureux de toi... Je ne t'aurais pas fait mal. Oh, mon bébé adoré, j'aurais été si gentil. Maintenant c'est trop tard, se désola-t-il. Trop tard.

— Ne sois pas triste, le réconforta-t-elle. Ça ne fait plus mal.

— Ouais, sûr, comme ça. Je me doute que tu as souffert, pauvre amour, pauvre douce petite idiote.

— J'aimerais que tu arrêtes et que tu fasses quelque chose d'utile, fit Jazz.

Son brusque retour à la joie donna à Gabe l'impression que s'il avait raté un train, le suivant arrivait déjà en gare.

— Alors, je vais devoir l'embrasser, l'embrasser et bien. C'est ce à quoi tu penses ?

— Quelque chose comme ça. Oui... absolument. Ça.

**

Oublieux de toute autre réalité, Jazz et Gabe passèrent la semaine ensemble, sans se poser de questions sur l'avenir ni accorder la moindre pensée au passé. Seule existait la simple plénitude du présent, la perfection des jours, la perfection des nuits, dont le souvenir marquerait de son empreinte tous les jours et toutes les nuits à venir ; des jours et des nuits où les détails s'ajoutaient aux détails pour former un ensemble splendide et sans faille ; des jours et des nuits que ne connaissent que quelques heureux en une vie entière, et rarement deux fois. Ils n'avaient qu'une seule conscience pour deux ; ils s'éveillaient à la même minute, s'endormaient de même, avaient faim et soif ensemble, et éprouvaient le besoin de se toucher, ne serait-ce que de se tenir les mains, à tout instant.

Au bout d'une semaine, le monde refusa de rester plus longtemps à l'écart. Gabe devait partir pour le Nicaragua, reportage pour lequel il avait déjà pris plusieurs jours de retard. Il n'était pas question pour lui de laisser tomber ; il n'était pas question que Jazz ne l'accompagne pas ; elle n'avait aucune raison de rester à l'école. Quand bien même il aurait existé une raison, elle l'aurait ignorée. La seule personne à prévenir était Mike Kilkullen.

— Allons le voir, dit Jazz. Aujourd'hui.

— On ne peut pas téléphoner ? demanda Gabe avec espoir.

— Lâche.

— Je ne devrais pas ?

— Je ne peux pas partir sans tout lui raconter et lui dire au revoir, tu le sais. Il ne mordra pas. Je l'espère.

— Je ne crois pas qu'il sera ravi.

Gabe regarda Jazz. Elle était si avide de consommer son bonheur qu'elle volait là où les autres marchaient, elle prenait feu quand les autres se contentaient de respirer. Quel père normalement constitué voudrait voir cela ?

— Il sera heureux pour moi. Je l'espère.

— Alors, allons-y.

— Peut-être demain ? suggéra Jazz, saisie soudain d'une anxiété à l'idée de la réaction de son père.

— Aujourd'hui, rétorqua Gabe qui sentait que l'un d'eux devait se montrer brave. Mais d'abord prenons une douche. Tu sens comme moi et je sens comme toi. Vêtements propres et tout. Et n'essaie plus de me toucher avant que nous soyons de retour. Inutile de s'afficher.

Beyrouth, Belfast, la bande de Gaza... pas si dangereux que ça, se dit Gabe, tandis que la voiture s'engageait dans la large allée de figuiers géants qui menait à l'hacienda Valencia. Une simple formalité. Après tout, quel éleveur conservateur d'Orange County ne se réjouirait pas d'expédier sa fille adorée de dix-huit ans dans les coins les plus chauds de la planète en compagnie d'un inconnu, et pas des plus rassurants ?

*
**

Dieu du ciel, enrageait Mike Kilkullen, n'avaient-ils pas la moindre décence ? Se montrer ici, au sortir du lit à l'évidence, avec cet air qui ne trompe pas, cet air et ce parfum d'amour qui les enveloppait comme un nuage de poudre, à peine capables de ne pas se tripoter, et pour annoncer qu'ils s'en allaient ensemble ? Pensaient-ils qu'il avait oublié, qu'il ne reconnaîtrait pas cette expression, cette odeur, qu'il ne savait pas ce que c'était ?

Jazz ne se ressemblait même plus. Il n'avait pas envie de s'attarder sur sa nouvelle allure, encore moins sur la façon dont elle dévorait des yeux ce grand sac d'os à grand nez qu'elle appelait Gabe — qu'est-ce que c'était que ce nom, d'ailleurs ? Pourquoi les hommes devaient-ils toujours prendre les filles, tôt ou tard, en l'occurrence beaucoup, beaucoup trop tôt ? Et quand il n'existait aucun moyen, absolument aucun, de s'y opposer en cette année 1979 ? S'il l'avait pu, il aurait emmuré Jazz dans une tour et baissé la herse, ou alors il l'aurait envoyée au couvent pour quelques années, ou encore il l'aurait emmenée pour un long périple autour du monde, ou bien oui, mieux, il aurait pris sa carabine et expédié droit en enfer ce salopard voleur de fille, crime pour lequel aucun tribunal au monde ne l'eût condamné. Dieu, pourquoi y avait-il eu les années soixante ? Voilà l'erreur. Ces saletés d'années soixante. Maintenant, n'importe quelle jeunette de dix-huit ans croyait pouvoir s'assumer, et sa destinée avec, et même quand il s'agissait de votre propre fille vous n'aviez pas le choix.

— As-tu tout ce dont tu as besoin, Juanita Isabella ? questionna Mike Kilkullen, d'un ton poli et soigneusement indifférent. Beaucoup d'argent, un billet de retour, ce genre de chose ?

— Ne t'inquiète de rien, p'pa. Je n'ai pas besoin de beaucoup. Gabe s'occupe de tout. Et j'ai pris des travelers, au cas où.

— Tu ne pars pas sans ton appareil photo ?

— Bien sûr que non. Gabe va m'apprendre tout ce qu'il faut savoir sur le reportage.

— C'est bien, fillette. Epatant. As-tu une carte de téléphone ? Non ? Eh bien, appelle-moi en P.C.V. quand tu en auras envie, et ne t'inquiète pas du décalage horaire. Cela me fera plaisir de t'entendre quand tu en auras l'occasion.

— Je veillerai à ce qu'elle vous téléphone, monsieur Kilkullen.

— J'y compte, Gabe. J'y compte.

Ou alors c'est moi qui viendrai, où que tu sois, et je te trouverai, pour poser un pistolet sur ton crâne et presser la détente, ou alors prendre un couteau pour t'étriper, de haut en bas, comme un poisson. Qu'est-ce que Jazz peut bien te trouver ? N'en ai pas la moindre idée. Ce cul-plat de Billy Carter est drôlement mieux, et sûr que l'ayatollah Khomeiny a plus de charme. Tu ne manqueras à personne, on ne remarquera même pas que tu es parti, espèce de voleur, sale type, fils de garce.

— Oh, papa, nous devons rentrer à Los Angeles, s'exclama Jazz en regardant sa montre. Il y a tellement de circulation sur la route, j'ai encore à régler deux trois choses et à faire ma valise avant de sauter dans l'avion après-demain.

— Tu n'as pas oublié de prévenir l'école que tu laissais tomber ?

— J'ai appelé le secrétariat. Ils vont te renvoyer les arrhes que tu as versées pour l'an prochain. J'ai appris tout ce qu'ils avaient à m'apprendre, papa, le reste n'est que fioritures. Tu sais, la plupart des vrais photographes disent qu'il ne faut pas rester trop longtemps dans une école, sinon on perd son originalité.

— Une chance que tu l'aies su avant qu'il ne soit trop tard.

— J'aurais aimé voir le travail de Jazz, intervint Gabe. Elle m'a parlé d'archives. Nous n'avons pas le temps, Jazz ?

— Je suppose que si, répondit-elle à contrecœur.

Et si cela lui déplaisait ? Si ses photos n'étaient pas aussi bonnes qu'elle l'avait pensé ?

— J'ai perdu ma clef, mentit Mike Kilkullen. As-tu la tienne, fillette ?

— Non, fit-elle, soulagée. Je l'ai laissée à L.A.

— Je vais vous montrer quelque chose que vous devez voir, Gabe.

Mike se leva et quitta brusquement la pièce. Il y revint au bout de quelques secondes avec l'agrandissement encadré de la photographie de Sylvie qui ne quittait jamais sa table de chevet. Il la tendit à Gabe.

— Voilà l'une des premières photos de ma fille, Juanita Isabella Kilkullen. Elle l'a prise avec le premier rouleau de pellicule que je lui ai donné. Avec le premier appareil que je lui ai offert. C'est sa mère, bien sûr. Mon enfant avait huit ans à l'époque, cela remonte seulement à dix ans. C'était le dernier été de la vie de ma femme. Puis elle est partie pour l'Europe. Partie toute seule. Mais, évidemment, vous connaissez cette histoire.

— *Papa !*

— Quoi ? Je pensais que Gabe devait voir au moins l'une de tes photos. Avant que tu partes, toi aussi.

— Ce n'est pas juste! s'écria Jazz. Comment peux-tu me dire une chose aussi affreuse?

— Parce que c'est vrai. Partir c'est partir.

Mike Kilkullen se tenait aussi immobile qu'un bloc de pierre.

— Je vous comprends, monsieur Kilkullen, fit Gabe en se mettant debout. Je n'ose pas dire que je comprends ce que vous éprouvez, mais je sais que je ressentirais la même chose si j'avais une fille. Je prendrai bien soin de Jazz. Je vous le promets sur ma vie. Et elle vous appellera chaque semaine.

— Ouais, j'y compte, Gabe, j'y compte. Je crois savoir que le service téléphonique au Nicaragua fonctionne du tonnerre, surtout pendant une guerre civile.

## 8

Gabe et Jazz étaient au Nicaragua lorsque les sandinistes hissèrent leur drapeau rouge et noir sur le Palais national de Managua, en juillet 1979. Un mois plus tard, ils étaient parmi les premiers journalistes à atteindre l'Irlande, au lendemain de l'assassinat du comte Louis Mountbatten of Burma par les nationalistes irlandais ; deux semaines plus tard, ils s'envolaient pour l'Afghanistan où le Premier ministre Amin prenait la suite du président Taraki, tué lors du coup d'État.

Plus tard, Jazz considérerait son été 79, son été de « bleu », comme un camp d'entraînement personnel, et presque son Waterloo. Elle apprit que le reportage n'était pas une forme supérieure de supercherie photographique, mais un boulot qui exigeait plus de tripes et de nerfs qu'elle ne croyait en posséder ; un métier où l'on ne restait jamais en place, où l'on avait mal aux pieds, un métier extrêmement prenant, fait pour ceux qui niaient la peur, l'humaine, la normale, la raisonnable et salutaire frousse.

D'abord, elle pensa que son sentiment d'être bouleversée venait de l'ampleur des foules nicaraguayennes qui avaient renversé quarante-six ans de dictature somoziste. Lors de l'amer après-midi de l'assassinat de Mountbatten, elle attribua sa détresse à la cruauté de la mort d'un héros de guerre, à bord de son bateau de pêche, dans une explosion qui avait aussi tué son petit-fils. Quand ils arrivèrent en Afghanistan, Jazz pensa que ses anxiétés venaient en fait de ce qu'elle ignorait qui était qui exactement, le comment et le pourquoi des choses. Un mois plus tard, en octobre, de retour aux États-Unis, comme Gabe couvrait la violence raciale dans les lycées de Boston, sujet qu'elle eût pu comprendre dans sa globalité, Jazz fut finalement contrainte d'admettre qu'elle était dépassée.

Elle n'avait pas imaginé qu'elle en viendrait si vite à guetter partout le danger, autant à Boston qu'à Managua. Il lui semblait que des antennes lui avaient poussé, sur la tête, sous les pieds, aux coudes, aux épaules.

Dans les foules en émoi, violentes souvent, dans lesquelles Gabe se jetait, il pouvait se trouver quelqu'un avec un fusil, une bombe, qui choisirait pour cible un homme ou une femme portant un appareil photo. Ou alors quelqu'un risquait de lancer une bombe pour une tout autre raison, et Gabe et elle se trouveraient sur sa mortelle trajectoire. Les foules étaient dangereuses en elles-mêmes et par elles-mêmes ; le style de photo journalisme de Gabe supposait que l'on s'y enfonçât aussi profondément que possible.

Jusqu'alors, Jazz s'était arrangée pour cacher à Gabe la nature de ses sentiments.

Elle devait soit apprendre à vivre avec la peur, soit rentrer dans ses foyers ; tenir ou partir.

Jazz décida de rester, car plus encore que les éventuelles bombes elle craignait d'être séparée de Gabe. Pour cela, un seul moyen : s'occuper le plus possible afin de n'avoir pas le temps de penser ; rester, cela voulait dire photographier presque autant que Gabe, et presque aussi vite, sans même savoir de quel côté elle se trouvait, ou pourquoi ces gens manifestaient. Photographier signifiait se concentrer pour obtenir une image puissante, quelles que soient les circonstances.

Son travail progressa, du moins à son avis, et les antennes qui l'avertissaient que son prochain pas serait peut-être fatal la tourmentèrent moins. Coïncidence. Ou effet de ce qu'elle portait des chaussettes sales, ou des bottes sales, sans espoir de faire sa lessive avant des jours. Cheveux crasseux, vêtements sales, ampoules aux pieds... Gabe se fichait de son allure comme de son odeur aussi longtemps qu'elle restait avec lui sans se mettre en travers de sa route ; c'était tout ce qui comptait. Elle porta son appareil de rechange, ainsi que les objectifs dans leur mallette capitonnée de caoutchouc mousse, elle chargea ses films, et veilla à l'approvisionnement en nourriture et boisson qu'il aurait, sinon, oublié. Il n'était pas habitué à avoir une assistante et elle dut batailler pour faire la moindre chose pour lui ; il finit par baisser les armes et la laisser prendre le contrôle dans certains domaines.

Jazz s'arrangea toutefois pour prendre pas mal de photos. Ses clichés ne seraient jamais développés ni utilisés puisqu'elle n'était pas sous contrat, mais elle les savait néanmoins de plus en plus proches du centre vif, émotionnel de l'action. Les antennes sur ses épaules baissèrent leur garde comme elle devenait plus prompte à repérer dans la pagaille l'attroupement le plus significatif — de Téhéran, quand les étudiants chiites incendièrent un drapeau américain sur le toit de l'ambassade des États-Unis, jusqu'à Lake Placid, où l'équipe américaine de hockey sur glace gagna la médaille d'or.

Dans les derniers jours de mars 1980, alors que Gabe couvrait allègrement l'éruption du mont saint Helens, Jazz se retrouva sur la côte Ouest pour la première fois depuis près d'un an, et décida que le volcan en activité était beaucoup moins important qu'une visite à son père.

Mike Kilkullen fut stupéfait par les changements qu'il détecta en elle, visibles et invisibles. La fille qu'il avait été obligé de laisser partir vers les guerres, les émeutes, le terrorisme avait été la même que celle qu'il avait regardée grandir, jour après jour pendant dix-huit ans, réservée, presque énigmatique, dotée d'un humour tranquille, changée seulement par sa première expérience amoureuse. A dix-neuf ans, Jazz était beaucoup moins mûre que sa mère ne l'était au même âge.

Avant de rencontrer Tony Gabriel, elle avait vécu absorbée par les deux plus forts courants de son existence : son lien à son père et la photographie. Sur bien d'autres points, elle avait été lente dans son développement, nullement préoccupée de se joindre à la danse des amours adolescentes ; peu curieuse des séductions des grandes villes ou des voyages ; satisfaite de la maigre agitation de la vie dans un ranch relativement isolé ; une fille, pensait-il, qui avait encore besoin de sentir la sécurité et la protection de la routine quotidienne. N'avait-elle pas insisté pour rester au ranch avec lui au lieu d'être envoyée en pension ? N'était-elle pas rentrée à la maison chaque week-end durant son année à Graphics Central, refusant les invitations que toute autre fille de son âge eût acceptées ?

Longtemps, Mike Kilkullen s'était fait du souci pour Jazz. Sans comprendre tout ce qui pouvait se produire chez une fillette âgée de huit ans à la mort de sa mère, il sut que là s'était noué le lien entre l'intrusion brutale de la plus grave des pertes et l'absence d'intérêt de Jazz pour le monde extérieur au ranch. Jamais Jazz n'avait acquis la confiance en elle-même que seule une mère, lui semblait-il, pouvait donner à un enfant. De sa naissance jusqu'à la mort de Sylvie, Jazz était parvenue à grandir malgré les fréquentes absences de sa mère, et ce pour trois raisons : le solide amour paternel, les soins dévoués de Rosie, et la totale disponibilité affective de Sylvie lorsqu'elle se trouvait au ranch. C'était loin de la perfection, réfléchissait-il, mais nombre d'enfants avaient beaucoup moins.

Pourtant, après la mort de Sylvie, Jazz paraissait s'être gelée, comme si elle ne pouvait quasiment plus franchir les étapes suivantes avec le seul soutien de son père. Son adolescence n'avait pas connu une minute de rébellion, ce qui était pour le moins bizarre s'il en croyait ce qu'il lisait et entendait. Il soupçonnait même que sa passion pour la photo était liée à la perte de Sylvie, car seuls les souvenirs et les photographies lui permettaient de posséder sa mère. Et les souvenirs s'effacent plus vite que les instantanés.

A présent, dix mois après qu'elle avait si soudainement quitté la maison, il semblait à Mike qu'une femme était revenue au ranch à la place de la fille qui en était partie. Cette femme marchait d'un pas beaucoup plus assuré que Jazz ; elle prenait plus souvent la parole et avec davantage de conviction ; elle était soudain consciente de l'absurdité de la vie et de l'impossibilité d'y remédier, sans pour autant être devenue cynique. Elle était bien plus animée que Jazz ne l'avait été, cent fois moins encline à accepter l'opinion paternelle, sans toutefois insister pour avoir raison. Raison ou tort, avait-elle l'air de songer, qu'importait ce que lui ou elle pensait, les choses iraient leur chemin et tous deux devaient admettre qu'ils n'avaient sur elles que peu de prise.

— Es-tu encore démocrate, au moins ? lui demanda-t-il.

— Bien sûr. Mais où m'inscrirais-je pour voter ? grimaça Jazz.

Maintenant qu'elle était assez âgée pour livrer son bulletin aux urnes, elle ne restait nulle part assez longtemps pour y avoir une adresse.

— A l'ambassade américaine du pays où tu te rends le plus souvent, s'indigna Mike Kilkullen.

Il était suffisamment difficile d'être démocrate à Orange County pour ne pas souhaiter perdre une électrice potentielle.

— Ce serait Paris, fit Jazz, songeuse. Le photo journalisme se concentre à Paris depuis les grands jours de *Paris-Match*. Il s'y est maintenu, aussi bizarre que cela paraisse. On penserait plutôt à New York, non, c'est Paris le point de ralliement.

— Bon sang, Jazz, inscris-toi à l'ambassade de Paris. Ou préfères-tu rester simple spectateur des grands événements du monde et regarder la planète comme un grand champ photographique ?

— Tu me demandes si je me soucie encore de qui gagne ? Pas seulement dans une élection, mais en général ? Oui, évidemment, papa, mais si je m'arrêtais assez longtemps pour y réfléchir, j'empêcherais Gabe de faire son métier.

— Fais-tu allusion au rude labeur de l'aide de camp ?

— Très rude labeur. Mais je suis un aide de camp heureux.

Jazz eut alors un sourire qu'il ne lui avait jamais vu, et que le père en lui s'empressa de bannir de son esprit.

— Pourquoi diable t'es-tu coupé les cheveux ? questionna-t-il, irrité.

Au lieu de lui demander pourquoi elle souriait comme une femelle animale comblée. Parmi tous les changements physiques de Jazz, ce qui le troublait le plus était que la magnifique chevelure, qui toujours lui avait évoqué la belle fourrure d'une zibeline dorée, fût réduite à une coupe de galopin ébouriffé.

— Les poux, répondit Jazz.

— Je ne te crois pas !

— Relax, p'pa ! Je n'en ai pas réellement eu, mais au bout d'une semaine sans une douche chaude, j'ai commencé à y penser. Mes cheveux me gênaient. De toute façon, je les aime bien ainsi... pas toi ?

— Je préférais avant, fit-il aussi gentiment que possible.

Je préférais avant que tu rencontres Gabe, je préférais quand tu ne paradais pas comme un champion qui vient de remporter une médaille ; je préférais quand tu ne bougeais pas aussi hardiment que si tu portais armure et cotte de maille, quand tu n'avais pas cet air déterminé comme si tu étais née dans un kibboutz, quand ta bouche et ton menton n'avaient pas ce pli invulnérable, quand ton visage n'était pas devenu celui d'une femme, mais tenait encore du bébé ; je préférais quand le soleil se levait et se couchait sur moi ; je préférais quand tu ne te sentais réellement heureuse qu'au ranch ; je préférais quand tu étais encore mon bébé. Je préférais quand tu n'avais pas rencontré ce salaud téméraire de Gabe.

— Hé, papa, même si je ne peux pas voter, je peux boire dans un bar californien. Allons en ville. Je veux t'offrir un verre au *Swallows*.

— Ah ouais ?

— Ouais.

— Okay, allons-y.

Si Jazz devait finir par grandir, pourquoi ne pouvait-elle le faire à la maison, où il la garderait à l'œil ?

***

A la mi-avril, Jazz et Gabe étaient de retour à Paris. Ils avaient une semaine à y passer avant de gagner Rome, pour accompagner le tour d'Afrique du pape Jean-Paul II.

— Avant de partir, il faut nous inscrire sur les listes électorales de l'ambassade, déclara Jazz.

Ils mangeaient un sandwich au jambon dans un café, tout en comptant les différentes façons qu'avaient inventées les Français, presque aussi obsédés de leur allure que leurs concitoyennes, pour se nouer les écharpes autour du cou.

— Que veut dire ce « il faut » ? Je ne vote jamais, mignonnette. Qui a le temps ?

— C'est dégoûtant, désapprouva Jazz, battant des cils sous sa longue frange. Mon père sera bouleversé si tu ne t'inscris pas.

— C'est bon, j'irai, j'irai, rétorqua vivement Gabe. Dis-moi seulement quel parti il préfère.

— Crois-tu que l'ambassade admettra que nous vivions à l'hôtel ? C'est valable comme adresse ?

— Voilà qui me dépasse. Louons un appartement.

— Gabe ! Tu n'as vécu qu'à l'hôtel.

— Je n'ai jamais vécu avec une fille avant toi.

Il balaya la frange de Jazz et scruta son visage si vivant, sa bouche veloutée, la somptueuse lèvre inférieure qui flirtait avec la délicate et dévastatrice lèvre supérieure, sa touffe de cheveux couleur maïs, les joyaux de ses yeux. Jamais il ne serait certain de connaître ses pensées ; cette idée l'emplissait de délice et d'une curiosité toujours renouvelée.

— Une poupée comme toi mérite une adresse fixe. Une poupée comme toi devrait avoir une patère où suspendre son chapeau. Tu devrais *porter* un chapeau, maintenant que j'y pense. Nous repassons toujours par Paris... on pourrait laisser nos vêtements ici, si on en avait. Tu as toujours ton *Tribune* ? Jetons-y un œil. Qu'est-ce qu'ils proposent ? Huitième arrondissement, pas question, trop près de Dior ; un appartement dans le seizième... le comble, question ennui. Voilà : un meublé dans l'île Saint-Louis. Quai de Bourbon. A l'écart, quasi au niveau de l'eau, mais belle vue quand même. Je vais appeler l'agence.

— Ils ont des agences de location à Paris ?

— J'oublie parfois comme tu es jeune, fit Gabe en cherchant une pièce de monnaie dans sa poche. Inexpérimentée, innocente...

— Virginale ? demanda Jazz.

— C'est une critique ? Tu te sens virginale, ces temps-ci ?

— Au contraire.

— Bien. Reste comme ça.

Gabe disparut dans le café pour téléphoner et revint avec un rendez-vous l'après-midi même pour visiter l'appartement. Après un rapide coup d'œil, ils louèrent le premier étage pour sa vue sur la Seine bordée d'arbres. Le mobilier n'était pas aussi vilain qu'il aurait pu l'être.

— Si j'enlève tous les petits bibelots des tables pour les cacher dans un placard, si j'achète quelques plantes, si j'ôte les rideaux de la salle de séjour et si j'en mets de nouveaux dans la chambre, si je trouve une poêle à frire correcte, et peut-être en repassant un coup de blanc sur les murs... oh, Gabe, ce sera fabuleux !

Jazz tourbillonna d'une pièce à l'autre, embrasée de joie ; l'instinct de se faire un nid, qu'elle avait jusqu'alors ignoré, s'était soudain éveillé en elle.

— Des plantes ? Qui les arrosera en notre absence ?

— Je m'arrangerai avec la concierge.

— Alors qu'attendons-nous ? questionna Gabe. Il y a un marché aux fleurs dans l'île de la Cité. Ensuite, nous achèterons tout le reste et le ferons livrer à la concierge.

— Ne pourrions-nous commencer tout de suite la peinture ? supplia Jazz. Avec des rouleaux, nous aurons fini avant d'avoir commencé.

— Bonne idée. Où est le magasin le plus proche ?

— Comment le saurais-je ?

— Dans le doute, trouve un café, commande un express et demande. Voilà tout ce que je sais sur la façon de se débrouiller à Paris.

— Où est le café le plus proche ? fit Jazz, entêtée et stupidement heureuse.

— Là où il est toujours. Au coin. N'importe quel coin. Viens, petiote, te voilà femme au foyer maintenant. Inutile de rêvasser devant la fenêtre. La vue sera encore là à ton retour.

Avant de partir pour Rome puis l'Afrique, Jazz et Gabe s'étaient installés chez eux et avaient découvert un bonus que la dame de l'agence n'avait pas mentionné. La nuit, les lumières des bateaux-mouches éclairaient gentiment leurs fenêtres, à intervalles réguliers, braquant leurs projecteurs sur les nombreux monuments historiques que recèlent les rives parisiennes au cœur de la ville, aussi riches que le Grand Canal de Venise. Les projecteurs effleuraient d'abord les arbres de la rive puis, les bateaux approchant, la lumière devenait progressivement plus vive et le feuillage des arbres devant leur fenêtre s'illuminait, aussi magique que le décor d'un ballet classique. La lumière affluait dans leur chambre, comme si la lune venait d'apparaître dans le ciel, et puis, aussi doucement qu'elle était venue, elle commençait de disparaître, bientôt suivie par l'éclat d'un autre bateau.

Ils firent l'amour chaque nuit à la féerique lueur des bateaux-mouches, sentant l'âme de l'éternel spectacle de Paris. Parfois, pendant ces heures, Jazz accordait une pensée aux touristes rivés à leurs sièges, en train de scruter scrupuleusement l'ancienne et belle façade de pierre de leur immeuble, écoutant le guide réciter faits et dates sans jamais deviner le pouls de vie palpitant, rapide qui battait de l'autre côté du mur, dans le lit où Gabe et elle, enchantés et amoureux à jamais, reposaient enlacés, trop heureux pour dormir.

*
**

Les six mois suivants, comme ils allaient et venaient de Gdansk au Paraguay, d'Alger au Salvador, Gabe se surprit à rechercher les contrats qui lui permettraient une escale à Paris. En février 1981, il refusa de couvrir le procès de Mme Jean Harris à New York pour faire un reportage sur le nouvel archevêque de Paris, Jean-Marie Lustiger, juif converti au christianisme ; en avril, ils gagnèrent Rome, proche de leur nid par avion, pour suivre la capture du chef des Brigades Rouges, Mario Moretti, plutôt que de traverser l'océan pour couvrir le lancement de la première navette spatiale à Cap Canaveral ; en mai, lorsque six soldats furent arrêtés à San Salvador pour le meurtre de plusieurs missionnaires américains, Gabe refusa le contrat et attendit à Paris jusqu'au lendemain l'élection de François Mitterrand.

L'été 1981 trouva Gabe inhabituellement paresseux, et content de laisser le monde marcher vers l'enfer, de son pas normal et prévisible. Il n'était pas là pour en tenir la chronique ; Jazz et lui passèrent leurs vacances dans une ferme que des amis leur prêtèrent, dans les collines derrière Saint-Tropez. A l'automne, Gabe, qui se détendait dans la Provence embaumée de lavande, se promit de reprendre le collier. Mais pour la première fois de sa vie, il renâclait devant les incessantes interruptions de leur vie parisienne imposées par chaque nouveau déplacement.

Soudain, l'idée de jeter quelques affaires dans un sac et de quitter le petit appartement aux murs blancs et plantes vertes niché au cœur de la vieille île parisienne devenait singulièrement peu tentante. Lui qui jamais ne s'était soucié de ce qu'il mangeait ni de quand il le mangeait se surprit à guetter avec trois jours d'avance l'hebdomadaire poulet rôti servi par la bruyante et animée *Brasserie Alsacienne* à la pointe de l'île Saint-Louis. Il se choisit un favori parmi les cafés qui ouvraient tôt dans la rue Saint-Louis-en-l'Ile, et s'y rendit chaque matin pour prendre son petit déjeuner tout en lisant le *Herald Tribune*. Ensuite, il achetait deux croissants pour Jazz qu'il avait laissée endormie dans le lit, et la réveillait avec une tasse de thé et des pluies de baisers.

Puisqu'ils avaient leur appartement et passaient tant de temps à Paris, Jazz s'aménagea une chambre noire dans un cagibi. Grâce à une amie qui se trouvait être la secrétaire de la délicieuse Canadienne Jean Bakker, épouse de l'ambassadeur des Pays-Bas en France, elle commença à faire le portrait des enfants de la nombreuse colonie diplomatique américaine. Les prix qu'elle pratiquait étaient raisonnables, et ses photos faisaient merveille car elle montrait les bambins en action au lieu de les figer dans la pose traditionnelle.

Les enfants en mouvement, inconscients de l'appareil, sont difficiles à saisir, mais c'est la meilleure façon de les montrer sous le visage que leurs parents leur connaissent le mieux. L'expérience de Jazz, qui avait suivi Gabe dans les foules, lui fut fort utile, car elle savait photographier plus vite et mieux que n'importe quel spécialiste du portrait. Plus important encore, en observant Gabe de près, elle avait appris à travailler sans que le sujet la remarque; les grands reporters photo savent disparaître même quand ils mitraillent, aussi saisissent-ils la part la plus humaine et la plus naturelle de leurs sujets, surprise dans ces instants où ils ne se savent pas observés.

Jazz emmenait ses jeunes sujets dans les parcs, ou bien au zoo, ou encore sur les marchés en plein air où l'on vendait oiseaux et lapins, et les laissait libres de s'amuser. Elle ne les prenait au repos que s'ils s'étaient arrêtés sans qu'elle le leur ait demandé, et ces portraits-là, sans pose, étaient souvent les plus intéressants de tous.

Elle ne travailla qu'en noir et blanc et développa ses films, recadrant soigneusement et agrandissant les meilleurs clichés, quel que soit leur nombre. Ensuite, elle envoyait le tout aux parents, un seul prix pour l'ensemble au lieu de leur faire choisir la ou les photos préférées, comme le font habituellement les professionnels. S'ils désiraient des doubles, elle ne leur facturait que le coût du papier et le temps passé dans la chambre noire. Le bouche-à-oreille la fit vite connaître, et cette activité se trouva correspondre parfaitement avec celle de Gabe puisqu'elle n'exigeait pas la présence constante de la jeune femme à Paris.

Maintenant les serveurs des nombreux restaurants de l'île Saint-Louis les connaissaient par leur prénom, aussi bien que le jovial bandit qui possédait l'unique quincaillerie de l'île, et les gérantes du traiteur-épicerie fine où ils faisaient leurs provisions pour les week-ends. L'île était un village dont la plupart des habitants, qui se connaissaient tous, franchissaient rarement les nombreux ponts qui menaient à la cité. Le vendeur de journaux savait quels périodiques il fallait leur mettre de côté; ils choisirent un pressing, une laverie et une pharmacie. Gabe commença à prévoir des dîners avec des amis avec la vague présomption que Jazz et lui seraient encore à Paris à telle ou telle date; quand il ouvrait son placard, il ne s'étonnait pas d'y trouver des vêtements propres; de temps en temps, il pensait à se faire couper les cheveux; et il lui arrivait d'acheter un bouquet de fleurs. Parfois même, il avait l'idée de les mettre dans l'eau en rentrant à la maison. Le dimanche après-midi, ils allaient fréquemment voir un film américain en version originale, sur le boulevard Saint-Germain, après quoi ils remontaient en direction de la rue des Canettes où ils avaient le choix entre six pizzerias toutes meilleures les unes que les autres, et un bistro français à l'ancienne, leur préféré, *Chez Alexandre*.

A mesure qu'ils surent pouvoir joindre fréquemment Tony Gabriel à Paris, les directeurs des services photo de la presse lui confièrent de plus en plus de reportages sur les sujets locaux, comme l'inauguration du premier T.G.V.

Les Polonais de Solidarité lançaient une dangereuse campagne contre les Soviétiques, les troupes russes se massaient près de la frontière polonaise, tandis que Mitterrand effectuait le premier trajet Paris-Lyon en T.G.V., avec Gabe et Jazz parmi les photographes.

En octobre 1981, lorsque le leader égyptien Anouar el-Sadate fut assassiné au Caire alors qu'il assistait à une démonstration de voltige aérienne, dix autres personnes furent tuées et quarante blessées. En apprenant la nouvelle, Gabe fut d'abord soulagé en songeant que Jazz aurait pu se trouver parmi les victimes. Ensuite seulement, il regretta les photos qu'il n'avait pas prises.

En novembre, comme les jours parisiens se faisaient plus courts et que l'appartement devenait plus agréable que jamais avec le temps froid et humide du dehors, Gabe s'aperçut que Jazz et lui étaient ensemble depuis deux ans et demi. Elle aurait vingt et un ans en janvier 1982. Son père lui avait depuis longtemps écrit pour lui confier son projet de célébrer cet anniversaire par une grande fête au ranch.

— Quand devons-nous nous envoler pour L.A.? s'enquit Gabe.

Il se résignait à ce voyage peu souhaité.

— Je dois y aller, répondit Jazz, mais tu n'es pas obligé de venir, surtout si tu es appelé quelque part.

— Tu fêterais tes vingt et un ans sans moi?

— J'aimerais mieux pas... mais un reportage est un reportage. Je ne veux pas te gêner.

— Et si je m'en fichais, que tu me gênes? Si je ne voulais pas que tu célèbres ton anniversaire sans moi?

Cette seule idée le rendait violemment jaloux.

— Alors, viens, fit distraitement Jazz.

Elle ne prêtait guère l'oreille à la conversation qu'il s'efforçait de susciter, et ne levait même pas les yeux de la planche contact de son dernier travail.

— Alors, marions-nous

— *Quoi?*

Il avait fini par attirer son attention.

— Marions-nous, répéta-t-il.

— Mais... nous parlions de mon anniversaire. Se marier?

Jazz s'immobilisa et laissa les contacts glisser à terre. Elle s'était obligée à ne jamais songer mariage avec Gabe. Elle avait voulu l'épouser, lui semblait-il, dès leur première nuit ensemble, mais cette pensée avait été immédiatement suivie par la certitude que jamais cela ne se produirait. Aucune femme saine d'esprit n'eût songé à lier les ailes du célèbre Tony Gabriel. Il était loin d'être le candidat idéal pour la vie conjugale. Les reporters photo vivaient dans un état d'adolescence prolongée. Quand ils étaient là, ils y étaient complètement; quand ils partaient, ils partaient complètement. Elle avait depuis longtemps accepté cette idée, elle l'avait digérée et était restée avec lui malgré cela. Ses doigts tremblaient à présent. Elle répondit prudemment.

— Gabe, tu ne veux pas vraiment te marier, même si tu le crois. Ce n'est pas ton genre.

— Oublie mon genre. Et ne pense pas à ma place. *Toi*, tu ne veux pas te marier ?

— Je ne... Je ne suis... La situation me convient comme elle est.

La prudente, progressive et discrète domestication de Tony Gabriel s'était traduite par une série de légers changements, que Jazz n'avait en rien provoqués. Elle s'était si consciencieusement contrainte à vivre dans le présent que l'affolement de son cœur et l'amorce des nombreuses possibilités soudain ouvertes l'effrayèrent. Son instinct l'avait fortement poussée à ne rien vouloir de Gabe, sinon la continuation de ce qui était.

— Moi, elle ne me convient pas, insista-t-il.

— Hmmm.

Jazz secoua la tête, si perplexe, si surprise qu'elle ne trouvait plus ses mots. Cette déclaration stupéfiante lui semblait dépasser les bornes. Pourtant, l'expression de Gabe était plus sérieuse que jamais.

— Que veut dire ce « hmmm » ?

— Je réfléchis, c'est tout. Que veux-tu que je dise ? se plaignit-elle. C'est si soudain...

— Alors ? *Réfléchis !*

— Je n'épouserais personne d'autre, dit-elle lentement.

Elle pataugeait dans le champ infini des réponses possibles, pour en trouver une sûre, qui ne la laisserait pas sur la corde raide. Elle le voulait si fort. Mais elle ne laisserait pas Gabe s'en apercevoir.

— Chouette, railla-t-il férocement.

— Mais... quelle sorte de mari serais-tu ? lança-t-elle.

— Mon Dieu ! Nous vivons ensemble depuis plus de deux ans, s'insurgea-t-il. Si tu ne le sais pas...

— Vivre ensemble, ce n'est pas être mariés. Mariés, c'est... difficile. C'est toutes sortes de promesses et de compromis, c'est tout mettre dans les mains d'un seul être... ce n'est pas si... facile...

Sa voix se brisa comme elle pensait à ses parents.

— Oublie ta mère. Ce ne serait pas du tout pareil. Tu viendrais partout avec moi. Je ne m'en irai jamais en te laissant m'attendre.

— C'est une affaire risquée, murmura Jazz, très risquée.

Elle baissa les paupières pour cacher la lueur d'espoir dans ses yeux, dissimuler son émerveillement devant une promesse si précise. Les reporters photo étaient comme des requins, toujours en mouvement, même dans leur sommeil. La vie pour eux était si spontanée que la couverture du *Time* de cette semaine ne serait plus qu'un vague souvenir d'ici quelques jours. Elle tenta de faire cesser le tremblement de ses mains et croisa les doigts pour que Gabe ne s'aperçoive de rien.

A essayer de lire dans son esprit, Gabe était doublement frustré. Il scruta la forme parfaite de sa tête couronnée d'or sombre, songeusement baissée, et jamais il n'avait éprouvé ce besoin absolu, entêté de la conquérir, d'être sûr d'elle. Jazz semblait si loin, si inaccessible, si emportée par des souvenirs qu'il ne partagerait jamais, qu'elle était comme une étrangère. Il se leva soudainement, mince, ébouriffé, sombre, dur, plus décidé que jamais à avoir gain de cause, et écrasa Jazz entre ses bras, la forçant à le regarder.

— *Tu ne peux pas ne pas m'épouser, et tu le sais !*

— Je... probablement, admit-elle.

Une sensation inattendue, une miraculeuse certitude commençait à envahir son cœur prudent, avide, aussi discipliné qu'ardent.

— Seulement, je n'avais jamais pensé...

— Ne pense plus. C'est mauvais pour toi, murmura Gabe en prenant ses lèvres. Faisons-le et n'en parlons pas.

— Faisons-le ? haleta-t-elle entre deux baisers.

En cet instant de victoire, elle s'efforçait de mettre à l'épreuve la merveilleuse réalité par un flot d'objections.

— On ne se marie pas comme ça... il faut préparer... Je dois appeler mon père. Je dois trouver une robe, nous devons trouver quelqu'un qui nous mariera, un endroit où inviter les gens... oh, c'est tellement compliqué, geignit-elle, délicieusement retorse.

Elle voulait qu'il la persuade encore. Il le lui devait.

— Nous ferons au plus simple. Une fête aussitôt après la cérémonie... *Chez Alexandre*... et c'est seulement là-bas que nous annoncerons la nouvelle à tous.

Le triomphe claironnait dans la voix de Gabe.

— Un mariage surprise ?

— Oui. Juste nous et celui qui nous mariera. Juste toi et moi. Jazz, Jazz, nous n'avons besoin de personne d'autre.

— Sauf mon père...

— Sauf ton père.

— Oui, répondit Jazz. Oui, oui !

*
**

En dépit des simplifications de Gabe, plusieurs semaines devaient s'écouler avant le mariage surprise. Il n'est pas possible en France de se marier sur une impulsion, et c'est encore plus compliqué pour des Américains à Paris. Jazz était une catholique à moitié luthérienne non pratiquante. Gabe n'était rien de particulier, aussi aucun prêtre ne les marierait. Ils trouvèrent finalement un pasteur affilié à l'Église américaine de Paris qui accepta de les unir dans son bureau s'il obtenait la permission de sa paroisse. De surcroît, il voulut bien que sa femme fût le second témoin, avec Mike Kilkullen qui projetait d'arriver à Paris quelques jours avant la cérémonie. La date fut fixée pour la deuxième semaine de décembre, avant que leurs amis ne partent en vacances de Noël.

La veille du mariage surprise, tandis que Jazz s'assurait que tout était prêt *Chez Alexandre*, Gabe alla prendre un verre au Club de la Presse afin de calmer ce qu'il diagnostiquait comme un sévère stress de futur époux. Soit un coup de cafard, soit une intoxication à cause d'une mauvaise moule, se disait-il, coincé dans un W.-C. duquel il avait tenté à deux reprises de s'extirper avant d'être contraint d'y retourner en toute hâte.

144

— J'ai cru voir Gabe au bar, dit soudain une voix familière.

— Moi aussi, Herb, mais quand je me suis retourné, il n'était plus là, dit une autre voix.

Les deux hommes étaient de vieux copains à lui, mais Gabe n'était pas en état de les saluer.

— Il a dû aller retrouver Jazz. J'en ferais autant à sa place.

— Tu vas à leur fête demain, Herb ?

— Je ne veux pas la manquer.

— Moi non plus. Imagine Gabe et Jazz donnant une fête de Noël... une première pour lui. Je n'aurais jamais cru voir ça, même dans un million d'années.

— Le bonheur domestique, Herb.

— Qu'est-ce qui lui est arrivé exactement, Jim ? Ton opinion de pro ?

— Apathie précoce, très, très précoce, ou alors l'esclavage du grand amour, tu choisis. Le résultat est le même.

— Jim, je comprends tout de l'amour, j'ai été amoureux moi aussi, plus souvent qu'à mon tour, mais l'amour ne signifie pas nécessairement qu'on s'émousse, qu'on perde ce qui nous rend différents des autres. Gabe a remporté autrefois deux Pulitzer, et maintenant ? Voilà près d'un an que je ne suis pas tombé en admiration devant une photo signée de lui.

— Ouais, quand on se souvient de ce qu'il faisait, le Cambodge en 75, les clichés des boat-people en 77...

— Le scoop sur Patty Hearst...

— Et son reportage sur la reddition devant les communistes à Saigon, en 75 ? Les derniers Marines sauvés par des hélicos sur le toit de l'ambassade ?

— Et le massacre par Septembre Noir aux jeux Olympiques de 72... tu t'en souviens, Jim ? Gabe a failli se faire descendre...

— Et ses photos du Biafra, elles lui ont valu l'un de ses Pulitzer.

— C'est fini maintenant, Herb. Je te parie qu'un de ces jours, Gabe couvrira le bal de la baronne de Rothschild. Le voilà englué à Paris avec la fille de ses rêves, alors...

— C'est moche, l'amour tue le meilleur de nous-mêmes. Ou alors c'est *déjà* la fin. Gabe a fait son temps... chacun de nous doit abandonner tôt ou tard, fit Jim.

— Pas tous. Regarde Capa ! Il a débarqué en Normandie le Jour J et il était encore à l'œuvre quand il a sauté sur cette mine en Thaïlande, le pauvre con.

— Capa, c'est la préhistoire par rapport à Gabe. On n'en fait plus des comme ça, le moule est cassé.

— De toute façon, il est clair que Gabe a fait du super-boulot, tu ne peux pas le nier.

La voix de Herb mourut brusquement quand la porte des toilettes s'ouvrit et se referma derrière les deux reporters. Espèces de fossoyeurs envieux, pensa Gabe, envieux, envieux, *envieux*. Impossible d'avoir une vie personnelle sans faire suinter leur poison. Au fond, ils espéraient qu'il avait perdu le truc, ces salauds sentencieux, ces buveurs de sang, ces putains de leurs mères. Ils espéraient — ils ne prévoyaient ni ne commentaient mais *espéraient* de tout leur cœur gonflé d'envie qu'il y ait un reporter photo de moins dans le monde capable de leur montrer quels piètres amateurs ils étaient, un reporter de moins parmi ceux qui seraient toujours les meilleurs, même dans leurs pires moments.

Aussitôt qu'il le put, Gabe quitta le Club de la Presse et marcha aveuglément dans Paris, insouciant des feux, de la circulation, des coups de klaxon, sans rien voir de la grande ville qui s'apprêtait pour Noël, sans remarquer les enfants aux joues roses ni les pigeons paresseux ni les cohortes de jolies filles, sans acheter de fleurs ni s'arrêter pour boire un café ou se pencher sur le parapet d'un pont. Un homme dont la petite anxiété à l'imminence de ses noces s'était oubliée dans l'affreuse apparition d'une peur autrement plus grande.

*<br>**

Jazz s'éveilla tard le matin du mariage. Le soir, son père avait insisté pour les emmener dîner chez *Taillevent*, où ils étaient restés à boire et à manger bien plus tard que dans leur brasserie habituelle. Oh, mais ç'avait été si bon, pensa Jazz en s'étirant et bâillant, rechignant à quitter le lit chaud bien qu'impatiente à l'idée de la grande journée qui commençait.

Enfin, elle se couvrit d'une épaisse robe de chambre, enfila chaussettes et pantoufles. Paris était aussi froid que la Finlande en décembre, et deux fois plus humide. Elle se rua dans la cuisine pour se faire un thé. Gabe avait oublié de lui porter ses croissants, constata-t-elle avec une pointe de déception, mais il avait eu l'air si distrait hier soir qu'il était bien capable d'avoir lui-même oublié de prendre son petit déjeuner. Réchauffée par le thé, elle se brossa les dents, se lava le visage et s'assit à sa petite coiffeuse pour se regarder à la lumière sourde de la brume grisâtre qui flottait sur la Seine. Elle trouva alors, dressée contre son miroir, une enveloppe vierge. Troublée, Jazz l'ouvrit pour y découvrir deux feuillets couverts de l'écriture de Gabe. Pas de bonjour sur la première page, pas de date non plus.

> *Je suis resté debout toute la nuit, à vouloir te réveiller pour te parler, mais je n'ai pas pu. J'ai compris que nous ne pouvions pas nous marier.*
>
> *Je suis tellement amoureux de toi que j'ai cessé de faire du bon travail. J'ai arrêté de prendre des risques parce que j'ai peur qu'il t'arrive quelque chose. J'ai évité les voyages pour que nous restions ensemble ici. J'ai cherché les contrats faciles au lieu d'accepter les plus durs. Cette année, je n'ai rien fait dont je puisse être fier. Chaque minute a été pour moi un incroyable bonheur depuis que je t'ai rencontrée.*
>
> *J'ai trente et un ans et je suis reporter photo. C'est tout ce que je puis être et tout ce que je veux être. Si nous nous marions, je ne serai plus jamais bon.*

*Je m'en vais, tant que je comprends encore ce qui m'arrive. Je m'en vais tant que nous sommes encore heureux. Je m'en vais avant de t'en vouloir pour ce qui est à cent pour cent ma faute. Tu mérites mieux que moi.*

*Si on se mariait, tu comprendrais vite quel mal je me ferais à moi-même. Parce que je t'aime trop.*

*Gabe.*

Machinalement, Jazz tourna les feuilles pour voir s'il y avait autre chose au dos. Elle regarda dans l'enveloppe et relut la lettre. Puis elle se leva, alla ouvrir le placard de l'entrée. Les vêtements de Gabe étaient là, à l'exception de sa grosse veste, de ses bottes les plus solides et d'un pantalon en velours côtelé. Dans le tiroir manquait son chandail le plus chaud. Elle ne chercha pas ses appareils photo. Elle erra dans la chambre, allant et venant comme un enfant perdu dans la forêt. Pour finir, elle se remit au lit et remonta la couverture sur son visage. Son cerveau était engourdi. Elle pouvait seulement se répéter que c'était impossible. Impossible. Impossible. Il l'avait quittée, quittée le jour de leur mariage, parce qu'il l'aimait trop. Cela avait-il un sens ? Le moindre semblant de sens ? Il partait tant qu'ils étaient encore heureux. Il avait été incroyablement heureux depuis leur rencontre. Donc, il la quittait. Il l'aimait tant qu'il la fuyait. Cela avait-il un sens ?

Je devrais pleurer, pensa Jazz. Les gens pleurent. Ses yeux étaient secs, mais il lui semblait qu'ils saignaient. Son cœur battait avec une lourdeur malade, et ses mains comme ses pieds étaient gelés.

Le carillon de la porte se fit entendre ; elle bondit du lit en une seconde et courut répondre. Gabe ne l'avait pas quittée, elle savait qu'il ne le pouvait pas, c'était impossible. Elle ouvrit grand la porte. Mike Kilkullen se tenait sur le seuil, les bras chargés de paquets de chez Fauchon : des blocs de foie gras pour le repas de noces.

— *Papa !* hurla Jazz.

Elle le fit entrer, courut dans la chambre et revint avec la lettre qu'elle lui tendit.

— Lis !

Mike parcourut rapidement les deux pages. Il prit Jazz contre lui et l'étreignit de toute sa force ; elle s'était mise à trembler. Elle ne pleurait pas, mais un cri terrible monta de sa gorge, pareil à une plainte inhumaine, un hurlement éperdu. Il serait toujours temps, plus tard, songea Mike, de lui dire que Gabe avait eu raison une fois dans sa vie. Jazz méritait mieux que lui.

# 9

Dans les années qui suivirent, Jazz ne se souviendrait pas de son départ de Paris autrement que comme d'un brouillard humide et sombre, dans lequel la silhouette de son père restait l'unique réalité. Elle s'y cramponna, physiquement incapable de le perdre de vue. Elle se sentait comme un petit animal écrasé traîné sur la route puis projeté sur le bas-côté pour y saigner à mort toute la nuit.

Mike Kilkullen mit quelques vêtements dans un sac, tous les rouleaux de pellicule qu'il trouva dans la chambre noire, prit son appareil photo en bandoulière, et la veilla toute la nuit à son hôtel, jusqu'à ce qu'ils prennent l'avion pour la Californie le lendemain. Des années plus tard, il lui annoncerait qu'il avait pensé à téléphoner *Chez Alexandre* pour annuler la fête, prétextant que les hôtes avaient dû partir d'urgence au Moyen-Orient.

Dans l'univers toujours mouvant du photo reportage, où le taux de divorce parmi les photographes du *National Geographic* atteignait près de cent pour cent, si l'on prêta attention à la disparition du couple Jazz-Gabe, ce ne fut que dans un cercle restreint d'hommes à la mémoire courte, individus qui oubliaient leurs meilleurs amis comme leurs amours à chaque nouveau job, pour lesquels une relation durable était aussi impensable que de ne plus exercer leur profession jusqu'à la fin de leurs jours.

Jazz demeura des semaines au ranch. Elle montait à cheval chaque jour, emportant de quoi déjeuner pour n'avoir pas à revenir avant le coucher du soleil. Elle guidait sa monture dans les gras pâturages, parmi les immenses troupeaux paisibles, ou descendait sur le rivage du port naturel chercher des coquillages, ou encore galopait le long de la plage. Le soleil et la pluie et les marées aidèrent à une guérison qui n'eût pu avoir lieu dans aucune ville au monde.

A la fin janvier, elle comprit qu'elle ne pourrait rester indéfiniment au ranch. Elle y avait puisé ce qui lui était nécessaire, mais elle devait maintenant continuer à vivre, devenir enfin indépendante. Au ranch, elle ne pouvait se rendre utile, il devenait important pour elle de travailler. Elle voulait gagner de l'argent, ce qu'elle n'avait encore jamais fait sinon en photographiant les enfants à Paris.

Elle se constitua un dossier avec les meilleurs de ses travaux à Graphics Central, les meilleurs clichés de ses pérégrinations avec Gabe, enfin ses plus beaux portraits d'enfants. Elle emprunta la voiture de son père et alla consulter le bureau de placement de Graphics.

Là officiait Cathy Prim, que Jazz avait connue pendant son année d'études.

— Tu plaisantes, j'espère, déclara Cathy, après avoir jeté un œil au portfolio.

— Non, pourquoi ?

— Écoute, Jazz, ton boulot est étonnant, mais ce book est nul. Tu as des photos prises à l'école, des reportages d'enfer, des clichés incroyables qui auraient dû être publiés mais ne l'ont pas été, et des portraits de gosses qui sont *étranges*. Pourquoi ne définis-tu pas clairement un domaine qui te soit propre ? On est à l'ère de la spécialisation... Je n'ai que des emplois de débutants, et personne ne demande une photographe surqualifiée. Rien que cette photo du pape en Afrique, grands dieux ! Fabuleux, mais te voilà tout de suite éliminée.

— Que dois-je faire, à ton avis, Cathy ?

— Si tu cherches vraiment le genre de boulot que je peux te trouver — et je n'en suis pas certaine —, tu réduis ton book aux natures mortes que tu as faites ici... c'est à 90 % l'emploi que je te proposerai. Ton travail était excellent, même pour une première année. Dommage que tu aies quitté l'école.

— Et les portraits ?

— Il te faudrait un agent, mais de toute façon il n'y a pas vraiment de demande pour les portraits d'enfants ; leurs parents les font eux-mêmes avec un matériel dont peut se servir n'importe quel imbécile. As-tu jamais essayé de montrer, seulement montrer, ton travail à un agent ? Tu auras les cheveux blancs que tu attendras encore, ensuite rien ne dit que l'agent sera efficace.

— Les natures mortes, fit lentement Jazz. Cathy, pour être honnête, je... je n'aime pas vraiment.

— Mais tu es géniale là-dedans. Que te dire ? A moins que tu ne veuilles essayer de signer avec une agence de presse. Il y a toujours des possibilités de ce côté-là, et tu es faite pour.

— Pas question de photo journalisme. *Terminé*. Je n'en ai mis des exemples que pour montrer que je suis rapide.

— Tu en es sûre ? Tu gaspilles ton talent, Jazz.

— Certaine.

— Comment es-tu allée dans tous ces endroits, d'ailleurs ? s'enquit Cathy, curieuse. Je n'ai jamais vu ce genre de cliché dans aucun book.

— Un coup de pot, s'empressa de répondre Jazz. Okay, je retiens ton conseil pour les natures mortes. Tu as quelque chose ?

— Une demande qui vient d'arriver : un photographe spécialisé dans le domaine alimentaire a besoin d'une auxiliaire. Une fille. J'ai vingt candidats, mais tous des garçons. C'est une bonne occase, Jazz. A ta place, je sauterais dessus.

— C'est pour faire la vaisselle ?

— Peut-être. Aussi l'argenterie, et sans doute la poussière. Ce qualificatif d' « auxiliaire » veut dire que tu dois être prête à tout.

— Aussi à faire la cuisine ? demanda prudemment Jazz.

Le ménage, ça allait encore.

— Tu blagues ! La cuisine est faite par les stylistes spécialisés, diététiciens, spécialistes en économie ménagère, grands chefs, etc., tous très calés dans la présentation. Ils ne te laisseront même pas approcher de leurs casseroles.

— Tant mieux. Le salaire ?

— Le minimum. Les auxiliaires ne touchent que le minimum.

— Où dois-je me présenter ?

— Au studio de Mel Botvinick. A l'angle d'Olympic et de La Brea.

— Que sais-tu de lui ?

— Un grand. Il a eu son diplôme ici voilà neuf ans — une de nos stars. Le plus calé dans sa catégorie. Deux de ses auxiliaires ont fini par ouvrir leur propre studio.

— En faisant la bouffe ?

— C'est un business sérieux, Jazz. Un emploi, c'est ce que je te propose. Tu n'imagines pas la compétition pour décrocher n'importe quel job en photo. Tu peux téléphoner d'ici, ensuite je les appellerai pour te recommander.

— Cathy, tu es un ange.

— J'aimerais quand même savoir comment tu as obtenu ces images des quatre coins du monde.

— Je passais par là.

**\***

Lorsqu'elle traversa le studio de Mel Botvinick pour se rendre dans le bureau du manager avec qui elle avait rendez-vous, Jazz eut l'impression de pénétrer dans un couvent doublé d'un laboratoire dans lequel des gens compétents et silencieux s'absorbaient dans la création contemplative de quelque mystère connu d'eux seuls. Le studio occupait un vaste espace sans fenêtre, à plafond haut, éclairé par quelques puissants projecteurs braqués sur une immense table de bois. Là, trois femmes étaient assises sur des tabourets de cuisine, penchées sur un labeur minutieux dont Jazz ne devina rien. Pas d'odeur. Elle ne voyait pas la grande cuisine élaborée qu'elle s'était imaginée, pas plus que d'équipement photo, à l'exception d'un gros appareil monté sur trépied. L'atmosphère du studio lui procura un sentiment de sécurité et de sérénité. Dans l'agitation de Los Angeles, c'était comme un îlot de paix, de calme. Soudain, obtenir ce boulot lui devint très important.

Jilly Hexter, la jeune directrice, avait son bureau dans un loft, au-dessus du studio proprement dit. Elle feuilleta lentement le dossier de

Jazz, réarrangé d'après les conseils de Cathy. Au regard de Jazz, tous ces travaux techniques sur la lumière étaient terriblement ennuyeux.

— Qu'avez-vous fait après avoir quitté Graphics Central ? questionna Jilly en refermant le book avec un hochement de tête appréciateur.

— J'ai eu l'occasion de passer quelques années en Europe.

— Une chance. Que faisiez-vous là-bas ?

— J'ai un peu honte de l'admettre, mais je me suis promenée d'une ville à l'autre, d'un pays à l'autre, pour manger. Une fois que j'ai eu commencé, impossible de m'arrêter. Cela me paraissait plus important que tout le reste. Je suis passionnée par la nourriture.

— Nous sommes tous dans ce cas, ici. Mel affirme que la photographie alimentaire est une vocation autant qu'un art.

— Je suis entièrement d'accord, fit Jazz avec ferveur.

— Vous cuisinez ?

— Je sais ouvrir les boîtes de conserve, même les sardines, je sais me confectionner un sandwich quand je meurs de faim, mais j'estime que la cuisine est une chose trop sérieuse pour être confiée à des amateurs. Ce que j'adore, quand j'en ai l'occasion, c'est nettoyer une cuisine.

— Oui, n'est-ce pas *satisfaisant* de la voir étinceler ? souffla dévotement Jilly.

— Cela répond à un besoin profond chez moi, renchérit Jazz. Le plus agréable est de savoir que les lieux ne resteront pas longtemps dans cet état.

— Quand pouvez-vous commencer ? demanda Jilly.

— Tout de suite.

— Bien. Descendons, je vais vous présenter.

Jazz la suivit et fit la connaissance de la première styliste alimentaire, Sharon, ainsi que de ses deux assistantes, Molly et Barbara, les femmes qui œuvraient à la table en bois. Chacune avait devant elle un tas de feuilles de menthe qu'elles examinaient à la recherche du moindre défaut, en en écartant des centaines avant de dénicher celle qui serait parfaite absolument, et de forme et de taille et de texture et de couleur. A leurs pieds, des dizaines de caisses de fruits divers, qui allaient subir le même processus de sélection.

— Nous faisons une coupe de fruits pour une couverture, expliqua Sharon. J'ai besoin de feuilles de remplacement dont Mel pourra se servir pour travailler sa composition, ainsi que de feuilles parfaites pour la photo proprement dite.

Elle jeta un œil sur les trois piles.

— Je crois que c'est assez, les filles. Mettez-les au frigo et attaquez les fraises.

Il y eut un léger soupir de la part des assistantes, un son qui tenait du plaisir et de la souffrance.

— Les fraises, c'est affreux, commenta Sharon pour Jazz.

Elle arborait un fier et calme sourire, comme quelqu'un qui aurait montré son splendide bébé tout en se plaignant qu'il ait appris à marcher plus tôt que ses pareils.

— Il est quasiment impossible de trouver une fraise parfaite, et quand c'est le cas, c'est la petite feuille en haut qui cloche, ou bien la queue est abîmée. Si nous devions faire juste un fruit, je devrais acheter une caisse entière pour être certaine d'en avoir un pour la présentation, un en doublure, et trois de réserve. Pour une coupe, c'est dix fois plus de travail. Mais, au moins, nous ne faisons pas les champignons crus. Rien n'est pire à trouver que le parfait champignon. Évidemment, le summum, c'est encore la tranche de pain emballé. Une fois, j'ai dû fouiller cinq cents paquets pour en trouver une correcte.

— Sainte Mère ! murmura Jazz. Et vous devez aussi faire la cuisine ?

— Rien à voir. C'est l'*aspect* des produits qui nous rend folles, déclara Sharon avec un sourire béat.

— Je vous débarrasse de toute cette menthe inutile ? questionna Jazz en désignant les feuilles qui couvraient le sol du studio.

— Bonne idée. Mais passez-nous d'abord les fraises.

Jazz plaça précautionneusement les barquettes de fraises devant les trois stylistes.

— Où est M. Botvinick ? demanda-t-elle.

— Là-bas.

Sharon désignait une silhouette quasi invisible, assise devant le trépied, immobile en position de yogi. Jazz réalisa qu'elle l'avait aperçu du coin de l'œil lorsqu'elle était entrée une heure plus tôt.

— Que fait-il ? chuchota-t-elle.

— Il conçoit.

— Comme ça, dans le noir ?

— Il doit imaginer une façon de photographier une coupe de fruits qui n'ait jamais été utilisée auparavant.

— Jamais jamais ?

— C'est ça. Comme si c'était la première coupe de fruits de la création. Il peut rester là toute la journée.

— Le pauvre homme, compatit Jazz.

— C'est ce qui fait de lui un génie, expliqua Sharon avec respect tandis qu'une fraise défectueuse roulait de ses doigts experts jusque sur le sol. Le reste est purement technique, un problème d'éclairage à quatre-vingt-quinze pour cent. Il faut une lumière pour la menthe, une autre pour les fraises, une autre pour le raisin, une autre pour les kiwis, encore une pour la coupe, une autre pour le support, une autre pour les accessoires, et tout à l'avenant. Mais c'est à la conception que tout se joue.

— La coupe du diable, souffla Jazz, presque pour elle-même.

— On l'a faite l'an passé, rétorqua gentiment Sharon. Pour Halloween.

*
**

En quelques semaines, Jazz sut se rendre indispensable. Les premiers temps, on lui laissa à peine déplacer les choses et les ranger, mais quand on fut sûr qu'elle n'était ni maladroite ni imprudente, on lui confia de plus en plus de tâches.

Elle fut autorisée à dérouler les rouleaux de tissu que l'on jetait sur les tables pour simuler différentes nappes — bien qu'il relevât de la seule compétence de Tinka, la belle décoratrice japonaise, d'arranger les plis de l'étoffe. On lui permit de prendre la mallette en métal des mains de Sharon lorsque celle-ci arrivait au studio, d'en déverrouiller les divers compartiments pivotants qui découvraient alors une batterie complexe de couteaux et ciseaux, compte-gouttes, atomiseurs, pousses de bambous et cire séchée. Peu à peu, à mesure qu'elle conquérait la confiance de Sharon, Jazz put recevoir l'ordre de passer telle ou telle pièce de l'équipement, à la façon d'une infirmière en salle d'opération.

Après qu'elle eut démontré sa capacité à nettoyer la cuisinière à huit brûleurs, le micro-ondes et le double évier à la satisfaction de Sharon, cette tâche devint son domaine réservé. On l'envoyait presque chaque jour au supermarché acheter serviettes en papier, éponges, essuie-tout et sacs plastique que le studio consommait en grandes quantités ; elle eut l'occasion de mettre des glaçons dans des sachets destinés à être cachés sous les salades, afin que celles-ci gardent une allure fraîche sous la lumière. Quand Tinka arrivait, les bras chargés d'une vingtaine de bouquets de fleurs fraîches — au cas où une ou deux se révéleraient utiles dans la séance —, le travail de Jazz consistait à les mettre dans de grands seaux d'eau. Parfois, Tinka laissait Jazz ramener le matériel utilisé dans les boutiques d'accessoires ou les magasins d'antiquités où elle empruntait les plats, argenterie et service de table destinés à créer l'ambiance de l'image. Bientôt, Tinka considéra Jazz comme l'une de ses assistantes « free-lance » ; celles-ci étaient chargées de composer le décor de fond des photos — cela pouvait aller de la plage tropicale à la cuisine de ferme toscane.

Jazz devint la fournisseuse attitrée des indispensables Q-tips que Sharon plongeait dans une mixture chimique et dissimulait dans les plats afin de simuler la vapeur qui s'élevait ; elle apprit comment s'accroupir sous la table et surgir entre les prises pour s'empresser d'injecter de la mousse dans les verres de bière ; elle fut initiée aux secrets de la mixture à base de divers produits détergents dont on enduit les volailles avant de les enflammer avec une petite torche afin qu'elles prennent la belle couleur du grillé et aient l'air cuites à point.

— Si je devais vraiment les faire rôtir, expliqua Sharon, elles rétréciraient et se dessécheraient.

— Et les femmes qui se demandent pourquoi leurs poulets ne sont pas aussi beaux que ceux des photos ? interrogea Jazz.

— La photo alimentaire appartient au domaine du rêve, comme les images dans les magazines de mode, ou les maisons dans les revues de décoration. Personne ne ressemble aux gravures de mode, n'est-ce pas ? Personne ne vit vraiment dans ces demeures insensées. Mais c'est là pour donner des idées.

— Sans doute.

Jazz comprit que la photographie alimentaire avait autant de rapport avec la réalité qu'une photo de studio avec la tête d'une star de cinéma qui vient de se réveiller. Au moins, ce n'était pas du reportage.

A mesure qu'elle apprit à connaître Mel Botvinick, elle découvrit un homme gentil, timide, adorable, qui nourrissait pour son travail une passion jamais assouvie. Il n'autorisait personne à approcher la table sur laquelle il composait et éclairait ses sujets, travaillant avec des mets de substitution jusqu'à ce qu'il ait fait une dizaine de Polaroïd avec son gros Toyo sur trépied ; alors, satisfait de sa conception, il commençait avec le film couleur.

Bientôt, Mel laissa Jazz prendre les Polaroïd, et quand elle se fut montrée à la hauteur de la tâche, il lui confia à contrecœur un Hasselblad et lui permit de prendre quelques clichés de détail, par exemple un jaune d'œuf dans un ramequin, ou un fouet, un sachet de riz, une lamelle d'oignon.

— Mel, pourquoi ne me laisserais-tu pas éclairer moi-même ces détails ? s'enquit Jazz.

— Je ne doute pas que tu en es capable, mais je ne peux pas.

— Ils occuperont à peine un demi-centimètre carré sur la pleine page !

— Le client paie pour ma lumière, déclara Mel d'un ton doux mais sans appel.

Lorsqu'il travaillait l'éclairage, Mel s'isolait autant que quand il concevait et composait la photo. Jazz étudia ses techniques d'aussi près que possible, rattrapant ainsi largement sa deuxième année manquée à Graphics Central.

Elle rôdait, invisible, le regardant donner vie à l'éclat du cristal d'un verre de vin, à la peau satinée d'un grain de raisin, à la lourde brillance d'une fourchette en argent bien astiquée, au contraste entre les crevettes et la mayonnaise dans laquelle elles étaient plongées, et tout cela non pas pour une série de photos, mais pour une seule qui pouvait compter encore beaucoup d'autres éléments.

Souvent, avant de quitter le studio à l'issue d'une longue journée, Jazz rééclairait les prises de détail qu'elle avait effectuées, s'efforçant de faire mieux que Mel, mais jamais elle ne trouva le moyen de rendre la lamelle d'oignon plus évidemment « oignonesque » qu'il ne l'avait fait. Il possédait une magie qu'elle ne saisissait pas, qui rendait la nourriture plus réelle sur le papier qu'à l'œil nu. Le moindre morceau jaillissait de l'image, comme vivant, prêt à vous croquer si vous ne l'avaliez avant. Parfois, elle parvenait à faire *presque* aussi bien que Mel, mais elle dut bientôt admettre qu'elle ne pouvait se mesurer à lui.

Déçue, elle commença à s'entraîner sur les dessus de table chargés des ersatz qui demeuraient en place toute la nuit à boire la poussière, jusqu'à ce que le véritable plat soit prêt à être photographié. Sans relâche, elle réarrangeait les plats, assiettes, décorations florales, bataillant pour inventer un ensemble plus vivant, plus harmonieux, plus stylé que celui de Mel. Il lui arrivait parfois de conclure qu'elle était parvenue à une composition plus intéressante que celle de Mel. Alors, elle prenait la photo avec son propre film couleur, puis œuvrait des heures pour remettre l'ensemble exactement dans l'état où elle l'avait trouvé.

Plus tard, quand elle comparait ses clichés avec ceux de Mel, Jazz était obligée de reconnaître que les siens étaient *presque* aussi bons, mais pas tout à fait. En dépit de la sobriété de ses compositions, Mel abordait à chaque photo un nouveau territoire, son esprit sautant de brillante innovation en aveuglante découverte dans le domaine pourtant limité de la photographie alimentaire, d'une façon que Jazz ne saurait concurrencer. Tout ce qu'il lui restait à faire, c'était d'apprendre de lui le plus possible.

Elle avait loué un petit meublé à proximité du studio, lui-même situé dans un quartier nullement à la mode. Lorsqu'elle rentrait à huit ou neuf heures, épuisée par les kilomètres qu'elle parcourait quotidiennement dans le studio et au-dehors, elle se contentait d'un dîner léger et d'un bain chaud avant de se mettre au lit. Tout le monde au studio prenait un solide déjeuner ainsi qu'un thé, repas que l'on commandait chez divers traiteurs du quartier. Personne n'aurait voulu goûter les plats avec lesquels on travaillait, car on connaissait trop les artifices qui les avaient embellis. C'eût été, se disait Jazz, un peu comme un chirurgien esthétique qui aurait voulu faire l'amour à une femme dont il aurait rehaussé les seins, estompé la culotte de cheval et relevé les rotules.

Elle se sentit apaisée grâce au travail qu'elle accomplit au cours des six premiers mois de 1982. Quel que soit le niveau de compétence d'un photographe alimentaire et de tous ceux de son équipe, ils déployaient tous d'énormes réserves de patience. Deux longs jours de préparation, parfois trois, étaient une moyenne courante avant qu'une seule photo puisse être prise.

Néanmoins, le rythme détendu et rieur du studio était à l'inverse de la paresse. Il n'y avait jamais ni négligence ni relâchement, comme si le studio vibrait d'une détermination disciplinée à finir chaque minuscule tâche en cours avant d'en attaquer une autre. L'équipe travaillait constamment sous la pression des annonceurs ou des directeurs de magazines qui avaient fixé une date limite pour la remise des photos.

C'était la première fois que Jazz travaillait en équipe, équipe volontaire, soudée, où n'intervenait l'ego de personne. Mel Botvinick, aussi timide et modeste soit-il, savait inspirer une parfaite loyauté à ses troupes.

Quand il se produisait une faute, une erreur qu'il fallait rapidement réparer, Mel demeurait si calme qu'il empêchait toute atmosphère de crise de se développer. Jamais le blâme ne retombait sur un individu, rien ne provoquait tempête ou colère. Le studio de Botvinick était un lieu *sécurisant*, un microcosme où n'entraient ni les émeutes ni les terreurs du monde extérieur. Quand Sharon annonça qu'elle avait décidé de ne plus jamais rien manger qui eût des cils, ce fut, de tout ce qu'avait entendu Jazz depuis qu'elle était entrée dans l'équipe, ce qui ressemblait de plus près à une déclaration politique.

Jazz n'était pas certaine que ce fût là l'ambiance dans laquelle elle désirait travailler toute sa vie, mais elle sentait qu'actuellement c'était le mieux pour elle. Elle s'y épanouissait, se forgeait une nouvelle expérience après le tumulte des deux années passées. En courant les boutiques avec Tinka pour trouver une corbeille à pain originale, en apprenant comment Mel éclairait une assiette de bouillabaisse, ou comment Sharon usait de son talent pour embellir un artichaut, elle pouvait, l'espace de quelques minutes, oublier son cœur affreusement meurtri.

**

— Je ne trouve pas la carte d'anniversaire de Mel, dit Jilly à Jazz.
Elle semblait inhabituellement inquiète en fouillant dans les énormes dossiers du studio, un jour de juin 1982.
— Comment voudrais-tu trouver une carte là-dedans ? Ce sont ses négatifs de l'an dernier. Tu veux que je sorte t'acheter une carte ?
— Tu n'y es pas, Jazz. Chaque année, à son anniversaire, Mel envoie une de ses photos à tous ses clients et à tous ceux qui pourraient le devenir... à tout le monde dans la presse et la publicité. Ils ne savent pas que c'est son anniversaire — tu sais comme il est timide —, mais l'idée lui plaît. En plus, Phoebe affirme que c'est un excellent démarchage.
— Juste une photo ?
— Oui. Il fait un agrandissement, l'imprime sur le papier le plus coûteux, le plus épais, et signe en bas. Beaucoup de gens l'encadrent. C'est devenu une tradition.
— Je peux t'aider à chercher ?
— Merci, ce n'est pas la peine. Je lui ai proposé cinquante de ses meilleures prises, qu'il a repoussées sous prétexte qu'elles ne racontent rien de neuf. J'attaque donc le boulot de l'an passé. Il n'a jamais manqué d'envoyer une carte depuis qu'il a ouvert le studio.
— Pourquoi n'essaies-tu pas quelque chose de différent, Jilly ? Quelque chose qui personnaliserait... par exemple des clichés de tous les gens qui travaillent ici, qui montreraient comment chacun contribue à une seule photo, avec une phrase qui expliquerait que c'est l'équipe de Mel Botvinick. Cela se présenterait comme une sorte de... brochure... oui, une plaquette avec la photo finale du plat en dernière page. Personne ne sait réellement tout ce qui entre en jeu dans l'élaboration d'une photo alimentaire.
— Cela coûterait une fortune ! objecta Jilly.
— Pas si on a les photos pour rien et si on imprime sur un papier plus modeste.
— Qui nous fera les photos gratuitement ?
— Moi.
— Toi ?
— J'ai l'expérience du reportage. Cela m'amusera, il te suffit de payer les films.
— Je ne sais pas si...
— Toi, par exemple, Jilly, je te prendrais en conversation téléphoni-

que avec Phoebe, ou bien courant dans les escaliers, ou encore parlant avec Sharon du prochain contrat, ou en train d'expliquer à Tinka ce que Mel a en tête, ou de commander les repas, de discuter avec un client, ou de fouiller dans les négas comme aujourd'hui, ou n'importe laquelle des centaines de choses que tu accomplis chaque jour pour le studio.

— Des centaines ?

— Tu es le mouvement perpétuel. Cet endroit s'arrêterait de fonctionner si tu prenais un jour de congé.

— Je ne m'étais jamais vue sous ce jour, souffla Jilly, flattée de la vision que Jazz avait d'elle.

Méthode de reporter photo pour convaincre un sujet réticent.

— Parce que tu le considères comme normal. J'ai l'œil neuf. Tiens, sous cet éclairage, je distingue la fine ossature de ton visage et l'implantation fascinante de tes oreilles... Tu as des oreilles parfaites, le savais-tu ?

— Eh bien... on m'a dit qu'elles étaient jolies, fit Jilly, rougissant de plaisir.

— Pas jolies. Parfaites. C'est rarissime. Je ne te prendrai pas au téléphone, à moins que tu tiennes le combiné hors champ.

— Cela ne signifie-t-il pas des heures de pose, Jazz ? J'ai horreur de poser.

— Je te promets que tu ne me verras même pas travailler, Jilly. Quand dois-tu envoyer la carte d'anniversaire ?

— Dans un mois.

— Pas de problème. Remontre-moi cette oreille, Jilly. *Oh oui !* Une oreille pour l'éternité. Si tu me dis de foncer, tu as les contacts dans dix jours, et tu pourras alors décider si c'est une bonne idée. Sinon, tu te rabattras sur l'idée des autres années.

— Laisse-moi demander à Mel. Tout dépend de ce qu'il choisira.

— Dis-lui que la plaquette vantera l'efficacité du travail en équipe.

*
**

La semaine suivante, lorsqu'elle trouvait le temps de réfléchir, Jazz se demanda pourquoi elle avait mis si longtemps à reprendre un appareil photo de son propre chef. Comme elle effectuait sa première tentative — Sharon glaçant un gâteau —, il lui sembla qu'une part d'elle-même qui était restée endormie se remettait à fonctionner, plus vivante que jamais. Le plaisir de capturer une image humaine, plaisir qu'elle avait connu dès l'âge de huit ans, non seulement n'avait pas été altéré par le passage du temps, mais se voyait renforcé par les divers travaux effectués ces dernières années.

Avant ce travail pour la carte d'anniversaire, elle n'avait pas mesuré tout ce qu'elle avait appris. L'invisibilité, la vitesse, l'acuité, si parfaites qu'elles étaient devenues une seconde nature, et aussi la capacité de voir et de saisir le moment idéal : tout ce qui était essentiel à un reporter photo, elle l'avait acquis.

La conscience de l'importance du mouvement, le sens des expressions faciales, l'art de mettre en relief ce qui était ludique dans un geste, une activité, la sensibilité aux humeurs et pensées les plus éphémères : tout ce qui était essentiel à un portraitiste d'enfants, elle l'avait acquis.

La vision de la composition la plus accrocheuse et la plus originale d'un ensemble d'éléments : tout ce qui était essentiel à un photographe de nature morte, elle l'avait acquis.

Son savoir-faire avec la lumière s'était aiguisé, affiné, aussi Jazz était-elle capable de se servir de n'importe quel éclairage disponible sans avoir à utiliser le flash, ce qui eût troublé l'atmosphère du studio où chacun s'absorbait dans la préparation d'une double page consacrée à un buffet.

Elle accomplissait son travail d'auxiliaire tout en gardant son Nikon chargé autour du cou, et elle prenait une photo chaque fois qu'elle pouvait dérober un instant ; elle allait et venait, çà et là, créature ailée, vêtue de l'uniforme de l'auxiliaire — jean et chemise —, inlassable, gaie, découvrant des angles dont elle n'avait pas soupçonné l'existence, voyant ses partenaires comme jamais auparavant, et toujours, au cours de cette semaine, consciente de l'affection qu'elle éprouvait pour eux tous, sentiment qui n'avait cessé de croître pendant les six mois où elle avait bénéficié de l'atmosphère sereine du studio.

Chacune des trois stylistes alimentaires était belle à sa manière, constata Jazz en les découvrant dans le viseur. Tinka, la styliste des décors, et ses deux élégantes assistantes virevoltaient, créatures aux gestes déliés qui auraient pu jaillir en dansant des pages d'un magazine ; Jilly était tout ce que Jazz lui avait dit, et plus encore, car elle représentait l'élément énergétique, l'intrusion du réel et des affaires dans le tranquille train-train du studio.

Bien que Mel Botvinick eût accepté le projet de Jazz à la seule condition qu'elle ne fît pas de portrait de lui, il n'avait pas spécifiquement mentionné ses mains, ni son ombre évidemment reconnaissable puisqu'il était le seul homme dans un univers féminin.

A la fin de la semaine, Jazz avait un plein sac de rouleaux noir et blanc, car il avait été décidé que la seule photo couleur de la brochure serait celle de la dernière page. La jeune femme partit en voiture pour le ranch, comme elle l'avait fait chaque week-end depuis son installation à Los Angeles. Là, du vendredi soir au lundi matin, elle resta nuit et jour dans la chambre noire à développer ses films. L'excitation lui avait coupé toute envie de sommeil. Pour ses repas, Susie lui portait des plateaux, et Mike venait de temps en temps jeter un œil pour voir si tout allait bien ; mais Jazz les renvoyait d'un geste et l'expression de son visage les rassurait mieux que toute parole.

Le lundi matin, elle quitta le ranch avant l'aube et se rendit directement au studio. Mel et Jilly discutaient d'un problème de facture quand elle fit irruption dans le bureau et posa les planches contact devant eux.

— C'est fait, déclara-t-elle aussi calmement que possible.

— Eh bien, je suppose qu'il nous faut regarder, soupira Mel, un peu à contrecœur.

Sans hâte, il prit sa loupe. Jilly hésita, jeta un regard nerveux autour d'elle et, ne trouvant pas d'issue, s'obligea elle aussi à attraper une loupe. Et tous deux commencèrent à examiner les planches, dans un silence neutre. Ils avaient décidé que si les photos n'étaient pas acceptables ils ne s'en serviraient pas, même si cela devait bouleverser Jazz. Quand leur premier enthousiasme était retombé, ils avaient regretté l'élan qui avait poussé Mel à accepter la proposition de la jeune femme : une auxiliaire de bonne volonté ne faisait pas forcément une bonne photographe.

Jilly et Mel scrutèrent longuement chaque contact, circonspects et vigilants, décidés à n'exprimer aucun jugement prématuré, ayant à cœur de ne pas se départir de leur réserve. Ils n'échangèrent ni mots ni regards, ne levèrent pas les yeux vers Jazz ni ne lui adressèrent un sourire encourageant, mais la vitesse avec laquelle ils se mirent à promener leurs loupes sur les clichés, le rythme accéléré auquel ils se passaient les planches trahissaient leur intérêt croissant.

Ne voyant que leurs mains et non leurs visages, Jazz recommença à respirer. Elle s'appuya contre l'un des murs du bureau, les bras croisés, les chevilles de même, affichant une expression aussi neutre que la leur. Aussi, quand ils levèrent tous deux la tête pour la dévisager avec émerveillement, ne soupçonnèrent-ils pas la vague de triomphe qui l'envahissait.

— Tu... Tu... souffla Mel Botvinick.

Puis il s'arrêta, secoua la tête avec un respect mêlé d'étonnement.

— *Tu n'as jamais rien dit !* furent les mots accusateurs de Jilly.

— Mais *d'où* sors-tu ? demanda Mel comme s'il la voyait pour la première fois.

— Tu n'as pas dit... je ne savais pas... pourquoi ne m'as-tu rien *dit ?* s'enquit Jilly, émerveillée au-delà du possible.

— Si, je t'ai dit que j'avais de l'expérience en reportage, répondit Jazz.

Elle tentait de conserver une attitude froide mais elle ne put retenir une larme qui coula sur chacune de ses joues.

— Expérience ! explosa Botvinick. Si je ne t'avais vue de mes propres yeux en train de prendre toutes ces photos, je jurerais qu'elles ont été faites par l'un des meilleurs professionnels au monde.

— Eh bien, merci, Mel. Parce que je suppose que *c'est* un compliment, fit Jazz, riant et essuyant ses pleurs.

— Hein ? Oh, tu sais ce que c'est, grogna Mel.

Sa face ronde vira au rouge brique.

— Jazz, il n'y a pas une seule photo de toi là-dedans ! constata soudain Jilly.

— C'est moi qui la ferai, déclara Mel. Voilà des mois que je me torture en me demandant comment éclairer ses cheveux. Ils sont comme un toast grillé, un peu brûlé sur les bords, avec des traces de beurre dessus. Quant à ses yeux... délicat. Des étoiles dorées pour sapin de Noël ? Des diamants jaunes sous l'eau ? Des pièces de monnaie ? Je m'en charge. En couleur évidemment. Pas d'autre moyen pour bien faire son portrait.

— Mel, comment allons-nous choisir les meilleurs clichés ? s'inquiéta Jilly. Ils sont si nombreux qu'on ne sait par où commencer.

— Procédons par élimination, décréta Botvinick. Disons que chaque page sera de 24 sur 30 ; disons que nous pouvons avoir neuf photos bien visibles par page en gardant de la place en dessous pour le nom de la personne et quelques mots expliquant ce qu'elle est en train de faire ; alors, disons trois pages pour les stylistes alimentaires, trois pages pour Tinka et ses assistantes, une page pour toi, Jilly, et la dernière pour la nature morte avec portrait de Jazz au dos, sa signature pour la plaquette et la mienne pour la photo finale, ce qui fait un total de huit pages, plus une couverture de... peut-être... une sorte de blague, entre nous, personne n'a besoin de savoir ce que c'est, évidemment... conclut-il d'une voix moins assurée.

— Celle-ci ? demanda Jazz en désignant sa photo favorite.

On ne voyait que les mains de Mel en train de modifier légèrement l'emplacement d'une fourchette sur la table de banquet. Il couvrait tout l'ensemble de son ombre.

— En fait... oui. Je veux dire, c'est mon anniversaire, alors autant foncer.

— Tu ne préfères pas celle-ci ? s'enquit Jazz en en montrant une autre.

C'était toujours Mel, vu de dos, assis par terre dans l'immobilité qui présidait à ses conceptions.

— Oh non, fit-il vivement. On pourrait me reconnaître.

— Mel, protesta Jilly de sa voix de manager. Cela fait une plaquette de neuf pages. Même avec le papier le moins cher, cette histoire va nous coûter une fortune.

— Que me chantes-tu là ? Nous prendrons le papier que nous avons pris les autres fois. Le contraire serait criminel. Criminel ! Avec des photos pareilles ! Et c'est une dépense légitime.

Jilly marmonna un acquiescement. Elle examinait de nouveau les clichés où on la voyait téléphoner. Jazz avait entièrement raison. Ses oreilles étaient parfaites.

*
**

Trois semaines plus tard, des centaines de directeurs artistiques et divers acheteurs de photos à travers les États-Unis et l'Europe découvraient avec une fascination abasourdie la stupéfiante plaquette anniversaire de Mel Botvinick. Tous surent aussitôt que la brochure était destinée à devenir une pièce de collection. Ils avaient rarement l'occasion de jeter les yeux sur le travail d'un photographe au style si prononcé et si original, style qui ne devait rien à personne, celui d'un photographe capable de produire du jamais vu. Le travail de Jazz, aussi neuf et frais qu'un matin de printemps, révélait un puissant point de vue personnel qui transformait le portrait statique d'un individu en une image vivante. Cette artiste inconnue, avec sa totale maîtrise de la technique, cette artiste qui bondissait au centre de la scène en star accomplie, était aussi jeune que belle si l'on en croyait le délicieux petit portrait couleur que Mel Botvinick avait fait d'elle. Ils téléphonèrent à tous les agents de leur connaissance pour poser une seule question :

— *Qui diable est Jazz Kilkullen ?*

Un seul agent, Phoebe Milbank, le savait, et elle eut soin de faire signer un contrat à Jazz avant l'envoi de la plaquette.

**\***

Phoebe Milbank ne représentait alors que Mel Botvinick et le photographe de voitures Pete di Constanza. Après avoir signé avec eux, elle avait délibérément refusé tout autre client, bien que maints soupirants vinssent chaque mois frapper à sa porte avec la compilation de leurs meilleurs travaux.

Il était infiniment plus important, avait décidé Phoebe avec fermeté, de dédier chaque seconde de son précieux temps à faire de l'excellent travail avec ses deux poulains hors catégorie, qui rapportaient à eux deux un million de dollars par an. Phoebe vénérait les placements sûrs et ne croyait pas aux gros coups de fric. Elle aurait tout le temps de choisir, après mûre évaluation, un troisième et vraisemblablement dernier photographe, quand elle aurait monté les tarifs de Mel et de Pete au maximum et multiplié leurs clients.

Jilly téléphona à Phoebe pour mettre à jour la liste des gens qui devaient recevoir la plaquette. Rusée et toujours en alerte dès qu'il s'agissait de ses protégés, Phoebe avait perçu une note dans la voix de Jilly qui l'avait suffisamment appâtée pour qu'elle fasse un saut au studio de Botvinick afin de jeter un œil sur la brochure avant expédition. Électrisée par ce qu'elle découvrit, et sans prendre le temps de poser la moindre question sur Jazz, la maigre tornade blonde avait foncé, sachant que, dès que l'objet serait en circulation, Jazz serait la cible de tous les agents de la profession. Avant la fin du jour, et grâce aux éloges et recommandations que Mel n'avait pas ménagés à l'égard de son agent, Jazz acceptait de signer avec elle.

Étourdie par cette impulsion qui lui ressemblait si peu, Phoebe invita sa nouvelle cliente à déjeuner le lendemain avec elle. Jazz restait auxiliaire jusqu'à ce que Jilly lui ait trouvé une remplaçante, aussi insista-t-elle pour que le déjeuner ait lieu au petit restaurant chinois du coin, afin de vite retourner au travail.

— Vous êtes drôlement détendue pour une fille qui s'apprête à devenir affreusement riche et célèbre, avança Phoebe.

Elle scrutait sa nouvelle recrue avec la curiosité avide d'une midinette qui vient de rencontrer un parfait inconnu grâce à une agence matrimoniale.

— Phoebe, répondit aussitôt Jazz, puisque nous allons travailler étroitement ensemble, autant que vous sachiez de moi ce que les gens généralement ignorent. La célébrité ne sera jamais ma motivation. Je suis la fille de Sylvie Norberg.

— Oh, mon Dieu, Jazz, je suis désolée !

— Merci, Phoebe.

— Mais personne au studio ne m'a dit...

— Je ne leur en ai pas parlé. C'est une vieille et triste histoire. Inutile d'épiloguer.

— J'aurais dû m'en douter. Vous avez ses yeux, son regard... vous êtes tellement...

— Je sais, l'interrompit Jazz d'un ton coupant. Je suis très proche de mon père, poursuivit-elle très vite Je retourne presque chaque week-end dans notre ranch près de San Juan Capistrano... Cette terre m'est précieuse, plus que vous ne pouvez l'imaginer. Je ne souhaite pas mener une vie où il n'y ait pas de place pour mon père et pour le ranch. Alors, si un contrat me rapporte une fortune mais m'éloigne de la Californie pour longtemps, refusez-le.

— Comme ça ?

— *Plus vite* que ça, Phoebe.

— Cherchez-vous à me donner des remords ? Ma nouvelle cliente ne veut être ni riche ni célèbre ! Voilà qui pourrait refroidir mon enthousiasme.

— Changez d'avis, je comprendrai. Rien n'est encore signé.

— Pas question. J'ai parlé au conditionnel. Nous ferons avec. Je m'en arrangerai. Y a-t-il autre chose que je dois savoir ?

— Maintenant que vous savez que la richesse et la notoriété ne sont pas mes priorités, quoi donc ?

— Les hommes ?

— Rien d'important. Je suis mariée à mon métier.

— Bien sûr.

Phoebe agita ses cheveux jaune banane et le moindre de ses os saillants exprima l'incrédulité.

— Vous verrez, reprit Jazz dans un rire.

Elle regardait cette impossible créature qui l'avait saisie au vol, se déclarant prête à orchestrer une grande carrière pour quelqu'un dont elle ignorait tout. Si Phoebe n'avait été l'agent de Botvinick depuis deux ans, Jazz n'aurait jamais accepté de se confier à un agent nourrissant de telles idées de grandeur.

— Quand Jilly vous aura-t-elle trouvé une remplaçante ?

— Elle reçoit cet après-midi. Aucune raison qu'elle ne trouve pas tout de suite. C'est un job merveilleux.

— Bien. Parce que j'ai votre premier contrat.

— *Pardon ?*

— Hier soir, j'ai dîné avec le responsable photo d'*Esquire*. Je lui ai montré la plaquette... Vous avez le chic pour faire jaillir et mettre en lumière la sensualité cachée d'une femme, même si elle n'est pas connue pour être une bombe sexuelle. La plupart des femmes sont incapables de dire quand ou comment une de leurs pareilles est sexy ; c'est un don. Je n'avais jamais remarqué combien Sharon et Jilly étaient sensuelles... Sharon en train de glacer son gâteau, carrément charnel ! Et Jilly au téléphone... un film X sur grand écran ! Je vous propose donc de photographier deux... appelons-les... femmes mûres pour la couverture d'*Esquire*. En allant droit à leur sensualité cachée, cette sensualité bien gardée, profonde, mais... *intensément* intime et *intimement* intense, que les gens ne voient pas en elles mais qui, là, apparaîtra. C'est le seul angle qui intéresse *Esquire*. Les femmes mûres et sexy.

— De qui s'agit-il ? questionna Jazz.

Vu le discours élaboré de Phoebe, c'était au moins Linda Evans et Joan Collins. Voilà donc à quoi servait un agent.

— Margaret Thatcher et Nancy Reagan.

Du coin de l'œil, Phoebe guetta la réaction de Jazz.

— Pourquoi pas mère Teresa ? demanda la jeune femme.

Phoebe émit un petit rire appréciateur ; Jazz pigeait vite.

— Tu feras mère Teresa pour la couverture de *Vogue* à Noël. Elle représente l'essence du dernier chic de l'année, c'est ce qu'on m'a dit ce matin au téléphone. Et puisque ton travail sur Tinka était aussi sensationnel que tes portraits, on te veut pour les photos de mode aussi bien que pour les photos de célébrités.

— Comment ont-ils déjà pu voir la plaquette à *Vogue ?*

— Condé Nast a un bureau à L.A., déclara fièrement Phoebe.

— Qu'avez-vous fait encore ce matin ?

— Pas perdu mon temps, rétorqua l'agent.

Le cahier de seize pages pour *GQ* — vingt-cinq ans des amours de Warren Beatty — n'avait pas encore été confirmé, et Phoebe ne parlait jamais d'un engagement à ses clients avant qu'il ne soit sûr, afin qu'on ne lui reproche rien si le contrat tombait à l'eau.

Phoebe était restée sur le pont toute la nuit, ourdissant ses plans pour le futur immédiat de Jazz. Elle voulait la lancer uniquement dans la presse pour l'année à venir. C'était le moyen le plus rapide de la faire connaître. Les lucratifs contrats dans la publicité viendraient plus tard, quand Jazz serait reconnue comme le plus intéressant des photographes portraitistes. Ce soir, en prenant un verre avec Jann Wenner, Phoebe décrocherait la couverture de *Rolling Stone*.

— Je suppose que vous votez républicain, venant d'Orange County ? avança-t-elle.

— Pourquoi cette question ?

Jazz haussa un sourcil. Qu'avaient donc à voir là-dedans ses opinions politiques ?

— Quelque chose que vous pourriez boucler un week-end, sans manquer de rendre visite à votre père...

— Oui ?

— San Juan Capistrano ne se trouve pas loin de San Clemente, n'est-ce pas ? *Rolling Stone* veut un portrait de Nixon pour le dixième anniversaire du Watergate.

## 10

Après la Fiesta de septembre 1990, la vie de Jazz à Flash fut plus occupée que jamais. Un mois durant, elle eut tant de travail, chaque séance commençant tôt et s'achevant tard, qu'elle ne put retourner au ranch qu'à deux reprises — courtes et insatisfaisantes visites qui duraient du samedi midi au dimanche après-midi, quand il lui fallait regagner L.A.

Casey Nelson n'avait pas été visible ces deux samedis soir. Mike Kilkullen expliqua qu'il se levait bien avant le soleil pour mener ses affaires grâce au fax qu'il avait installé dans sa chambre. Les deux hommes dînaient ensemble à l'hacienda presque chaque jour de la semaine, mais lorsque Casey apprenait l'arrivée de Jazz, il se retirait avec tact afin que père et fille puissent passer ensemble ce peu de temps sans la constante présence d'un étranger.

Jazz se sentait éreintée, stressée par sa vie citadine. Le temps qu'elle consacrait d'ordinaire au ranch, à monter à cheval, marcher ou faire du bateau, lui était essentiel pour contrebalancer le rythme tendu et haletant de son travail, l'impitoyable pression du temps, la nécessité d'aller au bout d'elle-même à chaque nouveau contrat pour que le résultat ne soit ni répétitif ni prévisible.

Elle se plaignit de sa charge de travail à Sis Levy, mais celle-ci en fit retomber la responsabilité sur Phoebe. Dès que Jazz eut une minute, au crépuscule d'un jeudi de la fin octobre, elle s'ouvrit de ce problème à son agent.

— Par exemple, Miss Jazz, tu es en train de me passer un savon! s'étonna Phoebe. Je m'use jusqu'à la moelle pour être sûre que tu auras le choix entre plusieurs contrats juteux, et quelle est ma récompense? Évidemment que tu es occupée. Je n'aurais pas fait le travail pour lequel tu me paies si tu ne l'étais pas. Mel et Pete sont parfaitement heureux, et travaillent aussi dur que toi. Au fait, sais-tu depuis combien de temps tu retournes chaque semaine voir papa à la maison?

— Je n'ai pas compté, s'emballa Jazz.

— Moi, si. Cela fait huit ans. On pourrait penser... juste penser... que c'est un peu curieux. Tu es une grande fille maintenant, Jazz.

— Où veux-tu en venir, Phoebe ?

— Franchement, Jazz, je te connais depuis un certain temps. Je l'ai parfaitement compris quand nous nous sommes rencontrées, mais tu as vingt-neuf ans maintenant et tu n'as jamais eu une relation un peu sérieuse avec un homme. Serait-ce à cause de ton lien à... au ranch ?

— Je n'en crois pas mes oreilles ! s'exclama Jazz. Tu essaies de t'immiscer dans ma vie privée... toi ?

— Pourquoi pas, Jazz ? Je te connais aussi bien qu'une autre femme, peut-être mieux. Nous travaillons ensemble depuis longtemps, et j'ai tes intérêts à cœur.

— C'est bizarre, je ne te crois pas tout à coup.

— Sans doute parce que tu ne veux pas m'entendre.

— Phoebe, mêle-toi de ce qui te regarde, ordonna Jazz d'une voix ferme, et parle-moi de tout nouveau contrat avant de l'accepter. C'est un ordre, pas une requête.

En quittant le bureau, Jazz ne vit pas la moue agacée qui crispa les lèvres de Phoebe.

Aïe, aïe, aïe, pensa Phoebe. Cette fille devenait de plus en plus indépendante depuis qu'elle avait menacé de la lâcher si elle s'occupait de Gabe. Mais un jour, un jour c'était sûr, elle voudrait très fort quelque chose, alors, si son agent ne le lui décrochait pas... elle comprendrait qui avait réellement le pouvoir.

Ce genre de choses finissait toujours par arriver, décida Phoebe avec gaieté. Il lui suffisait d'agir en ce sens.

**\***

Jazz revint au studio dans une colère froide, renvoya Sis, Melissa et Toby Roe chez eux, boucla l'atelier et se retrouva au volant de sa voiture en train de rouler vers le nord. Elle avait dépassé Malibu depuis longtemps lorsqu'elle se sentit assez calme pour rentrer à la maison.

Soudain, elle eut envie d'une bonne tasse de thé, ou du moins de ce qui lui produirait l'effet escompté d'une bonne tasse de thé. Un martini, si elle avait su le préparer. Pourvu qu'il reste des sachets de thé chez elle, car elle prenait d'ordinaire son petit déjeuner au studio. Peut-être mettrait-elle sa robe de chambre molletonnée, celle qu'elle essayait de jeter depuis cinq ans, et passerait-elle quelques coups de fil amicaux. Elle était trop furieuse contre Phoebe pour rouler ainsi, sans but. Elle n'aurait pas dû se trouver derrière un volant quand elle ne songeait qu'à saisir la misérable maigrichonne par son long cou maigrichon afin de se livrer à un acte aussi inavouable que définitif.

Elle fit faire demi-tour à sa Thunderbird et roula vers Santa Monica. La circulation n'était guère importante quand elle quitta l'autoroute. Pressée de se retrouver dans son environnement familier, elle accéléra. La voiture répondit aussitôt. Aucun problème avec cette vieille beauté, elle était loin de la casse. Mais pourquoi posséder un véhicule capable de rouler à trois cents à l'heure quand la vitesse était limitée à quatre-vingt-dix ? Si elle interrogeait Pete, il lui adresserait seulement un regard de pitié. D'évidence, si on posait la question, on n'avait pas besoin de savoir. On ne méritait pas de savoir.

Le hurlement d'une sirène et la vue d'un gyrophare dans son rétroviseur la ramenèrent prestement au présent. Elle freina tout de suite mais un coup d'œil au compteur lui apprit qu'elle était fichue. Elle descendait seulement à soixante-cinq et plusieurs secondes s'étaient écoulées. Elle se serra contre le trottoir, baissa sa vitre et fit une prière.

— Hé, *superbe* voiture ! lança le policier avec enthousiasme.

— Merci, monsieur, répondit Jazz, saisie d'espoir.

— Je peux voir votre permis, s'il vous plaît ?

Jazz obéit, tout espoir anéanti. Qu'il soit gentil ou non, cela ne servait à rien de lui parler doucement ou d'essayer de le vamper. Elle ne le savait que trop. Il repartit vers son véhicule, s'y installa et appela son Q.G. par radio pour communiquer à l'ordinateur le numéro du permis de la contrevenante. Quand il revint, il rédigeait déjà le procès-verbal.

— A combien est-ce que j'allais, monsieur l'agent ? demanda poliment Jazz.

C'était plus une curiosité résignée qu'un espoir de rédemption.

— A quatre-vingts.

— Mais, c'est dix kilomètres *en dessous* de la limite, protesta-t-elle aussitôt, tout en regrettant sa hardiesse. En dessous, monsieur l'agent, pas au-dessus.

— Vous êtes dans une zone résidentielle, madame. La circulation dans les zones résidentielles est limitée à quarante. Vous rouliez deux fois trop vite.

— Quarante à l'heure ! souffla Jazz, incrédule. Mais personne n'avance à quarante ! Si les automobilistes le font, vous les épinglez pour ralentissement de la circulation !

— Ailleurs que dans les zones résidentielles, ils sont en faute, comme vous.

— Mon Dieu, se plaignit Jazz, pourquoi me faites-vous ce vilain coup ?

— Vous avez commis deux infractions l'an passé. Si vous allez à l'École de conduite, vous pourrez faire sauter ce P.-V. de votre dossier. Autrement, le prix de votre assurance augmentera. Encore une infraction et on vous retire le permis.

— Je vous en prie, non, *pas l'École de conduite*, tout sauf ça.

— A vous de choisir. Dites, vous ne voudriez pas vendre votre Thunderbird, par hasard ? Je n'ai pas l'impression. Allez, bonne soirée.

Il lui tendit sa contravention et retourna à son véhicule. Il allait se planquer dans un coin, pensa Jazz, et attendre comme un charognard un autre innocent ; ainsi il aurait rempli son quota de procès-verbaux pour la journée.

Le petit appartement de Jazz était situé dans un grand immeuble luxueux et cher, le Penthouse, à Santa Monica. Elle l'avait choisi pour plusieurs raisons. Ce n'était pas une vraie maison et, contrairement à une maison, elle le quittait sans s'inquiéter de tout ce qui pouvait arriver en son absence. Quelqu'un s'occupait du toit, des jardins et des tuyauteries. Elle pouvait s'absenter un week-end, deux week-ends sans problème. Le bâtiment proposait un service de ménage en option, un gardien de parking, un service de sécurité — avec bureau de réception pour les visiteurs et garçon d'ascenseur vingt-quatre heures sur vingt-quatre — ainsi qu'une vue sur l'océan.

A l'exception de cette vue sur le Pacifique, l'appartement ne comptait guère pour Jazz. C'était un peu comme une suite d'hôtel particulièrement confortable. Son vrai foyer était au ranch et, quand elle ne pouvait y être, à son studio. Lorsqu'elle n'était pas trop fatiguée pour sortir, la plupart de ses soirées étaient prises par des rendez-vous, fêtes et dîners au restaurant. Au fond, son appartement lui servait de chambre et de placard ; elle y revenait se changer pour le soir, ressortait, rentrait enfin y dormir.

Pourtant, ce soir-là, Jazz se demanda si elle n'allait pas tenter de le redécorer pour le rendre plus chaleureux. Un peu d'attention ne lui ferait pas de mal, songea-t-elle, se sentant aussi désolée pour son logis négligé qu'elle l'était pour elle-même. L'École de conduite se profilait à l'horizon. Elle n'osait pas attirer sur elle l'attention de sa compagnie d'assurance.

Jazz se fit une tasse de thé et y versa de la vodka jusqu'à ce que le breuvage soit assez tiède pour être avalé. Peut-être était-elle en train de créer un nouveau cocktail. L'École de conduite ! Heureuse fin d'une journée heureuse ! Jamais elle n'avait été obligée d'y aller mais elle avait entendu à ce sujet des histoires horribles. Tout le monde en Californie semblait devoir chuter un jour ou l'autre au fond de ce purgatoire.

Jazz décida d'appeler son père pour lui en parler. Il avait dû assister déjà deux fois au cours de l'École de conduite. Il la réconforterait. Lui dirait ce qu'elle aurait dû répliquer au flic. Une fois qu'il lui avait flanqué le P.-V., les choses auraient-elles été pires si elle lui avait déclaré tout net ce qu'elle pensait de lui ? Pouvait-on être cité en justice pour assaut verbal à l'encontre d'un policier de L.A. ? Probablement.

Elle composa le numéro de l'hacienda et laissa sonner. Au bout de douze sonneries, il n'y avait toujours pas de réponse. Où pouvait être son père ? Ni père, ni Susie, ni même Casey Nelson pour décrocher. Elle aurait volontiers écouté les condoléances du lointain cousin. S'il avait été là, il aurait sûrement répondu, à moins qu'il soit alité, les fesses ulcérées par la selle de son cheval. Non, personne à la maison, se désola-t-elle.

Elle appela alors les renseignements de Newport Beach et obtint le numéro de Red Appleton. Mais elle tomba sur un répondeur et raccrocha sans laisser de message. Red, pas chez elle; son père, pas chez lui. Ils devaient être sortis ensemble, pour dîner, échanger plaisanteries et confidences. Ils devaient passer un moment merveilleux, pensa Jazz. Elle ne le leur reprochait pas, mais quand même, où étaient-ils alors qu'elle avait besoin de leur sympathie?

Elle posa le téléphone sur le dessus-de-lit et le regarda comme si elle le voyait pour la première fois. Des larmes emplirent ses yeux, qu'elle essuya d'un geste impatient. C'était absurde. L'École de conduite ne durait que huit heures. Ce n'était pas un pique-nique, d'accord, mais enfin même un pique-nique n'est pas toujours une partie de plaisir. Qui donc aimait vraiment les pique-niques? Bon. Mais pourquoi cette perspective lui donnait-elle cette impression... d'abandon? Comme si elle avait perdu sa meilleure amie?

Impossible de téléphoner à Mel, il était tout à Sharon. Pete, pas davantage; il éclaterait de rire en apprenant qu'elle s'était fait épingler en roulant à dix kilomètres en dessous de la limite de vitesse. Elle ne pouvait appeler aucune de ses amies parce que... elle ne savait pourquoi, mais elle n'osait déranger personne. Celles qui n'étaient pas sorties dînaient à la maison avec un homme ou un autre. Étrange de ne pouvoir joindre personne quand on en éprouvait le besoin, alors que, quand quelqu'un lui téléphonait, ce n'était jamais au bon moment.

Peut-être devrait-elle écrire une lettre, songea-t-elle en jetant un œil morne sur l'océan. La masse mouvante était fascinante de jour, mais sombre et froide à la nuit. Ne vaudrait-il pas mieux avoir un logement avec vue sur les lumières de la ville au lieu de cette obscurité indifférente devant ses fenêtres? Elle pouvait glisser la lettre dans une bouteille et la jeter dans le Pacifique, comme l'avait fait une petite fille dans une histoire qu'on lui avait racontée; l'enfant avait envoyé ce message dans une bouteille: « Qui que vous soyez, je vous aime. »

Pieds nus, Jazz se dirigea vers la cuisine, sa vieille robe de chambre bien fermée à la taille, avec l'idée de se faire un autre thé et peut-être de croquer un biscuit, trop mélancolique pour avoir faim. Le téléphone intérieur retentit et elle sursauta. A la deuxième sonnerie agressive, elle répondit.

— Mademoiselle Kilkullen, fit le réceptionniste, vous avez un visiteur.

— Qui est-ce? questionna Jazz.

— M. Gabriel. Je lui dis de monter?

Jazz resta bouche bée devant le combiné, à croire qu'elle s'était retrouvée en train de faire un câlin à un serpent.

— Mademoiselle Kilkullen? Est-ce que je vous envoie M. Gabriel? s'impatienta le réceptionniste.

— Un instant.

Pétrifiée par le désarroi, elle ne sut plus, l'espace d'un moment effrayant, en quelle année elle était ni pourquoi elle se trouvait pieds nus dans cette cuisine. Elle se retrouvait en proie à la douleur déchirante d'un mariage qui n'avait pas eu lieu, elle était retournée aux mois de convalescence dans le studio de Mel Botvinick, à l'étonnante photo de Richard Nixon allongé au soleil sur la plage de

San Clemente et parlant de Diane Sawyer avec un paresseux sourire que nul ne lui avait jamais vu, cette photo qui l'avait rendue célèbre dans le monde entier quand beaucoup de magazines étrangers l'avaient publiée... tout se mêla, comme si tous les présents étaient entrés en collision.

Jazz jeta un œil au calendrier : 1990. Le temps reprit sa place, s'ordonna, s'apaisa. Elle se souvint de qui elle était. Elle ne pouvait pas se conduire comme si elle avait peur de Gabe, ce type complexé, onze ans d'âge affectif, qu'elle avait aimé dans sa propre et idiote immaturité. Si elle le renvoyait, il penserait qu'elle était incapable de lui faire face.

— Dites-lui de monter dans sept minutes, Joe, demanda-t-elle au réceptionniste.

Et elle raccrocha.

**\***

Cinq minutes lui suffirent pour se composer la parfaite tenue dans laquelle accueillir, après neuf ans de silence, le premier homme qu'elle ait aimé, le seul homme à qui elle ait donné son entière confiance, l'homme qui l'avait plantée là au moment de l'épouser. En s'habillant, elle se dit que toutes les filles avaient droit à une grosse erreur dans leur vie.

Elle refoula les manifestations nerveuses d'un état de peur qui lui venait d'une autre vie, d'une autre fille, une fille innocente et crédule dont elle se souvenait à peine. Gabe ne pouvait exister que pour une môme aussi bête.

Elle enfila le tee-shirt pourpre et or des Lakers qu'elle portait à chacun de leurs matches — la gloire et la force de l'équipe de basket conduite par Magic Johnson, le joueur le plus doué et le plus fascinant de la sélection nationale, la garderait de Gabe aussi bien qu'une gousse d'ail protégeait des vampires.

Être plaquée par Gabe était la chose la plus heureuse qui lui soit arrivée. Dieu lui pardonne, mais s'ils s'étaient lancés dans ce mariage aberrant, elle aurait continué à vivre dans son ombre, sans se lancer dans sa propre carrière. Jazz fut ennuyée de constater qu'elle ne se sentait pas aussi invulnérable qu'elle l'eût souhaité.

Elle mit ensuite un pantalon de motard en cuir, bardé de clous, qui aurait tenu un Hell's Angel à distance respectueuse. Des baskets montantes noires, une nouvelle couche de mascara, un coup de brosse histoire de s'assurer que ses cheveux étaient aussi désordonnés que possible, un rien de brillant sur les lèvres, et elle était presque prête à ouvrir la porte.

Elle se regarda dans le miroir. Me cherche pas, trou-duc, semblait dire son image. Pourtant, Jazz sentait qu'il manquait un accessoire à la photo. Elle se rua vers le frigo, prit une pomme, en croqua une bouchée, qu'elle recracha précautionneusement et jeta à la poubelle. Ensuite, elle alla entrebâiller la porte d'entrée. Elle revint vers la télévision dans la salle de séjour et, la pomme à la main, s'écroula sur la demi-douzaine de coussins où elle avait l'habitude de prendre ses aises.

La sonnette retentit.

— C'est ouvert, cria-t-elle.

Elle prit une minuscule bouchée de pomme et la mâcha vigoureusement, sans décoller les yeux de l'écran, s'efforçant d'ignorer le battement agité de son cœur. Réaction réflexe, comme les canards dont on vient de couper la tête.

— Alors, fit Gabe en s'arrêtant au seuil du salon.

— Oh, salut, Gabe. Entre. Il faut que je voie la fin de cette émission... ce sera terminé dans une minute.

Elle mâchonnait toujours et, sans regarder le nouveau venu, lui désigna vaguement le canapé derrière elle. Il s'assit et attendit en silence pendant les trois minutes que l'épisode de la série télé mit pour s'achever. Jazz prit la télécommande et éteignit. Elle regarda Gabe. Il n'avait pas changé, sauf que ses yeux étaient devenus las, et sa bouche amère.

— Désolée, mais *thirtysomething* est la seule émission que je regarde religieusement, fit Jazz. Tu aimes ?

— Hein ?

— Laisse tomber. Une pomme ?

— Non. Merci.

Il se tut, Jazz grignotait avec insouciance.

— Alors, finit-il par articuler.

— Tu parles comme Mary Tyler Moore. Tu sais, dans son émission, quand elle dit tout le temps « alors », avec son grand sourire nerveux, chaque fois qu'elle ne trouve rien de mieux ? Blair Brown le fait aussi.

— Qu'est-ce que tu me joues, là ?

— J'oublie que tu n'as pas eu la chance de voir la télé américaine depuis longtemps.

— Alors tu es devenue une fan des Lakers ?

— Si je me lassais d'eux, je serais lasse de vivre, rétorqua Jazz avec des yeux moqueurs. Tu dois penser que le basket n'est pas vraiment un sport de contact. Après tout, personne n'y meurt. Pas d'émeutes. Pas de bombes. Pas de sang par terre. Quoique, comme l'a écrit je ne sais plus qui, quand tu as devant toi Cooper en défense, c'est comme de recevoir le pire des baisers mouillés. Faut être au Forum quand les Lakers commencent à devenir physiques. Je ne voudrais manquer ça pour rien au monde, même si j'étais aussi costaud que Michael Jordan ou Charles Barkley.

— Barkley ?

— De Philadelphie, expliqua-t-elle patiemment. Tu débarques ? Comment te portes-tu ?

— Bien. Et toi ?

— Jamais été aussi bien. Du boulot par-dessus la tête, mais nous en sommes tous là, n'est-ce pas ?

— Jazz !

— Quoi ? marmonna-t-elle à travers une bouchée de pomme.

— Arrête. Je suis venu te parler, pas jouer aux devinettes.

Elle laissa ses mots résonner en avalant sa bouchée. Puis elle fit volte-face sur le tapis et se cala contre quelques coussins, les genoux ramenés contre elle, avant de lever les yeux vers Gabe. Le nuage de ses bouclettes, strié de toutes les teintes allant du jaune d'or à l'écaille de tortue, encadrait son visage ouvert, épanoui. Paresseusement, elle reprit la parole.

— Eh bien, vas-y, Gabe, dis ce que tu as à dire. Je ne t'interromprai pas.

S'il avait du mal à parler, il pourrait toujours lui écrire une autre lettre charmante.

— J'ai dîné avec Phoebe voilà quelque temps. Elle m'a appris que tu ne voulais pas de moi au studio, et que tu ne voulais pas non plus qu'elle devienne mon agent. Je lui ai répondu que tu étais juste une groupie, parce que je préférais qu'elle ne sache rien sur nous.

— Je m'étonne que tu ne lui aies pas dit la vérité. D'habitude, Phoebe insiste pour tout savoir.

— Vu qu'elle n'avait même pas l'air de savoir que nous nous connaissions, j'en ai déduit que tu ne l'avais dit à personne ici.

— Tu ne t'attends quand même pas à ce que cette expérience soit... comment dire ?... ma préférée dans mon recueil de mémoires ? Il me semble que ces années-là ont été vécues par quelqu'un d'autre. Personne, à l'exception de mon père, ne sait quel genre d'être humain... non, raye le mot « humain », quelle sorte d'être tu es.

— Tu deviens hostile, constata Gabe en se penchant en avant. Maintenant nous pouvons parler ouvertement.

— Faux. Je ne suis pas hostile. Je me contente de te qualifier de la façon la plus amicale possible. Un être. Tu existes. L.A. est assez grand pour nous deux, mais tu n'as pas ta place *sur mes plates-bandes*.

Jazz croqua une autre bouchée de pomme. Il y eut un nouveau silence tandis qu'elle mâchait consciencieusement.

— Tu veux regarder les infos ? Cela t'épargnera d'avoir à éplucher les journaux demain matin.

— Je ne veux pas voir les infos. Je ne veux pas savoir ce qui se passe dans le monde. J'en ai trop vu.

— Je parie que tu n'as plus jamais pris la peine de voter après Paris, insinua-t-elle avec une pointe de mépris.

— Merde ! Je ne suis pas venu ici pour me faire réciter mes devoirs civiques !

— Je n'ai pas le souvenir de t'avoir invité.

Gabe se leva et s'assit à terre, près d'elle. Elle se recula immédiatement.

— Jazz, je peux trouver un autre local, ce n'est pas un problème, mais j'ai besoin que Phoebe devienne mon agent. Je la connais depuis des années, j'ai confiance en son jugement, et je ne vois pas en quoi j'empiéterais sur ton terrain.

— Tout lien entre nous est hors de question, répondit froidement Jazz. Ta vieille copine, ta camarade Phoebe-qui-sait-tout, serait forcément un lien. C'est une machine programmée pour fouiner partout et qui n'apporte que des ennuis. Il nous serait impossible de maintenir une distance entre nous si Phoebe s'occupait de toi.

— Grands dieux, Jazz, tu es encore accrochée à moi !

A entendre la subtile mais indéniable note de triomphe à peine voilé dans la voix de Gabe, Jazz bondit et se tint debout au-dessus de lui, submergée par la rage qu'elle endiguait depuis qu'il avait passé la porte.

— Accrochée à toi ? *Je te hais, Gabe.* Je te hais pour ce que tu m'as fait quand je n'étais qu'une gamine de vingt ans, trop jeune pour savoir qu'il ne fallait pas croire un seul mot sorti de ta bouche. *C'était tellement cruel.* Quelle espèce de salaud méprisant est capable de convaincre une fille de l'épouser, contre l'avis de la fille en question, puis de disparaître à la dernière minute, en laissant derrière lui une lettre de merde pour une explication de merde ? Tu n'as même pas eu assez de tripes pour me parler en face.

Elle se détourna et marcha vers la fenêtre, tremblant sous la décharge d'adrénaline de sa soudaine colère. Gabe se leva et la suivit. Quand elle entendit son pas, elle tourna vers lui un visage furieux.

— Tu as quitté Paris de la façon la plus blessante pour moi. J'aurais remis ma vie entre tes mains. Dieu sait que c'était ton idée, ce mariage, pas la mienne. Je n'avais pas tenté de t'attacher, tu l'as fait tout seul et puis... et puis tu as essayé d'en rejeter la faute sur moi. Je suis bizarrement devenue coupable de ce que *tu* avais fait ! C'était si moche, Gabe, moche au-delà de la mocheté, tellement injuste. *Tu me dégoûtes.*

— Je me dégoûte moi-même depuis. Bon Dieu, Jazz, crois-tu que je ne me sois pas dit mille fois ce que tu viens de me dire, nuit après nuit — et dix fois pire ? Chaque mot de cette lettre était ma froide et violente vérité, mais ça n'excuse rien. Rien n'excuse mon absence de tripes. *Mais tu es encore accrochée à moi, Jazz,* quoi que tu penses de mon attitude.

— *C'est débile !* s'écria-t-elle. Franchement débile ! Je sais quelle espèce de lâche tu es, je sais comme tu peux être cruel, mais je ne t'aurais pas cru assez imbu de ta personne pour penser que je t'aimais encore.

— Tu ne ferais pas tant d'efforts pour éviter tout contact avec moi si je n'étais qu'un mauvais souvenir. Si tu m'avais réellement oublié, Jazz, tu ne serais pas à ce point sur la défensive.

— Le pire, c'est que tu crois ces conneries, lui reprocha-t-elle d'une voix âpre et railleuse. Tu arrives à t'en convaincre.

Gabe insista, sûr de lui, le visage grave.

— Tu ne m'as pas oublié, Jazz.

— Voilà des années que je n'ai pas gaspillé une minute à songer à toi, fit-elle avec mépris.

— Prouve-le, la défia Gabe.

— Je n'ai rien à te prouver !

— Alors, prouve-le à toi-même. Sinon, tu ne te feras jamais entièrement confiance.

— Je me fais entièrement confiance, rétorqua froidement Jazz qui avait recouvré son contrôle. Sors d'ici, Gabe, je ne veux plus te voir chez moi. Tu pollues l'atmosphère.

Gabe l'attrapa rudement, referma les bras sur elle et l'embrassa avec toute la force de la passion immodérée qui l'avait envahi depuis qu'il était entré et l'avait revue, encore plus belle que dans son souvenir. Jazz le frappa du poing au visage, aussi fort que possible.

— Je le savais! s'exclama-t-il. Tu ne prendrais pas la peine de me frapper si tu t'en fichais!

Il lui immobilisa les bras et l'embrassa encore, encore et encore. Il s'arrêta un instant, relâcha prise, pour lui donner une chance de réagir.

Elle ne bougea ni ne modifia son expression fermée.

— Petite garce obstinée, fit-il.

Il serra contre lui le corps raidi de Jazz, reprit ses lèvres froides. Enfin, il les sentit répondre à sa bouche, un tressaillement, un minuscule frémissement, une légère pression, qui se réchauffa, se fit avide, et s'affirma jusqu'à ce qu'elle lui rende son baiser.

Ils se tenaient devant les fenêtres au-dessus de l'océan, dans les bras l'un de l'autre, s'embrassant en silence, avec hésitation, chacun se refusant à émettre un son ou à lâcher un mot qui eût brisé la magie inattendue de cet instant. Le passé et le présent se mêlaient, revenait toute la joie des années vécues ensemble et s'oubliait la douleur de leur séparation. Mais quand Jazz sentit Gabe se serrer étroitement contre elle, quand elle ne put ignorer qu'il la désirait, elle le repoussa et s'écarta, hautaine et fière.

— Oh non. Certainement pas ça, déclara-t-elle d'une voix forte et claire. Tu as prouvé ce que tu tenais à prouver, Gabe. Je ne te suis pas physiquement indifférente. Quelque chose est resté vivant, je ne suis qu'un être humain. Mais ce n'est pas important, ce n'est qu'un morceau du passé qui a... *survécu* à ce que tu m'as fait.

Triste, pensive, elle secoua la tête.

— Quoi que ce soit, ce n'est pas assez fort pour que je te laisse me faire l'amour. J'admets que j'en ai envie, Gabe, ne crois pas que j'ai oublié comment c'était quand les lumières des bateaux-mouches éclairaient la fenêtre et que nous étions allongés sur le lit, invisibles, avec la musique qui venait du fleuve, quand tu étais si profondément en moi que je savais, avec certitude, pour toujours, que personne au monde en dehors de nous n'avait connu une chose si merveilleuse.

Elle posa les mains sur les épaules de Gabe et poursuivit doucement; ses yeux brillaient si fort de l'éclat du souvenir que Gabe ne put soutenir son regard.

— Tu as été le meilleur amant que j'aie eu, Gabe. Et pas seulement parce que tu étais le premier — j'ai eu l'occasion de comparer.

Jazz inclina la tête et eut un sourire exaspérant, mystérieux, empli de souvenirs dont Gabe se sentit soudain évincé.

— Le problème est que je ne peux pas te faire confiance. Et je ne fais pas l'amour à un homme à qui je ne me fie pas.

— Ne peux-tu admettre que j'aie changé en neuf ans? souffla-t-il d'un ton anxieux. Que je *dois* avoir changé ? Que tu peux me faire confiance ?

Jazz partit d'un rire bref.

— Te faire confiance, *à toi* ? Hors de question. Même toi, tu devrais le comprendre. Mais je me fiche après tout que Phoebe s'occupe de tes affaires. D'ailleurs, tu peux aussi louer le local. Tu es parvenu à me prouver le contraire de ce que tu souhaitais. Tu n'as plus aucun pouvoir sur moi, pauvre Gabe.

Elle lui caressa la joue. Il allait parler mais elle leva un doigt pour le faire taire.

— *Ne le dis pas !* Ne dis pas que je ferais l'amour avec toi si j'en étais aussi sûre, tu me forcerais à te haïr. Non, Gabe, tu peux tourner cet argument dans tous les sens, rien n'y fera, même de la part d'un Hongrois. Tu as eu ce que tu étais venu chercher. Avec un petit plus. Estime-toi heureux.

Gabe la dévisagea sans souffler mot. Dieu, il s'était fait avoir cette fois. Et proprement. Il s'était cru en position de force. Fallait-il qu'il soit dingue pour avoir couru le risque de revoir cette fille incomparable ! Il était pris à son piège. Pris pour de bon, pris pour toujours. Elle avait bel et bien été la seule.

— Alors, j'ai l'impression qu'on a raté les infos, parvint-il à articuler.

— Certainement, répondit-elle en lui adressant un aimable sourire impersonnel. Tu veux regarder Jay Leno ?

— Non, je dois y aller. Merci, Jazz, et à bientôt.

Il s'enfuit.

*
**

Panique, elle allait arriver en retard au cours. En plus du fait qu'il était révoltant de devoir se rendre à l'École de conduite, impossible de trouver une place pour se garer près du bâtiment de l'école. *En retard au cours.* Jazz sentait l'angoisse suinter de son cou et de son front. En retard. Au. Cours. Ces simples mots évoquaient un genre de cauchemar très particulier.

C'était à contrecœur que Jazz avait étudié les options et horaires de l'École de conduite, après réception de sa contravention pour excès de vitesse. D'évidence, elle n'était pas le seul contrevenant en ville vu qu'il existait une douzaine d'écoles — un pur artisanat californien qui poussait aussi dru que les réunions des Alcooliques Anonymes à Beverly Hills. Certaines écoles prévenaient qu'elles étaient spécialement pour célibataires, d'autres promettaient de la pizza au déjeuner ; elles attiraient le client avec des tours de prestidigitation et autres films de Disney, la plupart se vantaient à la façon des écoles de comédie. La seule située pas trop loin de chez Jazz s'appelait purement et simplement : Les Fabuleux Comédiens vous amusent.

Grinçant des dents à l'idée de perdre son samedi, Jazz avait appelé pour s'inscrire aux Fabuleux Comédiens et expier ainsi son P.-V. Quand elle arriva en se croyant dans les temps, elle découvrit que le parking le plus proche était fermé le samedi ; et les rues alentour étaient pleines de voitures garées pare-choc contre pare-choc. L'angoisse la gagnait, les sueurs froides aussi.

Finalement, elle trouva la seule place disponible à trois rues de l'école et courut vers le bâtiment qui se dressait sur deux niveaux dans Pico Boulevard. Personne dans l'entrée ni dans les escaliers ; elle se rua dans la classe pour être accueillie par des sifflets moqueurs et des applaudissements.

— Vous avez deux minutes de retard, fit remarquer l'instructeur en refermant la porte derrière elle. Une seconde de plus et c'était trop tard.

— Merci, haleta Jazz.

Elle chercha un siège disponible. Il ne restait plus qu'une place sur le côté, au premier rang, pile sous le nez de l'instructeur, la dernière place à occuper si l'on se souvenait un tant soit peu de ses années scolaires. Jazz se faufila et s'installa près d'un homme habillé n'importe comment avec une énorme moustache noire en guidon de vélo, affublé d'un chapeau crasseux et de lunettes noires.

La chaise minuscule était encore plus dure et plus étroite que Jazz ne l'avait pensé. Elle regarda droit devant elle, fit retomber quelques boucles de cheveux sur ses yeux dans l'espoir de s'isoler. Elle aurait pu différer et différer encore la journée à l'École de conduite, mais maintenant c'était fait. Non qu'elle n'ait pu trouver un moment plus propice dans le délai de deux mois qui lui était concédé, mais elle s'était sentie particulièrement à plat depuis la visite de Gabe, une semaine auparavant. Le jour, elle n'avait aucune énergie, bien qu'elle s'efforçât de fonctionner plus ou moins normalement au studio. Elle surprenait des regards inquiets entre Toby et Melissa, même si nul ne risquait une allusion à quoi que ce soit. Elle avait annulé ses rendez-vous pour se coucher tôt ; mais elle dormait mal, faisait de mauvais rêves dont elle ne parvenait pas à se souvenir mais qui lui laissaient une forte impression de malaise.

Au matin, Jazz se sentait plus lasse et plus meurtrie que la veille, mystérieusement blessée, comme par une expérience plus brutale que ne l'avait été sa rencontre avec Gabe. Elle se sentait bien plus que vingt-neuf ans, désagréablement blasée et parfaitement cynique. Chaque fois qu'elle lisait un journal ou regardait les nouvelles à la télévision, elle se demandait pourquoi elle avait pris la peine de sortir du lit. Tout semblait si... désespéré. Si c'était une dépression — mais pourquoi aurait-elle été déprimée ? —, comment en sortir ?

Quelle que soit la cause de son mal, ce ne pouvait être Gabe, elle en était certaine. Elle finit par mettre ce fantôme à l'écart. Elle l'avait revu, elle l'avait embrassé, et elle avait découvert que tout était fini pour elle. Elle avait eu la chance de lui dire en face ce dont elle l'accusait depuis huit ans, et il avait été contraint d'admettre qu'elle avait raison. Il s'était vu réduit à ce qu'il était, une partie de son passé, plutôt heureuse d'ailleurs en dépit de sa fin violente.

Pour être logique, ruminait Jazz, pour mettre les choses à plat, il fallait reconnaître que Gabe lui avait énormément appris par son seul exemple. Sa capacité à photographier en toutes circonstances, ses méthodes pour manipuler n'importe quel sujet, elle ne pouvait les avoir puisées que dans le photo reportage. Elle aurait dû lui en être reconnaissante.

Elle *était* reconnaissante. Les années qu'ils avaient passées ensemble avaient été riches d'expérience. Certes, il avait fallu payer le prix de cette éducation. Une femme réaliste s'y serait attendue. Mais Jazz ne pouvait revenir en arrière et revivre sa vie... et d'abord, il fallait surmonter l'épreuve de l'École de conduite, dans une pièce mal aérée et pleine de monde. Elle parcourut le champ de vision délimité par ses mèches de cheveux qui n'étaient pas loin de se rejoindre sur son nez.

Son voisin débraillé était grand, avec de longs bras envahissants, mais qu'il ne pouvait mieux ranger puisque les chaises étaient fixées les unes aux autres. Dieu merci, elle avait un peu d'espace de l'autre côté, vers l'allée étroite, même si elle ne risquait guère d'en profiter, son siège étant rivé au sol. Jazz serra les lèvres dans un vain dégoût mais eut la prudence de ne pas regarder l'homme à sa droite. Il ne fallait surtout pas que leurs yeux se croisent, comme dans le métro de New York. Le seul moyen de maintenir une distance psychique entre elle et celui avec lequel elle était destinée à rester enchaînée au cours des huit heures à venir. Le gros lard était trois fois trop grand pour son siège. Il touchait Jazz des épaules jusqu'aux genoux. La jeune femme, qui portait son uniforme d'auxiliaire du temps où elle travaillait chez Mel, jean et chemise, regretta de n'avoir pas un vêtement bardé de piquants qui l'aurait sauvée de cette dégoûtante proximité.

L'homme qui avait refermé la porte monta sur l'estrade et commença à parler :

— Je suis l'officier de police Muffet, votre instructeur pour la journée. Vous êtes ici pour huit heures complètes. Toute tentative de vous dérober au cours avant la fin des quatre cent quatre-vingts minutes sera considérée comme une faute grave. *N'essayez* même pas de me demander à partir plus tôt ; ce serait interprété comme une tentative de corruption.

D'âge moyen, il était aussi pâle et sec qu'un gardien de prison, se dit Jazz. Où donc étaient les fabuleux comédiens ? Pourquoi cette salle était-elle pleine d'hommes lourdauds et moches, avec une seule autre femme ?

— Cette classe est sous le contrôle du Département des véhicules motorisés, continuait Muffet. Si vous revenez en retard du déjeuner, vous trouverez la porte fermée et vous aurez à recommencer la session. Il y aura une pause de quinze minutes dans la matinée, une autre dans l'après-midi, ce qui vous donnera le temps d'aller mettre de l'argent dans votre parcmètre. Ces pauses ne seront *pas* — je répète, ne seront pas — déduites de vos quatre cent quatre-vingts minutes de cours. La porte sera verrouillée dès la fin de la pause.

Quelle merde ! Elle avait plein de billets dans son portefeuille, mais pas de monnaie pour le parcmètre.

— L'officier qui était censé vous faire la classe a un rhume. Je le remplace au pied levé, et je vous préviens que je ne plaisante pas.

Un chœur de protestations outragées jaillit des âmes prisonnières dans la pièce. Muffet écouta, impassible. Quand le murmure retomba il reprit :

— Ceux qui veulent sortir sont invités à le faire. Je ne vous le conseille pas, à moins que vous n'ayez un autre samedi à consacrer à l'École de conduite, ou à moins que vous ne teniez à perdre le temps que vous avez déjà consacré à vous lever tôt, à venir jusqu'ici et à trouver une place où garer votre voiture.

Jazz entendit quelques personnes se lever bruyamment et sortir, mais elle resta. Elle avait renoncé à un week-end au ranch, trouvé à se garer, elle ne recommencerait pas ce cirque une autre fois.

Muffet attendit le départ du dernier fuyard puis continua :

— Vos infractions ne relèvent ni du correctionnel ni de la grande instance. Quand vous avez une contravention, vous êtes considéré comme coupable jusqu'à ce que votre innocence soit prouvée. A moins que votre temps vaille moins de vingt dollars l'heure, ne discutez pas un procès-verbal. Voilà ma première leçon.

Muffet dédia à l'assemblée un sourire sinistre. Jazz se demanda où étaient passés les dix premiers amendements de la Constitution.

— O.K., fit Muffet. A présent, qui peut me dire ce qu'est l'« application sélective » ? Personne ? C'est bien ce que je pensais. L'application sélective est le droit pour un policier de *vous* épingler quand *tous les autres* commettent la même infraction que vous. N'importe quel véhicule roule à cent sur l'autoroute, et vous prenez un P.-V pour avoir roulé à cent. Vous ne pensez pas être coupable mais vous l'êtes. Pourquoi ? L'application sélective est pratiquée par la police de Los Angeles car il n'y a qu'une seule chance sur *mille deux cents* que vous preniez une contravention. En d'autres termes, si vous avez un procès-verbal, *nous savons* que vous avez commis cette infraction mille deux cents fois *sans être pris. Donc, quelles que soient les circonstances, vous êtes coupable. C'est ma deuxième leçon.*

Son autorité aussi sûrement établie que si tous ses auditeurs avaient été parqués sur l'île du Diable pour le restant de leurs jours, Muffet rajusta son pantalon.

— Combien y a-t-il de célibataires parmi vous ? questionna-t-il. Levez le doigt.

Des doigts se levèrent.

— Combien de gens mariés ?

D'autres doigts se levèrent.

— Combien n'en savent rien ?

Les mains de Jazz étaient jointes. Elle n'avait pas répondu. Sa vie privée ne regardait pas l'officier Muffet. Quel rapport avec une contravention hautement abusive ?

— A présent, je vais demander nominalement, à chacun d'entre vous, sa profession et la cause de son procès-verbal.

Je ne suis pas là, pensa Jazz, cela n'est pas en train de m'arriver. Derrière elle, les gens répondaient aux questions de l'inspecteur. Tous leurs délits, sans exception, étaient bien plus graves que le sien. Quand vint son tour, elle apprécia d'être au premier rang pour pouvoir répondre à voix basse. D'une voix encore plus sourde que la sienne, son voisin déclara s'appeler Leslie Duff, travailler dans le bâtiment et avoir grillé un stop.

— Pourquoi ne pas vous être arrêté au stop ? s'enquit Muffet.

— Je me suis arrêté, protesta Duff. Mais il n'y avait personne, ni à droite ni à gauche, pas de voiture en vue, alors j'ai bien regardé partout, marqué un arrêt et j'ai traversé le carrefour. Je pensais que c'était bien.

— Un stop signifie trois vraies secondes d'immobilisation du véhicule, commenta Muffet d'un ton désapprobateur. Nous appelons ces trois secondes, « la décision des huit heures ». Si vous vous étiez arrêté suffisamment, vous ne seriez pas ici.

Duff s'abîma dans un silence renfrogné. L'imbécile, se dit Jazz. Elle n'aurait pas discuté avec Muffet. La police de L.A. se devait d'entretenir sa réputation de dureté, d'inflexibilité ; et, à l'évidence, ce cours aberrant se déroulait au-delà des eaux territoriales américaines.

— Vous, lança Muffet en désignant Jazz. Connaissez-vous les deux seules choses qu'il est permis de jeter de son véhicule ?

— Non, monsieur.

— L'eau et les plumes de volaille *vivante*.

— Bien, monsieur.

Muffet marqua une pause et Jazz le vit qui cherchait à faire une blague, histoire de voir si ça prendrait.

— Je ne veux pas vous surprendre en train de jeter un oreiller, lui dit-il.

Ce fut avec dégoût que Jazz s'entendit pouffer nerveusement.

Muffet entreprit alors d'assener à l'assistance une série d'avertissements sur les droits des piétons, et les yeux de Jazz se fermèrent. La perspective de sept heures et demie de confinement obligé dans cette salle l'effrayait. A devenir claustrophobe. Les petites fenêtres étaient fermées, pas un souffle d'air ne circulait ; sa chaise devenait de plus en plus dure, et elle avait l'impression que Duff lui rognait de plus en plus son minuscule espace, bien qu'elle fût certaine de ne pas l'avoir vu bouger. Si seulement elle pouvait s'élever au niveau astral, s'absenter complètement, sortir de son corps. Shirley MacLaine n'aurait jamais été dans cette situation.

Tout à coup, Duff lui glissa un morceau de papier sur les cuisses. Surprise, elle baissa les yeux et lut : « Salut, beauté. »

Elle faillit hurler. Ce clown la draguait ! Pour couronner cette horrible journée de pénitence, elle allait devoir subir son harcèlement sans espoir d'y échapper. Elle prit dans son sac un papier, un stylo et écrivit : « Je le dis à Muffet si vous n'arrêtez pas », et le passa à son voisin à un moment où l'instructeur ne regardait pas.

Duff répondit rapidement. « Je croyais que cela vous ferait plaisir de savoir que je vous ai pardonné. »

En plus, il était fou, se dit Jazz. Un maniaque sexuel doublé d'un dingue, et avec la stature en rapport. Il pouvait lui faire du mal avant que Muffet ait le temps de la protéger. « Merci », écrivit-elle. Peut-être que ça le calmerait.

« O.K. pour déjeuner ensemble ? » fut le message suivant.

Jazz était prête à se lever, se réfugier à distance sûre et prévenir Muffet, quand elle comprit que l'ignoble créature possédait peut-être la pleine jouissance de ses facultés.

« Non merci. Mon mari vient me chercher pour déjeuner. Avez-vous la monnaie d'un dollar ? » écrivit-elle.

« Plein de monnaie », fut la réponse.

« C'est très gentil », écrivit Jazz, et elle ne fut plus importunée jusqu'à la pause. Dès que Muffet l'eut annoncée, tout le monde se rua dehors. Jazz cherchait ses billets mais Duff lui glissa simplement des pièces dans la main, tourna les talons et disparut dans les escaliers. Jazz se pressa vers sa voiture, mit trois pièces et revint en courant vers l'école. La rue était déserte, elle était encore à deux pâtés de maisons de l'école quand Duff, encore plus grand qu'il n'avait paru assis, se matérialisa devant elle.

— Pas le temps de m'arrêter, lança-t-elle en courant toujours.

Il la rattrapa rapidement et lui saisit le bras.

— Allons, soyez gentille. Vous n'avez pas toujours été si distante.

Affolée, elle pensa que la douceur et la raison, peut-être, la tireraient d'affaire et lui permettraient de regagner saine et sauve les Fabuleux Comédiens. Muffet s'occuperait du fou. Muffet avait forcément une arme et adorerait s'en servir.

— Nous allons être en retard si nous ne nous dépêchons pas, souffla-t-elle.

— La dernière fois qu'on s'est vus, vous étiez beaucoup plus amicale, insista Duff.

Il lui tenait toujours le bras.

— J'appelle au secours, menaça Jazz.

— Aucune femme ne m'a jamais dit ça.

Quelque chose dans sa voix était bizarrement familier. Il n'avait pas un accent américain ; de plus, ces mots rappelaient à Jazz un souvenir particulièrement précis. Pour la première fois, elle regarda Duff. Il ne portait plus ses lunettes. Sans la moustache... sans ce chapeau crasseux... il ne serait pas si mal... non, et on se... souviendrait de lui... Il serait...

— Sam Butler ! s'écria-t-elle d'un ton accusateur. A quoi jouez-vous avec ce déguisement ridicule ?

— Vrai, vous ne m'aviez pas reconnu ? Je pensais que votre œil m'aurait repéré. N'êtes-vous pas la dame qui voit dans les coins ? Je croyais que vous me faisiez marcher.

L'acteur australien affichait son sourire à vingt millions de dollars, et Jazz s'aperçut qu'elle l'aurait immédiatement reconnu si elle avait prêté un tant soit peu d'attention à lui, avec ou sans moustache.

— Vous m'avez fait une peur bleue, gronda-t-elle. Qui est Leslie Duff ?

— Moi. J'ai changé de nom pour le cinéma.

— Je vous ai pris pour un violeur dingue.

Elle était furieuse d'avoir commis une telle erreur.

— C'est la deuxième fois. Supposez-vous que tous les hommes sont après vous, ou est-ce que cela m'est particulièrement destiné ?

— C'est vous, sans doute possible.

Elle se souvint comme elle l'avait effrayé en évoquant un possible raz de marée après le tremblement de terre, quelques semaines plus tôt, et se mordit la lèvre pour ne pas sourire.

— Quelque chose dans votre attitude.

— Avez-vous vraiment un mari qui vous emmène déjeuner ?

— Non, admit Jazz. Je voulais que vous arrêtiez de m'écrire des messages.

— Donc, c'est d'accord pour le déjeuner ?

— Je dois manger de toute façon... alors c'est d'accord. Qu'aviez-vous à me pardonner ?

— Je vous pardonne d'avoir été si malhonnêtement sexy quand vous m'avez photographié. Vous *étiez* sexy, reconnaissez-le. Vous m'avez fait marcher. C'était la première fois qu'un photographe me faisait déshabiller pour une séance de pose.

— Oh. Ça ? Oui. Enfin, peut-être ai-je poussé mon avantage. Les acteurs ne sont-ils pas bons joueurs ? Mais que serait-il arrivé si la terre n'avait pas tremblé ? Vous étiez sur moi quand même ! Nu !

— Je vous aurais laissée partir, assura Sam Butler. J'ai commis une erreur. Et je vous demande de m'excuser. J'étais dans mon tort.

Jazz l'observa et le crut. Un homme tel que lui n'avait pas besoin de forcer une femme.

Tant d'acteurs étaient des caméléons, leur apparence changeant au gré de leurs rôles, mais Sam Butler ne pouvait avoir l'air que de Sam Butler. Il n'aurait su masquer la virilité absolue de ses traits, sa mâchoire carrée, son nez droit, ses épais cheveux blonds de lin, le bleu franc de ses iris, sa large bouche décidée, le tout disposé de façon à faire se pâmer tout un régiment de vierges de l'époque victorienne... qu'y pouvait-il ? Ce qu'exprimait son visage n'avait pas besoin d'être vrai, mais tout son talent d'acteur n'aurait pu le nier ni le modifier. Inévitablement, il jouerait un héros romantique. Comme le jeune Lawrence Olivier, s'il tenait à prouver qu'il était bon acteur, il aurait toujours à se cacher derrière le maquillage.

Peut-être s'était-elle laissé aller à la facilité en le rangeant dans la catégorie des hommes qui ne comprennent pas un « non », en négligeant le cœur aimant et nostalgique qu'il avait révélé lorsqu'il avait évoqué sa famille en Australie. Elle s'était conduite comme il était de mise sur la planète Hollywood, se dit-elle. Triste constatation.

Butler regarda sa montre.

— Dépêchons. On va être en retard à l'école.

Il prit la main de Jazz pour la faire accélérer dans les escaliers et ils arrivèrent, hors d'haleine, à la seconde où Muffet s'apprêtait à refermer la porte. Honteux et confus, ils regagnèrent leurs places.

— J'ai déjà vu cela, déclara sévèrement Muffet. Je ne tolère pas qu'on noue des relations particulières dans ma classe. Pas plus que je n'admets le langage grossier, ou qu'on mâchonne du tabac, ni qu'on crache, et aucun bruit dégoûtant.

Il désigna Jazz et Sam.

— Et particulièrement pas les mines réjouies... Si vous vouliez rencontrer quelqu'un, il fallait vous inscrire dans une école pour célibataires.

— Nous sommes cousins, assura Sam.

— Cousins germains, renchérit Jazz.

— Nos mères étaient sœurs, enchaînait Sam.

— Jumelles, d'ailleurs, ajouta Jazz.

Jumelles siamoises ? songea-t-elle à préciser. Elle sentit un petit rire hystérique la gagner, ce genre de rire qu'on ne peut arrêter, le rire insensé qui vous fond dessus dans les lieux et les instants les plus solennels. Pendant les remises de diplômes, les mariages, les enterrements... oh Dieu !

Les doigts de Sam s'enfoncèrent dans son avant-bras et elle put contrôler le rire fatal. Mais un coup d'œil en biais vers Butler lui révéla que lui aussi tremblait d'une hilarité réprimée qu'il s'efforçait de dissimuler en cachant le bas de son visage. Il avait un mal fou à enfouir sa longue moustache dans son col. Ce spectacle ridicule acheva Jazz qui éclata d'un rire irrépressible.

— Que se passe-t-il ? demanda Muffet.

— C'est... une... école... de comédie... monsieur, parvint à articuler Sam Butler. Ma cousine est... très... bon... public.

— Ça va pour cette fois, râla Muffet. Mais que cela ne se reproduise pas.

Jazz parvint à se contrôler, sauvée par la saine terreur de faire pipi dans son pantalon. Cette perspective la calma net et elle put se concentrer jusqu'à l'heure du déjeuner, les yeux presque clos et priant pour ne pas se laisser gagner par la contagion du rire étouffé qui agitait Sam de temps à autre et qu'elle devinait par la proximité de leurs corps.

Vint enfin l'heure du repas. Jazz et Sam osèrent se regarder.

— Pourquoi riions-nous ? s'enquit-elle.

— Je ne sais pas.

— Ce n'était pas si drôle, commenta Jazz, troublée.

— Même pas du tout. Qu'est-ce qu'il y a de si marrant avec deux sœurs jumelles ? argua Sam d'un ton grave.

Le mot « jumelles » les relança et ils durent se contraindre jusqu'à la sortie de la salle.

— Je dois aller mettre des pièces dans mon parcmètre, se souvint Jazz quand ils furent dans la rue.

— Je vous accompagne, suggéra gentiment Sam.

— Où est votre voiture ?

— Là.

Il désigna une longue limousine noire qui les suivait au pas.

— Le studio n'a pas voulu me laisser conduire pour aller à l'École de conduite. Ils craignaient que je ramasse une autre contravention.

— J'aimerais qu'on prenne aussi bien soin de moi, fit Jazz avec envie. J'ai eu du mal à me garer. Était-ce leur idée de vous envoyer déguisé ?

— Non, la mienne. C'était la seule façon pour moi d'avoir un peu de tranquillité. Depuis mon dernier film...

Il se tut, embarrassé.

— Vous voulez dire que vous rendez les foules dingues à *Holly-wood*?

— Eh bien... marmonna-t-il en détournant les yeux.

— Je parie que oui. Les femmes deviennent folles quand elles vous voient. Je m'en rends compte. S'il y en avait eu davantage à l'École... Je les comprends; elles n'ont rien vu de pareil depuis des générations.

— Je déteste ça, rétorqua simplement Sam. Allons déjeuner. Nous le méritons après quatre heures de Muffet.

Il guida Jazz vers la limousine.

— Où aller? Il faut être revenu dans une demi-heure, et rien d'autre dans le coin qu'un Pollo Loco et un McDonald's.

— Tout est prévu.

Sam ouvrit un grand panier à pique-nique qui se trouvait sur le plancher de la voiture. A l'intérieur, une kyrielle de boîtes en plastique et de petits paquets plats enveloppés de papier d'aluminium.

— Je leur ai demandé de passer chez *Nate n' Al's* — bonne bouffe, là-bas. Et pour commencer, quelques lampées de vin blanc australien.

Il se débarrassa de sa fausse moustache, ôta son vilain chapeau puis ses lunettes noires, et s'ébroua avec soulagement.

— Du vin, s'il vous plaît, fit Jazz.

Abandonnée sur les coussins de la limousine, elle détendit ses muscles crispés.

— Du vin, beaucoup de vin. Attendiez-vous un invité ou aviez-vous commandé tout cela pour vous seul?

— Pour moi seul. Je détestais tellement l'idée d'aller à l'École de conduite que je m'étais prévu un petit remontant. Mais je ne pense pas que Muffet apprécierait...

— Ne prononcez pas ce nom, supplia Jazz. Ne gâchons pas notre courte demi-heure. Je sens une odeur de pastrami... Dites, Sam Butler, vous apprenez vite pour un gars de Perth.

*
**

Il y avait deux bouteilles de vin, du pastrami, du corned-beef, des bagels, du pain de seigle, de la moutarde et autres condiments, de la vinaigrette, du saumon fumé, du cream-cheese, des tranches de dinde, de l'excellent rôti de bœuf, et même une boîte de salade aux foies de volaille qu'ils convinrent de garder pour le dessert car le gâteau au fromage commandé par le studio était un peu lourd et ils avaient déjà avalé trois sandwiches chacun, avec presque tout le vin.

Jamais de leur vie ils n'avaient tant eu besoin de manger et de boire. Ils se restaurèrent dans un silence gourmand, ne s'autorisant que des grognements appréciateurs à chaque nouveau sandwich. Quand ils furent rassasiés, ils baissèrent les vitres de la limousine pour goûter un peu d'air frais avant la deuxième partie des cours.

— Je n'y vais pas, annonça brusquement Sam.

— Où cela ? Où sommes-nous, d'ailleurs ? demanda Jazz, bizarrement désorientée.

— Je ne retourne pas dans cette salle de classe. Je ne supporterai pas. Nous n'avons pas ces stupides Écoles de conduite en Australie. Que peuvent-ils me faire ? Je rentrerai à Perth. Ils ne peuvent pas m'extrader, et aucun tribunal australien ne me condamnera.

— Mais la matinée ne comptera pas si vous n'y retournez pas, objecta mollement Jazz. Il faut assister à toute la session.

— Je sais, mais je n'y retourne pas maintenant. Une matinée, ce n'est pas si cher payer.

— Payer pour quoi ?

— Vous. J'aurais fait deux semaines d'École pour vous rencontrer de nouveau. Trois. Quatre. Toute une putain d'année d'École de conduite rien que pour vous, *cobber*.

— Si ce n'était que ça, vous auriez pu passer un coup de fil, fit Jazz, riant de ses pitreries.

— J'avais peur que vous ne me raccrochiez au nez. C'est ce que vous auriez fait ?

— Probablement. Qu'est-ce que c'est, *cobber* ?

— Un ami... un pote.

— C'est mignon, drôlement gentil, murmura-t-elle, sentimentale. Siiiiii gentil... mais je crois que je dois y aller... non ? Retourner à l'école ou quoi ? Vous voulez bien demander au chauffeur ?

— Chauffeur, à l'école, s'il vous plaît, dit Sam.

— Nous sommes garés devant depuis plus d'un quart d'heure, répondit le conducteur de la limousine.

— IMPOSSIBLE ! s'écria Jazz.

Elle consulta sa montre puis s'élança dans le bâtiment, dans les escaliers, Sam sur ses talons. La porte était fermée à clef. Ils frappèrent et n'obtinrent que la réponse sadique de Muffet :

— Je vous avais prévenus, tous les deux. Ne dites pas que je ne vous avais pas avertis.

— Oh, MERDE !

Jazz faillit fondre en larmes.

— C'est ma faute, fit Sam.

— Et comment !

— Je réparerai.

— Comment ? Dites-moi donc comment vous comptez réparer quatre heures perdues à l'École de conduite !

— Je ne peux pas, reconnut Sam, abattu. Même si je m'y efforçais pendant toute ma vie.

Jazz le dévisagea, lut sur ses traits une sincère consternation.

— Souriez, fit Jazz, je vous pardonne. Ce n'est pas le pire que m'ait fait un homme.

— Si c'est vrai, j'aimerais bien rencontrer le salaud qui vous a fait pire.

— Sommes-nous un peu ivres, Sam ?

— Impossible avec le vin australien. Il ne me fait pas d'effet. Je ne suis pas du genre à me répandre par terre en chialant. Mais voulez-

183

vous que nous oubliions nos chagrins ? Ce ne serait pas une mauvaise idée.

— Cet après-midi ?

— Trop tôt pour aller nous étourdir dans les mauvais lieux. Allons voir ce cirque à l'ancienne, vous savez, le chapiteau sur la plage... J'ai eu envie d'y aller depuis qu'ils sont installés : cracheurs de feu, avaleurs d'épées, jongleurs... ça vous va ?

— Je suis trop endormie. J'ai besoin d'une sieste.

— Pauvre *cobber*, vous n'êtes pas habituée au vin australien. Je vous ramène chez vous.

— Et ma voiture ? Je ne peux pas conduire dans cet état, je suis un peu partie, je le crains.

— Je la ferai prendre, donnez-moi vos clefs.

Mollement, Jazz laissa Sam l'aider à s'installer dans la limousine. Elle s'endormit immédiatement sous l'effet combiné de quatre heures d'École de conduite, d'un gros repas, d'une bouteille de vin et de toutes les émotions de la matinée.

*<br>**

Quand Jazz s'éveilla dans un lit inconnu, sous une couette inconnue, il faisait nuit. Elle demeura allongée sans bouger, certaine qu'en faisant un effort elle se souviendrait de l'endroit où elle était et de comment elle y était venue. Une petite lampe éclairait la chambre ; elle apercevait une fenêtre et des arbres au-dehors. Le peu qu'elle distinguait de la pièce lui donna l'impression de se trouver dans le Yukon au siècle dernier. Elle respirait un parfum de feu de bois et entendait les pas d'un homme arpentant paisiblement une pièce voisine. Elle ferma de nouveau les yeux et s'essaya à la libre association d'idées. Yukon, feu de bois, couette, arbres, rien. Elle glissa les mains sur son corps. Jean, chemise, uniforme d'auxiliaire, Mel Botvinick, Pete di Constanza, Flash, automobiles, École de conduite. Dans le mille.

Elle écarta la couette et s'étonna de se sentir aussi reposée que si elle venait de passer la meilleure nuit de son existence. Dans la relative pénombre, elle tâtonna le long des murs lambrissés et découvrit une salle de bains. Elle s'aspergea un bon moment le visage à l'eau glacée, utilisa une brosse à dents neuve qu'elle trouva sur place et s'examina dans le miroir.

Elle ne put retenir un sourire. Son œil critique et entraîné lui donnait dix-huit ans. Sans doute le bénéfice du profond sommeil, l'absence de maquillage, ou le désordre anarchique de sa chevelure, mais elle reconnut une fille qu'elle n'avait pas vue depuis son année d'études à Graphics Central. Ses yeux étaient sereins, ses joues d'un rose vif, elle ressemblait à ce qu'elle avait été avant de rencontrer Gabe. Mieux, elle se sentait comme elle.

Ses baskets avaient disparu, s'aperçut-elle une fois de retour dans la chambre, mais elle portait toujours ses socquettes. Elle entrebâilla la porte de la chambre et, sans faire de bruit, jeta un œil dans la pièce vide où le feu qui se consumait lentement fournissait l'unique source de lumière.

Sam Butler arriva par une porte à l'autre bout, les bras chargés de bûches. Jazz le vit recharger la cheminée aussi doucement que possible et s'asseoir devant, patient, attendant d'évidence qu'elle s'éveille. A son attitude, à l'expression sévère de son visage, Jazz comprit qu'il resterait là toute la nuit si besoin était. Il l'avait veillée tandis qu'elle dormait tout l'après-midi dans cette retraite de montagne.

— Bonsoir, Sam, fit-elle d'une voix paisible.

Sam Butler sursauta violemment. Les paroles de Jazz l'avaient tiré d'une profonde rêverie.

— Jazz !

La sévérité de ses traits laissa place à la joie tandis qu'il la contemplait.

— J'étais de plus en plus inquiet. Vous vous êtes endormie tout d'un coup et je n'arrivais pas à vous réveiller.

— Je n'ai pas l'habitude de boire une bouteille de vin au déjeuner. Pas plus que je n'ai celle de me faire kidnapper.

— J'ignorais où vous habitiez, sinon je vous aurais ramenée.

— Pourquoi n'avez-vous pas regardé sur mon permis de conduire ?

— Je n'avais pas envie de fouiller votre sac sans votre permission, répondit-il gravement. Cela ne m'a pas paru poli.

— C'était très... délicat de votre part. Nous sommes chez vous ?

— Oui. J'ai trouvé cette maison depuis quelques mois.

— Où sommes-nous ?

— Loin dans Hollywood Hills. La maison date du début du siècle. Je vois passer des cerfs dans le jardin.

— Quelle heure est-il ?

Sam consulta sa montre.

— Presque sept heures et demie, et nous sommes samedi soir... Je pense que vous devez vous rendre quelque part, vous êtes probablement déjà en retard. Je vous raccompagne tout de suite.

Jazz s'assit devant le feu.

— Je n'ai pas de rendez-vous, mais je parie que vous en avez un. Pourquoi ne m'appelez-vous pas un taxi ?

— J'avais prévu de rester seul à la maison, ce soir, la semaine a été rude.

Il croisa les bras, en homme qui n'avait rien à faire que contempler le feu et brasser des pensées paresseuses.

— Alors, je débarrasse le plancher, offrit Jazz.

— Non, ce n'est pas ce que je voulais dire. Je... je vous propose un verre.

— Je suis d'accord, fit Jazz, songeuse.

— Ou je peux vous griller un steak.

— D'accord aussi, acquiesça-t-elle.

— Pas de télé, le poste est cassé.

— Très bien. Pas de télé ce soir.

— Mais je peux vous mettre de la musique.

— Ça me va. J'ai toujours aimé la musique.

— C'est à peu près tout ce que je peux faire pour vous distraire.

— Ne pensez-vous à rien d'autre ?

— Il est trop tard. Nous ne sommes pas habillés pour sortir.

— Vraiment rien du tout ? Pas même une seule chose ?

— Non... Je n'ai aucune imagination, rétorqua-t-il, une lueur espiègle au fond des yeux.

— C'est le moins qu'on puisse dire, le plaignit Jazz.

Elle rampa vers lui, et s'étendit en travers de ses cuisses, le regardant, la tête appuyée sur ses bras croisés, les lèvres entrouvertes.

— Et un baiser, *cobber* ?

Elle le prit par le cou pour lui faire baisser la tête.

— C'est ce qu'on faisait pour se faire plaisir, avant la télévision.

— Oh, Jazz, souffla Sam en résistant. J'en ai tellement envie.

— Alors pourquoi ne le faites-vous pas ?

— Je veux recommencer à zéro avec vous. Et je ne veux pas vous sauter dessus comme la première fois, et je ne veux pas me conduire comme un idiot qui se prend pour une star de cinéma irrésistible.

— C'est ce qui vous empêche de m'embrasser ?

— Ouais.

— Vous pensez trop.

Elle se redressa suffisamment pour lui planter un baiser rapide sur la bouche.

— Maintenant, c'est moi l'agresseur en titre. Vous avez le droit de réagir, ce ne sera pas retenu contre vous.

Sam la tint à bout de bras et la scruta intensément à la lueur du feu.

— Ça ne compte pas, décréta-t-il. Là d'où je viens, c'est la façon dont on embrasse son frère.

Jazz s'enroula autour de lui et lui donna un long baiser brûlant qui n'avait rien de fraternel.

— Non, désolé, haleta-t-il, mais ce n'est pas ça non plus. Là vous embrassez un cousin.

— Vous l'aurez cherché, l'avertit Jazz dans un murmure tyrannique.

Il était donc joueur. Et bon joueur. Eh bien, elle aussi, si le jeu en valait la chandelle. Elle renversa Sam sur le tapis et se pencha sur lui. Il reposait sans bouger, attentif, un éclat interrogateur dans la prunelle comme s'il prenait la mesure de la jeune femme. Dans ce halo d'expectative, Jazz songea que les baisers étaient quelque chose qu'elle était accoutumée à recevoir, non pas à prendre.

Tandis qu'elle regardait Sam, qui semblait patiemment attendre la caresse de sa bouche, elle imagina ce qu'elle était à ses yeux ; elle se vit dans le brusque éveil de sa sensualité, dans sa plénitude ardente, sa promesse de chaleur, et ses lèvres s'entrouvrirent au simple et entier désir qu'elle lisait dans les yeux de Butler. Elle posa sa bouche sur la sienne comme un cadeau, gentiment, tendrement, retenant l'instant où elle ne résisterait plus à l'envie d'en exiger davantage. Alors, elle glissa légèrement le bout de la langue entre ses lèvres, s'arrêta, attendant une réponse. Comme celle-ci ne venait pas, elle envahit délicieusement son palais et captura sa langue entre ses dents, s'abandonnant à une longue découverte.

Maintenant, Sam lui rendait son baiser, avec vigueur, mais sans cependant transgresser les frontières qu'elle avait établies, comme elle le comprit dans une bouffée de suave et incrédule impatience. Elle pouvait continuer à l'embrasser ainsi, ou s'arrêter, ce qui aurait été l'idée la plus stupide qu'elle ait eue, ou faire tout ce qu'elle voulait à cet homme grand, beau, magique, qui affirmait la désirer assez fort pour souhaiter recommencer à zéro. Il fallait qu'elle lui montre ce qu'elle voulait, sinon il se retiendrait, ainsi qu'il l'en avait menacée — ou était-ce une promesse ? Un problème d'orgueil national sans doute.

Paresseusement, elle déboutonna jusqu'à la taille la chemise de Sam et entreprit d'embrasser avec une mesure insupportable la chair chaude de son torse, qui sentait bon, qui avait bon goût. De temps à autre, elle s'arrêtait, comme si elle avait décidé de ne pas aller plus loin, pour l'éprouver, puis, feignant de s'y résoudre à contrecœur, elle continua jusqu'à ses bouts des seins. Avec un provocant manque de hâte, elle pressa sa bouche sur l'une des pointes et prit doucement l'autre entre trois doigts de sa main gauche, roulant et caressant le minuscule et sensible morceau de chair presque perdu dans une blonde pilosité. Sam gémit, elle se pressa plus étroitement contre lui, joueuse, donnant et dérobant sa bouche à l'une des pointes fermes, mais sans jamais interrompre sur l'autre la danse de ses doigts qu'elle avait mouillés de salive.

Elle sentit tout le corps de Sam se tendre, chaque muscle se raidir pour ne pas répondre à la provocation. Il ne s'autorisa pas un seul bruit, mais il n'aurait su contrôler les battements précipités de son cœur ou l'accélération de son souffle. Jazz tremblait, toute à cette expérience nouvelle de donner à un homme plus de plaisir qu'il n'était capable d'en endurer sans bouger. Elle s'y livrait à gestes contrôlés, mesurés, sentant croître l'excitation de se livrer à ce brigandage patenté ; à présent, la curiosité inspirait ses gestes et elle se demanda, dans un frisson de déroute, s'il retenait aussi la réaction de son sexe, s'il lui était difficile de rester ainsi passif, s'il en souffrait, s'il avait inventé ce jeu ou si quelqu'un le lui avait appris.

Elle leva vers lui un regard interrogateur, mais il gardait les paupières closes.

— Est-ce... trop ? murmura-t-elle.

— Non... non... répondit-il dans une supplique joyeuse et frémissante.

Au moins, il ne portait pas de ceinture, constata Jazz en défaisant la fermeture de son jean. Elle s'immobilisa, retenant son souffle. Il ne portait que son jean, dont l'ouverture libéra un pénis si gros, si long, dardé si puissamment hors du triangle blond, qu'elle fut incapable d'aller plus loin.

— Je... ne peux pas... à toi, fit Jazz, intimidée.

De ses doigts tremblants, elle entreprit de défaire les boutons de sa propre chemise sur ses seins nus.

— Non... toi... répondit Sam d'une voix étranglée mais intransigeante. Je dois savoir que tu me veux.

— Oh, oui, je te veux, d'accord, marmonna-t-elle.

Sans le quitter des yeux, elle se redressa, se débarrassa de son jean et de son slip. Quelles qu'en soient les règles, il n'avait pas encore gagné la partie. Mais s'il insistait pour continuer, elle allait lui offrir un match dont il se souviendrait, pensa-t-elle, délicieusement vengeresse Elle se mit à genoux sur le tapis, ouvrit grand les cuisses au-dessus de la tête de Sam, mais à distance, afin qu'il ne pût porter la bouche à son sexe sans être obligé de se départir de son immobilité. Puis elle allongea le torse sur lui et sa chevelure tomba en cascades sur son pénis. Alors, sans fièvre, elle fit aller ses cheveux de part et d'autre, fouettant doucement le membre agité de secousses. Ses hanches se mouvaient au même rythme que sa tête, et elle eut l'impression de savoir exactement ce que Sam distinguait au-dessus de lui à la lumière du feu de cheminée.

A présent, elle l'entendait gémir et gémir encore, mais elle ne rompit pas sa caresse provocante, ni ne s'approcha davantage. Elle savait que sa vulve humide était grande ouverte à la lueur dansante des flammes mais elle continua, sans honte, son lent mouvement. Sam la voyait tout entière au-dessus de lui, les globes de ses seins aux extrémités sombres et durcies, le léger renflement de son ventre, la blancheur, la douceur de l'intérieur de ses cuisses.

Aucun homme ne pouvait endurer cela longtemps, pensa-t-elle. Elle baissa la tête jusqu'à ce que ses lèvres effleurent le bout du pénis, pour que Sam sente la chaleur de son souffle et meure du désir de sentir sa langue, caresse qui ne vint pas. Elle avait raison. Sam la renversa sans violence sur le tapis et la retint tout en ôtant son jean. Il la pénétra d'un mouvement assuré ; il n'y eut aucune résistance tant elle l'attendait. Puis il ne bougea plus, malgré leur désir, aussi visible sur son visage que sur celui de Jazz. Il ne bougeait pas, bien qu'il soit aussi loin en elle que possible. La passion brillant maintenant sans masque dans son regard, il demanda, pour la dernière fois :

— Tu es sûre ?

— Tu as gagné, espèce de salaud ! Tu gagnes ! Oui, je suis sûre !

Enfin libéré, avec assurance et vigueur, à poussées délibérées, Sam Butler mena Jazz au long et violent apogée qu'elle appelait avec tant de fièvre. Il attendit qu'elle soit au point culminant d'un plaisir splendide et frénétique pour s'abandonner en elle sans plus de retenue, et la rejoindre dans ses spasmes puissants, vers le délire d'un formidable orgasme.

# 11

Valerie Kilkullen Malvern et sa sœur, Fernanda Kilkullen, temporairement Fernanda Nicolini, connaissaient, à l'instar de tant de sœurs, un état chronique de désapprobation mutuelle, tout en s'avérant indispensables l'une à l'autre. Chacune dans leur monde, elles n'avaient d'autre amie à qui vouer une confiance si implicite ; pas d'autre amie auprès de qui quêter un avis perspicace ; pas de meilleure amie à comprendre, à qui se fier, que cette autre femme avec laquelle elles partageaient une histoire commune. La désapprobation mutuelle était un prix insignifiant à payer pour leur profonde complicité.

Elles avaient beaucoup de relations en commun, évoluaient dans les mêmes cercles, bien que la vie de Valerie ait été marquée par un unique mariage classique, celle de Fernanda par un bouleversement continuel. Très souvent, elles concluaient leurs après-midi par un rapide coup de fil avant de s'habiller pour dîner, aussi restaient-elles au fait des activités l'une de l'autre.

Plusieurs mois après la Fiesta donnée au ranch, elles s'entretinrent tandis que le crépuscule new-yorkais, vibrant de la promesse d'un hiver vif, s'épaississait à l'extérieur de leurs appartements brillamment éclairés.

— Mère t'a-t-elle téléphoné aujourd'hui ? s'enquit Fernanda.

— Oui, mais j'étais sortie, répondit Valerie.

— Une chance pour toi. Malheureusement, j'étais chez moi. Triste erreur de programme, tu me le revaudras.

— Qu'avait-elle à dire, sinon s'assurer que tout était en ordre pour sa venue ? questionna Valerie.

— Comment est-ce que je me débrouille pour être systématiquement occupée le jour de son arrivée ? pouffa Fernanda.

— Comment cela se fait-il que je me retrouve toujours obligée de la prendre chez moi ?

— Enfin, Val, tu sais que je ne puis recevoir d'invité pour l'instant, vu où en sont les choses entre Nick et moi. Surtout pas Mère.

— Admets que c'est injuste. Tu as toujours la même excuse, Fern.

Mais un jour tu seras à cours de maris, et je m'arrangerai pour que tu la prennes chez toi.

— Les hommes me causent tellement d'ennuis, se plaignit Fernanda.

— N'essaie pas de m'impressionner, Fern. Je crois que tu le fais exprès, c'est une provocation.

— Ma Val chérie ! J'enverrai des tonnes de caviar, de fleurs, de champagne, je l'emmènerai déjeuner et dîner autant que possible, mais je ne peux tout simplement pas avoir Mère dans ma chambre d'ami vu la conduite de Nick.

— Au diable les grands magasins, siffla Valerie.

— Et au diable leurs soldes, renchérit Fernanda. Quatre fois par an, c'est trop.

Les sœurs marquèrent une pause, un silence qui admettait leur impuissance à empêcher leur mère de débarquer à New York trois ou quatre fois l'an.

*
**

Lydia Stack Kilkullen avait élu domicile dans la station balnéaire espagnole de Marbella depuis maintenant trois décennies. Après son divorce et le remariage immédiat de Mike Kilkullen avec Sylvie Norberg, elle avait consacré de longues heures à résoudre le problème de son futur lieu de résidence. Elle n'avait pas pris ses filles en compte puisqu'elle projetait de les envoyer dans une pension américaine, quel que soit le lieu où elle s'installerait.

Londres, bien que le problème de la langue ne se posât pas, était hors de question. La capitale britannique était le port d'attache favori de la bonne société de Philadelphie. Une amitié historique doublée d'étroites relations familiales existait entre Londres et Philadelphie ; Londres était la ville étrangère où les gens de Philadelphie se sentaient le plus chez eux, et Liddy avait décidé, au cours des heures qui avaient succédé à sa terrible humiliation, de s'éloigner le plus possible de sa ville natale autant que de ses concitoyens trop bavards.

Elle élimina Rome pour une autre raison. C'était l'époque de *La Dolce Vita* : dans la plus noble des villes, l'industrie cinématographique internationale atteignait son apogée, et Rome était une sorte de « Hollywood-sur-Tibre ». Liddy n'avait pas l'intention de se retrouver dans la capitale italienne où la nouvelle épouse de son mari régnerait à sa guise. *Deux* Mme Kilkullen ? Impossible.

Paris présentait d'autres problèmes. Liddy connaissait quelque peu le français et supposait qu'elle saurait en acquérir la maîtrise en s'appliquant. Elle avait l'oreille pour les langues et avait suffisamment entendu parler de Paris par sa mère et ses tantes pour comprendre qu'elle ne vivrait jamais heureuse sur les rives de la Seine sans posséder le français. C'était la seule clef de la ville. Mais les Parisiens, ceux de l'espèce au sein de laquelle elle désirait s'insérer, les Parisiens de la plus haute classe, ne divorçaient pas. Religion et tradition s'alliaient pour faire durer éternellement le plus malheureux des mariages ; aussi, en tant que divorcée américaine inconnue, se retrouverait-elle en quarantaine. Certes, même à Paris, en se donnant le temps, elle trouverait quelques amis, mais pourquoi se mettre en position de perdante ?

Enfin, elle opta pour Marbella plutôt que pour une grande ville cosmopolite. En 1961, cela faisait à peine un an que le prince autrichien Alfonso Hohenlohe avait entrepris de faire du petit port de pêche une villégiature internationale ; trois cent millions de dollars avaient été promptement investis dans Marbella et ses environs.

Refuge traditionnel d'une poignée de pêcheurs, le port sur la Costa del Sol andalousienne était encore inconnu du reste du monde. Clairvoyante, Liddy comprit qu'en faisant partie des premiers résidents, elle acquerrait un statut qui la distinguerait du reste des visiteurs tout en la plaçant sur un pied d'égalité avec l'aristocratie européenne, principalement autrichienne, qui s'occupait de développer la station.

De surcroît, il ne se dressait pas, dans ce genre de villégiature, de frontière entre les divorcés et les gens mariés. Communiquer ne serait pas un problème dans la mesure où l'entourage des Hohenlohe pratiquait l'anglais en deuxième ou troisième langue. Et le flot des visiteurs temporaires bruirait de tant de rumeurs et de ragots que nul n'irait se rappeler ou raconter quoi que ce soit d'aussi ennuyeux que l'histoire de l'ex-épouse d'un rancher d'Orange County élevée dans la meilleure société de Philadelphie. Si étrange que cela puisse paraître, nul à Marbella n'aurait entendu parler des Kilkullen, ni même des Stack. C'était l'occasion idéale de prendre un nouveau départ.

Liddy trouva une villa blanche pleine de coins et recoins, en assez triste état, mais avec vue sur la mer. Elle l'acheta juste avant l'envolée des prix qui devaient continuer à grimper pendant des décennies. La villa était proche du centre de toutes les activités, la vivante ruche du Marbella Club, auquel Liddy se joignit aussitôt, pressentant qu'il allait devenir la clef de voûte des réjouissances locales.

L'une des pires épreuves de sa vie d'épouse avait été la privation de compagnie ; Liddy s'en était rendu compte au cours de l'année qu'elle venait de passer à Philadelphie. Même le léger bourdonnement féminin de l'*Acorn Club* lui était apparu comme un carnaval de Mardi-Gras comparé à l'immobilité et à l'isolement du ranch. Sans Deems et Nora White et les gens qu'elle avait connus grâce à eux, elle n'aurait eu, de son propre chef, aucune vie sociale. Et, au sein du groupe des White, Deems seul avait été important à ses yeux. Il lui manquait, terriblement, il lui manquait chaque jour, mais elle n'aurait pu demeurer liée à Mike Kilkullen uniquement dans le but de poursuivre une amitié brûlante, ardente avec un homme marié qu'elle ne pouvait voir qu'en public.

A Marbella, Liddy découvrit que la vie sociale était la raison d'être du lieu, le graal tout à la fois des aristocrates européens qui suivaient le prince Alfonso, affluant à Marbella en nombre croissant, et des bandes de sybarites internationaux, beaux et célèbres oisifs argentés qui ne demandaient rien de plus que le soleil, le sexe, l'alcool, la danse et quelques dîners, à condition que ceux-ci ne soient pas servis avant vingt-deux heures trente, heure à laquelle commençaient les nuits languides et prometteuses de Marbella.

*
**

Dans le monde occidental, il existe quelques femmes comme Liddy Kilkullen capables de résoudre astucieusement cette question : que faire de leur existence insatisfaisante ? en décidant, une fois tous les paramètres mis à nu devant elles, que la solution consiste à devenir une hôtesse hors pair.

Seules, veuves ou divorcées, ces femmes judicieuses et prudentes admettent qu'il ne leur faut point conduire leur vie dans l'attente de l'homme qui volerait à leur secours. Elles choisissent, comme le fit Liddy, de compter parmi les hôtesses réputées — métier peu facile, qui ne convient pas aux femmes paresseuses, inefficaces, et qui ne possèdent ni relations ni nerfs d'acier.

A leur façon personnelle, ces femmes intelligentes distraient leur monde avec une régularité rigoureuse ; certaines donnent de modestes cocktails, d'autres de grands dîners, d'autres encore sont en mesure d'inviter leurs hôtes pour des week-ends à la campagne ; sachant que, si les gens à la mode se trouvent alléchés par la perspective de séjourner chez elles, la réciproque finira par venir.

Si les hôtesses sont prêtes à attendre patiemment et jamais ne faillissent à la *constance* de leur accueil, elles se verront bientôt demandées ici et là, et enfin partout. Jamais Liddy n'eut l'intention de s'enraciner pour toujours à Marbella. Sa villa était destinée à devenir le véhicule qui lui permettrait de regagner tout le potentiel mondain qu'elle s'était confisqué de son propre chef en épousant Mike Kilkullen.

Sous son propre toit, donc, elle s'attribua la chambre et la salle de bains les plus médiocres. Puis elle dépensa la majeure partie de l'argent de Mike à restaurer la maison, installant une piscine et aménageant douillettement trois grandes suites pour amis.

Chacune des suites était constituée d'une vaste et jolie chambre, bien éclairée pour la lecture, avec de profonds fauteuils, de merveilleux lits, une coiffeuse dotée d'un siège confortable et un immense miroir triple. Des portes vitrées ouvraient sur un balcon privé donnant sur la mer. Sur chaque table de chevet, une carafe d'eau fraîche, une boîte de petits gâteaux, une autre de boules Quiès — ces petites boules de cire pour les oreilles qui sauvèrent tant de mariages —, encore une autre boîte, neuve, de Kleenex, enfin une dernière contenant des chocolats d'importation. Les salons étaient aussi spacieux et confortables que les chambres car Liddy savait qu'un couple ne souhaitait pas passer toutes ses vacances en tête à tête dans une chambre ; chacun devait pouvoir se reposer ou lire sans déranger l'autre.

Les nouvelles salles de bains avaient été conçues avec le plus grand souci de la commodité et du luxe. Les serviettes étaient les plus épaisses de toute l'Europe, les robinetteries du dernier cri, bidets et toilettes étaient à part.

Ces suites avaient été prévues pour des séjours d'au moins deux semaines ; les placards contenaient des dizaines de cintres, la literie ornée de broderies espagnoles était plus luxueuse que tout ce que l'on pouvait trouver aux États-Unis, dans les vases de poterie les fleurs étaient changées chaque jour, et les magazines de divers pays étaient remplacés chaque semaine. Le chef espagnol de Liddy était habitué à la cuisine internationale, aussi la maîtresse de maison était-elle en mesure de donner un dîner en l'honneur de chacun de ses visiteurs : le clan Bismarck, le prince et la princesse Alfred Auersperg, le baron Guy de Rothschild et son épouse, le baron et la baronne Hubert von Pantz.

Elle se lança sans hâte dans les festivités. Il lui fallait être prudente dans ses invitations afin de ne pas empoisonner Marbella par les ragots de Philadelphie. Ses premiers hôtes furent Deems et Nora White. Dès leur arrivée, elle et Deems retombèrent dans leur obsession réciproque, et Nora, fascinée par Marbella, jamais ne remarqua rien, bien que Liddy fût maintenant sans époux. Elle pria d'anciennes condisciples de Foxcroft depuis longtemps perdues de vue, renoua contact avec les vieux amis européens de sa famille. Tous acceptèrent ses invitations car Marbella était rapidement devenu la villégiature la plus enviable dans la haute société. Bientôt Liddy se fit des amis parmi les nombreux aristocrates britanniques et européens qui venaient séjourner au Marbella Club, et les convia à ses soirées.

En l'espace de quelques années rondement menées — et avec discernement —, les réceptions données par Liddy Kilkullen pendant la saison de Marbella devinrent une institution commentée dans les pages mondaines des journaux et des magazines. A Philadelphie, on voulait oublier son malheureux divorce, comme le lui écrivirent ses anciennes amies dans son attrayant exil, avec l'espoir d'une invitation.

Estimant que moins de six invités n'auraient pas suffi à assurer gaieté et distraction, Liddy emplissait toujours ses trois suites. Elle se levait des heures avant ses hôtes afin de mettre au point les menus avec son chef, donner ses ordres à ses industrieuses petites femmes de chambre, acheter les meilleurs produits sur les marchés locaux, composer les bouquets de fleurs, mettre au point par téléphone les projets du jour, s'assurer que les invitations au tennis, à déjeuner et dans les cocktails sur l'un des yachts ancrés dans le port de Porto Banus étaient organisées de façon satisfaisante. Bien sûr, il y avait toujours le Marbella Club, lieu béni où l'on échouait tôt ou tard, mais les additions y avaient une façon déplaisante de s'allonger et, bien que nul ne s'en rendît compte, Liddy devait veiller à ses dépenses.

Dans la mesure où les visiteurs n'avaient rien de mieux à faire à Marbella que s'amuser, les distraire était la principale occupation des maîtresses de maison. Avec l'énergie, le souci du détail qu'elle déployait, Liddy eût pu diriger un excellent petit hôtel suisse. Une fois sa maison restaurée et meublée, aucun de ses invités n'aurait pu soupçonner qu'elle conduisait son train prodigue sur la seule pension que lui versait Mike, assortie du revenu supplémentaire des dix mille dollars dont elle avait hérité.

En retour, Liddy était invitée à séjourner dans de superbes demeures à travers toute l'Europe, l'Angleterre et la Côte Est des États-Unis. Invitée, elle se montrait aussi merveilleusement professionnelle que dans son rôle d'hôtesse. Bien qu'elle fût restée belle, elle ne menaça jamais le mariage d'aucune femme ; les intrigues sexuelles ne l'intéressaient que sous forme de commérage ; elle acquit promptement les rudiments d'espagnol, de français et d'italien nécessaires à la conversation avec n'importe quel raseur d'un quelconque pays civilisé ; l'on pouvait compter sur elle pour jouer en experte au tennis comme au bridge, aussi bien que pour rehausser un dîner de son charme.

Mais Lydia Henry Stack Kilkullen, en dépit du succès avec lequel elle s'était établie dans le tourbillon de la haute société internationale, n'oublia jamais le temps où seuls ses talents, la chance et un rude travail lui avaient permis de s'élever des cendres de son divorce.

On lui *devait* quelque chose, ruminait-elle lorsqu'elle avait un moment à elle, *on le lui devait*. Qu'importait son succès présent, qu'importaient les nombreuses invitations qu'elle recevait ou lançait, nul ne pourrait jamais lui payer de retour les années de son mariage, années perdues à jamais, années gaspillées, sans joie, de ce qui aurait dû être la glorieuse jeunesse de sa vie de femme. Jamais elle n'aurait dû être contrainte de pourvoir aux besoins d'autrui, elle aurait dû être — toujours — celle aux besoins de qui l'on pourvoyait, celle dont le bien-être seul importait. Même à présent, elle devait tenir ses comptes, s'inquiéter de la hausse du coût de la vie en Espagne, autrefois si bon marché ; elle devait penser à plaire, toujours plaire, sous son propre toit ou sous celui des autres, car elle était une femme seule, et en tant que telle se devait de charmer.

Il n'existait pas de vengeance matérielle, comprit-elle amèrement, rien qu'elle pût faire pour réclamer ce qui aurait dû être à elle depuis que la terre autour du ranch Kilkullen se changeait en or pur dans les mains des promoteurs. Cependant, grâce à sa langue aiguisée, grâce à son réseau d'amitiés ainsi qu'à sa connaissance des rouages de son monde, Liddy parvint à prendre une tranquille revanche sur les déceptions de sa vie.

Si une femme qu'elle n'aimait pas se montrait sottement imprudente et que la chose vînt aux oreilles de Liddy Kilkullen, la nouvelle parvenait aussitôt au mari, sans que nul ne sût jamais comment celui-ci avait appris la vérité. Si une nouvelle hôtesse tentait de s'établir à Marbella et qu'elle fût sans appuis puissants, elle se retrouvait en quarantaine, ce sans jamais se douter de ce que Liddy avait raconté sur son compte. Si un homme marié préférait les hommes tout en en ayant gardé le secret, il se voyait démasqué par Liddy Kilkullen dès que celle-ci y avait avantage, mais personne jamais ne détectait la source de l'information. Elle savait qui se droguait, qui buvait trop, qui trichait aux cartes, qui s'était marié pour l'argent et le regrettait, qui avait des goûts sexuels scandaleux ou criminels, qui devait de l'argent et à qui.

Elle était pareille à un puits d'eau claire et abondante dans lequel tous les habitants d'un village seraient venus plonger leur broc, sans jamais deviner que cette eau qu'ils buvaient pouvait les rendre malades. A mesure qu'elle vieillissait, Liddy se fit plus vengeresse, plus sophistiquée, plus divertissante, plus vénéneuse.

**
*

Hormis ses filles, un seul être échappait à la malfaisance de Liddy : Deems White. Deems et Nora étaient conviés au moins deux fois par saison à Marbella ; bientôt Nora ne put se passer de ce qu'elle considérait comme une position de choix dans la jet-set de la station balnéaire et n'éleva aucune objection quant à la fréquence de leurs séjours qui ne leur coûtaient que le prix de deux billets d'avion.

Nora White et Henry White, le père de Deems, avaient de bonnes raisons d'estimer que leurs ambitions pour Deems portaient leurs fruits. Henry White était l'un des dirigeants du parti républicain d'Orange County, et Nora savait contribuer largement et régulièrement aux projets de ceux qui avaient la faveur de son beau-père.

Deems n'éleva pas d'objections aux nouvelles ambitions politiques que l'on nourrissait pour lui. Cet homme charmant jugeait plus agréable et plus amusant de drainer des voix que de plaider des procès. Au long des années soixante, il occupa divers postes administratifs locaux, chacun plus important que le précédent. Nora refusa qu'il se présente au poste de conseiller d'État car elle ne s'imaginait pas vivre à Sacramento ; mais le Congrès, c'était quand même autre chose, entrevit-elle lorsque son beau-père en émit la possibilité.

Si Deems était élu au Congrès, le couple vivrait à Washington une partie de l'année et à San Clemente l'autre partie. Là comme ici, grâce aux revenus de Nora, croissants car bien investis, ils tiendraient le haut du pavé. Sa participation aux plaisirs de Marbella avait poussé Nora à accorder davantage d'attention à son allure comme à ses vêtements, et elle s'était transformée en une femme parfaitement mise qui, à défaut d'autre chose, était dès l'abord perçue comme riche. Comme elle était charmante et d'humeur égale, les gens parlaient d'elle en bien, car ils se plaisent toujours à parler de leurs amis riches, pour se sentir riches eux-mêmes.

Dans sa jeune quarantaine, Deems White fut facilement élu au Congrès. C'était un candidat naturellement doué ; il s'exprimait fort bien en public, son approche des problèmes était limpide et fine ; il venait d'une vieille famille républicaine qui vivait en Californie du Sud depuis des générations ; et il charmait les électeurs comme il charmait tout le monde. La seule surprise était qu'il ne fût pas entré plus tôt dans la course. Nora était une femme heureuse, ravie du succès de ses ambitions pour son époux, et certaine que ce n'était là que le début d'une carrière honorable.

Depuis Marbella, Liddy assistait à l'ascension de Deems, plus proche de lui qu'elle ne l'avait jamais été. Lors du premier séjour des White en Espagne, juste après qu'elle eut restauré sa villa, Deems et elle avaient enfin trouvé la bienheureuse solitude qui leur avait été refusée en Californie. Jamais Nora ne put s'accoutumer aux soirées espagnoles qui s'achevaient après trois heures du matin. Aussi chaque après-midi, après un déjeuner tardif au bord de la piscine ou au club, s'endormait-elle profondément jusqu'à l'heure de s'habiller pour le cocktail. Contrairement à elle, Deems et Liddy ne buvaient rien au déjeuner et avaient besoin de peu de sommeil.

Alors, chacun de ces après-midi, quand tout Marbella se reposait, Deems venait dans la chambre de Liddy ; elle l'attendait, les stores baissés devant le soleil, son dessus-de-lit piqué arrangé pour la sieste par la femme de chambre, dans ses frais draps de soie brodée changés chaque matin. Une lumière d'un ocre crémeux scintillait dans les recoins de la pièce, là où le soleil baignait les tommettes, mais le reste de la chambre se trouvait dans une pénombre quasi nocturne. Il n'y faisait jamais trop chaud, ni trop froid ; lis et jasmin parfumaient l'atmosphère.

Liddy portait ses cheveux noirs coupés à la garçonne. Elle revêtait l'une des chemises de nuit de satin et dentelle commandées à Madrid. Dès que Deems était entré, après un simple coup frappé à la porte, elle fermait la porte à clef derrière lui.

Sans un mot, ils se glissaient dans le lit ouvert de Liddy. Deems ne portait que l'uniforme autorisé des invités de la maison : un maillot de bain. La plupart du temps, tous deux se contentaient de demeurer immobiles, enlacés, proches, si proches, dans la miraculeuse gémellité de leurs rêves, le visage de Liddy enfoui dans le cou de Deems, sa tête à lui effleurant la douceur des courts cheveux noirs, si intimement liés par ce contact peau contre peau, souffle contre souffle, yeux dans les yeux, qu'ils ne demandaient rien de plus.

Lorsqu'il était chez lui à San Clemente, Deems White avait l'habitude de quitter son bureau plusieurs fois par semaine, donnant l'une parmi cent excuses raisonnables et invérifiables, et de se rendre en voiture à San Diego. Là, dans l'ombre sordide des bars du port, il repérait et levait rapidement un jeune marin anonyme de la base navale. Pour une somme suffisante, le marin le suivait dans un hôtel bon marché, où Deems le pénétrait dans le secret le plus furtif, forcené, avide et avec un plaisir exquis. Il restait avec le marin aussi longtemps qu'il l'osait, usant de lui à loisir. Dans ces échappées fréquentes vers le port tout proche, Deems trouvait le soulagement absolument nécessaire à l'inadmissible penchant qu'il avait dissimulé toute sa vie.

A présent qu'il n'avait pas eu de jeune homme depuis plusieurs jours, à présent qu'il était l'invité de Liddy, couché dans son lit, à l'abri du monde, à présent qu'il prenait conscience de la fermeté musculeuse des fesses de Liddy et de la force de ses jambes, il lui arrivait de sentir son pénis se dresser dans cette chaste étreinte. Il attendait d'être certain que son érection durerait. Quand il se savait la proie sûre d'une féroce impatience, il ôtait son maillot.

Quand elle le savait nu, Liddy détournait la tête, sans le regarder.

196

Silencieusement, d'un simple toucher, Deems lui signifiait qu'il la voulait sur le ventre, puis il relevait sa chemise de nuit pour la dénuder jusqu'à la taille. Elle se mouvait aussi élégamment et délibérément qu'un athlète en levant l'une de ses longues jambes fines pour s'ouvrir à lui. Paupières closes, le souffle à peine accéléré, elle refrénait tout mouvement qui eût indiqué qu'elle attendait autre chose de lui que cette silencieuse, lente et douce intrusion. Parfois, il restait en elle longtemps, sans bouger, la serrant dans ses bras. Elle se pressait contre lui avec un soupir de plaisir, mais ne remuait jamais les hanches d'une façon qui eût suggéré qu'elle lui demandait davantage. Ils s'endormaient quelquefois ainsi pour s'éveiller bien après, avec un mystérieux sentiment de joie.

D'autres fois, alors que Liddy se tenait immobile dans cette position sans exigence, Deems la caressait entre les jambes, sans fièvre, d'une main presque absente, pendant si longtemps et avec une telle délicatesse, qu'elle ne savait retenir le silencieux, subtil mais profond orgasme que Mike Kilkullen n'avait jamais su lui donner.

Le plus souvent, à mesure que s'écoulaient les jours, quand Deems était couché sur elle, les yeux fermés, pressé contre son corps ferme, enfoui aussi loin que possible dans sa douceur, il lui arrivait d'imaginer qu'elle était un jeune marin, très jeune et tendre, alors il était pris d'une vie soudaine, d'une vigueur urgente qui eût étonné sa femme. Quand il s'épandait enfin en Liddy, un sourire de contentement étirait les lèvres de celle-ci, mais jamais elle ne réclamait une jouissance simultanée.

Quoi qu'il se passât pendant leurs heures de sieste à Marbella, Liddy et Deems n'en parlaient jamais, de la même façon qu'ils n'ouvraient pas les lèvres quand ils s'embrassaient. Quelle que soit cette chose qu'ils partageaient, elle était parfaite pour tous deux. Sa nature précise eût été troublée par des mots, son merveilleux mystère dissipé. Ils s'étaient toujours compris. Désormais, chaque après-midi, pendant toutes les vacances à Marbella, année après année, ils pouvaient se toucher d'une façon qui les satisfaisait profondément. C'était assez pour savoir que cela continuerait toujours, aussi longtemps qu'ils pourraient s'enfermer ensemble dans une chambre pendant que Nora dormait.

\*
\*\*

Les vêtements avaient toujours été un problème pour Liddy Kilkullen. Les riches Européennes et Américaines qui étaient devenues ses plus proches amies s'habillaient à grands frais et portaient rarement deux fois la même robe. Qu'importait qu'elles passent leurs journées en maillots de bain ou en tenue de tennis, leurs soirées exigeaient l'élégance et la plus grande variété.

Finalement, Liddy comprit que les soldes des grands magasins de New York lui fournissaient l'unique moyen de se vêtir presque aussi bien que ses connaissances. Dans la mesure où la haute couture européenne était au-dessus de ses moyens, elle se contentait du meilleur prêt-à-porter américain. Depuis que ses filles étaient mariées, elle économisait les frais d'un séjour à l'hôtel pendant ses voyages à New York. Et, évidemment, c'était agréable de voir les filles plutôt que de leur parler toujours au téléphone, même si toutes deux s'arrangeaient toujours pour se montrer irritantes au possible.

Les mariages de Fernanda étaient une calamité, mais ce n'était pas sa faute si elle était attirante au point que les hommes ne lui accordaient aucun répit. Valerie était raide et autoritaire, mais elle ne laissait personne deviner combien son mariage l'avait déçue, et Liddy était bien placée pour juger cette qualité admirable.

En tout cas, il était de son devoir de séjourner chez elles à New York, de garder l'œil alerte, de bien écouter, de prendre la température de l'air autour d'elles et de leur dire les choses que, malheureusement, les enfants ne souhaitent jamais entendre. Si une mère n'avait pas le droit d'assener quelques vérités à ses filles, qui l'aurait eu ? Qui s'en serait soucié ? Tout ce qu'elle leur disait était pour leur bien ; au fond d'elles-mêmes, Fernanda comme Valerie le savaient et prenaient au sérieux les conseils comme les avertissements maternels.

Une vendeuse de chez Saks et une autre de chez Bergdorf recevaient les instructions de Liddy quant à ses besoins, ainsi que les dates de ses visites. Flattées de sa confiance, car elle leur disait exactement où elle allait, qui elle voyait, comment elle devait se vêtir pour l'occasion et, surtout, quelle somme elle pouvait dépenser, elles lui mettaient des vêtements de côté dès le début de l'inventaire avant les soldes des collections de saison. Souvent lorsqu'il leur passait entre les mains une robe qui ne pouvait relever que de l'erreur d'une acheteuse trop enthousiaste, robe difficile à vendre car difficile à porter, trop hautement stylée pour la femme moyenne, elles la gardaient à l'œil en pensant à Liddy. Si le vêtement était pris par quelque femme intelligente avant la démarque, elles éprouvaient une peine sincère. Très vite, elles se mirent à ranger ce genre de vêtements dans leur propre « réserve » avant que quiconque ait songé à l'acheter. Liddy ne manquait jamais d'écrire d'Europe à ses deux vendeuses, sur papier à en-tête de grandes maisons, leur livrant les derniers ragots et leur racontant le succès rencontré par sa garde-robe.

Elles connaissaient sa taille, qui en trente ans n'avait pas bougé d'un parfait trente-huit, et savaient qu'elle n'achèterait jamais une robe exigeant de superbes bijoux pour produire tout son effet. Elles savaient que Mme Kilkullen n'aimait plus exposer le haut de ses bras jusqu'au coude ; elles savaient que sa taille fine, ses magnifiques épaules et sa petite poitrine restaient très présentables, que ses jambes étaient aussi belles qu'autrefois, et qu'elle n'avait nul besoin de porter de soutien-gorge avec une robe du soir, qu'elle pouvait donc se permettre de dévoiler un dos lisse et bien musclé. Liddy avait toujours surveillé son régime, nageait quotidiennement, longuement, dans sa piscine. C'était un plaisir que de travailler avec Mme Kilkullen, pensaient avec satisfaction les deux vendeuses. Aucune ne soupçonnait l'existence de l'autre.

— Enfin, c'est notre mère, finit par soupirer Fern, tenant nonchalamment le combiné de téléphone.

— Le fait d'avoir donné naissance ne devrait pas entraîner de telles prérogatives — après tout, ce n'est pas un exploit. Même toi, tu as donné trois fois le jour sans trop d'embarras.

— Val, reprit Fernanda, ignorant les paroles de sa sœur, as-tu récemment entendu parler de Red Appleton, cette fille avec laquelle sort Père ?

— J'ai bavardé ce matin avec une amie de Newport Beach ; elle était tombée sur eux hier soir dans un petit restaurant chinois appelé *Five Feet*. Elle affirme qu'ils avaient l'air de très, très bien se connaître, répondit Valerie.

— Ça ne me plaît pas. Pas du tout. Nous entendons parler d'eux toutes les semaines depuis la Fiesta.

— Elle a la moitié de son âge, estima Valerie, et elle est superbe.

— Père est sûrement fou d'elle, décréta Fernanda d'un ton désapprobateur. Je me demande comment elle est au lit.

— Tu es vraiment dégoûtante.

Fernie était tellement prévisible.

— Je ne te le fais pas dire, Val chérie. Mais tu n'aurais pas envie de savoir ? Non, sans doute pas. Il n'y a pas une once de saine curiosité dans tes longs os élégants. Bon, on se rappelle demain.

Valerie commença à se changer pour un dîner ordinaire avec Billy, l'ordinaire Billy, le beau Billy, le pas-trop-brillant Billy, qui avait toujours été « bon au lit », comme Fern avait su le lui faire avouer voilà des années. Au moins elle n'avait pas à supporter cet affreux Nicolini. Elle souhaita que Fern se débarrasse rapidement de son dernier mari. Sa cadette était suffisamment encombrante à elle seule, sans avoir besoin de lui.

Le lendemain, Valerie, qui avait renforcé son air d'impénétrabilité grâce à de grandes lunettes d'écaille à verres légèrement fumés, flânait sur le site de la future exposition des Œuvres de Madison Avenue. De temps en temps, elle jetait un œil sur la liste des pièces assignées aux divers décorateurs ; la distribution s'était faite par tirage au sort à cause de l'impossibilité pour le comité de prendre ce genre de décision sans déclencher une guerre.

Une année, Valerie avait eu à aménager une minuscule chambre de bonne, coincée en haut de la maison, une autre année une salle de bal, une autre encore, le plus difficile : une cuisine. Elle était contente de s'être vu désigner cette fois une chambre d'enfants ; ce n'était pas trop petit, comme la chambre de bonne, pas trop technique contrairement à la cuisine, pas trop immense à l'instar de la salle de bal — un véritable cauchemar ! Les gens étaient si sottement sentimentaux sur le chapitre des enfants que sa chambre au premier étage serait visitée par tous.

Puisque son cousin, le grossier — mais riche! — Casey Nelson, était resté froid devant son idée d'une chambrette de cow-boy en herbe, Valerie avait décidé d'aller dans une tout autre direction. Elle concevrait une chambre pour des jumelles de dix ans. Dix ans, l'âge idéal. On évitait tous les agaçants problèmes de puberté, aussi l'imagination des parents ne s'arrêterait-elle pas à se demander ce qu'il se passait dans la chambre pendant qu'ils se trouvaient en week-end à la campagne. Elle contournait aussi les clichés inhérents à la chambre d'un tout petit enfant.

Valerie se promena dans le chaos de la maison. Ses lunettes fumées donnaient l'impression qu'elle s'absorbait dans la contemplation de quelque détail quand, en vérité, elle prêtait l'oreille à tout ce qui se disait autour d'elle. Pas question d'espionnage, évidemment, elle se tenait tout simplement informée. Il était curieux de constater à quel point elle devenait invisible avec ses lunettes, son chemisier et sa jupe d'un beige terne que ne rehaussait aucune belle ceinture, encore moins des bijoux outranciers.

L'expérience avait enseigné à Valerie la nécessité d'étudier les concurrents au cours des premières heures de l'installation, quand la méfiance de tous sommeillait. Les autres décorateurs se tenaient debout dans leur pièce nue, souvent démoralisante, la plupart se plaignant de sa situation, de sa taille, du nombre des fenêtres, de la hauteur du plafond ou de quelque autre caractéristique indésirable découverte à l'instant et avec laquelle il leur faudrait composer. Valerie avait à peine jeté un œil à sa pièce du premier étage; son assistante, Crumpet Ives, était en train d'en prendre les mesures. Tant qu'elle en avait le temps, elle voulait saisir certains indices sur ce que préparaient ses voisins et concurrents. Il y avait beaucoup à gagner à se renseigner sur ce qui était « branché » et « ringard », car ces notions changeaient du jour au lendemain dans le monde des décorateurs.

Valerie Malvern savait n'être pas un précurseur. Si parfois elle se rêvait telle, ce n'était que comme une abstraction, à la façon d'un homme qui eût vaguement voulu être Kevin Costner, sans amertume et sans le moindre espoir.

L'idée la réconfortait qu'il n'avait existé que quelques talents réellement originaux depuis qu'une jeune Américaine, Elsie de Wolfe, avait inventé une nouvelle profession : la décoration d'un intérieur contre rétribution. Auparavant, ce domaine était resté entre les mains des ébénistes, des architectes et des amateurs éclairés — madame de Pompadour comptant parmi les premiers et les plus grands.

Valerie avait conscience de sa compétence, tant que la cliente ne demandait pas du contemporain ou du nouveau. Rares étaient les femmes qui avaient le courage de se lancer dans le contemporain, plus rares encore celles qui exigeaient l'innovation.

— Je te le répète, John, le chintz est ringard. RINGARD. Ça va encore en Angleterre, O.K. s'il est dans la maison depuis des décennies et s'il a pris une patine poussiéreuse. Le chintz de ton arrière-grand-mère, passe encore, mais pas à New York. Souviens-toi de ce que disait Rebecca West : « Le chintz chantonnait sa vieille comptine vulgaire ! » Ça ne fait même pas nouveau riche maintenant, quel qu'en soit le prix, simplement RINGARD !

Valerie s'approcha des deux hommes qui se tenaient près d'une fenêtre devant laquelle se dressait un immeuble flambant neuf — un problème que de faire oublier l'absence de vue.

— Je me fiche de ce que tu penses, Nick, cette pièce n'est pas faisable sans un imprimé. Ce qui veut dire du chintz. C'est moins nul que la toile de Jouy, bon Dieu, et les gens y sont habitués depuis trois cents ans. Tu comprends ? Le chintz est in-tem-po-rel, ni branché ni ringard.

— Platitude des platitudes. Voilà à quoi nous sommes arrivés, John : la saturation. Je dis qu'on doit faire cette pièce comme un jardin d'hiver. Mobilier de jardin, treillage sur les murs. Boucher ces fenêtres avec des arbres extraordinaires... vraiment énormes. Tant pis s'ils meurent à cause du manque de lumière ; ils ne se dessécheront pas avant la fin de l'expo. Je le vois comme un rappel de la nouvelle conception de l'écologie. Tu n'as pas lu cette phrase de Mark Hampton ? C'est si délicieux : « Même les gens qui se sentent incapables d'être naturels devraient s'efforcer de vivre dans un cadre naturel. »

— Et ça veut dire quoi pour toi ? Lâche-moi un peu, Nicky. Cecil Beaton a fait le dernier jardin d'intérieur voilà un siècle. Ce qui est ringard, c'est justement les arbres, les plantes vertes, et tout ces trucs. *Là*, on atteint le point de non-retour. Sans parler des gros bouquets de roses et de la lingerie de table victorienne en lin empesé, comme les lits et les oreillers amidonnés et ce look « country » abominable.

Valerie s'éloigna. Les décorateurs devenaient très désagréables dès qu'ils s'accrochaient sur l'ambiance « country-western », pour avoir été si nombreux à aménager des résidences secondaires inspirées du Nouveau-Mexique avant que la mode ait passé.

L'heure suivante, elle glana encore quelques informations, chacune démentant la précédente. Ce qui était branché, décida fermement Valerie, en relevant ses lunettes sur ses cheveux et s'accrochant aux oreilles les boucles qu'elle avait jusqu'alors laissées dans son sac, c'était bien la totale confusion sur la définition du ringard ou du branché.

Les New-Yorkais sont des maniaques insensés quant à la perfection de leur intérieur, car à la minute où ils posent le pied dans la rue ils se trouvent confrontés à la déshumanisation et la dégradation de leur cité. Même les quelques pas qui les mènent de leur immeuble à leur limousine les exposent à des choses qu'ils préféreraient ne pas voir. L'espace privé qu'ils possèdent ou qu'ils louent est leur seul refuge contre l'effritement du monde extérieur, et leurs efforts frénétiques, obsessionnels pour transformer leurs maisons en îlots de confort et de paix se sont communiqués jusqu'aux décorateurs.

Autrefois, ces derniers étaient de tranquilles tyrans, des dictateurs semi-bénévoles et capricieux dont les clients guettaient le moindre sourire. A présent, les clients étaient si riches et exigeants, si conscients de ce que possédaient leurs pareils, grâces en soient rendues à *HG* et *Architectural Digest*, ou encore *World Interiors*, que les décorateurs se livraient une guerre aussi véritable que féroce.

Rien à apprendre de ses collègues, pensa Valerie, en revenant à l'espace qui lui était imparti. La pièce avait dû être une salle à manger à un moment ou à un autre de son histoire, car elle était dotée de deux doubles portes sur le mur du fond, portes que les consignes de sécurité déclaraient devoir rester ouvertes. Quoi qu'il en soit, le volume comme la taille convenaient à son projet.

— Il nous faudra simplement travailler autour de ces deux portes, Crumpet, annonça Valerie à sa jeune assistante. Mais la pièce semble adéquate.

— Vous ne direz plus cela, madame M., quand vous saurez ce qui se prépare dans la pièce voisine, fit Crumpet, une expression de panique sur ses traits communs.

— Quoi donc ? questionna Valerie.

C'était tout l'enfer des maisons d'expo. Les pièces mitoyennes pouvaient s'anéantir les unes les autres s'il n'existait entre elles aucun élément d'harmonie visuelle, puisque l'on passait si aisément de l'une à l'autre.

— Elle a été attribuée à Lady Georgina Rosemont qui a l'intention d'en faire une salle de jeux idéale... pour un homme dont le hobby sera les trains électriques. Elle prévoit des voies ferrées sur sept niveaux à partir du sol, ce qui veut dire que nos portes grandes ouvertes seront entrecroisées de rails sur une hauteur de huit pieds.

— Elle ne peut pas faire ça! s'exclama Valerie. Le capitaine des pompiers ne l'y autorisera pas.

— Il a déjà fait son inspection. Elle a promis de laisser un espace d'un mètre autour des voies et il lui a accordé sa permission. Les trains électriques tourneront toute la journée, des joujoux à la pointe de la technologie, avec tout un paysage miniature construit autour. Ils constitueront une terrible distraction, ne pensez-vous pas, madame M. ?

— C'est une façon de voir, Crumpet.

Prise d'une faiblesse dans les genoux, Valerie chercha un rebord de fenêtre où s'asseoir.

Lady Georgina Rosemont était la plus récente gagnante incontestée de la course qui oppose les épouses new-yorkaises, ayant raflé le prix dès la première année de son installation dans la ville. Non, elle n'avait pas *raflé* le prix, on le lui avait *accordé*, songea Valerie qui sentait sa faiblesse se muer en nausée. Vingt-neuf ans seulement, plus belle que Blaine Trump, plus riche que Carolyne Roehm Kravis, donnant plus de réceptions que Gayfryd Steinberg; sans compter qu'elle avait été épargnée par les médiocres critiques de la presse, qui se faisaient pourtant de plus en plus mordantes chaque semaine, sous les coups des journalistes envieux qui exerçaient leurs dents et leurs griffes sur les nouveaux riches.

L'honorable et récent époux de Lady Georgina, Jimmy Rosemont, qui achetait des entreprises au petit déjeuner et les revendait au dîner, lui avait donné une agence de décoration comme on offre un jouet pour Noël. Elle opérait avec l'aide massive de talentueux assistants, débauchés de leur emploi précédent dans les meilleures agences de la ville — elle avait doublé leurs salaires.

Plus injuste encore, elle était fille de comte, surgeon d'un arbre généalogique qui remontait jusqu'à Guillaume le Conquérant ! C'était vraiment, réellement, une triste et amère chose car qui, parmi toutes les femmes qui se disputaient le dernier barreau de l'échelle, eût pu avouer le nom de jeune fille de ses grands-mères ?

Valerie tentait désespérément de trouver le moyen de contrer le bruit des trains électriques, mais elle savait qu'à moins de transformer la chambre des jumelles en nurserie pour quintuplés et de trouver cinq bébés vivants, identiques, à planter dans un parc au beau milieu de la pièce, elle était condamnée à l'échec. De toute façon, on n'avait pas le droit de mettre des animaux dans l'expo, la même règle s'appliquait sans doute aux bébés, si tant est qu'on ait pu se les procurer...

— Madame M., fit la voix inquiète de Crumpet, vous sentez-vous bien ?

— Non. Crumpet. Et toi ?

— Nous ne sommes pas dans une position enviable, n'est-ce pas, madame M. ?

— S'il te plaît, Crumpet, laisse-moi réfléchir, répondit Valerie d'une voix absente.

Elle regardait Mme Rosemont en discussion animée avec trois de ses assistants dans la pièce voisine. C'était un fait accompli : sa salle de jeux pour homme serait le clou de l'expo, pour le public comme pour la publicité. Les médias étaient fascinés par Lady Georgina. C'était une idée originale et, avec les fonds illimités et l'assistance dont elle jouissait, elle n'avait pas de raison d'échouer. Mais, pour voir le bon côté des choses, si Mme Rosemont se laissait persuader de renoncer aux trains électriques, le contraste entre l'imaginaire d'un homme adulte et celui de deux fillettes passionnées de ballet pouvait s'avérer intéressant, car les deux univers, très différents mais liés par leur commune composante enfantine, parviendraient à se compléter l'un l'autre.

Valerie se leva et se dirigea rapidement vers l'autre pièce.

— Lady Georgina, je suis Valerie Malvern.

Souriante, Valerie tendit la main.

— Comme c'est aimable, madame Malvern. J'ai cru comprendre que nous allions être voisines.

— En effet. Et, comme tous les voisins, nous avons à faire face à un petit problème. J'espère sincèrement que nous saurons le résoudre.

— Je l'espère aussi.

Le cœur lui manquant, Valerie étudia Georgina Rosemont. C'était une gagnante. Toutes les épouses en vue à New York étaient grandes et ajoutaient encore la hauteur de leurs talons pour le paraître davantage, même si elles devaient pour cela dépasser leur mari. Toutes les épouses en vue à New York étaient aussi minces qu'on peut l'être sans mourir de faim. Toutes les épouses en vue à New York arboraient des tailleurs chers et magnifiquement coupés, avaient un coiffeur qui venait à domicile chaque matin s'assurer de la perfection de leur coiffure au cas où un photographe les surprendrait dans la journée.

Tout à l'opposé, Georgina Rosemont était petite et portait des chaussures de marche à talons plats. Elle était gentiment, délicatement ronde, depuis son minois rose et souriant jusqu'à ses mollets bien formés, et semblait gaiement bien nourrie. Elle avait une jupe de tweed de bonne coupe, ni trop longue ni trop courte, un chandail en cachemire gris, et nul autre bijou que des perles à ses oreilles. Ses cheveux auburn étaient séparés par une raie sur le côté et retombaient simplement sur ses épaules sans autre apprêt qu'un bon brushing. Si l'on ne tenait pas compte de sa beauté, si éclatante qu'elle n'usait quasiment pas de maquillage, elle ressemblait tout simplement à une gracieuse citoyenne de... Philadelphie. Au diable les Anglais ! Quand ils faisaient bien les choses, c'était au superlatif !

— Lady Georgina...

— Georgina tout court, je vous en prie. Et je vous appellerai Valerie, vous permettez ? C'est tellement plus simple.

— Georgina, les trains électriques...

— Vous êtes déjà au courant ? Je suis emballée par cette idée, je dois l'admettre. Elle m'est arrivée en pleine nuit, jaillie de la tempête de mon cerveau. Dès que j'ai pensé aux trains, j'ai su que j'avais trouvé la perfection. Mon époux, Jimmy, nourrissait une passion pour les trains électriques quand il n'était qu'un enfant pauvre à qui ses parents ne pouvaient en offrir, mais je n'avais pas encore pensé qu'un homme mûr adorerait posséder les trains dont il a été privé dans son enfance.

— Une merveilleuse idée, je le reconnais, s'empressa d'acquiescer Valerie, mais je crains que vous... eh bien, pour dire les choses brusquement, que vous n'évinciez mon travail avec la vue et le bruit de vos trains.

— Oh, Valerie, certainement pas ! D'après ce que j'ai compris, nous sommes censés aménager notre espace à notre convenance et laisser simplement le public s'y promener. Je ne doute pas que ce que vous avez en tête se détachera joliment sur le fond de mes charmants petits trains.

— Je prévois une chambre pour jumelles de dix ans, sur le thème du ballet classique, annonça Valerie, souriant avec autant de conviction que la fille de comte.

— Vous voyez, je le savais ! Vos fillettes adoreraient être ballerines, et mon homme adorerait être cheminot. C'est parfait. Nos deux travaux éveilleront l'enfant qui sommeille dans tout homme et toute femme. N'est-ce pas, Valerie ? Je ne vois pas où est le problème ?

— Mais le bruit...

— Prenez-le comme une musique d'ambiance. D'ailleurs, pourquoi ne faites-vous pas jouer *Le Lac des cygnes* dans votre chambre, ainsi personne ne remarquera le bruit des trains ! Oh, mais vous êtes si intelligente, je n'ai pas besoin de vous faire de suggestions. Je sais que vous trouverez la solution idéale. Je dois m'en aller mais je serai ici demain à la même heure. Je vous verrai ? Oui ? Formidable. Alors, à demain.

Valerie Malvern assista au départ de Lady Georgina Rosemont. Il y aurait toujours une Angleterre, songea-t-elle avec aigreur. Mais pour chacun de ses ancêtres qui avait refusé de signer la Déclaration d'Indépendance, il y en avait au moins eu deux pour combattre dans les rangs de la révolution. La bataille n'était pas encore terminée.

**
*

Valerie savait reconnaître que Fernie avait ses bons côtés, et le problème des trains électriques lui fournirait peut-être l'occasion de les déployer. La fille de Fern, Heidi, avait été frappée d'une violente attaque de balletomanie qui avait duré au moins quatre ans. Sa mère aurait certainement des suggestions à faire pour l'expo, ou même une idée tout à fait différente qui damerait le pion à Lady Georgina. Bizarrement, du cerveau de Fernanda surgissait parfois une idée qu'elle, Valerie, n'aurait jamais eue. Elle téléphona à sa sœur et lui demanda de la rejoindre à l'exposition le lendemain.

— Tu dois faire quelque chose avec *ça* ? déclara Fernanda en promenant un regard déçu dans la pièce, avec les anciennes tapisseries en lambeaux, les radiateurs écaillés sous les fenêtres.

— Ne regarde pas ce qui ne va pas, chérie. C'est toujours affreux avant qu'on commence. J'avais tout visualisé à la perfection... un cachet « ancienne Vienne ». Deux adorables petits lits à colonnes dorées, drapés de grosses brassées de tulle comme celui des tutus, des masses et des masses de tulle aux fenêtres, des partitions éparpillées sur un parquet laqué autour d'un merveilleux clavecin ancien — les pianos sont redevenus follement à la mode, même si on n'en joue pas, alors un clavecin, encore mieux ! — et des couronnes de fleurs séchées dans des cadres de bois aux murs pour le côté romantique, enfantin, conte de fées... Mais cette Anglaise qui aurait mieux fait de rester chez elle et de décorer son grenier va *tout* gâcher avec ses trains électriques. Une atmosphère délicate comme la mienne disparaîtra complètement.

— Pourquoi n'accroches-tu pas d'immenses portants devant les doubles portes, et tu y suspendrais tous les vêtements des petites filles comme si elles n'avaient pas de placard ? suggéra Fernanda. Tu créerais ainsi une barrière sonore avec tous ces habits, leurs tenues de ballerines, les pointes, les collants, les costumes...

— J'y ai pensé. C'est une bonne idée, mais pas assez bonne.

— Pourquoi ne fais-tu pas la pièce à laquelle tu songeais pour Casey Nelson ? Tu y ajouterais un cheval de rodéo mécanique comme celui qu'on voyait dans le film avec Debra Winger et John Travolta... tu te souviens, une histoire de bar au Texas ?

— C'est une possibilité, fit Valerie. Mais j'aurais besoin de deux chevaux mécaniques, un devant chaque porte, et ce serait terriblement évident. Un cheval mécanique est une chose idiote s'il n'y a personne dessus. Non, c'est bruyant et ça attire l'attention, mais ça ne va pas non plus.

— N'est-ce pas Lady Georgina, là-bas ? demanda Fernanda.

Elle indiqua une femme qui venait de pénétrer dans la pièce voisine.

— Oui. Je crois que c'est son mari qui est avec elle.

— Le célèbre M. Rosemont ? souffla Fernanda, songeuse.

— Pourquoi célèbre ? Juste parce qu'il fait des raids sur les entreprises ? Ce n'est plus grand-chose de nos jours, du moment qu'on évite la prison. Simplement, il s'en tire mieux que les autres.

— Tu me stupéfies, Val. Cet homme est célèbre pour ses aventures amoureuses. Même toi, tu devrais le savoir. On raconte qu'il peut faire ça pendant des heures et des heures... quelque chose en rapport avec le contrôle de l'esprit. Une religion orientale... un truc mystique...

— Ma chérie, penses-tu être capable de te concentrer sur mon problème pendant une minute ?

Vraiment, songeait Valerie, au cœur de cette catastrophe, Fernanda ne trouvait-elle rien de mieux à faire que méditer sur l'éternel sujet de sa zone pelvienne ?

— Fernie, que fais-tu ? s'exclama-t-elle avec effroi.

Sa sœur venait de s'élancer en direction de la pièce voisine, ses bottes de cow-boy en lézard vert sombre martelant le parquet nu, ses cheveux blonds se balançant avec un air de défi, son corps brillamment moulé dans une veste de daim pourpre et un étroit pantalon abondamment brodé de fils d'argent. Elle ne s'arrêta pas pour répondre.

— Salut ! lança-t-elle en marchant droit sur les Rosemont. Je suis la sœur de Valerie Malvern, Fernanda Kilkullen. Val, cette pauvre chère petite, est trop timide et réservée pour mener ses affaires, voilà ce qu'il en coûte de venir de Philadelphie, aussi ne veut-elle rien vous dire au sujet de vos trains, mais moi je suis sûre que vous ne ferez jamais, jamais une chose aussi déloyale, n'est-ce pas ? Même par inadvertance.

Le visage éclairé d'une vive et enfantine conviction, Fernanda les regarda l'un après l'autre. Elle était un alliage parfait de puérilité, de coquetterie, de bon sens populaire et de friponnerie.

— J'adore votre idée, Lady Georgina, c'est tellement amusant, mais voyons les choses en face, une monstrueuse débauche de trains à côté de *n'importe quelle* autre pièce, pas seulement celle de ma pauvre sœur, ce serait considéré comme... enfin, comme ne jouant pas le jeu. Il y aurait autant de vacarme que si un carnaval passait dans la rue, tous les sifflets des locomotives, les arrêts, les départs, et le brouhaha autour. *Génial* pour une soirée privée, Lady Georgina, mais je crains que vous n'ayez à souffrir des critiques des autres décorateurs... les trains auront un impact sur toutes les pièces de l'étage.

— Mon Dieu, souffla Georgina Rosemont en rougissant, je n'avais pas vraiment pensé à cela... mais peut-être avez-vous raison. Je ne sais...

— Je crois, intervint Jimmy Rosemont, que... Fernanda Kilkullen, n'est-ce pas ?... a raison, c'est un fait. Je me disais bien que tu étais un peu trop ambitieuse, mon chou, mais je n'ai pas voulu gâcher ton plaisir.

— Alors, je le ferai sans les trains, décida Georgina, jetant un regard plaintif vers Fernanda. Que d'histoires pour une petite inspiration qui · m'était venue au milieu de la nuit !

— Vous êtes adorable ! s'exclama Fernanda. Je savais que vous comprendriez une fois que je vous en aurais parlé.

— Votre père est bien Mike Kilkullen ? s'enquit Jimmy Rosemont.

— Lui-même. Comment le savez-vous ?

— Nous avons fait une croisière sur notre yacht le long de la côte californienne, l'été passé, et quand nous avons longé la propriété de votre père, j'ai demandé ce que c'était... On aperçoit le Pic de Portola à cent milles au large du rivage. Le plus beau paysage qu'il m'ait été donné de voir. J'ai été surpris d'apprendre qu'il s'agissait d'une partie du dernier grand ranch privé de la région. Avez-vous grandi là-bas ?

— Oui.

— Cela a dû être extraordinaire, commenta Georgina Rosemont.

— Et comment ! répliqua automatiquement Fernanda.

En même temps, elle se livrait à un rapide inventaire de Jimmy Rosemont. Sa réputation d'étalon ne venait à l'évidence pas de son aspect extérieur. Il devait avoir au moins quarante-cinq ans, peut-être davantage, il était plutôt petit et un peu trop enveloppé en dépit d'un costume coupé à la perfection. Cependant, il était drôlement attirant pour qui aimait les airs un peu canailles. Des sourcils en accent circonflexe sur de malins et vifs yeux noirs, et une bouche diablement lubrique dans un visage rusé. Une meute l'aurait pris en chasse. Une certaine sorte de femme s'allongeait et écartait les jambes.

Valerie rejoignit le groupe.

— Val, Lady Georgina renonce à ses trains finalement, déclara Fernanda. Et je te présente M. Rosemont. Il a vu le ranch depuis l'océan, et il sait qui est Père.

— Dois-je m'excuser pour ma sœur ? demanda Valerie en cachant son soulagement. Je n'ose imaginer ce qu'elle vous a raconté.

— Rien qu'il n'eût fallu dire, répondit Georgina Rosemont. J'espère ne pas vous avoir trop inquiétée avec ma folle idée de trains.

— Eh bien... si, un peu. Mais je n'aurais rien ajouté à ce que je vous ai dit hier. Je souhaite que vous ne soyez pas trop déçue.

— Bien sûr que non. Dites à mon mari ce que vous avez l'intention de faire. C'est une idée adorable, Jimmy.

— Pourquoi n'irions-nous pas déjeuner tous les quatre ? proposa Jimmy Rosemont. Je suis affamé, et je ne peux écouter parler décoration qu'une fois repu. Vous deux, mesdames, vous causerez à loisir de votre sujet de prédilection ; moi je bavarderai avec Fernanda qui me racontera la vie dans un ranch.

Il poussa Valerie et son épouse devant lui et empêcha Fernanda de leur emboîter le pas.

— J'ai cru comprendre que votre père possède quelque trente mille hectares, fit-il alors que Valerie et Lady Georgina gagnaient la porte de sortie.

— Mmmm, plus ou moins.

— C'est intéressant.

— Fascinant, acquiesça Fernanda.

Jimmy Rosemont lui avait pris le bras mais, auparavant, le dos de sa main lui avait effleuré les fesses, un bref instant. Impossible que ce contact se soit produit par inadvertance, mais pas plus qu'il ne pouvait paraître délibéré sauf à qui le voulait tel. Fernanda se laissa aller contre lui, à peine plus que nécessaire, et plongea les yeux dans les siens. Ce qu'elle vit dans les prunelles libertines amena un sourire d'impure tentation sur ses lèvres boudeuses.

— Je vous croyais affamé, susurra-t-elle en s'éloignant doucement de lui. Nous devrions rejoindre ces dames.

— Puis-je vous inviter à déjeuner un de ces jours ? J'adorerais en savoir plus sur la vie au ranch.

— Quelle bonne idée, acquiesça Fernanda.

Et elle s'empressa de rattraper sa sœur. Ses bottes sur le plancher nu martelaient sa retraite à un rythme de sauvage impatience.

## 12

Jazz se laissa aller dans son fauteuil favori — un vieux fauteuil de cuir usé qui pendant soixante-cinq ans avait échappé à la réfection du tapissier — et observa les trois personnes rassemblées autour de la grande cheminée du salon où crépitait l'une des premières flambées de l'hiver californien.

Il y avait là son père, qui semblait avoir rajeuni de quinze ans depuis la Fiesta, quelques mois plus tôt. Peut-être était-ce à cause de sa nouvelle veste sport en tweed d'un subtil gris sombre, qui contrastait si bien avec ses épais cheveux blancs, coupés encore plus court qu'à l'habitude. Peut-être était-ce parce que les pluies hivernales avaient commencé, plus abondantes que prévu, aussi Mike pouvait-il se rassurer quant à l'éternel problème de l'eau. Peut-être cela venait-il de l'éclat notoirement flatteur du feu de cheminée. Peut-être était-il simplement heureux de voir sa fille chérie revenue saine et sauve de l'Empire du Soleil-Levant. Peut-être — et il restait toujours cette possibilité — ressentait-il les bienfaits de s'être allégé de certaines de ses responsabilités quotidiennes, bienfaits qu'il avait espérés en nommant Casey Nelson régisseur du ranch. Quoi que ce soit, conclut Jazz, c'était tangible, rien à voir avec l'éclat trompeur de la lumière orangée de l'âtre, et elle s'avoua troublée, car son père n'avait pas seulement l'air plus jeune mais, de la façon la plus subtile, *différent*.

Jazz n'avait pas vu Mike Kilkullen depuis des semaines. Elle était revenue quatre jours plus tôt d'un voyage au Japon, où elle était allée effectuer trois séries de portraits pour *Connoisseur*, *Vogue* et *Sports Illustrated*. Les trois commandes étaient tombées simultanément, juste après l'École de conduite, car l'intérêt pour le Japon d'aujourd'hui croissait à mesure que s'affirmait sa présence économique aux États-Unis.

*Vogue* avait demandé à Jazz de photographier les dix plus belles femmes du Japon chez elle ; *Connoisseur* voulait des portraits des principales figures de la littérature et des arts japonais ; enfin *Sports Illustrated* avait eu besoin de portraits « sur le vif » des champions japonais de base-ball, de golf et de natation.

Jazz avait emmené avec elle ses deux assistants et laissé à Sis Levy le soin de tout coordonner depuis le studio. Le voyage avait été épuisant et fascinant à la fois, et depuis son retour elle avait passé toutes ses nuits à Santa Monica, s'efforçant difficilement de se remettre du décalage horaire.

Sam Butler lui avait téléphoné presque chaque jour pendant son absence, il était venu la chercher à l'aéroport et l'avait ramenée chez elle. Pendant une heure d'étreinte ardente, Jazz avait cru que son amant avait inventé le remède le plus rapide contre les méfaits du décalage horaire, mais le lendemain elle s'était retrouvée vidée, et elle fonctionnait depuis dans un semi-brouillard. Elle n'avait effectué que deux séances pour la pub du nouveau magasin Barney's à Beverly Hill. Rentrée chez elle, elle s'endormait avant le dîner, s'éveillait à trois heures du matin et tournait en rond, incapable de se rendormir avant qu'il soit l'heure de retourner à Flash. Hier, vendredi, elle était arrivée au ranch en fin d'après-midi et s'était endormie immédiatement après avoir dîné avec son père. En s'éveillant aujourd'hui à midi, elle se sentait reposée pour la première fois depuis son retour.

Plus tôt dans la soirée, Red Appleton et Casey Nelson avaient rejoint Jazz et Mike pour dîner à l'*El Adobe* à San Juan Capistrano, bâtiment construit en 1778, de loin le meilleur restaurant de la ville et le préféré de Mike. Jazz avait si faim après un après-midi revigorant passé à cheval qu'elle prêtait à peine attention à la conversation de ses trois compagnons, dévorant les délicieux mets mexicains ; le restaurant était des plus agréables en cette soirée de pluie.

Richard O'Neill III, le propriétaire, considérait l'*El Adobe* comme un hobby. Son ranch historique, le Mission Viejo, était presque aussi grand que celui des Kilkullen. Autrefois, la famille O'Neill et leurs cousins, les Baumgartner, avaient possédé Santa Margarita y las Flores, vaste propriété de cent dix mille hectares ; mais l'armée en avait réquisitionné plus de la moitié au début de la Seconde Guerre mondiale, la transformant en un camp militaire du nom de Pendleton, et ne l'avait jamais rendue, contrairement à la promesse d'origine. Comme Mike Kilkullen, Richard O'Neill appartenait à une vieille famille dont l'histoire se confondait avec celle de la terre, famille qui s'était également unie par alliance aux colons aristocrates espagnols. Les O'Neill avaient transformé une partie de leur domaine en résidences et commerces, tout en en préservant la plus grande partie sur laquelle, à l'instar de Mike Kilkullen, ils continuaient l'élevage des bovins.

A la lueur du feu, Jazz nota que Red Appleton semblait un rien différente de ce qu'elle était à la Fiesta. Bien que Jazz sût que son père et Red s'étaient beaucoup vus, elle n'avait jamais croisé la jeune femme au ranch, pas plus que Casey, au cours des week-ends qu'elle était venue y passer à l'automne. Pendant ce temps, Red s'était laissé pousser les cheveux ; au lieu d'une sévère coupe à la garçonne, des boucles espiègles et brillantes entouraient son visage. Autre chose, remarqua Jazz, elle avait pris du poids. Pour Red, cela devait signifier quelque chose d'important.

Pendant ses années de top model, Red était toujours restée, comme l'exigeait le métier, quinze à vingt livres en dessous de ce que l'on considère comme la moyenne raisonnable. Même une fois devenue rédactrice en chef pour un magazine de mode, période à laquelle Jazz l'avait connue, elle avait fanatiquement conservé sa silhouette de mannequin, si bien dressée à cette discipline depuis des années qu'elle était convaincue que, si elle osait se relâcher pour un simple déjeuner décent ou, le ciel l'en préserve, un dîner honnête, elle s'éveillerait le lendemain avec un corps digne de flotter au milieu d'un lâcher de ballons. A la Fiesta, Jazz avait remarqué que son amie était plus svelte que jamais — à la limite de la maigreur —, comme si son rapide périple conjugal ne lui avait pas laissé le temps de manger.

Mais ce soir, à l'*El Adobe*, elle avait tenu le rythme à l'instar de ses compagnons au lieu de laisser son assiette à peine entamée, et bien qu'elle portât un pantalon décontracté et ample assorti d'un chemisier de soie noire, vêtements qui dissimulent la silhouette autant que faire se peut, l'œil de Jazz avait repéré que Red, comme une gamine de quatorze ans, se parait soudain de seins tout neufs. Elle avait même des hanches un peu rondes là où elle n'avait eu que des os.

Red se laissait-elle enfin aller, se demanda Jazz, après vingt ans de discipline ? Sans doute le soulagement d'être débarrassée de son mari. Ou peut-être l'influence d'une vie saine à Lido Island, cette précieuse avancée de terre au large de Newport Beach, où quasiment chacune des demeures à quatre ou cinq millions de dollars jouissait d'un ancrage privé sur la baie — Lido Island où se balançaient gentiment les *cocktails boats* au puissant moteur hors-bord, qui servaient plus souvent que les yachts, leurs propriétaires en usant pour se rendre visite les uns aux autres chaque soir.

Oui, Red avait changé, mystérieusement changé, d'une façon qui ne se limitait pas à sa coupe de cheveux ou à sa silhouette. Une expression de... contentement — ou était-ce de la sérénité ? — avait remplacé la tension sous-jacente que Jazz avait toujours devinée chez son amie, sa vieille copine, sa chère vieille Red qui lui avait fourni tant de travail alors qu'elle démarrait tout juste avec Phoebe pour agent.

Oui, Red semblait différente et son père semblait différent. Pourquoi ne pas l'admettre ? Pourquoi ne pas admettre qu'ils avaient changé l'un grâce à l'autre ? Pourquoi cherchait-elle des explications au-delà de l'évidence ? Le soir où elle avait été piégée pour excès de vitesse, ce soir lamentable où Gabe avait eu le toupet de venir chez elle pour la convaincre de le laisser s'installer au studio, ce soir étrange où la police de Los Angeles l'avait lobotomisée, elle n'avait pu joindre ni son père ni Red au téléphone, et elle avait bel et bien supposé qu'ils s'offraient un petit dîner dehors.

Mais c'était une chose de savoir, comme maintenant, qu'ils se voyaient — on ne pouvait pas dire qu'ils « sortaient ensemble », ils étaient beaucoup, *beaucoup* trop vieux pour ça —, qu'ils se voyaient, donc, assez régulièrement, et une autre de les voir ensemble. *Autre chose* de les voir se toucher l'épaule, ou le bras, la main ou les genoux, comme pour insister sur un point de la conversation — mais trop souvent pour relever d'une conduite normale, hormis chez les comédiens du Yiddish Art Theatre ; autre chose de les voir accrocher leurs regards et se sourire intimement ou, pire encore, sans même se sourire, échanger un regard muet un tantinet trop appuyé ; autre chose de saisir une intonation différente dans la voix de son père quand il s'adressait à Red plutôt qu'à elle, sa propre fille, intonation qu'elle ne se souvenait pas avoir jamais entendue de par le passé ; autre chose de voir Red lancer un regard à Mike lorsqu'il ne la regardait pas, et encore *autre chose* de voir son père poser un œil rêveur sur Red lorsqu'il ne se savait pas observé.

Qu'est-ce qui se passe exactement ? se demanda Jazz en se levant de son siège pour errer dans la pièce. Grands dieux, ne peuvent-ils se conduire en adultes, pas tant devant moi, mais au moins devant Casey ? N'ont-ils pas honte ? Qu'est-ce donc qui fait perdre aux gens toute notion de décence et les fait se tenir comme des jouvenceaux à un âge aussi avancé ? N'ont-ils aucun sens du ridicule ? Pas étonnant que Red ne se soit pas montrée quand elle-même était venue au ranch au cours des semaines passées — s'ils ne pouvaient s'empêcher de se tripoter, probablement avaient-ils eu honte au point de ne pas souhaiter qu'elle les voie ensemble. Dieu du ciel, on aurait pu penser qu'ils avaient inventé le sexe, ou quel que soit le nom de ce qu'ils étaient encore capables de faire à leur âge. Elle attendait plus de dignité chez son père, plus de classe chez Red, au minimum davantage de maturité chez les deux. Enfin, il avait soixante-cinq ans, et elle quarante et un. Ne devenait-on *jamais* adulte ?

Sans qu'on le lui ait demandé, Casey mit une autre bûche dans le feu. Il semblait détendu, et un peu trop comme chez lui, pensa Jazz en colère. Certes, il avait changé depuis la nuit de la Fiesta. Il portait maintenant les bottes les plus éculées qu'elle ait jamais vues, une chemise de flanelle délavée au possible, et un jean propre mais datant de Mathusalem. Pourtant, ces vêtements lui allaient bien. Il ressemblait à un régisseur. Il était tout d'une pièce à présent, et il se mouvait avec une aisance inconsciente, avec cette grâce déliée qu'elle avait remarquée lorsqu'ils avaient dansé ensemble la nuit de la Fiesta. Casey était peut-être un garçon de la ville et un investisseur intelligent, admit Jazz en son for intérieur, cela ne l'empêchait pas de s'y connaître aussi en chevaux et en bétail.

Ces trois êtres, alanguis devant le foyer étaient les plus ennuyeux, les plus bovins qu'elle ait jamais fréquentés, décida Jazz. Ses pérégrinations dans la salle de séjour l'avaient ramenée devant la cheminée. Le contre-jour faisait flamboyer sa chevelure et ses yeux d'or lançaient des étincelles topaze. Elle leur décocha à tous trois un sourire déterminé.

— Est-ce que ce ne serait pas merveilleux, lança-t-elle, s'il existait seize types différents d'hommes et de femmes, au lieu de ce sordide ennui auquel nous sommes condamnés du fait qu'il n'y en a que deux ? Un exemple, disons que vous, Casey, seriez né du Type Neuf. Vous iriez à une soirée et vous entreriez en conversation avec une fille, très vite vous échangeriez vos numéros de téléphone. Elle vous dirait que malheureusement elle est du Type Cinq ou Quatorze — c'est-à-dire hors de question pour vous — mais que son amie là-bas est du Type Huit ou Sept ou Dix ou Onze, ou même — comme vous, un Neuf. Vous vous retrouveriez avec tout un éventail de Types, de Sept à Onze dans lequel choisir — cinq Types de filles différents avec des... variantes, merveilleusement différentes et amusantes... avec diversions... surprises... mais chacune suffisamment *semblable* pour qu'avec un peu de bonne volonté et des ajustements mineurs tout le monde puisse s'en arranger. Peut-être même qu'en se montrant particulièrement tolérant et athlétique, un Neuf, comme Casey, parviendrait à établir une relation sexuelle imaginative et satisfaisante avec un éventail de Types allant de Six à Douze. Au moins, il essaierait. Je ne comprends pas pourquoi le Tout-Puissant a conçu pour l'humanité un choix si restreint. Il s'est drôlement plus creusé pour les menus chinois.

— Hmmm, murmura Red.

— Brillant, commenta Casey. Tallulah Bankhead disait qu'elle avait eu des hommes et qu'elle avait eu des femmes et qu'il devait y avoir quelque chose de mieux — je pense que vous venez de l'imaginer.

— Jazz, fit Mike Kilkullen, de mon point de vue, deux est la perfection. Le Tout-Puissant n'aurait pu mieux faire s'Il avait essayé. En fait, je pense qu'Il a essayé et que deux fut son meilleur résultat. Allons, Red, je te raccompagne chez toi. Tu as l'air d'avoir sommeil.

— Bonne nuit, Red, 'nuit, p'pa, à demain matin, fit Jazz.

— N'y compte pas, fillette. Mais j'essaierai d'être revenu avant... disons, pas forcément pour le déjeuner, mais en tout cas avant que tu repartes pour L.A.

— D'accord. Eh bien, je te verrai quand je te verrai.

Red et Mike l'embrassèrent rapidement, adressèrent un signe à Casey et partirent avec une hâte très peu cérémonieuse. Il y eut un instant de silence total dans le salon de l'hacienda Valencia.

— Un Neuf, donc ? fit Casey. Vous pensez que je serais un Neuf ?

— Oh, fermez-la !

— Seriez-vous du Type Neuf, vous aussi ?

— N'essayez pas de changer de conversation !

— Quelle conversation ?

— Vous savez ce que je veux dire.

— Assez bizarrement, je le sais.

— Ce n'est pas possible. Vous n'en avez pas la moindre idée, Casey Nelson.

Il se dirigea vers le salon de musique et s'assit au piano à queue qui avait fait la fierté et la joie de l'arrière-arrière-grand-mère de Jazz. Paresseusement, il plaqua quelques élégants accords qui se muèrent bientôt en la mélodie de *Smoke Gets in Your Eyes*. Casey chantait doucement d'une voix de baryton un peu rouillée :

> *Ils m'ont demandé comment je savais*
> *Que mon vrai amour était vrai,*
> *Et moi bien sûr j'ai répliqué,*

*Là, quelque chose à l'intérieur,*
*C'est comme une nouvelle saveur...*

— Vous m'avez entendue ? s'écria Jazz en faisant irruption dans la salle de musique. Je vous ai dit de la fermer, pas de chanter !

— Je vous envoie juste un message, rétorqua Casey en continuant à jouer. La messagerie de la Western Union a fermé, et je ne peux rien vous faxer puisque vous n'avez pas de fax, sauf à Flash.

Désorientée, Jazz s'assit au piano à côté de lui.

— Casey, vous avez vécu ici des mois depuis que mon père voit Red. Dites-moi ce qui se passe.

— Je viens de le faire.

Il cessa de jouer et se tourna pour la regarder.

— Le vrai, le grand amour ? Red et mon père ? Vous n'êtes pas *sérieux !*

— J'en ai pourtant l'impression.

— Comment le savez-vous ? Vous êtes expert en la matière ? C'est juste une passade. Regardez comment ils se tiennent — ils sont tellement... tellement embarrassants ! Autant passer une annonce. « Hello, tout le monde ! Devinez ce qui nous arrive ! Le grand réveil des hormones ! » Ça me donne envie de vomir.

— Enfin, Jazz, répondit gentiment Casey, imaginez que vous soyez vraiment amoureuse. A propos, êtes-vous amoureuse ?

— Certainement pas, s'indigna Jazz.

Elle ne pouvait se dire amoureuse de Sam Butler, l'objet de l'amour de dix millions de femmes — c'était absolument hors de question.

— Eh bien, essayez d'imaginer que vous êtes follement amoureuse de... oh, n'importe qui, c'est seulement pour l'exemple, disons que vous soyez tombée amoureuse de moi, puisque je suis le seul mâle en activité dans votre voisinage immédiat. Vous voilà convaincue, par votre cœur emballé, que je suis l'homme le plus beau du monde, le plus intelligent, le plus brillant, incroyablement sensible, sexy au-delà du sexy, un Fred Astaire dès que j'esquisse un pas de danse...

— Vous dansez très bien, je dois le reconnaître, rétorqua Jazz de mauvaise grâce.

— Essayez d'extrapoler, Jazz. Vous croyez aussi tout le reste, tout ce que j'ai dit. Tout ça à cause de l'amour, et le monde extérieur vous est bien égal. Tout naturellement vous ne pouvez vous empêcher de trahir ce que vous éprouvez.

— Que cherchez-vous à démontrer avec ce scénario improbable ?

Elle se méfiait de chacun des mots de Casey. Probablement une manœuvre très élaborée.

— Votre sentiment pour moi vous donnerait-il une raison de moins aimer votre père ?

— Évidemment non, répondit calmement Jazz. A votre façon un peu lourde — vous agissez *toujours* de la façon la plus lourde, devrais-je préciser —, vous suggérez que je crains d'être moins aimée par mon père parce qu'il est fou de Red. Vous n'y êtes pas. Ce qui me choque, c'est la puérilité de sa conduite. Mon père, le Mike Kilkullen que je connais depuis toujours, ne se serait jamais, *jamais* permis de faire savoir aussi clairement qu'il restait chez elle cette nuit. Tout juste s'il ne m'a pas fait un dessin, grands dieux !

— Avez-vous jamais été amoureuse à la folie ?

— Peut-être... peut-être quand j'étais gosse, il y a des années et des années. Enfin, tout le monde a été amoureux au moins une fois, s'emporta-t-elle. Quel rapport ?

— Vous êtes-vous *conduite* comme si vous étiez amoureuse devant votre père ? L'a-t-il remarqué ?

— Je suppose qu'il s'en est rendu compte.

Soudain Jazz se souvint de la froide colère de son père montrant à Gabe la photographie qu'elle avait faite de sa mère à l'âge de huit ans. C'était le jour où ils étaient venus lui annoncer leur départ pour le Nicaragua.

— Mais n'aimiez-vous pas votre père autant qu'avant ? Un amour n'en efface pas un autre, non ?

— Pas... exactement, concéda Jazz, songeuse. Pas vraiment, rien ne le pourrait jamais.

— J'ai terminé mon exposé.

Jazz fondit en larmes avec un gémissement inconsolable, et ses poings s'abattirent sur le piano. Stupéfait, Casey la prit dans ses bras. Elle se réfugia contre lui. De déchirants sanglots la secouaient sous la violence d'une peine mystérieuse qu'il ne comprenait pas. Comme à une petite fille, il lui caressa les cheveux et pressa étroitement contre lui cette femme adulte subitement en proie à un gros chagrin d'enfant. Il s'entendit émettre les sons discrets de la compréhension et de la sympathie dont il ne se serait pas cru capable, la caressa patiemment pour la réconforter. Enfin, la tempête s'apaisa en sanglots de plus en plus rares. Casey n'osa pas poser de question. Il avait l'impression d'avoir fait assez de mal.

— J'ai été en dessous de tout... de tout ! hoqueta-t-elle. C'était comme si papa n'existait plus... Il s'estimait heureux si je lui téléphonais pour lui dire que j'étais toujours en vie... pendant plus de deux ans ! Je n'arrive pas à croire que j'aie pu le traiter de cette façon... Oh, Casey, quoi qu'il fasse, il ne me ferait pas cela, dis !

— Allons, petite Jazz, reprends tes esprits. Ton père n'est pas une innocente gamine de dix-huit ans amoureuse pour la première fois et...

— *Comment savez-vous l'âge que j'avais ? Comment savez-vous que c'était la première fois ? Comment savez-vous que j'étais innocente ?*

— Ah... Je... c'est... *Et merde !*

Furieuse, Jazz se leva et, les poings sur les hanches, fixa son cousin.

— Vous n'avez rien de mieux à faire, tous les deux, que de passer vos longues soirées solitaires à épiloguer sur ce qui m'est arrivé voilà des années ? Histoire que vous n'avez aucun droit de connaître, ça ne vous regarde pas et il aurait dû le savoir ! Allez au diable, j'en ai vraiment plein le dos !

— Oh zut !

Casey ferma les yeux et se frappa la tête de ses poings fermés.

— Zut et zut ! Vous ne comprenez rien du tout. C'est simplement... c'est venu dans la conversation un soir. Parfois les gens se mettent à parler très ouvertement d'eux-mêmes et de leur famille, quand ils commencent à devenir de vrais amis... et parfois ils disent des choses qu'ils n'auraient pas dû dire, en passant, par hasard, Jazz, une seule fois, sincèrement... nous n'avons jamais reparlé de vous et de Gabe. Je vous le jure.

— Gabe ! enragea-t-elle. Vous savez ça aussi.

— Quoi, ce nom est sacré ? Calmez-vous, Jazz, je vous en prie. Je vous en supplie. Et écoutez-moi. Un soir que votre père parlait de votre mère, il m'a raconté comment vous l'aviez consolé, comment vous lui aviez tenu compagnie, pour l'empêcher de devenir fou après la mort de sa femme, et alors que vous n'étiez qu'une petite fille... Ensuite, il a dit quelque chose sur ce Gabe qui avait fait irruption dans votre vie. Il m'a dit que vous aviez grandi d'un seul coup, à une vitesse vertigineuse, et que pendant deux ans il avait été malade d'inquiétude pour vous, terrifié à l'idée que vous couriez de guerre en révolution, mais il ne pouvait rien pour vous en empêcher. Il n'aurait pu vous arrêter, pas plus qu'il n'avait su retenir votre mère et la dissuader de vivre comme elle l'entendait.

— Papa vous a parlé de ma mère ? souffla Jazz soudain émerveillée. Il ne parle jamais d'elle... même tous les deux... nous ne...

— Eh bien, il l'a fait.

— Je ne comprends pas pourquoi. Comment se fait-il qu'il se mette à parler d'elle avec quelqu'un qu'il connaît à peine, alors qu'il n'a pas été capable de prononcer son nom devant moi pendant des années et des années ?

La voix de Jazz trahissait son trouble.

— Il n'a pas été très prolixe, et cela ne s'est pas souvent produit. Mais de temps en temps, en passant, il me confie quelque chose qu'elle faisait ou qu'elle disait. A mon avis, c'est à cause de Red. Cela n'a rien à voir avec moi. Maintenant que votre père est capable d'aimer de nouveau quelqu'un d'autre, il parvient à évoquer votre mère.

— Vingt et un ans, murmura faiblement Jazz. Il a passé vingt et un ans avec seulement sa fille à aimer.

— Ouais, mais une fille vraiment intéressante.

— Je suis une affreuse garce égoïste !

— Non.

— C'était *ignoble* de ma part d'être jalouse de mon père et de Red. J'ai pensé des choses si injustes et si infâmes sur eux. Je me suis comportée comme la dernière des chipies.

— Non.

— Pourquoi non ?

— Parce que.

— Continuez, Casey. « Parce que » n'est pas une réponse.

Casey Nelson s'approcha d'elle et la reprit dans ses bras. Il la souleva de terre et la porta jusque sur le sofa où il s'assit en la gardant contre lui ; il la serrait si étroitement qu'elle ne pouvait bouger ni même crier. Puis il commença à embrasser son visage encore tout humide de pleurs, et ses lèvres, pour ne s'arrêter que lorsqu'il estima qu'il lui avait clairement fait comprendre ce que « parce que » signifiait pour lui.

— Whaou, murmura Jazz.

— Il n'y a qu'une chose qui cloche avec vous, dit-il.

Il l'embrassa de nouveau pendant cinq bonnes minutes.

— Qu'est-ce que c'est ? questionna Jazz quand elle put respirer.

— Vous parlez trop.

Jazz le regarda. Le soir de la Fiesta, elle avait décidé que cet homme aux allures de jeune lion devait être obstiné et généreux ; elle n'avait pas changé d'avis. Mais, de près, il y avait bien davantage à déchiffrer sur ses traits fermes. Il avait une bouche téméraire capable des baisers les plus ardents, les plus entiers, les plus vivants, des baisers d'une force qu'elle n'aurait pas soupçonnée. Sa peau claire tachetée de son était plus... intrigante... qu'une peau sans taches de rousseur. Elle donnait envie de... la toucher ? Peut-être. Pour voir jusqu'où allait cette pigmentation ? Probablement. Mais c'était les profonds sillons sur son front qui donnaient à la jeune femme des démangeaisons au bout des doigts. Ils étaient presque aussi irrésistibles chez un homme qu'une fossette aux joues ou au menton... d'ailleurs les fossettes avaient leurs limites, tandis que les sillons sur le front offraient mille possibilités de caresses. Évidemment, il valait mieux ne pas le comparer à Sam, mais quel homme aurait-on pu comparer à Sam ? Une toute petite caresse ne causerait pas de mal.

— Jazz ?

— Hmmm ?

— Je vais à L.A. mercredi prochain pour rencontrer mes comptables. Pourrions-nous dîner ensemble ?

— Tu veux dire... comme un rendez-vous ? roucoula-t-elle, ingénue.

— Absolument comme un rendez-vous.

— Ce ne serait pas un peu bizarre ? demanda-t-elle avec une naïveté irréprochable. Tu habites ici, tu es le régisseur du ranch, tu fais partie de la famille... je vais revenir chaque week-end ; en plus, mercredi, je crois bien que les Lakers jouent contre les Supersonics. N'est-ce pas un peu artificiel que l'on sorte ensemble ?

— Je ne veux pas attendre le week-end prochain pour te revoir, déclara Casey, aussi têtu qu'elle.

D'un doigt, il caressa à l'envers l'un des sourcils de Jazz, lui procurant un frisson de volupté. Elle resserra les bras autour de son cou et l'embrassa avec toute la sorcellerie impérieuse dont elle était capable.

Brusquement, Casey se releva du divan en la retenant pour qu'elle ne tombe pas.

— Tu vas quelque part ? demanda Jazz.

Sa petite voix mutine était l'expression même de la vertu et de l'ingénuité.

— Prendre une douche froide.

— Pourquoi ?

— Parce que je ne vais pas essayer de te séduire sous le toit de ton père alors qu'il est absent.

— Qu'est-ce qui te fait croire que tu pourrais me séduire ?

La voix de Jazz s'était faite subitement impudique, dangereusement douce. Elle n'était pas si facile à séduire, sous quelque toit que ce soit ! Pas du tout. Qu'il essaie et il verrait.

— Bonne nuit, Jazz. Dors bien.

*<br>**

— Alors, Mel, ton avis ? interrogea Pete di Constanza. Gabe s'envoie Phoebe ou pas ?

Les deux hommes venaient de se croiser devant Flash.

— Il faudrait être drôlement désespéré pour ça...

— Ou drôlement en manque, renchérit Pete.

— Ou très généreux, suggéra gentiment Mel.

— Ou bien ambitieux... ouais, ambitieux, souffla Pete d'un ton soupçonneux.

— Peut-être aime-t-il les femmes tout en os, avança Mel avec une mine désapprobatrice.

— Nan, le côté déplumé n'est pas ce qui me gêne chez Phoebe, je pourrais vivre avec un sac d'os, et Phoebe n'est pas si mal, quand on y pense. C'est son attitude, insista Pete di Constanza. Je veux dire, comment peut-on seulement imaginer le faire avec Phoebe ? Elle te dirait où la mettre, et que tu t'y prends mal, et comment faire mieux, et combien de temps il te reste avant qu'elle en ait marre, et combien elle va te ponctionner sur tes honoraires si tu ne t'en sors pas mieux... enfin, tu vois.

— Non, Pete, pas avec ces détails croustillants... Grands dieux, mec, tu es *perverti*... mais considérons les faits. Phoebe lui accorde deux ou trois fois plus d'attention qu'à nous, ou qu'à Jazz, et c'est nous qui gagnons le fric ici. Gabe n'a encore rien fait d'important — il a été trop longtemps parti pour pouvoir travailler tout de suite au top niveau.

— Elle n'a tout à coup plus le temps de passer des coups de fil pour moi... elle est pendue au téléphone pour Gabe.

— Elle ne me décroche plus aucune grosse commande, trop occupée avec Gabe, acquiesça Mel. J'ai failli louper le contrat des soupes Campbell la semaine dernière.

— Et ils ont déjeuné ensemble trois fois dans la semaine, renchérit Pete. A *Market Street*. Je parie qu'elle paie l'addition.

— Il la saute, décida Mel.

Le coup des déjeuners était concluant.

— C'est cher payé, observa Pete avec une mine sinistre.

— C'est nous qui réglons la note, Pete. Pour Gabe, ça rentre dans la rubrique de la banale gratification animale.

— Voilà bien un commentaire de photographe de bouffe ! railla Pete. Vous vous prenez tous pour des philosophes.

— Tu m'as demandé ce que j'en pensais. Inutile de m'insulter.

— Désolé. C'est mon agressivité macho qui ressort. A force de bosser avec des chromes et du métal lourd.

Pete assena une tape fraternelle sur l'épaule de Mel et les deux hommes se séparèrent satisfaits de leur vieille camaraderie.

**\***

— Gabe ? dit Phoebe.

En train de défaire l'agrafe de son soutien-gorge, elle suspendit son geste.

— As-tu déjà couvert une pendaison de crémaillère ?

— Du calme, Phoebe, je t'ai demandé d'être mon agent, pas mon rabatteur. Allez, déshabille-toi. Une nana avec ta grande expérience devrait savoir que ce n'est pas le moment de parler affaires.

— Je me tais dans une minute, promis sur ma tête, mon chou, mais d'abord pour cette crémaillère... Ce sera une occasion très spéciale et on ne laissera entrer qu'un seul photographe.

— Alors, qui la pend, cette crémaillère ? s'enquit Gabe avec un total manque d'intérêt.

— Je ne peux pas encore te le dire, amour, mais ça fera la une.

— La une ? Une pendaison de crémaillère ? Je ne fais même pas les mariages. Le découpage du gâteau, les jeunes filles en fleur, la volée de grains de riz, épargne-moi, fillette. Pas mon style. Et puis, ne m'appelle pas « amour ».

— Comment en sais-tu tellement sur les mariages ? interrogea Phoebe, soupçonneuse.

— Un jour je suis allé jouer au vingt-et-un à Monaco et je me suis fait piéger dans la première tentative de la princesse Caroline. La poisse. Plus jamais. Dégote-moi un bel enterrement, je te dirai oui. Mais arrête un peu d'essayer de m'envoyer à des sauteries, sinon je vais perdre tout intérêt pour le petit détail qui nous a amenés ici.

— Un dernier mot, Gabe. *L'argent.*

— Le fric ?

— Plus que tu n'en toucheras jamais pour couvrir n'importe quelle soirée dans le monde entier. Tes photos seront partout, depuis la une de *People* jusqu'au *New York Times*, avec garantie d'une publication internationale.

— Alors, je marche. Maintenant allonge-toi.

Phoebe s'exécuta prestement. Pour finir ce qu'ils avaient commencé un moment plus tôt. Pressons, pendant que le soleil brille. Cueillez, cueillez dès aujourd'hui les roses de la vie. Gabe était aussi bon au lit que le prétendait la rumeur. Non. Mieux. Beaucoup, beaucoup mieux.

**\***

Lydia Kilkullen et ses deux filles prirent place sur une banquette du restaurant *La Côte Basque* et jetèrent un œil aussi rapide qu'indifférent au menu. En dépit des divergences d'opinions susceptibles de diviser ces trois femmes à chacune de leurs rencontres, elles étaient en parfait accord sur un point : le déjeuner était un repas parfaitement dénué d'intérêt. Le besoin d'ingurgiter quelque chose dans la journée était la seule excuse qui justifiât l'existence de ce repas — avec le bavardage. Quiconque, par erreur d'interprétation, déjeunait pour le plaisir n'avait d'évidence rien compris à rien.

Donc, pour la forme, Fernanda, qui cette fois invitait, consulta sa mère et sa sœur. Elles prirent rapidement leur décision.

— Nous prendrons la même chose, déclara Fernanda au chef de rang. D'abord, des asperges sans sauce, puis le filet de sole de Douvres, sans l'arête, sec, sans sel, et avec beaucoup de quartiers de citron.

— Un vin blanc, madame ? demanda le chef de rang.

— Une grande bouteille d'Évian, s'il vous plaît.

— Bien, madame.

Il avait depuis longtemps perdu ses illusions. Au moins, ces dames savaient qu'il convenait de commander une bouteille d'eau minérale, contrairement à d'autres clients, des touristes peut-être, qui prenaient une carafe.

— Quel plaisir de retrouver mes deux filles, fit Liddy. Vous êtes superbes, toutes les deux.

— Tu es la mieux de nous trois, rétorqua sincèrement Fernanda.

Elle espérait seulement être aussi chic que Liddy quand elle aurait le même âge, puisque rien d'autre ne valait le coup dans cet avenir hideux, lointain et inimaginable.

— Merci, Fernanda, mais après l'affreuse matinée que j'ai passée, je m'étonne d'avoir encore des cheveux.

— Tu n'as pas eu de chance chez Bergdorf ? s'enquit Valerie, compréhensive.

— Ils ont quelques jolies choses, mais chères à un point ! Que se passe-t-il avec les prix ? Même pendant les soldes, quand ils ont diminué presque de moitié, je ne peux quasiment rien m'offrir... Je n'ai pas trouvé une seule robe de jour à moins de sept cents dollars, et pas de robe longue présentable à moins de douze cents !

— Je suis certaine que demain mademoiselle Kelly, chez Saks, aura un meilleur choix à te proposer, la rassura Valerie. Tout le monde dit que Bergdorf est devenu le magasin le plus cher de la ville.

— Espérons-le, fit Liddy qui s'efforçait de dissimuler son découragement.

Après la mort de l'une de ses grands-tantes, célibataire, son revenu annuel fixe était passé de trente-cinq mille dollars à près de soixante mille. Ses parents vivaient toujours, en meilleure santé que jamais, gérant le peu qui restait des biens des Stack. Sa famille avait toujours eu plus d'ancêtres que d'argent, et même quand ils mourraient, elle ne pouvait espérer beaucoup. En tout cas, les prix avaient continué leur ascension en Europe alors que la valeur du dollar baissait régulièrement ; bientôt, Liddy ne pourrait plus vivre à Marbella du train qu'elle avait pu s'offrir trente ans plus tôt.

Tout juste si elle avait pu changer une housse ou acheter de nouvelles serviettes de toilette en dix ans ; elle n'avait pu donner, à la piscine et aux salles de bains des invités, le coup de neuf qui s'imposait ; elle avait réduit son personnel et dirigeait à présent la villa avec l'aide d'une seule domestique, d'un jardinier et d'un cuisinier. Liddy passait de plus en plus de temps chaque jour à effectuer le travail des serviteurs qu'elle n'avait plus. Elle donnait moins de soirées, même si, évidemment, c'était là la dernière économie qu'elle pût s'offrir, car où serait-elle sans ses réceptions ? Oui, et *qui* serait-elle ? Étonnée de ce qui lui arrivait, Lydia Henry Stack Kilkullen commençait à se sentir dans la peau du patron d'une petite entreprise qui se voit lentement mais sûrement poussée vers la faillite.

Pire encore, Marbella n'était plus la carte maîtresse qu'elle avait longtemps été, depuis le triste jour où le prince Alfonso avait vendu la majeure partie de ses parts du Marbella Club à un Saoudien fabuleusement riche, Al-Midani, qui, à la consternation générale des résidents, avait autorisé le développement immobilier au point que la ville se voyait maintenant défigurée par de hauts immeubles et des centres commerciaux. Presque tous les amis de Liddy avaient abandonné leurs maisons sur la côte pour s'exiler à l'intérieur des terres, vers les collines au-delà de la route de Cadix, y érigeant des manoirs dignes de Beverly Hills.

La localité de Marbella restait pleine de monde mais ce n'était plus des gens bien, songeait acidement Liddy. Les nouveaux visiteurs étaient tout simplement horribles. En comparaison, les années soixante-dix, avec l'invasion des stars du rock et des joueurs professionnels, semblaient aussi brillantes que les glorieuses *sixties*. Ses amis continuaient de venir aux réceptions de Liddy, mais le jour arriverait bientôt où une invitation à sa villa n'aurait plus aucun attrait.

En vérité, ce jour était déjà venu, si elle regardait la réalité en face. Ce n'était plus que l'habitude qui lui ramenait ses amis chaque année. Que se racontaient-ils la nuit dans leurs suites ? Avaient-ils remarqué les multiples signes de détérioration qu'elle savait visibles, ou son hospitalité toujours si méticuleuse compensait-elle le fait que l'aura du Marbella Club n'était plus ce qu'elle avait été, sur le fait que, même si les Habsbourg, les Bismarck et les Rothschild continuaient de venir à Marbella, leur principal sujet de conversation était le déplorable changement des lieux ?

— Je compte sur mademoiselle Kelly, assura Liddy d'un ton aussi léger que possible. Je ne m'inquiéterai pas vraiment avant que Saks me laisse tomber à son tour. Alors, Fernanda, quoi de neuf dans ta vie ? Que se passe-t-il exactement entre ton mari et toi ?

— Pas grand-chose, répondit Fernanda avec un calme affecté.

Il n'avait pas fallu longtemps à la vieille maman pour aborder le sujet le plus déplaisant qu'elle ait pu trouver.

— D'après ce que j'ai entendu, j'ai toutes les raisons de m'inquiéter à ton sujet.

— Franchement non. Val, raconte à Mère ton expo et la grande victoire sur les trains électriques.

— Valerie m'a raconté toute l'histoire hier soir au dîner, rétorqua Liddy. J'estime que tu as eu raison de hausser le ton, Fernanda. Lady Georgina m'a l'air d'être une personne fort agréable. Et son mari semble sensé, en dépit de tout ce que l'on entend sur son compte.

— Il a compris avant sa femme que c'était une erreur, remarqua Valerie. Nous irons à l'expo après le déjeuner, d'accord ? Les Rosemont se sont avérés être des gens charmants, tous les deux.

Fernanda acquiesça, ravie que la conversation ait dévié loin de sa tempétueuse vie conjugale.

— Au fait, je suis tombée sur Jimmy Rosemont l'autre jour dans Madison Avenue et nous sommes rapidement allés prendre un verre.

— Oh ? s'exclama Valerie, la curiosité en éveil. Un verre ? Rapidement ?

Comment se faisait-il qu'elle entendait parler de cette rencontre pour la première fois ? Fernanda n'était pas connue pour être un pilier de bar, sans compter qu'elle n'imaginait pas un homme aussi occupé à gagner des milliards que Jimmy Rosemont en train de traîner dans les rues de Manhattan à la recherche de quelqu'un à entraîner au comptoir. Mais Fernanda n'avait quand même pas... si, Fernanda *avait*, comprit Valerie en surprenant une fugitive expression sur le visage de sa sœur. Mon Dieu, rien ne l'arrêtait ? Ne voyait-elle pas que c'était horrible d'avoir une histoire avec le mari de Georgina ? Si cela venait à se savoir — et comment en serait-il autrement ? —, la ville entière jaserait. Cette maudite sœur était en chaleur tous les jours de l'année. Et pile, évidemment, quand Georgina et elle commençaient à si bien s'entendre.

— Quand était-ce, Fernie ? interrogea-t-elle d'un ton badin.

— Oh, la semaine dernière, je ne me souviens pas exactement. Mais il a parlé de quelque chose dont j'aimerais discuter avec vous deux, tant que Mère est ici. Il veut que je le présente à Père.

— Pourquoi ? demanda brusquement Valerie, oubliant momentanément sa colère contre les activités sexuelles de Fernanda.

— Qu'a-t-il dit de plus ? interrogea fièvreusement Liddy.

— Qu'il avait une proposition à soumettre à Père, et il pensait qu'il était préférable de le rencontrer par le biais d'un membre de sa famille ou d'un ami commun.

— Que lui as-tu répondu ? questionna Valerie.

— J'ai dit... j'ai dit que Père n'était pas l'homme le plus facile avec lequel traiter en affaires, mais que je ferais mon possible. A dire vrai, j'attendais d'avoir votre avis.

Elle pouvait difficilement leur avouer qu'elle avait déjà promis de recommander Jimmy Rosemont à son père. Leur déjeuner, dans le petit et luxueux appartement qu'il réservait à ce genre de rencontre secrète, avait été une déception sur le plan sexuel mais, assez curieusement, elle se sentait bien disposée à son égard. Aucun homme n'avait fait pleuvoir sur elle tant d'éloges, intelligents et détaillés, quant aux beautés de son corps. Plus important encore, aucun homme depuis longtemps ne lui avait permis de se sentir si jeune. L'avantage des hommes mûrs...

Ce n'était pas sa faute, à ce pauvre Jimmy, s'il avait été excité dès qu'ils avaient commencé à faire l'amour, au point de ne pas pouvoir s'en cacher. Pas sa faute si elle s'en était rendu compte — comment faire autrement ? —, pas sa faute si elle avait éprouvé la familière disparition de son désir en comprenant que, même si son endurance était à la hauteur de sa prodigieuse réputation, il était au fond exactement pareil aux autres hommes.

Elle s'était vite convaincue qu'à moins de feindre un orgasme, il la garderait au lit tout l'après-midi, essayant une chose après l'autre. En tout cas, il remportait la médaille de l'obstination. Elle aussi en méritait une, pour la pure beauté de sa jouissance factice. Lui, le baiseur légendaire, n'avait pas été capable de démêler le vrai du faux, pas plus qu'aucun autre homme ; elle avait mis en œuvre les grands moyens dès qu'elle avait compris qu'il ne laisserait pas tomber, bien qu'elle ait été complètement refroidie par son ardeur robuste et athlétique.

Ils s'étaient quittés avec une bonne humeur partagée. Lui était ravi de la performance de Fernanda, elle flattée de ses habiles compliments. Elle s'était déclarée dans l'impossibilité de le revoir, à cause de son affection pour Georgina et, de ce fait, du trouble de sa conscience. Une touche délicate, pensait Fernanda. Cela lui avait épargné une nouvelle expérience du même genre, tout en évitant à Jimmy un froissement de l'estime qu'il se portait à lui-même, détail primordial chez tout homme. S'il souhaitait rencontrer son père, pourquoi pas ? Elle savait avec certitude que l'espoir de cette recommandation n'avait pas été la raison de son invitation à un tête-à-tête.

— A-t-il parlé d'acheter des terres ? demanda Valerie.

— Non, Valerie, seulement une vache, rétorqua Liddy d'un ton plein de mépris. Bien sûr qu'il veut acheter de la terre. Tout le monde veut la même chose depuis vingt-cinq ans, et la réponse n'a pas varié. Votre père ne vendra pas.

— Je me demandais... fit lentement Fernanda, comme réfléchissant à voix haute, si Père épousait Red Appleton, les choses ne changeraient-elles pas ? Peut-être serait-il prêt à vendre. Ne voudrait-il pas avoir plus de temps pour profiter de la vie ? Red est friquée, tout le monde le sait. Ce ne serait pas juste de la part de Père de lui demander d'abandonner son style de vie pour habiter au ranch — et en même temps de quoi aurait-il l'air s'il vivait à ses crochets ?

Liddy toussa dans son verre d'Évian.

— L'épouser ! siffla-t-elle quand elle eut retrouvé sa respiration. Tu en parles comme si c'était un détail ! Que m'avez-vous encore caché, toutes les deux ? Jusqu'à quel point est allée cette histoire ?

— Fernie raconte n'importe quoi, Mère, s'empressa de répondre Valerie. Ils se sont beaucoup vus, c'est tout.

— Sur une période de plusieurs mois, Val, et avec une fréquence suspecte, objecta Fernanda.

Elle n'aimait pas voir ses spéculations balayées si rapidement.

— Aucune de vous n'a le moindre sens commun, enragea Liddy. S'il existe une seule chance que votre père se remarie, ne voyez-vous pas ce que cela signifie pour vous deux ? Cette Red n'a que quarante et un ans. Qu'est-ce qui l'empêche d'avoir un enfant, ou deux ? Et comment savez-vous que le ranch ne serait pas alors légué au premier enfant mâle qu'elle aurait ? Les Kilkullen ont toujours respecté cette tradition depuis qu'ils sont sortis de la fange et ont commencé à calquer leur attitude sur celle de l'aristocratie britannique.

— Tu ne penses pas sincèrement que Père nous déshériterait dans son testament ? interrogea Valerie, incrédule.

— Pourquoi pas ? fit Liddy.

Elle s'efforçait de refréner son impatience face à ces enfants criminelles par leur ignorance et leur naïveté.

— S'il avait un fils, il serait tout à fait capable de ne vous laisser, à vous et vos enfants, que quelques souvenirs sans valeur, et de conserver le ranch d'un seul tenant pour son descendant. Il estime que vous avez toutes les deux suffisamment d'argent — ce qui est vrai — et il a déjà payé pour votre coûteuse éducation, grâce à moi.

Valerie et Fernanda s'abîmèrent dans un silence abasourdi. Malgré leurs bavardages au sujet de Red Appleton, aucune d'elles n'avait envisagé le problème jusqu'à l'éventualité de sa conclusion logique. Elles étaient trop habituées à se considérer comme les inévitables héritières des terres attribuées par la Couronne d'Espagne pour avoir imaginé la naissance d'un héritier mâle qui leur prendrait la place. Dans le monde moderne, pareilles choses n'arrivaient pas. Mais pour connaître Mike Kilkullen, elles savaient qu'il ne vivait pas dans le monde moderne.

— Naturellement, vous n'avez prévu aucune parade, lâcha Liddy d'un ton cinglant.

— Que pouvons-nous faire, Mère ? On ne va quand même pas foncer en Californie pour mettre un terme à ce petit roman d'amour, avança prudemment Valerie.

— Vous devriez être en train de planifier vos vacances de Noël au ranch, vous et *chacun* de vos enfants. Fernanda, ton Jeremiah a dix-neuf ans, et Matthew dix-sept. Heidi et les trois filles de Valerie sont toutes adorables. Avec six petits-enfants, dont deux jeunes gens, en train de grouiller autour de lui, votre père n'aura guère le temps de voir cette créature et, certainement, il finira par se rendre compte qu'il a déjà des héritiers.

— Mes enfants ont prévu d'aller skier, geignit Fernanda.

— Mes filles sont invitées durant toutes les vacances, Mère, argua Valerie.

— Absurde ! Ils *doivent* aller au ranch. Et avec bonne humeur. Pas de pleurnicheries, aboya Liddy.

— Mère, raisonna Valerie, c'était une chose quand tu nous expédiais au ranch sous le moindre prétexte — nous comprenions pourquoi —, mais nos enfants ne sont pas nés là-bas, ils ne te connaissent guère, Père non plus, nous ne les avons pas élevés comme tu nous as élevées — comment pourrions-nous leur faire comprendre cela ?

— Je ne sais pas et c'est le cadet de mes soucis, mais vous devez le faire ! Si votre père se remarie encore, vous aurez à partager son bien avec sa femme même s'ils n'ont pas eu d'enfants ensemble. Sans parler qu'il reste toujours Jazz, Jazz qui vit quasiment là-bas ! Un homme peut rédiger son testament comme il l'entend. Et s'il ne vous laissait rien, ou presque ? Si Jazz et cette nouvelle épouse obtenaient le ranch, et vous le peu d'argent qu'il a sur son compte bancaire, comme cela m'est arrivé ? *Je vous parle de milliards de dollars.* Vos têtes de linottes peuvent-elles le comprendre ?

Valerie et Fernanda échangèrent un regard terrifié. Aussi loin qu'elles s'en souvenaient, leur mère leur avait répété qu'elle s'était sacrifiée afin de leur offrir l'éducation des excellents pensionnats de la côte Est, ainsi que l'avantage de la fréquentation des jeunes filles issues de la meilleure société. Elles savaient lui devoir d'avoir échappé à leur destin de souris des champs d'Orange County. Il avait toujours été admis qu'une fois héritières, elles verseraient à Liddy un coquet pourcentage sur leur part en remerciement de tout ce qu'elle avait fait pour elles. Ni Valerie ni Fernanda n'avaient jamais discuté cet arrangement futur, pas plus qu'elles ne le firent alors, mais elles comprirent que la panique de leur mère ne concernait pas seulement leur avenir, mais aussi le sien.

La panique n'était pas un sentiment qu'elles se rappelaient avoir jamais perçu dans la voix de Liddy Kilkullen, mais elles le détectaient à présent, et cette frayeur les gagna aussitôt. Silencieuses, les trois femmes restèrent assises, fixant la nappe, tandis que le serveur remportait leurs poissons à moitié mangés. Fernanda et Valerie s'efforçaient de trouver le moyen de modifier les plans de leurs enfants à Noël et de les obliger à accepter le séjour au ranch.

Le cerveau de Liddy galopait bien au-delà. Deems White accomplissait maintenant son second mandat de gouverneur de Californie. Nora et lui continuaient de séjourner à Marbella lorsqu'ils parvenaient à se libérer, même si ce n'était que pour une semaine. La dense qualité de leur merveilleuse intimité n'avait jamais faibli. La rareté de leurs rencontres ne faisait que les rendre plus précieuses, et plus pleins les moments passés ensemble. Liddy demeurait fidèle à la coupe de cheveux de garçonnet que Deems aimait. Son corps, entraîné jusqu'au fanatisme, restait aussi ferme et musclé qu'autrefois, car elle voulait demeurer à jamais la femme que Deems avait rencontrée un soir à San Clemente et adorée sur-le-champ.

A présent, devenu par sa fonction un homme trop public, Deems White ne s'autorisait plus à trouver un exutoire à son homosexualité. La chambre de Liddy, avec sa douce pénombre de l'après-midi, son lourd parfum de fleurs, était le seul lieu au monde où, en imagination, il pouvait redevenir le jeune homme insouciant qu'il avait été la première fois qu'il était entré dans son lit. Lorsqu'il venait dans cette chambre chaque après-midi, il ne partait plus avant que tous deux soient satisfaits. Sans jamais s'en douter, Liddy était devenue son marin.

Nora White, songeait Liddy, avait tiré parti de sa position de première dame de Californie pour se donner des airs et des grâces que Liddy avait eu soin de ne jamais décourager, car Nora était une amie loyale. Les White conservaient une maison à San Clemente, dans laquelle ils passaient autant de temps qu'à Sacramento, et Nora, qui s'était épanouie dans sa peau d'épouse de politicien, connaissait tous les ragots de la bonne société californienne. Elle connaîtrait les noms de tous ceux qui savaient quelque chose sur Red Appleton. Peut-être aurait-elle quelque information directe sur Red, information dont on pourrait se servir contre elle. Liddy résolut de téléphoner à Nora sitôt après le déjeuner. Pourquoi ne l'avait-elle pas fait plus tôt ?

Le serveur se demanda s'il était temps de proposer un café à ces trois dames — d'évidence, elles ne commanderaient pas de dessert — et se ravisa. Peut-être dans une minute ou deux, mais pas tout de suite, pas alors qu'elles demeuraient immobiles sans parler, comme fâchées les unes avec les autres. Elles étaient si différentes, pensa-t-il paresseusement : l'une jeune et jolie avec de longs cheveux blonds, l'autre sévère avec les cheveux en arrière, un grand nez et pas assez de menton, tandis que la plus âgée portait une sorte de dureté froide sur le visage, dureté rare quand des dames déjeunaient ensemble. Pourtant il y avait comme une ressemblance entre elles... dans leur expression, peut-être ?

# 13

— Ne volez pas trop bas, conseilla Jimmy Rosemont au pilote du petit hélicoptère qu'il avait loué à l'aéroport John-Wayne. Cet engin fait beaucoup trop de boucan.

Il tenait à la main une carte de la Californie du Sud — Los Angeles, San Diego et Orange County —, carte qu'il avait soigneusement annotée la nuit précédente dans sa suite de l'hôtel *Ritz-Carlton* à Laguna Niguel, face à l'océan. Une carte incroyablement petite pour un si grand territoire, ainsi seules les grandes limites du découpage de l'État y figuraient-elles, mais cela servait les projets de Rosemont. Il avait déjà survolé les régions partiellement développées, autrefois le ranch des Irvine, que possédait désormais Donald Bren.

Ce Bren faisait l'admiration de Jimmy Rosemont, c'était le genre de type qui lui plaisait : parti de rien trente-deux ans plus tôt, et aujourd'hui à la tête de milliards de dollars. La photo couleur de Bren dans le *Forbes*, l'annuaire des gens les plus fortunés d'Amérique, figurant dans la rubrique réduite des multimilliardaires, le montrait en chemise de coton de rancher, avec un jean délavé et un fin sourire de conquérant, debout dans une orangeraie éclaboussée de soleil, pareil en tous points à l'ancien champion de ski et au Marine qu'il avait été avant d'emprunter cent mille dollars pour construire sa première maison en 1958. En 1977, alors qu'il avait très bien réussi en tant que promoteur, Bren et quatre associés achetaient le ranch Irvine pour la somme risible de trois cent trente-sept millions de dollars. Quand ses partenaires n'avaient plus été capables de suivre, Bren avait tout racheté pour cinq cent dix-huit millions de dollars, en 1983.

Voilà seulement sept ans, pensait Jimmy Rosemont, un peu de rêve passant dans ses yeux rusés, Bren avait pu acquérir un sixième d'Orange County pour une somme dérisoire. Comment se faisait-il que ses associés aient eu la vue si courte ? Aucun de ces hommes riches et réalistes n'avait-il été capable de comprendre qu'il loupait le plus gros coup de sa vie en lui revendant la terre ? Toujours est-il que Bren s'était retrouvé unique propriétaire, probablement le seul à avoir entrevu le parti à tirer de l'opération. Al Taubman, de Bloomfield

Hills, Michigan, l'un des anciens partenaires de Bren, avait gagné cent cinquante millions de dollars en revendant sa part du ranch Irvine à Bren, une somme minable pour perdre le contrôle d'une propriété qui devait valoir dix fois plus aujourd'hui, et qui la vaudrait vingt fois d'ici quelques années.

Jimmy Rosemont grogna de dédain puis oublia son confrère milliardaire, Al Taubman, pour se pencher en avant et regarder le ranch Kilkullen. La terre s'étirait sous le petit hélico aux parois et au sol quasi transparents ; on jouissait de ce fait d'un champ de vision exceptionnel.

— Dirigez-vous d'abord vers le rivage, ordonna-t-il au pilote.

L'hélicoptère descendit vers la mer, vira et suivit le rivage du ranch. Jimmy Rosemont retint son souffle en découvrant cette lande vierge qui s'étirait à perte de vue. Trente kilomètres de plage déserte dans un jour d'hiver typiquement californien, sous le ciel bleu et le soleil brillant... Pénétrant dans la caverne d'Ali Baba, découvrant devant lui les barriques bourrées de toutes les richesses de l'Orient, Rosemont n'eût pas été plus emballé.

A cette époque de l'année, les habitants du sud de la France avaient depuis longtemps vu partir les touristes et se préparaient à un hiver pluvieux et incertain ; à l'exception des agriculteurs, la Provence était vide pour plusieurs mois de mistral et de froid ; la Floride était en proie aux ouragans et à la pluie, mais là, pendant l'hiver, régnait le meilleur climat du monde occidental. Là, juste en dessous de Rosemont, s'ouvrait le plus joli port naturel qu'il ait jamais vu, une large anse en forme de fer à cheval, que les vagues du Pacifique avaient creusée pendant des millénaires sur une longueur d'au moins trois kilomètres.

Comme le reste de la plage, le rivage de la baie était vierge, à l'exception d'une minuscule construction que Jimmy Rosemont savait être le hangar à bateaux des Kilkullen, niché dans un creux abrité du vent. Les vagues battaient l'interminable et sinueuse ligne de sable gris-brun. Ici et là, loin en mer, se dressaient de gros rochers que l'océan fouettait de ses violents jets d'écume blanche. Et puis il y avait la pointe Valencia, telle qu'on la lui avait décrite, qui fendait les flots comme un doigt pointé plein ouest.

— Refaites le trajet dans l'autre sens en survolant la plage, demanda-t-il. Mais gardez votre altitude.

Pendant les dix minutes qui suivirent, il constata que la bande de terre côtière de la propriété Kilkullen était grandiose ; rien ne la défigurait. Après l'à-pic des falaises s'étiraient trois kilomètres d'un paysage plat, dépourvu d'arbres et planté d'une culture qu'il ne savait identifier.

Rosemont ordonna au pilote de s'éloigner vers l'intérieur, vers les hectares de basses terres riches et verdoyantes, ponctuées, à larges intervalles, par les habitations des fermiers qui les cultivaient. Puis ils volèrent encore plus loin vers le cœur de la propriété, voyant se dérouler sous eux l'immense tapis de pâturages ondoyants, strié par les ruisseaux aux rives ombragées, où l'on n'apercevait que des troupeaux et quelques hommes à cheval, les arbres étant rares sur ces milliers d'hectares réservés aux bêtes. D'étroites routes poussiéreuses et balayées par le vent, des clôtures et cinq réservoirs d'eau représentaient, dans ces majestueuses hautes terres, les seuls signes d'une présence humaine.

— Voulez-vous que je contourne le Pic de Portola ? demanda le pilote.

— Inutile, je le vois très bien d'ici, répondit Rosemont.

A ses yeux, le pic en soi était la partie la moins intéressante de la propriété et la plus difficile à développer. Pourtant, comprit Rosemont tandis que l'hélicoptère s'élevait pour lui donner une meilleure vue, si le pic était proprement aménagé, la vue dont on jouirait depuis ses pentes, à plus ou moins faible altitude, serait si magnifique qu'elle vaudrait largement la lourde dépense d'infrastructure. Le pic pourrait s'avérer aussi juteux que le rivage. Plus rentable, d'une certaine façon.

— Retournons à l'aéroport, décida-t-il.

*Infrastructure*, songeait Rosemont, qui diable avait inventé ce mot affreux et vainement intimidant ? L'infrastructure était bien plus simple à comprendre que la complexité de la main humaine.

Routes, canalisations d'eau, égouts, lignes téléphoniques, arrivées de gaz, d'électricité, et le tour était joué. N'importe quel propriétaire de maison s'occupait d'infrastructure, quand bien même il ne l'envisageait pas en ces termes. Quand on avait du flair, quand on s'appelait Jimmy Rosemont ou Donald Bren, on ne reculait pas devant ce mot *infrastructure*, — qui devenait d'autant plus familier que, sans elle, impossible de bâtir autre chose qu'une cabane.

Jimmy Rosemont descendit de l'hélicoptère et traversa l'héliport jusqu'à la limousine qui le conduirait à son rendez-vous avec Mike Kilkullen. Il était en avance, constata-t-il en consultant sa montre. Il avait le temps de prendre un café avant de rencontrer le propriétaire. La terre qu'il venait de survoler avait encore plus de valeur qu'il ne l'avait espéré, bien plus de valeur que ce que soupçonnaient ses associés. Et, pour Rosemont, ses partenaires, un consortium des plus riches banquiers de la communauté chinoise de Hong-Kong, étaient les hommes les plus habiles avec qui il ait jamais fait affaire.

\*\*\*

Lorsque la limousine arriva, Mike Kilkullen se montra à la porte d'entrée de l'hacienda. Il recevait toujours ses invités, désirés ou non, sur le seuil de l'hacienda Valencia, mais Fernanda et Valerie avaient tant insisté sur leur amitié avec les Rosemont lors de leur coup de téléphone de la semaine dernière, qu'il tenait, pour elles, à se montrer particulièrement aimable avec son hôte. En d'autres circonstances, il n'eût jamais accepté un rendez-vous d'affaires au beau milieu d'une journée de travail au ranch.

Les deux hommes se serrèrent la main, prenant la mesure l'un de l'autre. Aucun d'eux n'aima ce qu'il vit. Pour un homme qui n'avait jamais rien fait d'autre dans sa vie qu'élever de la viande sur pied,

Kilkullen ressemblait beaucoup trop au maître d'un manoir, pensa Rosemont. Il était trop imposant, bien trop grand dans son pantalon de flanelle grise, sa chemise bleue au col ouvert et sa veste de tweed gris, pour quelqu'un qui ne voyageait jamais, pour un éleveur dont l'existence monotone lui paraissait dépourvue de la seule motivation valable : le pouvoir de provoquer des événements dans le monde. Rosemont ne s'était pas non plus attendu à la majesté de son approche de l'hacienda — l'allée d'arbres géants, l'impression que la demeure était entourée d'hectares de vieux jardins bien entretenus, et la taille de l'hacienda elle-même.

Mike n'appréciait pas les hommes qui ne conduisaient pas eux-mêmes leur voiture, quelle que soit leur fortune. Il n'aimait pas les hommes qui arboraient en plein jour un costume trois pièces gris sombre à fines rayures. Il n'aimait pas les hommes aux yeux saillants, affichant un sourire qu'ils exerçaient sans doute chaque matin devant leur miroir afin de s'assurer que leur charme ne s'était pas évanoui pendant la nuit. Il se fichait que les hommes soient gros ou minces mais il n'aimait pas les rebondis qui croyaient pouvoir dissimuler une molle brioche sous l'excellence de leur coupe vestimentaire. Il n'aimait particulièrement pas les hommes qui venaient à lui « pour affaires » par le biais des membres de sa famille et prenaient rendez-vous à une heure où il se retrouvait obligé de les inviter à déjeuner au risque de passer pour un rustre.

— Je suis ravi de vous rencontrer, monsieur Kilkullen. C'est très aimable à vous de m'accorder un peu de votre temps.

— Nullement, monsieur Rosemont. Entrez donc. Je crois qu'il est l'heure de prendre un verre avant le déjeuner.

Mike précéda rapidement Jimmy Rosemont à travers la longue salle de séjour de l'hacienda, et le conduisit sous le vaste porche dont les colonnes étaient couvertes de jasmin en pleine floraison hivernale. Ils s'installèrent dans de confortables vieux fauteuils autour d'une table sur laquelle avait été posé un plateau avec bouteilles, verres et seau de glace.

— Que puis-je vous servir ? s'enquit Mike.

Rosemont ne buvait jamais au déjeuner mais, même s'il y avait du Perrier sur la table, il préféra n'en pas demander à son hôte qui devait être bon buveur.

— Un scotch, s'il vous plaît, sans glace.

Mike lui servit un Glenfiddich, et à lui-même un Perrier glacé avec une demi-rondelle de citron ; ils levèrent leurs verres en un toast muet.

Le regard de Rosemont explorait le patio. Il n'avait pas osé survoler l'hacienda de crainte d'être repéré, mais il était fasciné par la vue dont on jouissait depuis le porche ; la grande fontaine auréolée de pots de pervenches, de géraniums roses et de grosses pensées bleu profond et blanches, les sentes bordées de cyprès taillés qui menaient à de multiples petits jardins abrités les uns des autres.

— Vous habitez un endroit merveilleux, monsieur Kilkullen.

— Il fait mon orgueil et ma joie, monsieur Rosemont.

— Rien de tel qu'un jardin, n'est-ce pas ? Mon épouse est anglaise, et rien ne la rend plus heureuse que de bêcher la terre de notre maison de campagne. Georgina m'a dit que vous vous enorgueillissez d'une célèbre roseraie.

— Merci. C'est du travail mais cela vaut le coup. De quoi souhaitiez-vous me parler, monsieur Rosemont ? questionna Mike, s'efforçant de couper rapidement court à ces balivernes jardinières.

— De votre avenir, monsieur Kilkullen.

— Vous vendez des assurances-vie, monsieur Rosemont ?

— Pas tout à fait, monsieur Kilkullen. Vous avez été un homme avisé toute votre vie, vous n'avez besoin d'aucune assurance.

— Alors ?

— Tout autour de vous, plus haut et plus bas sur la côte, des gens dont les familles s'étaient installées ici au siècle dernier, ou même au début de ce siècle, ont vendu leurs terres et sont devenus riches, tandis que vous êtes resté planté sur votre propriété, vivant confortablement et sans vous défaire d'un seul hectare.

— « Vivant confortablement » ? C'est ainsi que vous imaginez la vie d'un éleveur de bétail ?

— J'ai cru comprendre qu'un éleveur, s'il possède sa terre et n'a pas emprunté au-delà de ses possibilités, s'en sort plutôt bien. Disons que vous élevez quatre mille têtes — c'est à peu près cela, monsieur Kilkullen ? — sur lesquelles quatre-vingt-dix pour cent mettent bas chaque année. Ce qui donne trois mille six cents veaux. Les bonnes années, et jusqu'à ce qu'ils soient bons pour la vente, ils grossissent de quatre cent cinquante livres et vous vendez chaque tête cinq cents dollars. Il vous en a coûté quatre cent cinquante dollars pour la croissance de chaque bête, ce qui vous fait un profit net de cinquante dollars par tête, soit deux cent mille dollars par an.

— Quand c'est une bonne année, fit doucement Mike.

Il était furieux que cet étranger ait connaissance de faits comptables qu'il ne pouvait avoir découverts sans le concours d'un expert. Rosemont lui avait mis la main dans la poche et lui comptait ses sous.

— Même une mauvaise année, vous conservez un revenu fixe du fait des loyers que vous versent vos fermiers, ceux qui font la fleur, la fraise, les citrons. Et vous avez été assez fin pour éviter de vous lancer dans l'élevage des chevaux, qui dévore les bénéfices.

— Maintenant que vous m'avez expliqué comment marchaient mes affaires, pourquoi ne m'exposez-vous pas *les vôtres* ?

— Je suis un homme qui aide les autres à maximaliser leur bien. Evidemment, je cherche mon profit, mais je rends les gens riches, monsieur Kilkullen. Incroyablement riches, totalement libérés de ce qui peut leur arriver au cours de leur vie, excepté la mort. Les impôts ne sont pas un problème, si l'on est assez riche. Nous sommes assis là, face à face, et une seule décision de votre part pourrait faire de vous l'un des hommes les plus riches du monde, simplement parce que vous avez été suffisamment intelligent pour garder votre terre, au lieu de la vendre prématurément.

— Certains ne me jugent pas intelligent, mais entêté, répondit Mike avec paresse.

— Sans aucun doute. Mais je suis sûr que vous êtes aussi un homme de raison. Regardez vos voisins, vos vieux amis, les familles avec lesquelles vous avez grandi. Prenez les Segerstrom, par exemple. Ils cultivaient des haricots-beurre jusqu'à la fin de la Seconde Guerre mondiale. Aujourd'hui ils possèdent plus de la moitié d'un milliard de dollars en immeubles et centres commerciaux. Avez-vous déjà visité le South Coast Plaza, monsieur Kilkullen ?

— En fait, oui. Henry m'a invité pour l'inauguration du jardin des sculptures de Noguchi... j'ai particulièrement apprécié l'œuvre que Noguchi a appelée *L'Esprit du haricot-beurre*... un tribut bien mérité pour un légume sous-estimé, ne trouvez-vous pas, monsieur Rosemont ?

— Magnifique, splendide. Mais je suis aussi impressionné par ce que les Segerstrom ont été capables de faire pour Orange County. Ils ont été à l'origine de l'ouverture du Centre des arts vivants, ils ont donné le terrain et six millions cash — le Centre a été internationalement applaudi, et il signifie *l'immortalité* pour le nom des Segerstrom. Ils n'auraient pu parvenir à cela s'ils avaient persisté à faire pousser des haricots.

— Je ne vous disputerai pas ce point.

— Prenons maintenant l'exemple des Irvine. Quand ils ont donné leur terre pour qu'y soit édifiée l'U.C. Irvine, ils ont créé une grande université là où rien n'existait. Aujourd'hui, comme vous devez le savoir, monsieur Kilkullen, l'U.C. Irvine attire certains des plus grands cerveaux du monde, sans parler de leur géniale équipe de foot. Même s'ils ne possèdent plus la terre, les Irvine, eux aussi, ont gagné l'immortalité.

— Essayez-vous de me rendre riche, monsieur Rosemont, ou immortel ? demanda Mike en ouvrant une autre bouteille de Perrier.

— Riche, monsieur Kilkullen, richissime. L'immortalité est ce que visent certains hommes riches quand ils ont déjà tout ce qu'ils peuvent souhaiter et autant à laisser à leurs héritiers. L'immortalité est en option.

Jimmy Rosemont eut un éloquent haussement d'épaules.

— Je suis ici, continua-t-il, pour faire valoir le fait que vous avez, à portée de la main, toutes les possibilités dont un homme puisse rêver. Vous pourriez faire ce que vous voulez de votre vie : devenir un grand collectionneur, faire le tour du monde sur votre yacht, créer vos propres œuvres de charité, vous pourriez faire comme Bren et devenir le gros bailleur de fonds du parti républicain en Californie, vous acheter une équipe de football... Le monde est à votre portée, monsieur Kilkullen.

— Et il suffit que je vende mon ranch.

— Précisément.

— Pourquoi voudrais-je le faire maintenant, alors que j'ai refusé maintes fois ces trente dernières années ? questionna suavement Mike.

— Parce que vous n'allez pas vivre éternellement, monsieur Kilkullen. Je suis moi-même assez âgé pour ne pas me sentir gêné de vous dire cela. Dans vingt-cinq ans, vous aurez quatre-vingt-dix ans, et si vous êtes encore là — ce que je vous souhaite de tout mon cœur — vous ne pouvez nier que vous aurez vécu votre vie. Sera-ce la même existence routinière que vous avez toujours connue, jour après jour, aussi loin que remontent vos souvenirs, ou sera-ce une vie pleine de souvenirs précieux que vous aura offerts la stupéfiante opportunité qui s'ouvre aujourd'hui devant vous, alors que vous êtes au meilleur de votre forme, que vous avez encore devant vous vos meilleures années ?

— Vous plaidez bien, monsieur Rosemont. Vous êtes un homme très persuasif, et vous ne craignez pas de dire l'indicible. Jusqu'à présent, aucun de ceux qui ont essayé de m'acheter n'avait mentionné la mort. Les impôts, oui, mais pas la mort. Dites-moi, pure curiosité de ma part, où vivrai-je si je décide de vendre le ranch ? Comme vous l'avez souligné, j'ai soixante-cinq ans, et naturellement je suis profondément attaché à cette maison de famille. Il n'est pas d'autre lieu au monde où je préférerais vivre — et mourir, puisqu'il en est question.

— Ce ne serait pas un problème. Vous décideriez des limites de votre propriété privée, et cette partie serait exclue de la vente. Vous pourriez demeurer ici et ne même pas vous apercevoir d'un quelconque changement autour de vous. Ces jardins et ces arbres qui vous protègent sont un gage de parfaite intimité.

— Seulement un peu de bruit, je suppose ? Les travaux de construction et tout ça ?

— Naturellement, il faudrait compter avec. Mais si vous vous gardez, oh, disons une cinquantaine d'hectares, une surface correcte, vous ne remarquerez pas grand-chose, voire rien du tout.

— Et mon élevage ?

— Vous ne seriez plus un éleveur de Californie du Sud. Mais vous pourriez acheter un autre ranch, monsieur Kilkullen, il y en a partout à vendre, des ranches qui auraient besoin d'hommes de votre expérience pour être correctement dirigés.

— Dans le Montana, le Texas, des endroits de ce genre ?

— Exactement !

— Des ranches à l'intérieur des terres. Pas de rivage, pas de montagnes.

— C'est vrai, mais le pays est magnifique.

— Comme dans les pubs Marlboro ?

— Encore mieux, plus verdoyant, et pour toujours, pas comme ici.

— Pourquoi n'achetez-*vous* pas l'un de ces ranches, monsieur Rosemont ?

— Une idée amusante, monsieur Kilkullen, mais nous sommes tous deux des hommes très occupés. Votre ranch m'intéresse car il offre des possibilités qui n'existent pas à l'intérieur des terres. Évidemment, je veux donner à votre terre un développement résidentiel.

— Des rangées de maisons toutes identiques, Rosemont, sans même un petit jardin pour que les gosses puissent s'ébattre ? Rentabilisation maximum de l'espace ?

La voix de Mike était encore nonchalante.

— Rien de tel, s'empressa de le détromper Jimmy Rosemont. Je ne m intéresse qu'aux belles propriétés. Cela représente dix pour cent de plus à la construction qu'une habitation modeste, mais le profit est radicalement différent.

— J'en suis conscient. Vous avez les mêmes dépenses d'infrastructure dans les deux cas, mais vous faites votre fric sur les ornements. Baignoires en marbre, plan de travail en granit dans les cuisines, entrées à double porte, salle réservée à la télé-hifi-vidéo, double installation dans la salle de bains du couple, et tout ce genre de glaçage bon marché sur le gâteau.

— J'ignorais que vous vous y connaissiez en immobilier, monsieur Kilkullen.

— Pas du tout. Mon régisseur m'a mis au parfum.

— Eh bien, alors, vous comprenez que ce ne serait guère rentable pour moi d'utiliser le terrain pour des projets immobiliers destinés aux revenus modestes — ou même moyens. Le ranch Kilkullen deviendra la propriété résidentielle la plus chic de tout Orange County... si vous me le vendez.

— Je ne vendrai pas, monsieur Rosemont. Ni à vous ni à personne, pas plus un demi-hectare que dix mille. Le ranch est le seul endroit entre L.A. et San Diego qui soit resté comme la nature l'avait fait. Tout le reste est neuf, et *c'est de la merde.*

Mike Kilkullen se leva.

— La seule chose que je désire, pour le reste de mon existence, Rosemont, quel que soit le temps qu'il me reste à vivre, c'est de continuer à chevaucher sur ma terre, nourrir mes bêtes, diriger le rassemblement chaque année, pouvoir galoper sur ma plage au coucher du soleil, réparer mes clôtures, m'inquiéter de la pluie, prendre mon bateau dans mon propre hangar, soigner mes vaches, et, à la fin du jour, m'asseoir devant ma cheminée, dans ma demeure familiale, et savoir que tout autour de moi s'endort la terre que mon arrière-grand-père acheta à mon arrière-arrière-grand-père, et que j'ai préservée pour mes enfants.

— Je suis désolé d'entendre cette réponse, rétorqua Jimmy Rosemont en se levant à son tour. Je ne crois pas devoir abuser davantage de votre temps, monsieur Kilkullen. Je me passerai du déjeuner, si cela ne vous fait rien... ainsi j'aurai le temps de regagner New York pour le dîner.

— Certainement, Rosemont. Je comprends. Je vous raccompagne à votre voiture. Et n'oubliez pas de transmettre mon affection à Fernanda et Valerie quand vous les verrez.

— Sans faute.

— Oh oui, une dernière chose... c'était bien votre hélicoptère ce matin qui inspectait mon ranch, n'est-ce pas ?

— Ah... euh... oui, en effet.

— Je m'en doutais. Bon retour, Rosemont. J'espère que la visite vous a plu.

*<br>**

Casey Nelson avait insisté pour l'emmener dîner au *Spago*. Tout en s'habillant pour la soirée, Jazz se disait que son cousin ne trouverait jamais une bonne table là-bas. Seuls les clients réguliers, qui appartenaient quasiment tous au monde du show-business, pouvaient espérer une table décente dans le célèbre restaurant, qui gagnait et gagnait en popularité quand nombre d'établissements à la mode ne restaient ouverts que l'espace d'une saison.

Premier restaurant de Wolfgang Puck, le *Spago* était le *21* de la Californie, l'endroit branché, le lieu de passage obligé pour qui aspirait à faire partie de la hiérarchie du prestige à L.A. Ce n'était pas pour le nouveau régisseur du ranch Kilkullen, même si le père du régisseur en question avait fait un tabac dans les remorqueurs à New York.

Jazz avait été tentée d'appeler Bernard, le maître d'hôtel, ou la jolie Jannis aux cheveux noirs qui le secondait, pour les prévenir qu'elle était l'invitée de Casey. Cela leur eût garanti une table bien placée, mais la jeune femme décida que, puisque Casey s'était montré aussi obstiné, elle ne lèverait pas le petit doigt pour lui faciliter les choses. Qu'il se rende compte par lui-même de sa présomption quand on leur ferait traverser tout le restaurant jusqu'au fin fond de la salle, ou, pire encore, quand on les dirigerait vers l'une des salles où elle n'avait jamais mis les pieds sinon pour des soirées privées. Tout homme qui la laissait tomber en pleine scène de séduction méritait une sévère humiliation.

Elle se sentait jolie, oh *si* jolie, avec un Sam Butler pantelant devant elle et un Casey Nelson tellement amouraché qu'il avait insisté pour l'emmener au *Spago*. Une fille devrait toujours avoir deux galants dans sa manche. Ou trois.

Que porte-t-on pour marquer une humeur si furieusement jolie, sachant qu'il n'est pas de mise de s'habiller sérieusement pour une soirée au *Spago*, excepté la nuit des Oscars ? Casey pourrait difficilement se montrer en public dans sa tenue de régisseur qui était restée acceptable pour l'*El Adobe*. Sans doute mettrait-il le costume sombre dans lequel il avait saccagé sa robe Grès et son châle espagnol.

Un vrai problème : une escorte trop habillée pour le restaurant le plus en vue de la ville, où l'élégance discrète était la norme. D'abord, décida Jazz, on commence par des collants noirs, un pantalon de laine noire et des souliers de velours à talons plats. Voilà qui écarte d'entrée l'aspect plutôt guindé de n'importe quelle jupe. Ensuite, on se plonge dans le placard et on rêvasse, méditation pondérée, réfléchie, calculée, avant de connaître les transes qui ne cesseront que lorsqu'on aura mis la main sur le bon haut. Une fois qu'on est assis à table, les gens n'ont que cela à voir : le haut.

Les doigts de Jazz se promenèrent sur des dizaines de cintres auxquels était accroché un nombre stupéfiant de chemisiers inadéquats et de vestes importables. Elle fouilla quelques piles de chandails pliés sur les étagères, pas le bon, toujours pas, pulls qui avaient été naguère parfaits pour le *Spago* mais qui ne l'étaient aucunement ce soir.

Rien ! Elle n'avait rien à se mettre ! Oh Dieu, est-ce que ce n'était pas toujours comme ça ? Elle avait été si occupée pendant un an qu'elle avait à peine eu le temps de faire des courses. Une seule solution, comprit-elle en se débarrassant de son pantalon et de ses chaussures : plonger illico dans le Chanel intégral. Quand on n'a rien à se mettre, c'est qu'il ne reste que Chanel, l'ancien, le nouveau, l'ancien et le nouveau mélangés, qu'importait. Chanel convenait à toutes les saisons, à toutes les occasions, à toutes les tribulations. Rien d'imaginatif, il ne révélait rien d'un style personnel, il ne feignait pas de s'accorder à une humeur, mais tout le monde, depuis la rédactrice en chef de *Vogue* jusqu'aux riches Japonaises, portait encore l'intemporel Chanel.

Les parentes de Casey, s'il en avait, s'habillaient probablement en Chanel de l'aube jusqu'au crépuscule, songea sinistrement Jazz en enfilant un tailleur rouge et noir de la dernière collection de prêt-à-porter. Elle farfouilla dans ses tiroirs d'accessoires pour en tirer cinq ou six colliers de perles Chanel de différentes longueurs, une paire de boucles d'oreilles et un camélia en satin noir qui lui avait coûté deux cents dollars. Elle passa le tout, se regarda dans le miroir..., et ôta le tailleur aussi vite que possible. Elle paraissait beaucoup trop apprêtée, pas assez décontractée, pas assez *Spago*. Ce n'était portable que pour un déjeuner d'affaires. Phoebe l'aurait mis.

Il lui restait dix minutes avant l'arrivée de Casey. Elle s'efforça de se calmer en se souvenant que, dans ce laps de temps, elle était capable de choisir la tenue de cinq mannequins. Le tout était de ne pas s'affoler. Quand Chanel ne marchait pas, il fallait attaquer par le biais des tee-shirts Hanes. Elle passa un tee-shirt blanc, le maria à un pantalon de daim pourpre, et jeta une veste Chanel sur le tout, la blanche, celle qui était ornée de perles à la place des galons, que Lagerfeld avait montrée l'année dernière simultanément sur trente mannequins, vêtues de trente façons différentes, depuis le maillot de bain jusqu'à la robe du soir, la fameuse veste qui allait avec tout. Au résultat, rien de catastrophique... sauf que deux femmes au moins ce soir au *Spago* porteraient la même veste ; en plus, elle avait l'air d'une variante de Murphy Brown dans ses jours les plus nuls.

Nue à l'exception de ses collants, Jazz, dans une folie inspirée, enfila une minijupe toute de paillettes vert sombre, lui assortit une chemise d'organdi de soie de même couleur, attrapa un vieux blazer de velours vert dans la pile d'habits dont elle fomentait de se débarrasser depuis deux ans, dénicha des escarpins noirs à très hauts talons ainsi qu'une paire de grosses boucles d'oreilles en verre Yves Saint Laurent qui lui avaient coûté mille dollars trois ans plus tôt et les avaient largement valu. Parfait ! L'ensemble avait tout : la décontraction de la vieille veste, la taquinerie du chemisier, l'audace de la jupe, et la fausse note délibérée des boucles d'oreilles beaucoup trop étincelantes.

Elle se rua vers la porte quand elle entendit sonner. Casey Nelson se tenait sur le seuil, en pantalon de velours côtelé, veste Armani et léger col roulé brun.

— Salut, murmura-t-elle. Tu es pile à l'heure.

Elle se demanda comment il avait su exactement ce qu'il fallait porter au *Spago*.

— Tu ressembles à... un arbre... un superbe arbre de Noël, fit-il, admiratif.

— J'avais envie de me sentir de saison, rétorqua-t-elle avec légèreté.

Comment avait-elle pu oublier que Noël était dans moins d'un mois ? Elle mettait un point d'honneur à ne jamais s'accorder à la saison. Maintenant elle avait l'air de s'être costumée pour une fête de Noël au jardin d'enfants. Minable, minable, minable, mais trop tard pour changer.

— Tu es prête ? demanda Casey.

— Allons-y, acquiesça-t-elle très vite.

S'il entrait dans l'appartement, il apercevrait sa chambre et l'immense placard grand ouvert. Elle avait oublié de refermer la porte et on aurait dit qu'il venait de s'y dérouler une vente de fripes.

Casey conduisit jusqu'au *Spago* dans un silence que l'on qualifie fréquemment d'« amical » mais qui rendait Jazz nerveuse. Ils n'étaient ni de vieux copains ni des amis intimes ni des amants. Qu'étaient-ils donc, dans ce doux silence ? Des cousins au troisième degré qui avaient échangé quelques paroles et quelques baisers, des cousins affectueux, une relation ténue s'il en est, et il était clairement du devoir de Casey de la sortir un soir.

Ils laissèrent la voiture sur le parking soigneusement gardé du *Spago* et empruntèrent l'allée pentue qui menait à l'entrée. Là, la foule ordinaire des paparazzi attendait pour photographier les stars.

— Hé, Jazz, où est Sam ? lança l'un d'eux.

— Sam vient ce soir ? questionna un autre.

— Jazz, tu trompes Sam ? s'enquit un troisième.

— Ignore-les, ordonna-t-elle à Casey. Ils inventent ce genre de truc pour m'embêter. Jalousie professionnelle.

A l'intérieur, le bar connaissait la presse habituelle de l'attente. Bernard aperçut Jazz et vint aussitôt l'embrasser sur la joue.

— Tu es superbe, Jazz... déjà parée pour Noël, hein ?

Il se tourna vers Casey et passa un bras amical sur ses épaules.

— Ta table est prête, Casey.

Virant à gauche, il les emmena vers la grande salle. A l'extrémité s'ouvrait la cuisine. La meilleure table de la maison se trouvait immédiatement sur la droite du comptoir, on la réservait aux tablées de six ou huit et, à côté, la deuxième meilleure table où pouvaient prendre place quatre ou même cinq convives. Ce soir, on avait dressé, juste dans le coin de la fenêtre, une plus petite table pour deux, en faisant ainsi la « table d'amoureux » qui devenait invariablement le point de mire de toute la salle. Bernard les conduisit jusque-là et, comme il se devait, les autres clients déjà installés les suivirent du regard. Au *Spago* il n'est pas grossier de regarder, comme il est normal de voleter d'une table à l'autre.

— Je suppose que tu es déjà venu ici, suggéra Jazz quand ils furent assis.

— Chaque fois que j'ai l'occasion de dîner à L.A., répondit Casey. Je voulais investir avec Wolf quand il a ouvert cet endroit, mais il n'a pas eu besoin de mon argent. J'ai des parts dans sa nouvelle brasserie et il sait que je suis prêt à suivre dans tout ce qu'il lancera. Ce type est un génie.

Voilà qui expliquait tout, pensa Jazz. Casey était un investisseur. Tout le monde sait que les investisseurs obtiennent les bonnes tables, c'est généralement la raison pour laquelle ils investissent. Casey avait payé pour être là — non pas que ce fût contre les règles mais, de l'avis de la jeune femme, ce n'était pas la voie légitime.

René, le beau serveur en tablier, apparut portant un plat.

— Wolf vous a vu arriver, monsieur Nelson, aussi vous fait-il porter votre pizza juive. Oh, bonsoir, mademoiselle Kilkullen, déjà de retour ?

Jazz acquiesça. La pizza juive de *Casey* ? Et sa pizza juive à elle ? C'était elle qui commandait toujours la pizza couverte de lamelles du saumon fumé le plus fin sur une mince couche de ce qui aurait pu ressembler à du *creamcheese* si le *creamcheese* avait eu dix fois plus de goût.

— Jazz, suggéra Casey, un peu d'aquavit frappé avec ça ?

— Et comment !

— Ne nous occupons pas de la carte avant d'avoir terminé la pizza, O.K. ? Qui sait ce qui nous fera envie après ?

— D'accord. Papa m'a dit que tu me parlerais du dernier gars qui a essayé d'acheter le ranch.

Elle écouta attentivement tandis que Casey lui racontait toute l'histoire.

— Quand ce salaud a fini par partir, conclut-il, Mike s'est avalé un double bourbon pour se débarrasser du goût du Perrier, puis il a passé l'après-midi avec la Jeep à vérifier l'état des clôtures pour s'assurer que Rosemont n'avait pas creusé en dessous à la recherche de pétrole !

— Pas à ce point là !

— Parole. Il a dit que Rosemont l'avait rendu parano — quelque chose de bizarre dans ses yeux, plus la façon dont l'hélicoptère a survolé la propriété. Il affirmait qu'il savait exactement ce que Faust avait dû ressentir en rencontrant le Diable, à la seule différence que lui ne veut pas vendre.

— Il est difficile de s'accrocher à un mode de vie qui a disparu partout excepté chez soi, commenta lentement Jazz. Mais Papa ne changera jamais, et il est parti pour vivre centenaire comme son grand-père. Je suppose qu'aux yeux de certains cela peut paraître... presque égoïste, un seul homme qui vit sur une terre que des milliers de gens pourraient habiter, mais papa sait qu'une fois le ranch disparu, ce sera fini pour de bon, et il ne restera plus rien que quelques vieilles photographies pour montrer ce qu'était la vie autrefois en Californie. Il est convaincu qu'il lui revient de préserver quelque chose du passé, il sait qu'il est le dernier à refuser que tout cela s'évanouisse, à renâcler devant ce qu'on a coutume d'appeler « le progrès », et je le comprends.

— Moi aussi, répondit Casey avec ferveur.

— Oh, voilà Shirlee, fit Jazz.

Elle fit signe à son amie, la jeune et belle veuve de Henry Fonda. Shirlee quitta un instant ses compagnons pour venir leur dire bonjour.

— Jazz, souffla-t-elle, je te trouve deux fois de suite à la table des amoureux ? Qu'est-ce qui se passe ? Sam est au courant ?

Shirlee avait une voix sourde, qui donnait l'impression qu'elle souffrait en permanence d'une extinction de voix, laryngite tout à fait sexy.

— Je te présente mon cousin Casey Nelson, Shirlee.

— Salut, cousin, susurra Shirlee, les yeux malicieux. Nous en sommes à quel degré de consanguinité, exactement ?

— Troisième, madame Fonda, répondit Casey. Je ne crois pas que cela compte, si ?

— Certainement pas... c'est seulement les cousins germains. Je dois retourner à ma table. Bye, vous deux, et ne vous inquiétez pas pour l'inceste.

— Je l'aime bien, fit Casey en riant.

— Tout le monde l'aime bien, rétorqua Jazz.

Elle était ennuyée. D'habitude, Shirlee se montrait d'une suprême discrétion ; cela dit, trop occupé à contempler les célèbres jambes de la jeune femme, Casey n'avait pas relevé l'allusion à Sam.

— Quand reviens-tu passer le week-end au ranch, Jazz ?

— Sans doute la semaine prochaine, et à Noël évidemment. Je vais être très prise dans les mois à venir. Je ne pourrai probablement pas revenir à la maison à ma guise.

— Pourquoi ?

— Un nouveau client, un gros contrat. Diet Pepsi veut lancer une campagne d'affichage qui frapperait autant que ce qu'a fait Annie Leibovitz pour American Express, et ils m'ont engagée.

— Naturellement.

— Naturellement, sourit Jazz.

Annie et elle avaient été copines, égales et rivales pendant si longtemps qu'il lui semblait avoir une jumelle.

— Quelle est l'accroche ?

— La simplicité même. Des doubles panneaux de photos de célébrités avec une boîte de Diet Pepsi.

— Ça n'a pas l'air très nouveau.

— Mais ça le sera. Il y a une ruse. D'abord, tu auras vraiment à chercher pour trouver la boîte de Pepsi. Elle sera quasiment invisible, difficile à découvrir, comme une pièce de puzzle qui est juste sous tes yeux et que tu te rends fou à chercher parce que tu sais qu'elle doit être là. Il n'y aura aucun slogan pour expliquer la pub, seulement cette boîte presque camouflée — peut-être même une seule moitié de boîte — que les gens s'attendront à trouver mais sans y parvenir à moins d'essayer réellement — ça deviendra une sorte de jeu. Ce qui veut dire que les affiches mobiliseront un temps fou et beaucoup d'attention... mieux qu'un avis de recherche. Et je vais photographier toutes les célébrités en pleine action, sur le vif, dans la sueur et l'abandon des moments intimes : Michael Jackson en studio d'enregistrement à la vingt-cinquième reprise ; Don Johnson et Melanie Griffith au lit, avec une goutte de Pepsi qui coule entre les seins de Melanie sous sa chemise de nuit, comme si Don venait de le renverser ; Madonna dans sa loge, en plein démaquillage ; Arsenio Hall en chemise, essayant de se décider entre une douzaine de costumes chez son tailleur... enfin, tu vois.

— Comment parviendras-tu à faire poser tous ces gens dans des situations pareilles alors que tu ne te sers pas de leur nom ?

— Pepsi leur verse deux cent cinquante mille dollars pour leurs bonnes œuvres.

— Je le ferais pour moins.

— Oui, c'est généreux. Mais ce sera la moindre dépense de la campagne.

Tandis qu'elle parlait, Jazz aperçut une grande rousse souriante qui approchait derrière Casey et mit un doigt sur ses lèvres pour lui intimer silence. Cette femme lui semblait familière mais Jazz ne put mettre tout de suite un nom sur son visage. L'étrangère plaça les mains sur les yeux de Casey.

— Devine, fit-elle d'une voix qu'à l'évidence elle déguisait.

Casey s'immobilisa puis leva les doigts à son visage pour explorer prudemment les mains qui lui voilaient la face ; il explora les paumes, les doigts, jusqu'à la forme de l'alliance de la rousse.

— Fauve Avigdor, que fais-tu ici ?

Il se leva et la prit dans ses bras.

— Comment as-tu trouvé ? questionna la femme.

— Tes mains, répondit Casey. Il n'en existe pas d'autres comme les tiennes dans le monde entier.

Fauve Avigdor, réfléchit Jazz... mais elle vit en Provence. Et comment ne l'ai-je pas reconnue ? Je perds la main.

— Fauve, je te présente *ma* cousine, Jazz Kilkullen. Jazz, voici *ta* cousine, Fauve Avigdor.

— Ma *quoi* ? s'exclama Jazz.

Fauve souriait sans surprise.

— Où est Eric ? demanda Casey.

— Au bar, dans l'attente de notre table.

— S'il vous plaît, René, fit Casey, un siège pour madame.

— Casey, tu as perdu la tête ? insista Jazz tandis que Fauve s'asseyait.

— Vous, les Californiens, vous ne connaissez même pas l'histoire de votre propre famille. Si tu étais la fille de mon père, tu saurais qu'il y a soixante ans l'un des fils de son arrière-grand-père, Perry Kilkullen, a eu une fille illégitime, et que cette enfant était la mère de Fauve. Le pauvre Perry est mort avant de pouvoir épouser la grand-mère de Fauve, Maggie Lunel. Nous sommes donc plus ou moins cousins, mais le brave, ardent et vigoureux sang des Kilkullen coule dans nos veines à tous.

— Dans celles de Casey en tout cas, acquiesça Fauve dans un rire. Il faudra que nous nous revoyions toutes les deux pour parler de lui... avec beaucoup de détails ardents et vigoureux. Je dois rejoindre Eric.

— Qu'est-ce qui vous amène ici, tous les deux ? questionna Casey.

— Eric est en train de concevoir un nouveau complexe résidentiel à San Diego. Où puis-je te joindre, Casey ?

Casey écrivit un numéro de téléphone sur un morceau de papier et le tendit à Fauve. Puis celle-ci regagna tranquillement le bar.

— Mon Dieu, s'émerveilla Jazz, la fille de Mistral est ma cousine et je ne le savais même pas ? J'aurais dû la reconnaître mais elle semble plus âgée que dans mon souvenir. Évidemment, il n'y a plus beaucoup de photos d'elle dans les magazines — depuis que Mistral est mort. Cela doit faire une quinzaine d'années... J'étais encore au lycée.

— Oui, quinze ans environ. Je collectionne les toiles de Fauve. J'aimerais te les montrer un jour, elles sont remarquables.

— Tu es collectionneur de tableaux, tu investis dans la restauration, tu as un fax dans ta chambre au ranch afin de pouvoir communiquer avec ton courtier à New York avant l'aube, tu possèdes les meilleures valises Vuitton... quel genre de régisseur es-tu au juste, Casey Nelson ?

— Un fortiche, d'après ton père.

— Est-ce autre chose qu'un nouveau jeu pour toi ? La vie d'un éleveur n'est pas facile, et tu as apparemment plus d'argent qu'il ne t'en faut.

— Devrais-je laisser l'argent m'empêcher de faire ce dont j'ai envie ?

— Ce n'est pas une réponse.

— Jazz, je suis un éleveur. Je le suis depuis des années. Que dois-je faire pour te le prouver ? Ne peux-tu admettre que j'ai les mêmes raisons d'aimer ce métier que ton père ?

— Non, car lui est né au ranch, sur la terre familiale, et cela fait une immense différence, s'entêta Jazz.

— Je suis tombé amoureux des ranches quand je n'étais qu'un gosse destiné à diriger une flotte de remorqueurs. Et si Mike, né dans un ranch, avait détesté cela et décidé de prendre la mer ? Cela aurait-il amoindri son mérite ?

— Pourquoi est-ce que je ne me fie pas à toi alors que tu sembles parler de façon sensée ?

— Pourquoi est-ce que tu ne te fies jamais à moi ? renchérit Casey, sombre tout à coup.

— Où vas-tu chercher cette idée ?

— Elle vient de me traverser l'esprit. Tu ne fais pas confiance aux hommes en général, n'est-ce pas ?

— Non, en effet, répondit lentement Jazz.

— A cause de Gabe.

— Casey, *ne commence pas.*

— Désolé. Oublie ce que j'ai dit et commandons.

Ils s'absorbèrent dans la lecture de la carte. Quand ils eurent commandé, Barbara Lazaroff, l'épouse de Wolfgang Puck, une architecte spécialisée dans la conception de restaurants, vint les saluer. Comme à l'habitude, elle était exotique au possible avec ses yeux brillants et ses longs cheveux noirs mis en valeur par une fantastique débauche de bijoux anciens. Elle s'habillait comme on compose un collage, un ensemble unique au monde de vêtements qu'elle mariait d'une façon qui ne pouvait exister que dans son imagination.

— Jazz, cette veste ? s'enquit Barbara. C'est une déclaration politique ? Tout ce vert... pour l'environnement ? En tout cas, c'est génial sur toi. Cela me fait penser, il faut qu'on commence à cuire les gâteaux pour Noël, sinon ils ne seront jamais prêts à temps. Oh, hier quand tu as promis d'obtenir cet autographe de Sam pour la serveuse, j'espère que ça ne t'ennuie pas. Elle sait qu'elle n'est pas censée demander des autographes ici, même si elle en brûle d'envie, mais elle n'a pas pu se retenir. D'ailleurs, j'ai bien failli en demander un pour moi aussi, mais j'ai pensé que Wolf n'apprécierait pas.

— Sûrement, Barbara.

— Puisque tu viens demain soir avec Sam, on a tout le temps. J'ai promis de ne pas laisser la petite serveuse approcher de votre table. Elle risquerait de nous faire une crise et de lui sauter dessus.

— Sûrement, Barbara.

— Merci, fillette. Salut, Casey, à la semaine prochaine. Même heure, même endroit. N'oublie pas qu'on te garde un gâteau de Noël à toi aussi.

— Sam ? questionna Casey. J'ai l'impression que je n'arrête pas d'entendre ce nom, ce soir. Qui est-ce ?

— Un acteur. Sam Butler.

— Sam Butler, *un* acteur ? Ou tu parles de Sam Buttler *l*'acteur ?

— Celui-là, rétorqua Jazz.

— Tu as dîné à cette table avec lui hier soir. Tu vas dîner à cette table avec lui demain.

— Ça m'en a tout l'air.

— J'aurais préféré ne rien demander. A dire vrai, j'avais décidé de me taire, mais son nom est revenu si souvent que je me suis dit que je passerais pour stupide si je ne posais pas de questions.

— C'est juste un ami, s'empressa de préciser Jazz.

— Oh, je sais. Une fille qui ne fait pas confiance aux hommes en général n'ira certainement pas se fier — entre tous — à un *acteur*.

— Dieu, ce que tu es chiant.

Obscurément, Jazz était heureuse des paroles de Casey.

— Le jour où nous nous sommes rencontrés, tu m'as traité de « tête de nœud ». C'est mieux ou pire que « chiant » ?

— Tout dépend de l'intonation... mais ne cherche pas, tu es les deux, conclut-elle avec générosité.

— Tu es trop bonne, répondit Casey.

Et jusqu'à la fin du dîner, ils s'essayèrent à ce genre de piques.

En quittant le *Spago*, Jazz salua une adorable blonde qui avait l'air enceinte de dix mois. Elles parlèrent quelques minutes près du bar avant de se séparer.

— Impossible que ce soit une nouvelle cousine, dit-elle à Casey. C'est pourquoi je ne t'ai pas présenté.

— Mais elle est d'une beauté ravageuse. Une vieille amie à toi ?

— Oui, Daisy Shannon. Elle va encore avoir des jumeaux.

— Seigneur, la princesse Daisy! Heureusement que Pat aime les gosses.

— Tu connais Shannon?

— Nous faisons des affaires ensemble de temps en temps.

— Le monde est petit.

— N'est-ce pas?

Ce fut dans un silence lourd qu'ils rentrèrent chez Jazz — un silence embarrassant, un silence plutôt hostile. Jazz ne trouvait pas le moyen de le briser et, au bout d'un moment, préféra y renoncer; elle n'avait aucune raison de le faire. Elle se sentait justement chagrinée qu'après le mal qu'elle s'était donné pour s'habiller en sapin de Noël, Casey Nelson ait jugé bon de se montrer jaloux de Sam Butler. Après tout, elle n'était pas la chasse gardée ou la propriété de Sam.

Casey la raccompagna jusqu'à sa porte. Elle mit la clef dans la serrure, ouvrit, et s'apprêtait à débiter le traditionnel merci-pour-cette-charmante-soirée, quand Casey la retint par l'épaule, la prit dans ses bras et fondit droit sur sa bouche. Il l'embrassa pendant plusieurs minutes avant qu'elle pût, à bout de souffle, remettre entre eux quelques centimètres.

— Je peux entrer? demanda Casey, pressant.

— Je ne crois pas que ce soit une bonne idée.

— Même pour un petit moment? Ce serait agréable de parler sans que tout le *Spago* nous fonce dessus. On s'est à peine vus de toute la soirée. Je jure de ne jamais te remmener là-bas.

Jazz leva les yeux vers lui, cruellement tentée. Ces sillons sur son front, ces taches de rousseur, ces lèvres... mais elle avait vu Sam la veille et dînait avec lui le lendemain et... et... non, ce n'était pas du tout une bonne idée.

— Casey, j'aimerais te donner une chance de me séduire maintenant que nous ne sommes plus sous le toit de mon père, mais je ne suis pas ce genre de fille, dit-elle doucement.

A regret, elle lui caressa les lèvres du bout des doigts.

— Hein! Je n'ai pas entendu quelqu'un dire ça depuis des années!

— Tu es surpris, n'est-ce pas? compatit-elle suavement. Bonne nuit, Casey. Dors bien. Et merci pour cette charmante soirée.

Secouée d'un rire silencieux, Jazz referma la porte derrière elle. Elle n'était pas ce genre de fille, pas maintenant, jamais. Jamais elle ne se lierait avec deux hommes à la fois. Mais au fond d'elle-même, pouvait-elle être certaine à cent pour cent, absolument et résolument certaine, qu'elle n'aurait pas cédé à la tentation, terrible, affreuse, impensable... si elle ne s'était souvenue du désordre de son placard?

## 14

M. et Mme William Malvern Jr. étaient assis à la table de cuisine de leur appartement sur la Cinquième Avenue, buvant leur second martini. La poule au riz que leur avait laissée la gouvernante — c'était son jour de sortie — pour leur dîner réchauffait doucement au four car aucun d'eux ne savait se débrouiller du micro-ondes.

Même dans la cuisine, avec un tablier noué autour de la taille et une paire de chaussures confortables aux pieds, Valerie conservait son allure élégamment simple et sévère, mais elle ne se souciait pas de porter à la maison ses inutiles lunettes.

— Valerie, je n'aurais jamais pensé prononcer ces mots mais... enfin seuls, fit Billy Malvern.

Il traîna sur les deux derniers mots avec un semblant d'accent français particulièrement malheureux.

Par-dessus son nez trop pointu, Valerie ne daigna pas baisser les yeux vers lui.

— Si tu essaies de me dire combien tu es content que ma mère soit sortie ce soir, ne te gêne pas. Je suis aussi soulagée de son absence que toi, Billy, peut-être plus. Tu as des relations plus faciles avec elle que moi. Après tout, ce n'est pas ta mère.

— Tu es bien bonne d'essayer de me remonter le moral, Val.

— Je suis consciente qu'elle reste plus longtemps que d'habitude. Mais que puis-je faire, la jeter à la rue ? Si seulement Fernie se débarrassait de Nick, Mère pourrait aller chez elle. En tout état de cause, elle s'en va la semaine prochaine.

— Pas bête, ta sœur. Le temps que Liddy revienne, elle se sera trouvé un autre jeune mari impossible, et ce sera encore à nous de l'héberger. Je la vois venir.

— Oh, tais-toi, Billy et bois. Arrête de geindre.

Valerie releva son imparfait menton et regarda son mari.

— Ne peux-tu parler de quelque chose d'agréable ? Je suis plutôt contente d'aller à la soirée des Rosemont, demain ; ce sera la réception de l'année.

— Je serais plus heureux si Rosemont me filait quelques affaires. Ce serait le moins qu'il puisse faire, vu que Fern et toi êtes devenues de grandes amies de Georgina.

— Jimmy Rosemont s'occupe de ses investissements, répondit sèchement Valerie.

Jimmy Rosemont n'était pas devenu l'un des hommes les plus riches au monde en prenant conseil auprès de courtiers du genre de Billy, pensa-t-elle. Et que se passait-il exactement entre Fern et Georgina ? Elles déjeunaient ensemble deux fois par semaine, murmurant et ricanant comme deux écolières qui s'échangent des secrets. A l'évidence, Georgina n'avait aucun soupçon au sujet de Fern et de son mari. Il fallait qu'elle soit stupide pour ne se douter de rien. Ou alors Georgina était tellement sûre d'elle-même que cette idée ne lui avait jamais traversé l'esprit. En tout état de cause, depuis l'expo, les deux Rosemont s'étaient montrés plus qu'aimables, allant même jusqu'à inclure Liddy dans leurs petites invitations à dîner. Et cela bien que l'introduction auprès de leur père n'ait rien donné, comme Valerie s'y était attendue.

— Je me demande ce que va coûter la soirée des Rosemont, murmura Billy, plongeant le regard dans son verre. Cent cinquante personnes attablées pour un dîner, plus le bal après... Qu'en penses-tu, Val ?

— Je ne sais pas. Il y a quelques années, j'aurais pu faire une estimation, mais aujourd'hui les meilleurs traiteurs, fleuristes et décorateurs sont devenus si âpres au gain que cela doit coûter les yeux de la tête. Certes, le style de Georgina n'a rien de prétentieux, elle n'en a pas besoin. Faire cela chez soi est toujours préférable, si l'on a la place et qu'on peut se l'offrir.

— Et ils le peuvent.

— Et ils le peuvent.

Les Malvern gardèrent le silence. Dans les premières années de leur mariage, alors que le revenu de Billy était d'un demi-million de dollars par an et qu'ils étaient indiscutablement riches, ils s'étaient délectés à parler de l'argent des autres, ne manquant jamais l'occasion de se féliciter de leur fortune, saupoudrant leur conversation d'une pitié condescendante pour leurs amis moins heureux qui devaient se débrouiller avec des salaires imposables, contrairement à Billy dont tout l'argent était placé en emprunts municipaux exonérés.

Ils avaient passé des heures à estimer le revenu net de leurs connaissances, spéculant pour savoir qui parmi eux toucherait un héritage, qui avait effectué un placement sûr, qui vivait au-dessus de ses moyens et qui était assez chanceux pour vivre au-dessous tout en dépensant sans compter.

Comme Valerie en était honteusement consciente, ce type de discussion était une variante snob du plus vil commérage, le pire des péchés sociaux, mais elle s'y était cependant laissé entraîner puisque Billy, dont la fortune n'était vieille que d'une génération, n'en soupçonnait pas l'obscénité. Billy jugeait ces allègres orgies de parlotes aussi instructives que fascinantes.

Pour Valerie, ces spéculations étaient aussi pornographiques qu'irrésistibles. Les valeurs de Philadelphie s'en trouvaient gravement offensées, mais elle n'était que partiellement originaire de Philadelphie. Elle avait été suffisamment influencée par l'âpreté et le ressentiment de Liddy Kilkullen pour se réjouir du confort que lui donnait la richesse de Billy.

A présent, les Malvern ne pouvaient que tourner péniblement autour du sujet. Le manque de succès de Billy en affaires, ajouté à la nette diminution de son revenu suite à la vente de plusieurs de ses obligations, créait un déséquilibre croissant dans leur mariage à mesure que Valerie gagnait une part de plus en plus importante de ce qui les faisait vivre.

Voilà dix ans que les Malvern n'avaient plus éprouvé la sensuelle assurance de jouir de plus de confort que leurs connaissances, car la façon dont dépensait la nouvelle société de Manhattan rendait leur richesse dérisoire.

Les vieilles fortunes, incapables de se mesurer à ces nouveaux riches, s'étaient retirées. Soit que ses possesseurs aient préféré disparaître gracieusement de la vie sociale, soit que, comme Valerie, ils eussent rejoint les rangs de la parade et raisonnablement bien accueilli les nouveaux venus, forts de l'excuse que les institutions culturelles et charitables de New York avaient besoin de ces nouveaux monarques devant la fortune desquels toutes les portes s'ouvraient.

Valerie se leva pour s'énerver contre la poule au riz qui mettait un temps fou à chauffer. Elle n'avait pas osé monter le thermostat au-delà de sept de crainte que le riz ne sèche, aussi l'intérieur du four était-il à peine chaud. Elle resservit deux nouveaux martinis et se rassit, regrettant de ne pouvoir quitter le plat pour aller s'installer au séjour, comme une personne civilisée, mais elle était certaine que le dîner brûlerait si elle s'y autorisait. Ils étaient tous deux trop fatigués ce soir pour sortir, et elle se serait maudite de condescendre à faire venir le repas de l'extérieur.

— Comment vont les choses avec ta nouvelle cliente ? s'enquit Billy, dans l'espoir de changer l'humeur de son épouse.

— Je ne vais peut-être pas accepter de travailler avec Sally Evans, répondit Valerie.

— Mais tu disais qu'elle était prête à claquer une fortune... qu'est-ce qui ne va pas ?

— C'est une troisième épouse... comme si une deuxième n'était déjà pas une calamité ! Sally a vingt-six ans et M. Evans soixante-deux... elle travaillait pour lui, même si elle ne dit pas à quel poste. Elle n'est pas mal, dans le genre vulgaire, je l'admets, mais elle se fait des illusions en croyant que, parce que son mari possède une grosse chaîne de magasins d'épicerie, elle pourra pénétrer dans ce qu'elle appelle le « cercle magique » sous prétexte qu'elle aura un merveilleux appartement et s'habillera comme il faut. C'est sans espoir, évidemment. Elle est tellement ignorante qu'elle ne se doute pas qu'un revenu net de cent millions passe pour l'équivalent du Smic aux yeux des femmes qu'elle veut rencontrer.

Pas plus qu'elle ne réalisait, songea Valerie, que les médias avaient décrété l'ouverture de la chasse aux nouveaux riches auxquels Sally Evans brûlait de se mêler. C'était aux alentours de la soirée d'anniversaire de Malcom Forbes, si elle s'en souvenait bien, que l'ostentation des nouveaux milliardaires avait commencé d'être férocement attaquée par ces mêmes journalistes qui les avaient encensés quelques mois plus tôt.

Les voix médiatiques de la nouvelle décennie, enfin à même d'exprimer leur convoitise, avaient baptisé les années quatre-vingt la « Décennie de la Cupidité et de la Frime ». Les épouses des nouveaux riches avaient relevé leurs ponts-levis tout neufs pour mettre un terme à l'invasion continuelle de leurs semblables toujours plus nombreuses, espérant ainsi devenir le nouvel *establishment* si elles surveillaient leurs manières, adoptaient un profil un rien plus bas, se cramponnaient à leur rang et tenaient sans se plaindre contre les assauts de la presse.

Il faudrait sans doute une période de délicat réajustement, au cours de laquelle on recouvrirait d'un vernis de conscience sociale le droit de dépenser son argent, mais les privilégiés savaient que les médias ne sauraient exister sans eux. Partout, les lecteurs éprouvaient un sentiment de regret face à la juste volée de bois vert que recevaient les gens riches et célèbres, mais ils s'apercevraient bientôt que leurs héros préférés n'avaient pas été balayés par ce raz de marée de vertu journalistique. Étant donné la pérennité de la nature humaine, à moins d'une révolution, les années quatre-vingt-dix promettaient de succulents excès.

— Mais combien cela te rapporterait-il ?

— Je ne sais trop, rétorqua brièvement Valerie.

Elle ne pouvait avouer à Billy que sa nouvelle cliente potentielle avait tenté d'engager d'autres décorateurs plus connus et s'était entendu répondre qu'ils étaient trop occupés ; pas plus qu'elle ne révélerait que sa chambre d'enfants à l'expo, quelle qu'ait été la satisfaction qu'elle avait affichée auprès des siens, n'avait pas rencontré le succès escompté.

La presse avait ignoré son travail alors qu'elle avait investi tant de temps et d'efforts dans son projet dans le but de se gagner une publicité et des clients. La foule des visiteurs était passée rapidement, à la recherche du spectaculaire, du somptueux, du jamais vu, tout ce que leur fournissait la pièce de Georgina. Valerie comprit qu'elle avait commis une erreur de jugement. Sa chambre pour jumelles avait été trop baroque, trop pastel, trop fournie ; devant cette débauche de tulle et de fleurs séchées, les femmes avaient pensé qu'elles étaient capables d'arranger elles-mêmes ce genre de décor.

— Tu vas la laisser tomber ? questionna Billy.

— Je n'ai encore rien décidé.

Elle avala rapidement la moitié de son martini. Si seulement Billy ne s'était pas cru obligé de la soutenir dans son travail en posant des questions idiotes auxquelles elle n'avait nulle intention de répondre.

Quelques années plus tôt — cinq seulement —, elle aurait envoyé promener Sally Evans, mais les temps avaient terriblement changé avec le boum de la richesse à New York. Seuls les grands noms parmi les décorateurs étaient passionnément recherchés, comme ce jeune Peter Moscino qui se vantait si odieusement dans *Women's Wear Daily* de ne pas travailler pour ceux qui n'avaient que cinquante millions de dollars, mais pour les gens qui signaient des chèques de ce montant.

Le fait qu'il ne disait probablement que la simple vérité ne rendait pas sa déclaration moins dégoûtante aux yeux de Valerie — pas plus que cela ne changeait le fait que sa seule réputation ne suffisait plus désormais à lui amener des clients. Les gens craignaient peut-être la presse mais ils continuaient de réclamer des décorateurs qui leur composeraient des intérieurs tape-à-l'œil au possible, et c'était cet excès même dont Valerie était incapable, pas plus qu'elle ne savait faire preuve d'originalité.

Pour l'heure et pour regarder les choses en face, elle n'avait aucun autre client en vue à l'exception de Sally Evans, qui lui avait déclaré d'entrée :

— Je veux une atmosphère qui frappe au premier coup d'œil, un chic tuant, et je veux que cela *me ressemble*, comme si je n'avais pas fait appel à un décorateur. Mon mari m'a dit que nous avions les moyens de nous acheter l'Europe... J'ai besoin de trois cheminées de château, ainsi que des pièces et des pièces en *boiserie !*

Supporterait-elle de travailler avec une cliente collée sur ses talons, surtout une pie comme Sally Evans, qui avait le défaut le plus terrible chez une cliente, l'indécision ?

Il était plus facile de s'arranger du pur et véritable mauvais goût que de l'indécision. Au moins, avec le mauvais goût, on connaissait le point de vue du client, mais Sally Evans était arrivée avec une liasse de pages arrachées à des magazines, chacune montrant un intérieur qu'elle admirait, chacune un intérieur comme elle le voulait, chacune dans un style tout à fait différent. Valerie se demandait si elle aurait la patience d'essayer d'éduquer cette troisième épouse de vingt-six ans — en supposant que ce soit possible — et si cela valait l'argent qu'elle en obtiendrait.

D'un autre côté, avait-elle le choix ? Le revenu et les gains de Billy ne suffisaient pas à leur train de vie, et tout, depuis le cœur de laitue jusqu'aux chaussures des filles, devenait de plus en plus cher. Comment avait-elle pu imaginer un instant qu'elle serait en mesure d'envoyer promener Sally Evans ? Plus, pourquoi ne pas l'admettre, elle avait de la chance de l'avoir trouvée, et c'était là le plus difficile à avaler.

— Qu'est-ce que cette drôle d'odeur ? s'enquit paresseusement Billy.

Il acheva son troisième martini et s'en servit un autre.

— Le riz qui brûle, lâcha Valerie.

S'il tenait à ce maudit dîner, pourquoi ne se levait-il pas lui-même pour sortir ce maudit plat du four ? Rien, aucune puissance terrestre, ne la forcerait à regarder une nouvelle fois dans le four.

Valerie se servit un autre verre, quitta cette cuisine exaspérante, ce mari irritant, le dîner à coup sûr desséché, et se réfugia sur la chaise longue de son boudoir.

Elle ôta son tablier, ses souliers, et s'allongea dans son siège en se couvrant les pieds d'un plaid en mohair. Elle resta là trois minutes, les yeux dans le vide, à siroter son apéritif.

Au bout d'un moment, une image familière se dessina dans son esprit, image qui ne manquait jamais de la calmer. C'était une maison de campagne aux pierres apparentes, dans la banlieue de Chesnut Hill, près de Philadelphie. La demeure appartenait à Martha et Wheelwright Stack, parents de sa lointaine cousine et meilleure camarade d'école, Mimsie Stack.

Mimsie et Valerie avaient été dans la même classe à Foxcroft et, puisque sa mère se trouvait si loin en Espagne, les Stack avaient traité Valerie comme leur seconde fille. Ils avaient organisé ses débuts au Bal de l'Assemblée l'année où Mimsie avait elle-même été présentée à la société ; Valerie les chérissait tous deux. Chaque année, pendant les vacances scolaires comme au cours de l'été, elle avait passé chez les Stack chaque minute qu'elle ne devait pas au ranch Kilkullen ou à Marbella. Encore aujourd'hui, Billy et elle allaient quatre fois l'an passer un week-end avec le vieux couple Stack, en dépit des protestations de Billy que ces gens ennuyaient. Valerie était restée en contact avec toutes les filles de son année de débutante, aussi de temps en temps se rendait-elle à Philadelphie pour quelque important déjeuner de retrouvailles.

Sa mère l'avait privée de Philadelphie, ruminait Valerie. Si, d'orgueil et de colère, Liddy n'avait pas décidé de s'installer à Marbella, elle eût élevé ses filles dans la cité que Valerie adorait. Si après son divorce sa mère avait été capable de supporter une brève période d'embarras, ses filles n'auraient pas eu à aller et venir, sans véritable foyer. Elle eût été une jeune fille de Philadelphie qui aurait simplement passé ses douze premières années en Californie. Elle eût grandi là-bas, dans l'atmosphère de confiance rassurante et familière à laquelle elle avait droit, et épousé un homme qui eût appartenu, de par sa naissance, à la vieille aristocratie de la ville, tout comme elle. Mais elle avait rencontré Billy Malvern tandis qu'elle suivait les cours de la New York School of Interior Design, et Philadelphie n'était plus maintenant qu'un lieu où elle retournait de temps en temps, un paradis presque perdu qu'elle n'avait jamais vraiment possédé.

Mais, oh, comme elle aimait la maison des Stack ! Une demeure de taille moyenne, quatorze pièces, mais tout simplement *solide*. Les petites fenêtres coquettes, faites de petits carreaux coquets, encadrées de coquettes persiennes blanches. La pierre elle-même était tachetée de gris et de beige, et le toit couvert d'ardoises brunes. La classe de cette indéfectible patine représentait, aux yeux de Valerie, le nec plus ultra. De grands arbres poussaient sur les deux hectares de pelouse, on y trouvait un véritable jardin anglais, l'allée carrossable était bordée de cerisiers pleureurs et le devant de la maison pavé de briques.

Il n'était pas une once de la demeure des Stack qui ne respirât la dignité et la sérénité, pas une pièce qui n'eût, de façon mystérieuse, la taille exactement appropriée à sa fonction. Pour Valerie, c'était l'abri le plus parfait qu'elle eût connu.

Une fois à l'intérieur de la maison de Chesnut Hill, elle s'y était toujours sentie en sécurité, sentiment qu'elle n'avait éprouvé à ce point sous aucun autre toit, aussi massif fût-il. La demeure avait été construite au début du XIX<sup>e</sup> siècle sur le modèle des gentilhommières anglaises; elle était confortable, solidement meublée de quelques antiquités américaines sans prétentions; elle ne contenait ni collections rares ni chefs-d'œuvre ni pièces exemplaires de quoi que ce fût.

Les parents Stack formaient un couple économe, à la façon de Philadelphie, que certains malveillants qualifient de pingre. Martha Stack gardait les bouts de ficelle et le papier de soie, ordonnait à sa cuisinière de rincer et réutiliser le papier d'aluminium comme le plastique alimentaire. Elle ne jetait jamais l'attache d'un paquet de pâtes avant que celle-ci n'ait cassé. Elle découpait les Kleenex en deux, horizontalement, afin de ne pas gaspiller la totalité du mouchoir; elle recyclait le papier cadeau de Noël, et elle ne se serait pas séparée d'un savon avant qu'il ne tombe en miettes.

Martha Stack était une jardinière experte qui ne se fût pas laissée aller à effectuer tout ensemble ses plantations saisonnières pour le bénéfice d'une généreuse floraison. Elle préférait délayer ce plaisir jusqu'à ce que les pousses bien espacées atteignent leur taille adulte. Un jour, dans un moment d'intimité particulière, elle avait confié à Valerie qu'elle avait toujours désiré planter des graines, plutôt que dépenser de l'argent à acheter des plants à la pépinière, mais le printemps en Pennsylvanie ne durait pas assez longtemps pour qu'elle se risquât à cette délicieuse économie.

*Économie*, rêvassait Valerie, un mot si plaisant, si doux et raisonnable. Elle la pratiquait elle-même avec son sourire, sa bonne volonté, ses invitations comme ses mots tendres, mais dans son milieu new-yorkais l'économie était soupçonnée de dissimuler un appauvrissement honteux au lieu de caractériser une intelligente gestion domestique.

Lorsque Martha et Wheelwright Stack recevaient pour dîner, la maîtresse de maison plaçait des bougies neuves dans les chandeliers sur la table, et gardait les morceaux, aussi courts soient-ils, pour les repas familiaux. Seule la perspective d'endommager le creuset du bougeoir l'obligeait à ôter une bougie qui offrait encore deux millimètres de cire utilisable.

Les invités de Martha étaient toujours de vieux amis ou des membres de la famille; depuis leur mariage, les Stack n'avaient jamais invité de nouvelles connaissances, pour la bonne raison qu'ils n'avaient pas eu l'occasion d'en rencontrer.

Ils possédaient une villa d'été dans l'adorable ville côtière de Camden, dans le Maine; ils y employaient une cuisinière-gouvernante à plein temps et à demeure; ils se montraient généreux avec leurs deux enfants et leurs sept petits-enfants; ce couple très populaire, soutien de la vie culturelle de Philadelphie, se considérait comme

250

indécemment riche quand ils vivaient d'un revenu qui ne dépassait pas celui de Billy.

Était-ce l'absence de surprise dans la vie des Stack qui rendait cette existence si désirable ? se demanda Valerie. Était-ce l'absence de risque, le calme, la routine, le bien-être, les perspectives modestes, la certitude de ne rien souhaiter qu'ils ne possédaient déjà ? Était-ce de la mesquinerie — ou était-ce la... *juste mesure ?*

Elle soupira en terminant son martini. Quel que soit le nom de cette qualité que possédaient les Stack, elle en ressentait un profond besoin. Quel qu'en soit l'exact qualificatif, c'était une chose introuvable à New York, à aucun prix.

Valerie se leva et rejoignit Billy. Après tout, elle ne voulait pas le laisser manger seul sa poule au riz. En passant devant sa coiffeuse, elle s'arrêta pour contempler dans un vase le dernier chrysanthème jaune d'une composition florale qu'on lui avait envoyée deux semaines auparavant. Valerie défaisait toujours les bouquets à la minute où ils arrivaient, séparait les fleurs, retaillait les tiges, et les répartissait dans plusieurs vases afin qu'ils embellissent tout l'appartement. Le chrysanthème avait encore trois ou quatre beaux jours devant lui, songea-t-elle, et, ayant repris courage, elle alla nourrir son pauvre mari.

*
**

Pete di Constanza n'avait pas souri une seule fois au cours de la réunion mensuelle dans le bureau de Phoebe, avait remarqué Jazz, pas plus qu'il n'avait évoqué en vain le nom du Seigneur, pas plus qu'il ne s'était plaint des beignets rassis et du café tiède que leur servait Phoebe. Cela ressemblait si peu à son vieux copain que le lundi suivant, dès qu'elle eut terminé ses prises, elle décida de découvrir ce qu'il avait. Les doubles portes du garage de son studio n'étaient pas verrouillées, Jazz jeta un œil à l'intérieur et vit que, malgré l'extinction des éclairages, Pete était toujours là, seul, étendu par terre, appuyé sur un coude et regardant fixement devant lui. C'était sa posture ordinaire de réflexion, dans laquelle il demeurait des heures à imaginer l'éclairage d'une voiture, aussi intensément concentré que Mel. Mais le vaste studio était vide de tout véhicule, aucun des quatre assistants musclés du photographe n'était en vue, et même sa secrétaire était rentrée chez elle.

— Ralentissement d'activité ? s'enquit Jazz.

Elle s'approcha de lui, forte de la certitude que Pete était toujours retenu un an à l'avance, parfois deux, par des clients qui refusaient d'entendre parler d'un autre photographe.

— Ouais, sûr.

Pete releva la tête et esquissa un lugubre sourire. Il portait sa parka Patagonia préféré, destinée aux hautes ascensions en montagne, et ce bien qu'en ce jour de décembre régnât la typique vague de chaleur accompagnée de vents chauds qui précédait Noël. Pete tapota le sol près de lui pour inviter Jazz à s'asseoir.

— Dis-moi, Jazz, que penses-tu des vétos ?

— Tu veux dire, quand on met son « veto » à quelque chose ?

— Non, mon chou, les vétos qui soignent les chiens et les chats.

— Je ne comprends pas ta question.

Jazz s'assit et observa Pete. Il était emmitouflé dans sa parka comme dans une couverture de sécurité, le col relevé jusqu'au menton.

— Tu veux savoir si je les aime mieux que les dentistes ou moins que les médecins ?

— Est-ce que tu les trouves incroyablement sexy ?

— Ah ! la campagne BMW te fait encore flipper, diagnostiqua Jazz.

Les deux années passées, BMW avait commandé des prises en extérieur, dans les clubs de polo et les ports de plaisance, avec des figurants élégamment vêtus et photographiés sur le mode pointilliste, la voiture étant délibérément gommée, simplement montrée comme un support glorifiant le style de vie des gens qui l'entouraient. Pete, comme les trois ou quatre autres grands photographes auto, exécrait cette approche qui évinçait la pureté du véhicule, cette splendide machine digne d'inspirer une émotion esthétique.

— Que font-ils cette fois ? Ils remplissent la BMW d'une famille en pleurs qui emmène son chat malade chez le véto ? demanda Jazz gravement, car elle savait à quel point Pete prenait son travail au sérieux.

— Ce n'est pas ça. C'est Marcia. Elle vient de me plaquer pour un véto. Et il y a dix-huit mois, il m'est arrivé exactement la même chose avec Samantha. Je ne comprends pas, Jazz ! J'étais dingue de ces nanas, j'étais prêt à réfléchir sérieusement à un engagement, et tout à coup j'entends : « Pete, je t'aimerai toujours mais je vais épouser cet homme merveilleux, et je n'avais jamais rêvé que ça puisse m'arriver, et je sais que tu veux que je sois heureuse, et je suis désolée, Pete, mais voudrais-tu être gentil de m'aider à descendre mes valises ? » Et les voilà envolées. Et avec des *vétos* les deux fois. Tu ne trouves pas ça sinistre ?

— Oh, Pete, je suis sincèrement désolée. J'aimais beaucoup Marcia.

Que faire d'autre que compatir ? Si elle avait été un homme, elle lui aurait proposé d'aller prendre une cuite avec lui... n'était-ce pas ce que faisaient traditionnellement les hommes dans un moment pareil ?

— Désolé, moi aussi, fillette, moi aussi, désolé. Il faut que je trouve une dose d'intuition féminine. Je ne veux pas que ça m'arrive encore. Tu en as à me filer ?

— Des vétos... réfléchit Jazz. Marcia et Samantha ont-elles des animaux familiers ?

— Je suppose... ouais, mais je n'ai jamais fait trop attention. Tu sais que je suis un homme de machines, moi. Marcia a un de ces clébards minuscules, tu sais, ceux qu'on glisse dans son sac pour essayer de les emmener avec soi dans l'avion... ça me rendait dingue quand elle essayait... et Samantha avait un cheval en pension au centre équestre de Burbank... elle allait le monter trois fois par semaine et prenait des leçons de dressage. Des leçons de dressage ! Toute une affaire de faire marcher un cheval en arrière sur ses pattes postérieures, conclut Pete avec un reniflement de dédain.

— Tu n'es pas tombé amoureux de *Mon Amie Flicka* quand tu étais petit, on dirait.

— Nan, j'ai eu une enfance dissipée. Et grands dieux, on n'avait pas de chevaux dans le New Jersey !

— Les animaux de Marcia et Samantha tombent-ils parfois malades ?

— *Parfois ?!* Ils sont tout le temps malades ! Quelle baffe je me suis pris... je n'ai peut-être pas de chance, après tout, gémit misérablement Pete.

— Pete, réfléchis. Une femme avec un animal malade est comme une femme avec un bébé malade. Elle est dans son état le plus vulnérable, et tu ne peux lui offrir aucun soutien émotionnel. A partir de là, le véto devient un héros ; il est attentif, chaleureux, capable, il sécurise, conseille et rassure. Il soigne son bébé. Et toi, où es-tu quand tu n'es pas à ton studio, grand dadais ? Perché au sommet d'une montagne, à côté d'un rêve futuriste à quatre roues, à attendre les cruciales trois premières minutes du lever de soleil qui te donneront la lumière dont tu as besoin pour ta photo. Ou alors tu es couché sur une route pendant qu'un cascadeur fait des cercles de plus en plus resserrés autour de toi, pour que tu puisses prendre une roue arrière qui te projette une giclée de graviers en pleine figure. Alors vers qui se tournent Samantha et Marcia quand elles ont besoin de réconfort ? Les vétos.

— Mais elles savaient où j'étais, protesta Pete. Et qu'aurais-je pu faire de toute façon ?

— Pete, continua Jaz, qui peut faire une visite à domicile à n'importe quelle heure quand une femme est seule avec son chien malade ? Le véto. Qui exsude l'aura sexuelle forte d'un docteur et donc bénéficie du genre de transfert érotico-émotionnel qu'inspire un psy ? Mais une femme *peut* coucher avec lui parce qu'il n'est pas *son* médecin. Le véto. Mon Dieu, Pete, ils doivent attirer plus de filles que n'importe quelle autre spécialité en médecine !

— Je suppose que je n'ai pas de chance.

Pete regarda Jazz avec, sur son visage, les premiers signes de la bonne humeur.

— Ce qu'il te faut, c'est une fille sans animal.

— Une fille qui promette de ne *jamais* avoir d'animal, acquiesça Pete. Comme toi.

— Quelqu'un comme moi, tomba d'accord Jazz.

Les voyages qu'elle effectuait pour son travail l'empêchaient bel et bien d'avoir même un poisson rouge.

— Pourquoi n'avons-nous pas eu une grande, folle et brûlante histoire d'amour quand on s'est rencontrés, toi et moi ? demanda Pete. J'ai continué à t'offrir mon cœur et mon corps, mais tu n'as jamais été intéressée. Il y avait un autre type ?

— Non, le détrompa Jazz. Toi et moi étions faits pour être amis, pas amants.

— Foutaises. Ç'aurait été super. Ce serait encore super. L'invitation est permanente, mon chou. Ça devait être Gabe.

— Tu délires ? lâcha Jazz.

— Allez, fillette, c'est à cause de ce qu'on lit dans ses yeux quand il te regarde — colère, amertume, mélancolie, *faim*, tout ce genre de bonnes choses. Et aussi la façon dont tu t'es emballée quand Phoebe a voulu le faire venir, tu te souviens ? Mel et moi avons pigé presque tout de suite.

— Espèces de vieilles commères, tous les deux, vous croyez tout savoir ! s'exclama Jazz, furieuse. On dirait deux vieilles, ratatinées derrière leurs rideaux à épier les voisins. Tous les hommes que je connais sont des commères ! Vous n'avez rien de mieux à faire ?

— C'est une nécessité pour nous d'échanger des informations, fit calmement Pete. Nous devons savoir ce qui meut les femmes qui partagent notre vie, pour qu'elles ne puissent pas nous surprendre. Nous nourrissons un grand respect pour votre capacité à bouleverser nos existences.

— Bravo, tu n'avais pas le bout de la queue d'une idée au sujet des vétos.

— Ce n'est pas chic de ta part, Jazz, mais je te pardonne pour cette fois. Comment vous en sortez-vous, Sam et toi ? De source sûre, on parle d'une grande passion.

Jazz poussa un soupir exaspéré, mais elle ne savait rester en colère contre Pete. C'était un trop vieux copain.

— Sam est un chouette type, répondit-elle. Je l'aime beaucoup.

— Mais ?

— Il n'y a pas de « mais ». Simple énoncé des faits.

— J'ai entendu un « mais » dans ta voix, insista Pete.

— Pete, il y a quelque chose que tu dois comprendre au sujet de Sam. Il vit dans un monde où les autres hommes ne vivront jamais, ni toi, ni Mel, ni personne de notre connaissance.

— Hein ? Il vient d'acheter la Ferrari que je lui avais conseillée — de quoi parles-tu ?

— Le monde de la beauté, Pete, expliqua patiemment Jazz. Sam est si beau que personne ne peut avoir avec lui des relations normales. Il dit que c'est plus facile pour une femme d'arriver à le comprendre, mais que c'est difficile de l'expliquer à un homme. Aucun mec ne lui témoignerait la moindre sympathie, comment pourrait-il même se plaindre ?

— Arrête, fit Pete. Je m'entends bien avec lui. Évidemment, je suis magnifique, moi aussi.

— Parlez-vous d'autre chose que de voitures ?

— Il existe autre chose ?

— Tu as peut-être essayé de connaître Sam mais tu n'y es pas parvenu, n'est-ce pas ?

— J'y arriverai, la prochaine fois que je le vois.

— Non, il est trop beau pour qu'un homme ait vraiment envie de le connaître. C'est le facteur envie, inconscient ou conscient, qui veut ça, soupira Jazz. Sam affirme que les brèves discussions qu'il a avec des hommes sont toujours guindées, au mieux superficielles, parce qu'ils ne peuvent pas le regarder — je veux dire littéralement le regarder, dans les yeux — comme ils font avec les autres... Ils ont peur d'avoir l'air de le dévisager. Et ils n'osent parler filles avec lui car ils supposent qu'il aurait l'avantage sur eux devant n'importe quelle femme. Ils pensent aussi qu'il est trop beau pour avoir de la cervelle, et évitent donc les sujets sérieux... Restent les sports, les bagnoles, et le temps qu'il fait. Le seul qui lui parle à moitié sérieusement est son agent, et il n'est question que d'argent. C'est terrible d'être beau à ce point.

— Et comment, compatit gentiment Pete.

— C'est de pire en pire. Sam dit qu'il n'a pas demandé à naître beau, que c'est une sorte de malédiction, mais qu'il n'y peut rien, sinon accepter le fait que personne en dehors de sa famille ne comprendra *jamais* qui il est vraiment. Il est comme une espèce de monstre, mis au banc du reste de l'humanité. Les gens le zyeutent à la dérobée, comme un animal dans un zoo. Il en intimide la plupart, tu sais — trop de beauté effraie —, ils se bousculent nerveusement autour de lui, comme s'il n'était pas de chair et de sang, mais que peut-il faire ou dire pour les rassurer sans admette qu'il sait *pourquoi* ils se tiennent ainsi ? C'est doublement dur. Oh, j'ai tellement de peine pour lui.

— Vous parlez beaucoup de ce problème ensemble ? interrogea Pete.

— Naturellement... il y pense sans arrêt, et avec la publicité massive qu'on lui a faite récemment, ça va être de pire en pire. Pas de solution en vue.

— Mais toi, tu le comprends, n'est-ce pas ? Ça ne suffit pas ?

— Il dit que même moi je ne peux pas comprendre réellement. Il pense que j'ai beaucoup de chance d'être juste très, très jolie — car cela reste à une échelle humaine —, mais que si j'étais franchement belle, comme Michelle Pfeiffer, je serais *presque* à même de sentir la réalité de ce qu'il vit, même si la beauté est culturellement beaucoup plus acceptable chez une femme que chez un homme.

— Il *t'a dit* que tu n'étais pas aussi belle que Michelle Pfeiffer !

— J'apprécie le compliment, Pete, mais admettons-le, je ne le suis pas !

— Écoute, chou, si jamais je me réincarne, je veux bien être Michelle Pfeiffer, mais pour moi tu es plus belle qu'elle parce que je t'aime, et on ne baise même pas, alors pour un gars qui... jouit de tes faveurs, tu devrais être beaucoup, beaucoup plus belle.

— Sam est simplement réaliste. C'est un type bien, et peu m'importe qu'il passe son temps à me l'expliquer.

— Ouais, j'ai l'impression que votre discussion là-dessus est à rallonge.

— Pas tant que ça, protesta Jazz avec exaspération. Ce n'est pas notre seul sujet de conversation.

— Et de quoi d'autre parlez-vous ? demanda tranquillement Pete. Il avait hâte d'aller raconter tout ça à Mel.

— Son travail. Les différents scénarios qu'il refuse. Quelle serait la prochaine étape nécessaire à sa carrière — c'est délicat quand on est si beau, parce qu'on n'a pas envie de décrocher un rôle juste pour cette beauté. Sam a de sérieuses décisions à prendre. Il pense qu'il devrait peut-être se lancer dans un rôle de composition, quitte à jouer un second rôle dans un film politique sérieux sous la direction d'un grand réalisateur européen, comme Costa-Gavras, pour essayer de casser le moule. Il n'obtiendra jamais d'Oscar s'il n'est pas d'abord reconnu comme un acteur et si sa beauté ne passe pas au second plan.

— Bonne idée.

— Oui, mais qui lui fera confiance ? Regarde comme les gens parlent encore des yeux bleus de Paul Newman avant tout le reste, et ils ne sont pas à moitié aussi bleus que ceux de Sam. Les critiques disent de Sam qu'il est « péniblement beau », tu vois où il en est.

— Tu l'amèneras au mariage de Mel ? s'enquit Pete avec espoir.

Il voulait voir ça de ses propres yeux.

— Ce ne serait pas chic — il supplanterait la mariée.

— Je suppose que tu as raison, admit Pete.

Il détailla Jazz assise près de lui, ses jambes nues repliées contre elle, le menton reposant sur ses genoux, les bras enlaçant ses mollets. Elle portait un short blanc, une chemise de marin et des tennis rouge vif. Elle avait tiré ses cheveux en arrière, les avait attachés avec un cordon ; et cette coiffure dégageait son profil grave et soucieux. Cette fille était péniblement belle, songea Pete, parce qu'elle lui infligeait la douleur permanente et acérée de n'avoir jamais eu avec elle une chance décente. Si seulement il l'avait rencontrée alors qu'elle n'était liée à aucun autre homme, leurs vies auraient été complètement différentes. Peut-être n'était-il pas celui qu'il fallait à Jazz, sans doute n'était-il pas assez bien pour elle, mais, oh, comme il regrettait qu'elle n'ait pas eu l'occasion de le vérifier par elle-même avant qu'ils ne deviennent « juste amis ».

A la première occase, décida Pete, il jetterait Gabe dans un escalier. Ou bien il l'écraserait. Ce qui revenait plus ou moins à le tuer. En lui faisant mal un max.

*
**

Regardant le flot des chalands qui se pressaient au South Coast Plaza, Jazz s'assit sur un banc devant l'entrée d'I. Magnin's, d'où elle admira les belles feuilles des ficus pleureurs, aussi vertes qu'au printemps dans la lumière encore oblique d'un paisible jour de décembre.

Deux jours plus tôt, Mike Kilkullen était venu à Los Angeles pour inviter sa fille à dîner. Acte que Jazz avait jugé étrange de la part de son père, surtout qu'il l'attendait au ranch pour le week-end. Il l'avait emmenée au *Chardonnay*, sur Melrose Avenue, l'un des meilleurs et plus charmants restaurants français de la ville, avait commandé une bouteille de très bon vin et, sous le regard amusé, soupçonneux et aimant de la jeune femme, s'était lancé pendant une demi-heure dans une discussion sans importance. Il n'y avait pas moyen d'aiguiller la conversation vers ce dont il souhaitait l'entretenir sans avoir l'air de se mêler de sa vie privée, se dit Jazz.

Quand Mike Kilkullen eut rassemblé son courage et annoncé à sa fille que Red Appleton et lui allaient se marier, Jazz éprouva une joie sans ambiguïté. Elle se doutait que la chose était dans l'air depuis plusieurs semaines mais elle n'avait pas trop su comment elle réagirait quand on lui en ferait part. Voilà qu'elle éprouvait une joie véritable pour eux deux, et autre chose encore : elle se sentait allégée d'une lourde responsabilité qu'elle avait prise mais jamais pleinement acceptée en son for intérieur, la responsabilité de protéger son père de sa profonde solitude.

Au cours des années qui avaient suivi sa mort, Sylvie avait désespérément manqué à Jazz ; mais à mesure que l'enfant grandissait, ses émotions avaient perdu en violence, jusqu'à ce qu'elle finisse par accepter cette perte. Mais Mike n'avait jamais paru capable de se détacher de Sylvie, même au bout de vingt-six ans. Il y avait toujours en lui une sourde mélancolie, le poids d'un chagrin toujours vif dont Jazz était consciente, une tristesse qu'aucune enfant ne pouvait être assez chère pour dissiper.

Mais à présent, enfin, il existait Red et l'amour presque adolescent que lui vouait Mike, chère Red, à présent si détendue et si radieuse, Red avec sa fausse nonchalance texane et son talent pour les bons mots salés, Red qui l'adorait si visiblement ; Red, sophistiquée mais pleine de bon sens, qui emplirait la vie de Mike de sa gaieté fantasque et spontanée et ne le laisserait pas tourner à l'ermite qu'il serait devenu sans une épouse. Avec Red, Mike Kilkullen sortirait d'une solitude qui n'était distraite que par la visite hebdomadaire de sa fille. Il se reposerait infiniment moins sur Jazz pour son bonheur, et cela, pensa-t-elle, était une chose bonne et nécessaire, et qui n'altérerait en rien leur relation privilégiée.

Depuis le restaurant, Jazz avait aussitôt appelé Red pour lui dire combien la nouvelle lui faisait plaisir. Comme elles parlaient, elles réalisèrent que cela faisait longtemps qu'elles ne s'étaient pas retrouvées seules ensemble, sans hommes, et décidèrent d'un rendez-vous pour acheter leurs cadeaux de Noël ce vendredi.

Red doit être en retard, songea Jazz en regardant sa montre. Non, elle était simplement impatiente de voir la future mariée. Cette matinée, avec les jeunes gueules-de-loup en fleur, l'air qui embaumait et la foule joyeuse, ressemblait à un jour de vacances, et Jazz était doublement heureuse d'avoir pu fermer le studio hier, jeudi soir. Lundi, elle s'envolait pour New York où elle devait rencontrer les gens de Pepsi.

Phoebe avait insisté pour qu'elle se rende tout de suite à New York, au lieu d'attendre début janvier que les créatifs de l'agence publicitaire de Pepsi viennent en Californie où serait photographiée la majeure partie de la campagne. Avec son assurance et son autorité coutumières, Phoebe avait décrété qu'il était vital pour Jazz de rencontrer les exécutifs de Pepsi sur leur propre terrain.

— Tu connaîtras tous les décideurs à l'avance, ainsi si tu as le moindre problème avec l'agence de pub, tu profiteras de ta relation personnelle avec le client.

Phoebe avait parlé avec tant d'emphase que Jazz n'avait pas discuté.

Son agent était un tyran, mais puisqu'elle la payait justement pour tout prévoir, et puisque Phoebe avait négocié les honoraires les plus élevés qu'elle ait jamais touchés, Jazz s'était soumise à contrecœur.

Aussi cruciale et chère que soit la campagne, Jazz ne pensait pas avoir de problèmes avec les créatifs. Elle avait procédé à quelques prises d'essai avec ses assistants à la place des célébrités. L'agence comme le client avaient adoré l'innovation rafraîchissante de son travail. Quoi qu'il en soit, Phoebe s'était montrée intraitable pour qu'elle passe trois jours à New York. Donc elle partirait.

— Jazz !

Une voix joyeuse la tira de ses pensées. Elle sauta sur ses pieds et courut à la rencontre de Red qui venait de garer sa voiture sur le parking. Les deux femmes s'embrassèrent, en proie aux émotions complexes et difficilement exprimables qu'éprouvent la grande fille d'un homme de soixante-cinq ans et la femme qui s'apprête à épouser cet homme. Ce qu'elles lurent chacune sur le visage de l'autre leur dit tout de suite que leur nouvelle relation serait la continuation de leur ancienne et simple amitié.

— Jazz, je ne peux pas te raconter ce par quoi je suis passée avant ton coup de fil de l'autre soir ! J'étais assise chez moi sans plus un seul ongle à ronger, à m'imaginer comment tu prendrais la nouvelle. Je me suis fait un vrai scénario à la Tennessee Williams. Redoutable !

— J'aurais aimé que tu sois là pour voir papa tourner autour du pot.

Au souvenir de son père honteux et confus qui s'était fait soudain sévère et franchement victorien, Jazz éclata de rire.

— Il m'a quasiment demandé ta main. Je me demande pourquoi il a cru que je serais surprise.

— Certaines filles se sont révélées moins généreuses avec leurs papas. Mike voulait te parler hors de ma présence. Seulement vous deux.

— Mais voilà beaucoup, *beaucoup* trop longtemps que c'est « seulement nous deux ». Oh, Red, ma chère Red, je trouve tellement *juste* que tu fasses partie de la famille ! Les Kilkullen ont besoin de toi. Mais on ne peut pas rester ici, les gens vont nous piétiner. Autant marcher en parlant.

Les deux femmes se mirent à flâner dans le vaste complexe, bien trop grand pour être appelé centre commercial, qui comptait en sus de six grands magasins trois niveaux de boutiques aux noms mondialement connus, version « Orange County » de toutes les rues qui composaient le Triangle d'Or de Beverly Hills.

Elles s'arrêtèrent devant Alfred Dunhill of London, aussitôt séduites par une vitrine de superbes vestes de cuir. Red voulut entrer.

— Ne bouge pas, Red ! s'exclama Jazz avec autorité. Souviens-toi qu'au téléphone nous nous sommes promis de venir à bout de nos cadeaux de Noël aujourd'hui. Si nous nous ruons dans un magasin avant de savoir pourquoi, nous n'en finirons jamais. Je suppose que tu as dressé une liste des gens à qui tu souhaitais faire un cadeau, avec, auprès de chaque nom, la somme approximative que tu es prête à dépenser ?

— Seigneur, ayez pitié ! Je ne serais pas partie de la maison sans ! Je présume que tu as ta liste, toi aussi, ma petite, fit Red avec une feinte arrogance.

— Évidemment.

— Alors, montre-la-moi, exigea Red.

— Je crains bien de... que dans l'excitation du départ... omission parfaitement naturelle... en vérité, j'ai oublié de la faire.

— Moi aussi.

— Je le savais ! Et j'avais peur que tu sois devenue complètement organisée, comme Phoebe.

— Qui est Phoebe ?

— Oh, Red ! Enfin quelqu'un de nouveau à qui je peux me plaindre de Phoebe ! Béatitude ! Félicité ! Mais je garde ça pour la prochaine fois... tu ne croirais rien de la pure horreur qu'est Phoebe avant que je t'aie donné une heure de détails, et je ne veux pas nous distraire de notre tâche. Il ne reste plus que dix jours avant Noël.

— Je n'ai pas vraiment besoin d'une liste, confessa Red. J'ai depuis longtemps commandé sur catalogue les cadeaux pour mes parents ainsi que pour mes frères et leurs gosses au Texas, je fais juste des courses pour Mike, sans oublier un petit quelque chose pour Casey.

— Me croiras-tu si je te dis que je dois trouver des cadeaux pour cinq hommes ? demanda Jazz. Mel et Pete, mes associés ; Sam, mon... ça doit s'appeler un petit ami — plus ou moins. Et Casey, mon je-ne-sais-quoi, mais enfin c'est un cousin, il faut que je marque un peu le coup ; enfin, papa.

— Et cette Phoebe ? Elle a droit à un cadeau ?

— Un canari. Pour aller avec ses cheveux. Ou alors je le lui fais bouffer, en petit avertissement. Misère ! J'oubliais Valerie, Fernanda et tous leurs mômes ! Ils seront tous au ranch pour la semaine de Noël — Papa me l'a dit, mais j'ai fait un blocage comme d'habitude. Ce qui me fait... oh non ! Dix cadeaux en plus des cinq hommes !

— Pourquoi faut-il que tu me le rappelles ? gémit Red. Si j'étais terrifiée par ta réaction, imagine ce que je ressens à l'idée de rencontrer tes sœurs. Elles ne pouvaient pas venir à un pire moment. Je ne les ai pas vues depuis la Fiesta... elles vont sincèrement me haïr, j'en suis sûre, mais Mike affirme que je suis idiote. Il ne leur a encore rien dit, seulement à toi et Casey.

— Qu'est-ce qu'il mijote ? J'espère qu'il ne nous réserve pas une annonce surprise pour le soir de Noël. Oh, je t'en supplie, Red chérie, promets-moi que ce n'est pas ça, s'il te plaît.

— J'ai l'affreux pressentiment que si. Il fait le mystérieux tout en fredonnant des chants de Noël. Des chants de Noël ! J'en ai le sang qui se glace ! Tu sais comme ton père est entêté, ma douce. Je n'ai jamais aimé aucun autre homme comme j'aime Mike, mais il faut quand même reconnaître qu'il a un petit défaut — il n'en fait qu'à sa tête. Impossible de savoir quoi que ce soit sur ses intentions, et j'ai tout essayé. Il ne s'en est pas rendu compte, mais à la Fiesta ces deux mégères me fixaient comme les méchantes demi-sœurs de Cendrillon, tout le temps que Mike et moi avons dansé. Qu'est-ce que ce sera quand elles apprendront la nouvelle!

— Red, souviens-toi de la première fois où nous avons travaillé ensemble, l'époque où tu étais rédactrice en chef et moi photographe, quand nous avons emmené trois mannequins aux îles Virgin. Un ouragan s'est mis à souffler, l'électricité a été coupée, il n'y avait plus l'eau courante, la maquilleuse et le coiffeur ont rompu leur longue histoire d'amour et les trois modèles ont eu une intoxication alimentaire!

— Comment pourrais-je avoir oublié?

— Ce ne pourra certainement pas être pire, plaisanta amicalement Jazz.

— Mince alors, Jazz, merci.

— J'aurais tort de ne pas t'avertir... mais on a survécu à l'ouragan. Et on a eu nos photos en prime. Pour ma part, j'ai hâte de voir la tête de mes sœurs, mais toi tu feras bien de détourner les yeux. Elles n'oseront jamais se tenir mal avec toi en face de papa. Et je te jure, sur mon honneur, de ne pas te laisser seule avec elles. Je t'achèterai toute une penderie de tee-shirts des Lakers et un blouson de satin pourpre. Tu les porteras tout le temps, et moi pareil. Nous formerons le Gang des Deux!

— Merci... mais je hais l'idée que Mike soit pris entre deux feux. Tu sais comme il tient à sa famille.

— Sûr, même si elles le méritent si peu, mais tu les verras rarement... au maximum deux fois par an pour de brèves apparitions, des visites de pure politesse. Si tu fais ce qu'il faut et que tu as un bébé, elles peuvent même bouder pendant un moment.

— Pardon?

— Tu m'as entendue.

— Tu veux que j'aie un bébé? s'étonna Red.

— J'*adorerais*. Tu n'as jamais eu d'enfant — tu n'en veux pas? demanda Jazz.

Après tout, Red avait quarante et un ans et sans doute envisageait-elle une maternité immédiate — si le feuilleton-télé *thirtysomething*, sa référence en matière de psy, disait vrai quant aux motivations profondes des femmes de cet âge-là.

— Je... honnêtement, je n'en suis pas certaine. Je veux être avec Mike, toujours, tout le temps. Où qu'il soit, quoi qu'il fasse, je m'occuperai en l'attendant, plus ou moins patiemment, jusqu'à ce qu'il revienne. C'est la seule chose dont je sois sûre actuellement. Pourquoi aurait-il envie d'un bébé, qui me prendrait à lui? Et pourquoi voudrais-je, moi, partager mon temps?

Red paraissait troublée. Devait-elle avoir envie d'un enfant? N'en aurait-elle pas déjà eu un si tel avait été son désir?

— Réfléchis-y... mes sources télévisuelles m'ont dit que tu as encore trois ou quatre ans pour te décider. Maintenant je pense qu'on peut rentrer chez Dunhill. Puisque tu n'as quasiment rien à acheter, tu pourras me conseiller.

Elles pénétrèrent dans la boutique et en firent le tour avec l'œil acéré d'acheteuses avisées, œil qui avait de surcroît l'avantage de dissuader les vendeurs expérimentés de trop vite les approcher. Ces deux femmes, les vendeurs de chez Dunhill le savaient, ne voulaient pas être interrompues avant de voir quelque chose à leur goût, alors, à cet instant précis, elles s'attendraient à être servies. Une seule, c'était déjà dur; mais deux! L'enfer, vu qu'il faudrait les convaincre toutes les deux. Elles étaient du genre, estima le garçon qui observait leurs mines aussi sévères que critiques, à penser qu'une opinion favorable était une chose trop précieuse pour être gaspillée. Pire encore, vu la façon dont elles étaient toutes deux vêtues, avec leurs amples pantalons à la limite du négligé et leurs vestes qui sentaient l'authentique Armani à plein nez, à ne vouloir que le meilleur.

— Jazz... que penses-tu de ça?

Red brandit un sobre cardigan en cachemire.

— Il ne le portera jamais. Trop riche.

— C'est bien ce que je pensais. Et ça?

Elle décrocha un chandail de cachemire bleu marine à grosses côtes.

— Oui, c'est bien, approuva Jazz.

— Puis-je vous aider? offrit le vendeur qui jugea le moment opportun.

— Avez-vous ce modèle en grande taille?

— Certainement, madame.

— Bien, je le prends. Jazz, comment trouves-tu ces écharpes Glen en cachemire?

— Papa n'est pas du genre à en porter.

— Mais elles sont belles! Je les adore.

— Je sais. Les vêtements pour hommes sont tellement plus jolis que ceux pour femmes. J'en aurais bien pris une pour Pete mais c'est trop élégant. Même quand il va danser, il s'habille comme s'il partait en expédition au pôle Nord. Surtout quand il va danser. Tiens, si tu m'offrais celle-ci et que je t'offrais celle-là, nous en aurions fini pour nos cadeaux réciproques — est-ce que je ne te parais pas trop peu sentimentale?

— Génial! approuva Red.

Red était enchantée de découvrir une autre femme qui comprît que le seul présent à faire à une amie était ce qu'on mourait d'envie de s'acheter pour soi. Elle tendit les deux splendides écharpes de cachemire au vendeur qui commençait à reconsidérer son opinion sur ces deux clientes.

— Jazz, regarde la belle couleur miel de cette boîte.

Red se tourna vers le vendeur.

— Qu'est-ce que c'est?

— Un coffret de jeux, madame. L'on peut y ranger jetons, jeux de cartes, dés, tout le nécessaire des jeux de société. Il est en bois d'olivier.

— Ce ne serait pas chouette pour les froides soirées d'hiver ? questionna Red.

S'imaginant Red et Mike en train de jouer aux cartes devant le feu de cheminée, Jazz approuva avec enthousiasme.

— Nous ferons des soirées poker, reprit Red. L'hacienda a besoin de recevoir.

Elle tendit la grande boîte au vendeur.

— Puis-je vous montrer quelques veste de cuir, mesdames ?

Jazz et Red le regardèrent avec surprise. Aucune d'elles n'avait envisagé d'offrir une veste à Mike. Il en avait déjà une, qu'il portait depuis des lustres, et s'il décidait d'en changer, ce qui semblait peu probable, il préférerait certainement la choisir lui-même. Qui sait ce qu'un homme qui vivait à dos de cheval pouvait exiger en la matière ? C'était un achat tout à fait personnel.

— Tu m'as acheté mon cadeau, je t'ai acheté le tien, tu en as deux pour papa. Ce qui me laisse plantée sur la ligne de départ, se plaignit Jazz.

— Pourquoi ne prends-tu pas une autre écharpe pour Casey ? suggéra Red. Il s'habille tellement bien.

— Pas question — tu as vu l'étiquette ?

— Deux cent quatre-vingt-quinze dollars.

— Je ne peux pas dépenser une telle somme pour lui... il l'interpréterait de travers. Et je me suis promis de ne créer aucun malentendu avec Casey.

Jazz secoua la tête avec détermination.

— C'est un problème délicat, réfléchit Red à voix haute, que de dépenser de l'argent pour un homme sans être fiancée ou mariée avec lui. Trop, et tu as l'air de t'emballer pour lui, trop peu et tu as l'air de t'en moquer — c'est carrément mesquin. Je suis si heureuse que Mike ait accepté que je le gâte à ma guise... Si nous n'avions pas été fiancés avant Noël, j'aurais seulement osé lui offrir un livre. Oh, peut-être deux livres, mais gros et chers, le genre qu'on pose sur la table du salon.

Elles parcoururent avec entrain les larges traverses du South Coast Plaza. Les murs étaient tapissés de marbres de trois couleurs ; c'était encore sur du marbre que l'on marchait, en nuances qui s'étageaient du blanc lumineux au gris soutenu. Des forêts de palmiers géants, hauts de cinquante pieds, partaient du plus bas niveau pour atteindre les verrières du deuxième étage. Flâner de boutique en boutique donnait l'impression d'avoir été transporté à Hawaii. Partout se dressaient des massifs arborés de forme ronde composés de branches dorées et éclairés d'une multitude de lampions minuscules ; pour finir, un anneau de ficus étincelants cernait le forum où les immenses allées de marbre se rencontraient sous un ciel de verre coloré.

Chez Vuitton, Red trouva un stylo à plume en or dix-huit carats dessiné par Gae Aulenti, l'architecte italienne qui avait conçu le musée d'Orsay à Paris. Jazz le jugea parfait pour son père, mais tout ce qu'elle trouva pour sa part fut un sac en cuir très souple, vierge de toute inscription, qui ôterait à Casey l'habitude des bagages Vuitton à angles durs et initiales. De toute façon, c'était beaucoup trop cher. Mais il conviendrait à son père qui ne possédait aucun bagage décent.

— Où irez-vous passer votre lune de miel ? demanda-t-elle à Red.

— Oh, Jazz, je n'en sais rien. Je suis allée partout plus de cinq fois, et je me moque sincèrement de revoir jamais un seul de ces endroits.

Red tourna vers son amie un visage adorablement timide.

— Je veux commencer à apprendre à monter à cheval. J'ai beau avoir grandi au cœur de Houston, je ne suis jamais montée. Je veux savoir me débrouiller sur un voilier, ainsi je pourrai faire le mousse de Mike quand il prendra son bateau, et je brûle de m'occuper des jardins — c'est la seule chose au ranch à laquelle je comprenne un peu quelque chose. En théorie, toutes les filles du Texas savent reconnaître une mauvaise herbe d'une fleur. Avec tout ça, je ne pense pas que je supporterais l'idée de devoir partir en lune de miel. Une fois dans la vie suffit. Me trouves-tu atroce ? A dire vrai, je ne l'ai pas encore dit à Mike. Il y a tant de choses dont nous n'avons pas encore parlé ; comment l'aurions-nous pu alors que nous n'étions pas certains de nous marier ? Quelle sera sa réaction, à ton avis ?

— Il sera fou de joie, assura Jazz en reposant le sac en cuir sur le comptoir où elle l'avait trouvé.

Son père ne serait pas contraint de prendre les vacances haïes qui jamais ne l'avaient attiré. Si elle avait eu besoin d'une dernière preuve que Red était la femme parfaite pour lui, elle la tenait.

— Pourquoi avez-vous attendu si longtemps avant de vous décider ? s'enquit-elle avec curiosité.

— Je soupçonne Mike de s'être jugé trop vieux pour moi. Nous avons vingt-six ans d'écart.

— Vingt-quatre, je crois.

— Oh, d'accord. Vingt-quatre. C'est le problème avec les vieilles amies... elles connaissent toujours votre âge exact. Mais, ma chérie, la seule sagesse que j'aie à te transmettre est que l'âge est relatif autant qu'hors de propos, surtout dans le cas de Mike.

— Je ne sais même pas la date de votre mariage, s'étonna Jazz. Vous en êtes-vous préoccupés, au moins ?

— Ce sera après Noël, sans doute, quand tes sœurs et leurs gosses seront partis. Nous ne souhaitons pas un grand tralala, juste nous, toi et Casey.

— Casey ?

— Mike le veut pour témoin, et moi, évidemment, je t'ai choisie pour demoiselle d'honneur, et ce sera tout. Ensuite, nous irons prendre un verre au *Swallows* puis dîner à l'*El Adobe*. Pas de cérémonie.

Jazz fronça les sourcils. Comment cela pouvait-il être un vrai mariage sans déploiement de fastes, sans problèmes, sans tapage ?

— C'est exactement ce que je désire, conclut Red qui devinait ses pensées. Crois-moi, j'ai essayé l'autre façon, c'est l'enfer. Tout ce qui est bas et moche chez les gens remonte à la surface à l'occasion d'un mariage. Tous les vieux ressentiments familiaux longtemps enfouis se révèlent dans une dispute autour de la couleur de la nappe ou du genre de gâteau qu'il faudra commander. Quant à ce qu'il faut porter — c'est la guerre, comme dans *Le Parrain*, mais entre femmes.

— Je dois photographier le mariage de Mel... Je me souviendrai de tes paroles. Je ferai une sorte de sous-texte freudien... le sens secret et hostile de la cérémonie de mariage.

— Oh, Jazz, ne fais pas ça.

— Je plaisantais. Mais je saurai ce qu'il faut éviter. Photographier le mariage de Mel sera pour moi un vrai plaisir, parce que ce sont des gens que j'aime. Allons, Red, je n'ai encore trouvé aucun cadeau.

Jazz et Red prirent l'escalator pour redescendre au premier niveau ; là, la vitrine de Tiffany scintillait tellement qu'elles n'entrèrent même pas. En face de la bijouterie, une boutique peinte en vert sombre, à l'allure vieille Angleterre, les attira. C'était un magasin de vêtements masculins appelé Rosenthal Truitt. Jazz scruta attentivement la vitrine.

— Ça y est ! s'écria-t-elle en repérant une paire de bretelles en cuir tressé.

A l'intérieur, elle acheta les bretelles pour Pete, une ceinture du même cuir qu'il voudrait peut-être leur assortir, et trois chemises de flanelle à carreaux. Pour Sam, elle fondit sur des embauchoirs pour chaussures en cuivre et bois de hêtre, lui en achetant quatre paires.

— Exactement la somme qu'il convient de dépenser, impersonnel juste ce qu'il faut, et totalement utile, commenta-t-elle. Un triomphe de la chose adéquate. As-tu jamais vu un homme s'acheter lui-même des embauchoirs, ou une femme ?

— Pourquoi n'en prends-tu pas aussi pour Casey ? suggéra Red. Ils ne se connaissent pas.

— Non, je ne sais pas mais... ça ne va pas pour Casey. *Voilà* ce qui serait parfait pour Casey !

Jazz avait déniché une veste de daim souple d'un gris taupe neutre, ornée de boutons de corne. La doublure était en soie, imprimée d'un motif style tapisserie : un faisan sur fond de feuillages d'automne vert sombre et rouge.

Red soupira d'admiration devant l'élégance du vêtement, si sobre par sa façade et si flamboyant à l'intérieur.

— Il sera magnifique là-dedans. Mais tu as vu le prix ? Trois cent quatre-vingt-quinze dollars — c'est-à-dire beaucoup trop d'après la règle que tu t'es donnée.

— Ah, je sais, Red, mais le pauvre garçon doit porter quelque chose de spécial pour votre mariage, et après tout, il ne saura jamais combien elle a coûté. J'enlève moi-même l'étiquette, sur-le-champ, et tu ne diras jamais, jamais rien, tu dois me le promettre. En plus comment puis-je la laisser passer, je suis si fatiguée de courir les magasins que je dois me faire un petit plaisir, et puis j'ai mal aux pieds. Tiens, regarde, je lui offrirai cela en prime.

Jazz s'empara d'un petit livre intitulé *La Garde-robe d'un gentleman, ou Les bons vêtements ouvrent toutes les portes.*

— Tu comprends, voilà qui transforme mon présent en blague. Il ne pourra pas le prendre au sérieux si je lui donne ce livre en même temps.

— Je vois, fit Red. Vaguement.

— Ne restent plus que papa et Mel, se réjouit Jazz. J'ai fait le plus gros. Viens, allons voir chez Georg Jensen.

Malgré son expérience du monde, Red fut étonnée du prix des pièces de l'orfèvre danois.

— Sortons d'ici, dit-elle à Jazz.

— N'aimes-tu pas les objets en argent ?

— Les prix ! s'exclama Red.

— Je prends ce service à thé et café pour Mel.

— Es-tu complètement folle ?

— C'est un cadeau de mariage pour Sharon et lui, pas seulement un cadeau de Noël. Mel m'a donné ma première chance, et je ne l'oublierai jamais. Ne regarde pas l'étiquette, c'est tout.

— Je n'en avais pas l'intention.

— Mais tu le trouves joli, n'est-ce pas ? Crois-tu qu'il plaira à Mel et Sharon ?

— C'est sans conteste la plus belle argenterie que j'aie jamais vue, à l'exception de cet autre service sur le plateau, qui doit coûter le double.

Red semblait abattue.

— Tu sembles épuisée, ma Red. Va t'asseoir là-bas et repose-toi pendant que je donne ma carte Visa au vendeur.

Rapidement, Jazz acheta un service pour Mel et celui qui était encore plus magnifique pour son père et Red. Eux aussi se mariaient, non ? Et elle pouvait bien se permettre cette folie.

— Voilà qui clôt ma liste, annonça-t-elle à son amie lorsqu'elles quittèrent Jensen. Je trouverai quelque chose pour papa à New York.

— Et tes nièces, tes neveux, tes sœurs et leurs maris ?

— J'achèterai les cadeaux des ados à Beverly Hills, ce sera plus drôle pour eux pour les échanger, ce qu'ils font toujours ; de surcroît, cela les éloignera de la maison pour une journée, et je viens de songer à un cadeau vraiment... gentil et bien pensé pour Fernanda et Valerie.

— Quoi ?

— Des abonnements personnels à *Lear's*.

— Le magazine qui titre en couverture « Pour la femme qui n'est pas née d'hier » ?

— Celui-là.

— Si je n'étais pas trop heureuse pour me montrer aussi garce que toi, ma chérie, on ferait moitié-moitié.

# 15

Après deux jours affairés à New York, Jazz estima qu'elle s'était fait assez de frères et de sœurs de sang parmi les pontes de Pepsi pour écourter sa visite d'un jour et regagner Los Angeles par un vol du matin, gagnant trois heures au passage puisqu'elle retournait dans l'Ouest. A l'aéroport elle prit un taxi qui la conduisit directement au studio, aussi arriva-t-elle bien avant le déjeuner, le vendredi précédant le week-end de Noël.

Bien que ce jour fût en théorie un jour de travail ordinaire, Jazz savait qu'à Flash, comme dans tous les bureaux du pays, l'humeur flirtait déjà avec les fêtes et nul ne ferait de zèle. La coutumière fête de Noël avait été repoussée lors de la dernière réunion entre associés mais Jazz souhaitait dire à ses assistants de rentrer chez eux quand cela leur plairait et embrasser tout le monde avant de partir pour le ranch où elle s'apprêtait à séjourner pour un long week-end de quatre jours. Noël tombait le mardi suivant, et elle rentrerait doucement le mercredi matin. Les gens s'extrairaient à peine de Noël pour commencer à préparer le long week-end du Nouvel An. Peut-être, songeait Jazz, ces petites vacances de fin d'année 1990 se révéleraient-elles l'ultime raison du déclin de l'Occident, l'excuse pour ne plus jamais travailler cinq jours par semaine.

Alors qu'elle ouvrait la porte vitrée de Flash, elle faillit entrer en collision avec Gabe. Le photographe portait deux boîtiers d'appareils photo ainsi qu'une mallette d'éclairages mobiles.

— Pourquoi tout cet équipement ? s'enquit-elle plaisamment. Pas de repos pour le guerrier ?

— Juste un engagement pour un soir, répondit Gabe en s'arrêtant un instant.

— Avec Noël qui tombe un mardi et tout le pays qui se met en veilleuse, comment est-ce possible ?

Jazz l'interrogeait plus par désir de se montrer amicale que par véritable curiosité.

— Pas de vacances qui tiennent. Il s'agit d'une fête, une pendaison de crémaillère.

— Toi ? *Tu vas photographier une fête ?*

Elle était sincèrement incrédule. Pourquoi Gabe se serait-il soucié de lui mentir sur un job ? Le seul genre de festivité qu'il aurait daigné couvrir eût été une conférence au sommet.

— Ouais. Bon, je dois filer. Je ne veux pas être en retard.

— O.K., Gabe. Joyeux Noël en tout cas, et amuse-toi bien.

L'expression de Jazz était passée du scepticisme à un étonnement qu'elle s'efforça de dissimuler derrière un radieux sourire. Les manières honteuses de Gabe lui firent comprendre qu'il était bel et bien engagé pour couvrir une réception. Sans doute chez une grande star de cinéma, avec honoraires mirobolants à la clef ; n'empêche que, pour le reporter, courir à quelque chose de si peu stimulant, si tragiquement ordinaire, faisait mesurer à la jeune femme à quel point il avait révisé ses exigences à la baisse depuis son retour. Même s'il avait décroché un bon nombre de contrats corrects — à défaut d'être géniaux — depuis que Phoebe était devenue son agent, il ne pouvait apparemment pas se permettre de refuser ce boulot.

Gabe saisit ce qu'elle tentait de cacher, sut que son sourire était faux et qu'elle le prenait en pitié. Alors, pour épargner sa fierté, il essaya de valoriser sa commande par une débauche de détails qu'on l'avait supplié de taire.

— Sérieux, Jazz, n'importe quelle agence photo dans le monde tuerait pour couvrir ce truc. Cookie, la nouvelle femme de Magic Johnson, lui prépare une pendaison de crémaillère surprise dans leur nouvelle maison. Magic n'en sait rien et n'a aucune idée de ce qui se mijote. Cookie s'est arrangée pour que la plupart des grands joueurs de basket arrivent des quatre coins du pays, rien que pour cette soirée... les mêmes que ceux qui participent chaque été au match de bienfaisance qu'organise Magic. Cookie a tellement tenu à garder le secret qu'elle n'autorise la présence que d'un seul photographe, et c'est moi qu'elle a choisi.

— Hé, libre à toi de gamberger sur beaucoup de choses, Gabe, mais pas sur ce genre de truc.

Jazz avait parlé d'un ton bravache mâtiné d'un début de suspicion.

— Alors ne me crois pas. En tout cas, je ferais mieux de prendre la route. Je ne peux même pas emmener d'assistant mais, évidemment, elle veut des prises minute par minute — la tête de Magic quand il entrera chez lui et découvrira tout le monde, y compris sa famille et celle de Cookie, toutes les superbes épouses des Lakers en train de filer un coup de main aux traiteurs autour du buffet, la multitude de bébés dans les jambes de tout le monde, la partie improvisée sur le terrain de basket derrière la maison... enfin tu vois, ces bonnes réjouissances traditionnelles auxquelles tout le monde se plie, plus quelques touches uniques comme Jack Nicholson et Arsenio Hall déguisés en Pères Noël jumeaux, Jerry West et Jerry Buss costumés en aides et les Laker Girls en rennes de traîneau... la fête de Noël monstre. Enfin, j'y survivrai.

— C'est juste une fête de Noël ? interrogea Jazz d'une voix incertaine. Rien de plus à tes yeux ?

— Allons, Jazz, tu ne t'attends quand même pas à ce que je me sente personnellement impliqué, non ? C'est une question de fric — gros sous et grosse diffusion. Pour ce que je fais... disons qu'il n'existe pas un photographe vivant qui aurait refusé ce boulot. Joyeux Noël, Jazz. A la semaine prochaine.

Gabe tourna les talons et se dirigea rapidement vers le parking.

Jazz resta immobile dans l'entrée du studio, fixant le bureau de réception déserté. Elle sentait les paroles de Gabe prendre possession d'elle, l'emplir de la vision précise d'une merveilleuse fête, de la nouvelle maison regorgeant de héros, des douzaines de champions magnifiques unis dans une camaraderie qu'ils ne pouvaient connaître qu'avec leurs pairs, profitant de leurs rares heures de détente avec leurs belles épouses et des kyrielles d'enfants surexcités. La pensée des photos qu'elle ne prendrait jamais chemina jusqu'à son cœur, se lova dans son ventre, où enfin elle l'éprouva pleinement, comme si elle venait de recevoir un violent coup de poing. Elle marcha lentement vers une banquette et s'y assit avec lourdeur, abattue par un sentiment complexe de trahison absolue et de terrible déception. Elle se sentait comme un gosse de trois ans qui viendrait de recevoir une gifle. La sensation grandit et grandit jusqu'à ce qu'elle soit obligée d'appuyer de toutes ses forces sur son estomac afin d'y combler un vide encore plus flagrant que sa douleur.

Dans un effort désespéré pour se conduire en adulte, elle tenta de trouver une explication logique, sensée, de ne pas prendre cela pour une éviction personnelle de la part de l'équipe avec laquelle elle avait passé toute une semaine en 1988, l'année de leur triomphe, prenant tous les clichés d'un numéro spécial de *Sports Illustrated*, équipe dont elle connaissait personnellement chaque membre. Elle ne *possédait* pas les Lakers du fait de les adorer, d'être leur fan, de les considérer comme une partie de sa famille. Cookie Kelly Johnson ne lui appartenait pas sous le simple prétexte qu'elle s'était si bien entendue avec la charmante et intelligente jeune femme, compagne de Magic pendant de longues années avant que Jazz ne fît son portrait pour *Brides Magazine* peu après leur mariage.

Gabe ferait de l'excellent travail, très pro, et le fait qu'il s'en fiche ne se verrait pas sur les clichés. Elle n'avait pas l'exclusivité, elle n'était pas la photographe officielle de l'équipe. Elle n'avait besoin ni de l'argent ni du crédit photo. Gabe, le grand reporter, était un choix compréhensible de la part de Cookie, en supposant que c'était elle qui avait pris la décision. Et Gabe avait le droit absolu d'accepter le job si on le lui offrait. Oui... le droit absolu.

*Si on le lui offrait.* Quand, exactement, cela s'était-il passé ? Comment se faisait-il qu'elle n'ait saisi aucune rumeur dans les studios où d'ordinaire les nouvelles sur le travail de chacun auraient pu être clamées chaque matin au mégaphone puisqu'elles n'avaient rien de secret ?

A propos, où se trouvait tout le monde ? Bien que Sandy, la réceptionniste, fût absente, il était encore trop tôt pour la fermeture du studio. Jazz huma l'air et s'aperçut, aux fumets de cuisine comme aux bruits de voix, qu'il devait y avoir du monde, beaucoup de monde dans le studio de Mel au deuxième étage. Trop absorbée dans ses pensées, elle ne l'avait pas remarqué avant. Elle s'élança dans les escaliers, non sans noter au passage que son propre studio était désert.

Une foule en fête emplissait le local de Mel au milieu duquel, pendant l'absence de Jazz, avait été dressé et décoré un grand sapin. Elle se fraya un chemin dans l'assemblée. Tous les assistants étaient présents, ainsi qu'un grand nombre de clients de toutes les agences de pub de la ville, et un surprenant assortiment des mannequins préférés de la jeune femme. Il semblait que la fête ne faisait que commencer ; un attroupement s'était formé autour du bar où Sharon et un groupe de stylistes s'affairaient à servir de simples hot-dogs et des cheeseburgers sous une banderole qui proclamait « VRAIE BOUFFE AFFREUSE ».

— Jazz, génial ! Tu es revenue pile pour la fête que nous nous étions mutuellement juré de ne pas organiser ! C'est formidable !

Pete la prit dans ses bras et l'embrassa sur chaque joue.

— Mel a été le premier à craquer. Comment se fait-il que tu sois ici ? Personne ne t'attendait.

— Pete, es-tu au courant pour la grande soirée chez Magic ?

— Magic donne une party ? Où as-tu appris ça ?

— Une rumeur... Où est Phoebe ?

— Là-bas dans le coin, en train de parler affaires avec un pauvre typc qu'elle a réussi à piéger. Elle hait Noël sous prétexte que c'est un gaspillage de temps et d'argent, mais on peut compter sur elle pour ne pas laisser passer un repas gratis. Faisons la fête, jolie fille.

— Plus tard, Pete.

Jazz se débrouilla pour lui sourire et regarda dans la direction qu'il lui avait indiquée. Phoebe était bien là, à moitié cachée par un homme en costume gris. Elle avait posé une main légère sur le bras de son interlocuteur et adopté son allure de guerre, celle que lui inspiraient tous les clients, un look à mi-chemin entre l'orpheline nécessiteuse et la prostituée cupide. Jazz avança parmi les fêtards, saluant tous ceux qui lui faisaient signe, mais ne s'arrêta pas avant d'être arrivée dans l'angle du studio.

— Excusez-moi, fit-elle à l'homme en costume gris. M'en voudrez-vous terriblement si je dis deux mots en privé à notre petite Phoebe ?

— Aucun problème, acquiesça l'homme en se dirigeant vers le bar.

— Jazz... tu es censée être à New York, s'inquiéta Phoebe. Cela ne s'est pas bien passé ?

— Pour un voyage parfaitement inutile, ça a marché à merveille, annonça Jazz.

Elle accula Phoebe dans l'extrême angle de la pièce et étendit les bras jusqu'à chacun des murs perpendiculaires. L'agent était pris au piège.

— Je suis tombée sur Gabe en arrivant. Il m'a parlé de la pendaison de crémaillère.

— Ah, oui. Cette party. Une gentille idée.

— Sensationnelle.

— Jazz, il y a quelqu'un là-bas que je ne dois pas louper. Nous bavarderons plus tard.

Phoebe se baissa prestement pour essayer de passer sous le bras de la jeune femme mais celle-ci l'intercepta et la repoussa contre le mur.

— Phoebe, comment Gabe a-t-il eu ce job ?

— L'un des hommes d'affaires des Lakers a téléphoné de la part de Cookie et demandé si nous avions quelqu'un pour couvrir la réception. Comme tu n'étais pas en ville, j'ai mis Gabe sur le coup.

— Quelqu'un t'a appelée ? Hier ou avant-hier ?

— Hier. A l'improviste. Après tout, c'est une surprise-party.

— Et on t'a juste demandé si tu avais un photographe disponible ?

— Voilà. Un de ces trucs de dernière minute. Si seulement nous avions eu un peu de temps... enfin, je sais que tu aurais aimé avoir le job, mais tu n'étais pas dans les parages et je devais répondre tout de suite.

— Tu aurais pu m'appeler à New York hier. Je serais revenue en moins de deux, ou alors j'aurais pris un vol direct pour Detroit, rétorqua Jazz avec une calme précision.

— Je n'y ai pas pensé... et le coup de fil est venu affreusement tard à l'heure de New York. Je suis sincèrement désolée, Jazz, je suppose que l'idée aurait dû me traverser l'esprit, mais je savais combien tu étais occupée avec les gens de Pepsi et j'avais Gabe sous la main, qui n'avait rien de particulier...

— *Tu ne dis que des mensonges.*

— Jazz, je vois bien que tu es bouleversée, d'accord, mais ce n'est pas une raison pour m'insulter !

— Ferme-la, Phoebe. Essaies-tu de me dire que Cookie aurait décidé sa petite sauterie au dernier moment, quand on sait comme c'est compliqué et quasi impossible de réunir les joueurs des équipes nationales ?

— Tu me connais, Jazz, je m'efforce de m'élever au-dessus des détails — je me concentre sur l'essentiel dans un job.

Phoebe agita vigoureusement ses mèches blondes.

— Même si elle a planifié l'affaire à l'avance, elle n'a eu besoin d'un photographe qu'hier. Quelqu'un a dû la laisser tomber à la dernière minute, c'est tout ce qu'on peut imaginer.

— Impossible, Phoebe. Si Cookie avait engagé elle-même un photographe, elle en aurait eu un autre en réserve, si ce n'est deux. Rien de plus délicat à orchestrer qu'une surprise-party, surtout de ce genre-là.

— Oh, Jazz, tu en fais tout un plat, c'est complètement disproportionné.

— Cookie m'a d'abord demandée, n'est-ce pas, Phoebe ?

— Franchement, Jazz, ce n'est pas parce que tu es une fan...

— Elle l'a fait, hein ? Je peux m'en assurer en passant un coup de fil.

— Oh, et même si elle l'a fait ! Oui, voilà. Tu es contente maintenant ? Tu vas me rendre malade avec tes histoires ! Je viens de te décrocher le plus gros contrat commercial que tu aies jamais eu, tu vas gagner plus d'argent que personne n'en a jamais ramassé avec une campagne d'affichage, et tu disputes un petit job à Gabe, simplement parce que tu aurais voulu aller à cette soirée. Ce que tu es égoïste !

— Depuis combien de temps as-tu balancé ce job à Gabe ?

— Je ne lui ai pas « balancé » — j'ai pris une décision de carrière quant à ce qui était le mieux pour toi. Je dois te rappeler que c'est en agissant ainsi que j'ai été un agent efficace depuis que tu as débuté dans le métier.

— Une « décision de carrière » ? Non, Phoebe, tu m'as convaincue de me rendre à New York inutilement. Tu m'as écartée afin que je n'apprenne rien de cette crémaillère avant qu'il ne soit trop tard. Tu as *donné* à Gabe un contrat que Cookie me destinait, contrat qui me tenait à cœur.

— Tu dramatises, comme d'habitude. Tu montes cette histoire en épingle à cause des vieilles histoires entre Gabe et toi.

Phoebe releva la tête et fixa Jazz droit dans les yeux, la défiant de poursuivre.

— Qu'est-ce que tu as dit ?

— Gabe et toi. Crois-tu sincèrement que je ne sois pas au courant ? C'est à cause de cela que tu me cherches cette querelle puérile, n'est-ce pas ? Ce n'est pas un contrat ni une soirée qui sont en cause, mais Gabe et toi, et ce que vous avez vécu ensemble. Pauvre Jazz — je ne pensais pas que tu y accordais encore tellement d'importance.

Un moment, les deux femmes se dévisagèrent en silence. Phoebe avait un petit air amusé qui tentait de suggérer à Jazz que le seul moyen de se retirer de la lutte avec sa fierté intacte était d'abandonner. Au lieu de cela, Jazz saisit fermement les épaules osseuses de son agent. Sa voix était calme lorsqu'elle parla, sourde et très sérieuse.

— Cela n'a rien à voir avec Gabe. Mais avec la confiance. C'est terminé, Phoebe. Tu n'es plus mon agent. J'enverrai des déménageurs débarrasser mon studio la semaine prochaine. Joyeux Noël.

Elle lâcha Phoebe, gentiment, et se dirigea vers la sortie du studio de Mel, sachant qu'elle ne reviendrait jamais à Flash.

*
**

— Un peu plus de sauté, Casey ? proposa Susie Dominguez.

— Non merci.

Casey regarda Jazz assise avec lui à la table de la cuisine. Red et Mike passaient une dernière nuit chez Red qui avait mis sa maison en vente. Jazz était arrivée une heure plus tôt, à temps pour partager le dîner du jeune homme, mais elle était si bouleversée qu'elle n'avait pas goûté au délicieux sauté de mouton, et si furieuse d'avoir été privée de l'occasion de photographier la fête chez Magic Johnson qu'elle n'avait cessé d'en parler.

— Si tu veux mon opinion, continua Susie saisissant l'opportunité de rompre le monologue de Jazz, tu as tort de faire retomber toute la faute sur Phoebe. Tu es trop gentille avec ce minable.

— Gabe ?

— Tu sais très bien que je ne prononce plus son nom depuis...

Susie jeta un œil vers Casey.

— ... depuis ce malentendu que tu as eu avec lui. Mais je jurerais qu'il savait très bien ce que cela représentait pour toi.

— Je te l'ai dit, Susie, le basket ne l'intéresse pas.

— Depuis quand est-il revenu à Los Angeles ?

— Je n'ai pas fait attention, rétorqua Jazz, boudeuse.

— Plusieurs mois ? insista Susie.

— Peut-être.

— Et pendant tous ces mois, travaillant au même endroit que toi, entouré par les gens qui te connaissent le mieux, il n'a même pas entendu dire que tu étais une fan de l'équipe ? Tu n'as jamais parlé des Lakers devant lui ? Enfin, Jazz, tu es en adoration devant Magic depuis plus de dix ans. Même moi qui n'y connais rien en basket, j'ai l'impression que l'équipe a grandi sous mon toit, tu m'as même passé ta déprime quand Kareem est parti, je sais prononcer le nom de Vlade Divak, j'ai su chaque fois qu'A.C. Green se faisait couper les cheveux, sans parler des exploits d'Orlando Woolrich, et pourtant j'essaie de ne pas faire attention puisque, comme je m'entête à te le répéter, moi c'est le foot, mon truc, mais il m'aurait fallu être sourde pour ne pas être au courant. Casey ? Jazz vous a-t-elle déjà parlé des Lakers ?

— En permanence. Voulez-vous connaître le détail des performances de Magic et de Worthy pour cette saison ?

— Non merci, je suis déjà au courant. Supposons maintenant que quelqu'un vous demande d'être le photographe officiel de la fête de Noël chez Cookie — n'irez-vous pas au moins vous demander si le job ne doit pas revenir à Jazz ?

— Arrête d'embobiner Casey, Susie. Il n'est pas censé avoir une opinion sur la question. On n'est pas dans un bureau de vote.

— Je ne me le demanderais pas, fit Casey. Je le saurais.

— Mais Gabe n'a su qu'au dernier moment, objecta Jazz. Phoebe a tout manigancé.

— Comment pouvait-elle être sûre que ce minable serait dans les parages, et disponible ? questionna Susie. S'il n'en savait rien, il aurait pu partir pour Noël. Alors Phoebe aurait dû refuser la proposition des Lakers et ils auraient pris un autre photographe. Elle aurait perdu sa commission, ce qui l'aurait tuée. Donc, si on suit ton propre raisonnement, quand Magic t'a demandée et qu'elle a donné le job à ce minable, il fallait que ce soit une chose sûre et arrangée longtemps à l'avance.

— Bon Dieu, Susie, on dirait Agatha Christie, s'exclama Jazz avec véhémence. Tu aurais dû être agent, toi aussi.

— Tu m'insultes déjà, et le week-end commence à peine.

— Je suis désolée, Susie — je ne devrais plus en parler. Je ne vais plus y penser. Désolée d'être si ennuyeuse. Je verrai les photos dans les journaux.

— Tu te refuses à lui faire des reproches, persista Susie en pleine rébellion. Il a encore tout son crédit auprès de toi.

— Zut, Susie, arrête de me harceler !

Jazz bondit de son siège, tourna les talons et partit en direction de la salle de séjour.

— Ça y est, dit Susie à Casey après une minute d'un silence lourd de remords. Je l'ai mise dans un état encore pire. Mais ce minable — entre nous, c'est carrément un fils de pute !

— Mike m'a parlé de lui, précisa Casey.

— Donc, vous comprenez mes sentiments. Comment peut-elle encore lui parler après ce qu'il lui a fait, voilà ce que je ne comprendrai jamais.

— Susie, n'êtes-vous pas un peu... hyper-protectrice ? Leur histoire d'amour, ou quel que soit le nom que vous lui donnez, s'est passée voilà plus de dix ans. N'avaient-ils pas le droit de tomber amoureux puis de ne plus être amoureux, comme beaucoup d'autres gens ?

— Sûr. Quand Jazz est partie avec lui, c'est ce que j'ai dit à M. Kilkullen. Je lui ai dit que tous les rejetons font des trucs comme ça, il faut l'accepter. Mais quand ils ont décidé de se marier et que M. Kilkullen s'est envolé pour Paris puis est revenu presque avant d'être parti, avec la pauvrette... on aurait dit qu'elle ne s'en remettrait jamais. *Abandonnée par ce minable la veille de leur mariage...* non ! C'est là que la moutarde m'est montée au nez. Personne ne peut faire ça à ma petite ! Ce n'est pas du désamour, Casey, c'est impardonnable.

— Mike ne m'a jamais dit qu'ils avaient prévu de se marier, articula lentement Casey.

— Je ne me trompe pas sur ces questions, Casey. Je ne sais pas combien de temps il a fallu à Jazz pour se détacher de cette fripouille.

— Peut-être ne s'en est-elle jamais détachée.

— Qui sait ? Quelle famille ! Un petit morceau de tarte aux cerises ?

**
**

Casey rejoignit Jazz qui se tenait devant la cheminée, plongée dans ses pensées. A son expression maussade, il put voir qu'elle n'avait pas suivi son propre conseil d'oublier l'outrage. Son visage était pâle de fatigue, d'évidence elle n'avait pas songé à retoucher son maquillage depuis qu'elle avait quitté le studio de Mel, et ses yeux brillaient de larmes contenues. Casey imagina qu'elle devait avoir ce même air, enfant, lorsque quelqu'un l'avait profondément blessée mais qu'elle se refusait à pleurer. Il sentit qu'il savait sur elle des choses que nul ne lui avait jamais dites, Jazz moins que quiconque. Avait-elle toujours été si fière, si farouche, si difficile à atteindre, si hantée par ses souvenirs ? Il devait la faire sourire.

— As-tu envie de m'entendre chanter ? offrit-il. Je connais les paroles et la musique de tout ce qu'ont écrit Rodgers et Hart — ou Harold Arlen, ou Gershwin. Tout ce qu'Ella Fitzgerald chante divinement, je peux le massacrer.

— Tu es très gentil.

Jazz releva les yeux et remarqua réellement Casey pour la première fois de la soirée.

— Casey Nelson, l'homme aux multiples talents, modèle d'élégance, investisseur avisé, régisseur, et troubadour à l'occasion!

— Tu n'es pas d'humeur pour la musique. Veux-tu faire une patience à deux ? Ou que nous sellions deux chevaux pour aller nous promener au clair de lune ? Ou noyer ton chagrin dans l'alcool ?

— Non.

— On pourrait aller au *Swallows* et y échanger les plus vieilles blagues salaces du monde. *Muy atmosferico*. Regarder la télévision — je te laisse choisir la chaîne. Ou prendre un bain mousseux et chaud. Ma baignoire est largement assez grande pour deux.

— Non.

— On pourrait décorer le sapin.

— Il l'est déjà. Qui l'a fait ?

— Red, Mike, Susie... moi, on m'a commis à la réparation des lampions.

— Oh, tu t'es fait pigeonner, fit Jazz, moqueuse.

Casey sentit poindre le triomphe. La moquerie était proche du rire.

— Ils m'ont vu venir, admit Casey. L'année prochaine, j'achèterai des guirlandes neuves.

— L'année prochaine, tu ne seras pas là.

— Exact.

— Tu avais réellement oublié, n'est-ce pas ?

— Oui, je pensais à autre chose.

— Comment se fait-il que tu ne retournes pas chez toi pour Noël ? interrogea Jazz.

— Le voyage en avion m'a paru long pour un week-end.

— Trop long pour quatre jours ? Et papa ne t'aurait pas accordé un congé plus long ?

— Je ne lui ai pas demandé — il me semblait que je ferais mieux de rester ici. Un régisseur devrait toujours être disponible, comme un gynécologue. Viens, Jazz, allons fouiner dans les archives. Il y a des photos de toi que j'aimerais revoir.

— Tu fais enfin la bonne proposition.

Décidée à changer d'humeur, Jazz s'arracha des profondeurs du fauteuil dans lequel elle était restée coincée tandis que Casey essayait de la dérider.

— Je vais me passer un peu d'eau sur le visage et je te rejoins là-bas. Papa m'a dit que tu avais une clef.

Quelques minutes plus tard, ils s'assirent à la longue table de bois, sur le même banc, et ouvrirent un album des photographies prises par Jazz en 1976, l'année de ses quinze ans.

— Ces cinq petits enfants sont les fils de Fernanda et les filles de Valerie, expliqua Jazz. Heidi, la benjamine de Fernanda, n'était pas encore née. Ils séjournaient ici pour quelques semaines pendant l'été et je n'ai pas cessé de les mitrailler. Rien ne vaut le plaisir de photographier des gosses avant qu'ils soient assez grands pour être conscients de leur image. Tu les rencontreras tous dimanche, quand la famille au grand complet va fondre sur nous, mais tu n'arriveras pas à les reconnaître d'après ces clichés.

— Je les ai vus à la Fiesta, excepté Heidi — mais j'étais un peu troublé cette nuit-là.

— Un vrai trou du cul, tu veux dire !

Enfin, Jazz sourit et Casey écarta doucement l'album. Il allait séduire cette fille au langage ordurier, cette fille triste, magnifique, obstinée, il la séduirait n'importe où, même dans la Chapelle Sixtine. Il glissa vers elle sur le banc.

— En tout cas, continua Jazz, Sam les rencontrera pour la première fois. Je prie pour que les filles ne soient pas trop impressionnées, mais c'est trop espérer. Fernanda sera dingue évidemment, on peut lui faire confiance.

— Sam ?

La progression de Casey sur le banc s'interrompit.

— J'étais triste qu'il soit tout seul pour Noël, si loin de son Australie natale, alors je l'ai invité pour le réveillon et le jour de Noël.

— Très généreux de ta part.

— Cela m'a paru le minimum, répondit Jazz avec un regard d'auto-satisfaction que Casey jugea ambigu et un rien retors.

Il referma l'album et s'approcha des étagères où des centaines d'autres étaient rangés. Il remit maladroitement le premier en place, stupéfait de l'émotion qu'il éprouvait. Puis, tournant le dos à Jazz, il promena les doigts au hasard sur les rayons. Il redoutait, s'il se retournait, qu'elle puisse lire la jalousie qu'il savait visible sur son visage, jalousie qu'il n'avait aucun droit de ressentir. Absolument aucun droit.

— Regardons l'année... oh, je sais : 1910 ! décida la jeune femme. Avant la Première Guerre mondiale.

C'était comme autrefois après dîner, lorsqu'elle demandait à son père de faire resurgir le passé, et qu'ils s'absorbaient des heures dans les photographies de Hugh Kilkullen.

— Voyons... 1910... ce doit être sur l'étagère la plus haute, dit Casey, soulagé par cette distraction.

Il chercha longuement l'album de 1910 et, comme il mettait enfin la main dessus, remarqua un autre album qui avait glissé et s'était retrouvé coincé derrière les nombreux portfolios qui couvraient la période de la guerre au ranch. Il n'était pas vert, contrairement aux autres, mais brun et quasiment invisible contre le bois. Casey ne l'aurait jamais vu s'il n'avait délibérément traîné dans sa recherche afin d'effacer de ses traits toute trace de jalousie.

— Jazz, il y a une brebis égarée.

Il déposa l'objet sur la table devant la jeune femme.

— L'as-tu déjà vu ? Il n'a pas l'air d'aller avec les autres.

— Jamais vu ! C'est étrange, il n'est pas de la même taille. Attends, Casey — regarde ce qui est écrit : « Amilia Moncada y Rivera »... mon arrière-grand-mère ! C'était son nom de jeune fille. Sans doute cet album lui appartenait-il avant qu'elle n'épouse Hugh Kilkullen. Et une date — 1883. Hugh est né en 1864. Elle devait donc être très jeune à l'époque. Aide-moi à l'ouvrir !

Impatiente, Jazz lutta avec un ruban qui menaçait de tomber en poussière.

Le nœud finit par céder et Jazz ouvrit le portfolio. Il comportait quatre compartiments en accordéon et elle vit aussitôt que, si deux d'entre eux étaient remplis de photos, les autres recélaient différentes sortes de papiers, la plupart brillamment colorés.

— Certaines choses ne changent jamais, soupira Jazz avec plaisir en reconnaissant les papiers. Amilia conservait ses cartes de la Saint-Valentin. Regarde comme elles sont belles. En as-tu jamais vu de pareilles ?

Du bout des doigts, elle prit les cartes finement gravées, étudia leurs dessins délicats comme une dentelle et les ouvrit pour voir les noms des différents signataires.

— Amilia était réputée pour avoir beaucoup d'amoureux. Oh, Casey, un paquet de lettres. Peut-être des lettres d'amour. J'espère qu'elles sont toutes de Hugh Kilkullen, sauf que je n'en mettrais pas ma main au feu. Mais ce nœud est trop joli et trop serré pour être défait. Je ferais un massacre. Qu'est-ce que c'est que ça ?

Elle avait sorti deux feuillets de papier jaune.

— C'est écrit en espagnol, mais regarde cette écriture alambiquée. Il me faudrait une journée entière pour arriver à la déchiffrer. Je peux baragouiner l'espagnol du ranch avec les vaqueros et j'ai appris l'espagnol traditionnel à l'école, mais je ne crois pas que je serais capable de traduire cela. C'est adressé à Amilia de la part... oh, Casey, la signature de Juanita Isabella — mon arrière-arrière-grand-mère ! La fille des Valencia qui a épousé Michael Kilkullen quand il a acheté le ranch. Pourquoi, à ton avis, Amilia a-t-elle conservé une lettre de sa belle-mère ?

— Peut-être contient-elle quelques suggestions pour rendre heureux les mâles Kilkullen, du point de vue d'une femme espagnole.

Jazz haussa vers lui un sourcil compatissant.

— Je ne sais pas pourquoi mais voilà qui semble une remarque à la platitude typiquement masculine.

Avec précaution, elle rangea les cartes et lettres dans le porte-documents puis sortit les photos et les étala sur la table. Il se fit un silence tandis qu'elle et Casey contemplaient ces images vieilles de plus d'un siècle.

— Heureusement qu'elle les a annotées, commenta enfin Jazz.

— Quelle famille immense !

— Et quelles affreuses photos ! Mon Dieu, ces gens ont l'air d'avoir été électrocutés puis empaillés. Et la lumière est si mauvaise qu'on distingue à peine leurs visages. Ce sont presque tous des membres de la famille d'Amilia. Tiens, voici Hugh Kilkullen. Je ne l'avais jamais vu si jeune sur ses autoportraits. Amilia a dû le photographier avant leur mariage. Il a l'air beau, d'après ce qu'on peut en voir.

— Il ressemble à ton père si Mike avait les cheveux noirs et une moustache.

— C'est vrai. Les photos qu'il a prises nous font mesurer à quel point il était en avance sur son temps. En tout cas, même si ces photos ne sont pas bonnes, c'est fascinant de les avoir trouvées. En voilà une des parents d'Amilia, mes arrière-arrière-grands-parents côté espagnol. Je crois que les gènes irlandais ont dominé finalement, soupira Jazz. Ç'aurait été génial de découvrir un talent de photographe chez mon arrière-grand-mère.

— Tu aurais pu ainsi affirmer qu'il te vient de la lignée féminine.

— Oui. Allez, rangeons tout ça. Je les montrerai à papa dès que j'en aurai l'occasion.

Jazz referma le porte-documents, sans oser renouer le ruban. Casey le rangea sur l'étagère avec les grands albums verts à partir de 1910.

— Je n'ai jamais été aussi fatiguée, Casey. Je m'aperçois que je dois être encore à l'heure de New York — ma journée a commencé depuis dix ans. Je ferais mieux d'aller dormir.

— La prochaine fois que je pars à la chasse au trésor, j'emmènerai une fille qui peut rester éveillée au-delà de vingt heures, soupira Casey.

Il éteignit les lumières de la salle des archives et verrouilla la porte.

Combien de points récoltes-tu pour jouer au chic type ? se demanda-t-il. Jazz marmonna un « bonne nuit » ensommeillé et partit vers sa chambre. Deux cents ? Non, tête de nœud, *moins* deux cents.

*<br>**

Bien qu'elle eût éprouvé une fatigue harassante dans la salle des archives, Jazz s'aperçut qu'il n'était que neuf heures du soir quand elle eut pris son bain et fut prête à se coucher. Elle hésitait entre lutter contre le sommeil pour se remettre plus rapidement à l'heure californienne, ou dormir très vite. D'une main absente, elle ouvrit le cadeau de Noël que Pete avait glissé dans son sac de voyage tandis qu'ils bavardaient dans le studio de Mel, au cours de la fête. C'était un pyjama de satin noir avec robe de chambre assortie, de coupe masculine, et bordés d'un biais de satin blanc. Le plaisir éclaira son visage. Dans le langage de la lingerie, cet ensemble constituait une franche mais non agressive déclaration de désir. Cher vieux Pete. Il ne désarmerait jamais. Elle enfila le pyjama ; le satin était délicieux sur sa peau. Du coup, elle se décida : il ne lui restait plus qu'à aller au lit.

Elle s'éveilla en sursaut trois heures plus tard, de façon si radicale qu'elle sut qu'il ne lui serait pas facile de retrouver le sommeil, même dans ce lit où d'ordinaire elle dormait mieux que partout ailleurs. Il était minuit au réveil, donc trois heures du matin à New York, et chacun sait que c'est l'heure la plus terrible pour se réveiller ; trois heures, une heure qui a le don de distordre les pensées, de faire surgir les idées qui sommeillent dans la journée. Pourtant, allongée dans son lit, les yeux grands ouverts, elle se sentit mystérieusement et profondément heureuse, comme au sortir d'un rêve merveilleux dont elle ne se souvenait pas mais qui avait déteint sur son réveil.

Elle se pencha et ramassa quelques-uns des coussins en patchwork qu'elle avait jetés au bas de son lit avant de sombrer dans le sommeil, les cala dans son dos et s'assit pour rassembler ses pensées. Après son infernale matinée, une telle sensation de bonheur devait être étudiée de près. Sans hâte, elle se remit à penser aux intrigues de Gabe et Phoebe.

Évidemment, Susie avait raison ; elle avait refusé d'admettre la vérité pendant le dîner. Gabe avait très bien su ce qu'il faisait. Quand il était venu à son appartement, elle lui avait presque sur-le-champ parlé des Lakers. Elle portait d'ailleurs le tee-shirt de l'équipe. Gabe se tiendrait toujours d'une façon « gabienne » et Phoebe d'une façon « phoebienne ». Le seul moyen de traiter avec ces gens-là était soit de les accepter avec un haussement d'épaules, soit de rompre tout contact avec eux. Comme avec les punaises de literie.

Elle avait choisi la deuxième solution — une décision nette, instantanée, et Jazz comprit que Gabe comme Phoebe étaient réellement sortis de sa vie. La douleur et la frustration qui la tenaillaient encore quand elle était arrivée au ranch s'étaient envolées. Elle regrettait toujours de ne pas assister à la surprise-party chez Magic, mais ce désir s'était envolé au pays de ceux qui jamais ne s'accompliraient. Désir ? Avait-elle rêvé d'un désir ? Le mot fit tintinnabuler dans sa mémoire l'écho d'un songe, mais elle ne put rien en capturer, bien que son étrange sentiment de bonheur restât aussi fort.

Ses pensées se tournèrent alors vers Sam Butler. Peut-être était-elle heureuse qu'il arrive lundi au ranch, pour la première fois. Il était très tourmenté la dernière fois qu'elle l'avait vu. Il avait accepté de jouer, dans une comédie pour Guber-Peters, le rôle d'un mannequin de mode qui pulvérisait toutes les prévisions en devenant un magnat de l'immobilier. Le problème était que Sam avait été frappé de remords aussitôt après la signature du contrat.

— C'est le pire choix de carrière que j'aie jamais fait, insistait-il douloureusement auprès de Jazz. Je ne sais pas comment ces trouducs m'ont convaincu qu'il serait bon pour moi de jouer les cover-boys, même atypiques, mais je me suis sacrément fait avoir. Après, j'ai répondu à cette interview, et le journaliste m'a dit que les acteurs révélaient leur véritable nature non pas au moment des interviews où ils peuvent se planquer, mais dans le choix de leurs rôles, qui est, d'après lui, la révélation *fatale* de ce qu'ils sont réellement. Alors je me suis demandé si Redford aurait accepté de jouer un mannequin et j'ai dû admettre que non. En fait, aucune saleté de producteur n'aurait eu le cran de le lui proposer.

Jazz sourit à la pensée de Sam et de ses déchirants choix de carrière. Oh, ils étaient réels, d'accord, comme les angoisses de tout homme ordinaire, et elle s'était efforcée de lui témoigner autant de sympathie qu'elle l'aurait fait envers Mel ou Peter, mais Sam avait une façon de... était-ce seulement de les dramatiser ? Au bout du compte, ses déchirements y perdaient en authenticité. Le pauvre Sam n'y pouvait rien, pensa Jazz, emplie de pitié ; derrière ce visage et ce corps d'une pure beauté, il n'y avait qu'un grand Australien très ordinaire. La Grèce antique eût été le bon lieu et la bonne époque pour lui, mais il ne faudrait jamais le lui dire. Le sens de l'humour lui ferait défaut.

Non, songer à Sam ne faisait que l'agacer. La réunion de famille au complet à Noël, fait quasiment sans précédent, ne promettait pas d'être un festin de bons sentiments et la présence de Sam, élément inconnu, pouvait se révéler une distraction bienvenue aussi bien qu'un désastre. Jazz regretta de l'avoir invité sur une impulsion comme il se plaignait auprès d'elle de ne pouvoir rentrer chez lui pour les vacances. Chez lui, le seul endroit où on le traitait comme tout le monde. Comment Mike le recevrait-il ? Mais pourquoi s'inquiétait-elle de cela ? Son père n'avait d'yeux que pour Red. Pourquoi ne pas se soucier plutôt de quelque chose de tangible — par exemple Sam et Casey se montreraient-ils courtois l'un avec l'autre ?

Casey ! Jazz se redressa dans son lit à l'instant où un fragment de rêve lui revenait. Elle était assise au piano avec Casey, et il chantait « Il y a un petit hôtel » ; il venait de terminer le second couplet, sur le désir, et puis... elle se rappelait seulement Casey en train de chanter : « Je voudrais que nous y soyons ensemble. » Elle avait appuyé le menton sur son épaule.

Jazz ferma les yeux, se concentra, mais rien d'autre ne lui revint à l'esprit. Pourtant, sa sensation de joie s'était intensifiée et concentrée. *Casey*.

A peine si elle avait fait attention à lui ce soir. Pendant le dîner, il avait constitué un public correctement offusqué, après dîner il avait été une présence gentille, chaleureuse, patiente, qui aurait suivi le moindre de ses caprices pour la distraire de sa colère, et... et... et s'il n'avait pas été là ce soir ? Se serait-elle réveillée au milieu de la nuit, avec la certitude vive et absolue que s'il fallait regarder la vérité en face, Sam Butler était un peu trop — oui, un peu trop préoccupé de lui-même, que Gabe n'était qu'un Hongrois incurable, et que même Phoebe n'était au fond qu'une mauvaise blague ? Casey avait le don de mettre les choses en perspective, non par ce qu'il disait, mais par ce qu'il était.

Intégrité. Voilà le mot. Casey était intègre, décida Jazz. Sur une impulsion, elle sortit de son lit et enfila sa robe de chambre neuve. Elle ne se rendormirait pas avant des heures maintenant, se dit-elle en hésitant devant la porte de sa chambre. Irait-elle se préparer un lait chaud dans la cuisine ? Remède classique contre l'insomnie, mais c'était beaucoup d'embarras. Allumerait-elle pour lire jusqu'à tomber de sommeil ? Non.

Il faisait si froid dans sa chambre. La Californie du Sud subissait l'une des misérables attaques de l'hiver auxquelles les natifs ne sont jamais préparés. Elle irait au salon pour ranimer les braises dans la cheminée, s'il en restait. Elle s'aperçut soudain qu'elle fredonnait la mélodie du « Petit Hôtel ». Mel et Pete n'avaient-ils pas eu un jour une longue discussion sur les révélations de l'inconscient par le biais des chansonnettes que tout un chacun surprend sur ses lèvres ? Mel avait appelé cela la « tube-thérapie » et, pour une fois, Pete avait été d'accord avec lui. S'ils avaient dit vrai, elle avait besoin pour se rendormir d'entendre Casey chanter en s'accompagnant au piano.

Cela paraissait logique. Oui, la vérité pointait le nez. Quelques vers de ses ballades de taverne et elle bâillerait. Le seul problème était que la chambre de Casey se trouvait dans l'aile des invités, au bout de la longue véranda qui flanquait toute l'hacienda, et il lui fallait sortir, marcher jusque là-bas, éventuellement le réveiller, lui expliquer la situation, le convier dans la salle de musique et le laisser chanter.

Mais il lui avait offert ses services pour la distraire après dîner. Maintenant qu'elle était rassérénée, qu'est-ce qui l'empêchait de dire à Casey qu'elle allait plus mal que jamais et qu'elle voulait bien qu'il lui joue les chansons d'Ella ? Rien, sinon le remords d'interrompre son sommeil et le problème mineur de proférer un mensonge. Si elle envisageait les choses autrement, Casey serait sans doute tellement content d'apprendre qu'elle allait mieux qu'il serait ravi qu'elle l'ait réveillé, et la nouvelle le mettrait en humeur de chanter. Oui, tout bien considéré, c'était la chose à faire. D'ailleurs, il pouvait fort bien être encore éveillé, à s'inquiéter pour elle comme pour une vache malade.

Jazz se sentait pleine de sollicitude en traversant, pieds nus, la véranda où les jasmins embaumaient l'air d'un doux parfum de nostalgie. La nuit était d'une humidité pénétrante, il soufflait un vilain vent, et Jazz risquait d'attraper un rhume pour avoir voulu rassurer Casey. Elle était un ange de bonté vêtu de satin noir. Évidemment, si elle avait porté une chemise de nuit de dentelle, elle l'aurait troquée contre un vêtement moins révélateur, mais avec cette robe de chambre, elle pouvait même aller danser.

Pas de lumière sous la porte de Casey. Il ne s'était donc pas inquiété d'elle au point de rester éveillé, constata Jazz en frissonnant. Elle gratta plusieurs fois à la porte mais n'entendit aucun bruit. Elle appela, mais n'obtint pas de réponse. Le vent se jouait du léger satin et ses pieds gelaient sur le dallage froid. Un temps à attraper une pneumonie. Jazz tourna vivement la poignée. La lourde porte s'ouvrit avec un craquement de bois ; elle entra et referma derrière elle. Se souvenant de sa douloureuse rencontre avec les bagages de Casey, elle attendit une minute pour s'accoutumer à l'obscurité.

Les lanternes qui restaient toujours allumées dans le patio produi-saient suffisamment de lumière et elle finit par y voir plutôt bien. Elle s'approcha de Casey endormi et se pencha sur lui, cherchant le meilleur moyen de le réveiller. Elle pouvait lui tordre le gros orteil, ce qui était la façon la plus gentille, l'orteil se trouvant si loin du cœur que cela ne l'affolerait pas. Mais les pieds de Casey avaient disparu sous la couverture. Ou bien lui frotter le dos de la main ? Mais la plus proche était elle aussi sous la couverture, et l'autre si loin de l'autre côté du lit qu'elle risquait de lui tomber dessus en se penchant trop.

Jazz s'assit par terre et réfléchit à ce qu'il convenait de faire. Son visage était au niveau du matelas, aussi put-elle étudier Casey endormi. Les couvertures étaient remontées jusqu'à son menton et seul son visage était visible. Il avait l'air d'un petit garçon, pensa-t-elle, un petit garçon que le soleil d'été aurait paré de taches de rousseur. Son front était lisse, ce qui était rare pendant la journée, et absente l'intensité habituelle de son expression. Il semblait presque sourire dans le sommeil. Faisait-il le même rêve qu'elle ?

Les yeux de Jazz, obsédés par l'étude du visage humain, se

promenèrent lentement depuis le menton de Casey jusqu'à l'orée de ses cheveux, du nez aux paupières, des oreilles à la bouche, sans couleur dans la pénombre. Ses cheveux roux bouclés ici et là auraient pu être de n'importe quelle teinte sombre. Chaque trait de son visage était agréable au regard de Jazz, très agréable, même le nez trop large à sa base, chacun était franc, chacun en harmonie parfaite avec les autres. Des traits tranchés, certes, pourtant leur rudesse n'était pas celle de l'insensibilité mais celle de la force.

Néanmoins, les yeux clos, il n'était pas à son mieux. Il manquait à Jazz l'éclat brillant de ses pupilles, la teinte intéressante roux-brun doré de ses iris, et elle regrettait l'air de jeune lion entêté qu'il prenait lorsqu'il parlait. Oui, il était mieux éveillé qu'endormi, sans discussion possible, mais un homme avait-il jamais dormi si profondément ?

Avec un petit soupir exaspéré, Jazz se pencha et embrassa Casey sur sa bouche sourdement souriante. Il ne manifesta aucune réaction. Elle l'embrassa de nouveau, longtemps, baiser auquel, à son avis, aucun homme de chair et de sang ne pouvait rester insensible. Mais Casey se contenta d'essayer de lui dérober ses lèvres. Cela devenait agaçant.

Elle pouvait lui siffler dans l'oreille et obtenir à coup sûr son attention. Mais avec la propension de Casey à la maladresse, elle risquait de se faire assommer avant qu'il n'ait pris le temps de la reconnaître. Elle réfléchit un instant puis, du pouce et de l'index, serra les narines du dormeur pour qu'il ne puisse plus respirer par le nez, et couvrit aussitôt sa bouche de la sienne, afin qu'il ne puisse pas davantage respirer par la bouche. Encore endormi, il se débattit mais elle tenait bon.

Au bord de l'étouffement, Casey ouvrit les yeux ; elle s'écarta prestement.

— Ce n'est que moi, dit-elle.
— Hein ? gronda Casey.
— C'est moi, Jazz.
— Que fais-tu ici ?
— Je... Je voulais te dire quelque chose.

Pourquoi était-elle venue ? se demanda-t-elle, nerveuse. Elle avait eu une très bonne et très importante raison pour venir, mais entre le moment où elle avait quitté sa chambre et celui où elle avait fini par réveiller Casey, elle l'avait oubliée.

— Tu voulais me *dire* quelque chose ?
— Oui... au sujet d'un rêve. Je suis complètement frigorifiée. Je peux venir dans ton lit ?
— Quoi ?
— Pour me réchauffer. Allez, laisse-moi entrer. Sinon je vais tomber malade.
— Il n'en est pas question.
— Pourquoi ?
— Je n'ai pas de pyjama.
— Moi je suis habillée de la tête aux pieds et je ne regarderai pas. Ne sois pas si prude.

Jazz plongea sous la couverture.

— Ah, c'est mieux ! Il fait chaud et douillet ici.

— Grands dieux, Jazz !

— Qu'est-ce qu'il y a ?

— Qu'est-ce que tu portes ? On dirait des glaçons.

— Pete m'a offert cet ensemble pour Noël. C'est ravissant... une robe de chambre en satin noir avec pyjama assorti.

— Pete t'offre des dessous de satin noir ? Je croyais qu'il était ton associé.

— Il l'est, et ce n'est pas vraiment « des dessous », mais de la lingerie. De toute façon, Pete est si adorable — il fantasme sur moi depuis longtemps... une espèce de vague désir qui ne signifie rien... peux-tu te pousser un peu ? Je suis tout au bord du lit.

Casey glissa vers l'autre côté et Jazz s'empressa de rouler contre lui, le plus près possible. Il était très chaud, très nu et très distant.

— Jazz, demanda-t-il sévèrement, tu peux me dire ce que tu fabriques ?

— Pourquoi es-tu si soupçonneux ? Je voulais te parler d'un rêve mais je ne m'en souviens plus... tu sais comment c'est, les rêves.

— Si je débarquais dans ta chambre au milieu de la nuit pour me glisser dans ton lit, que penserais-tu ?

— Ce serait tout à fait différent.

— Différent comment ? voulut savoir Casey.

— Eh bien, tu aurais probablement... autre chose... en tête, avança Jazz d'une voix mal assurée.

A présent que Casey posait crûment le problème, sans aucune idée de la logique fumeuse qui l'avait conduite ici, la chose devait lui paraître un rien bizarre. Elle aurait préféré qu'il se montre moins bavard et plus... hospitalier. Elle passa les bras autour de son cou.

— Tu pourrais m'embrasser, au moins, murmura-t-elle.

— Génial. Carrément génial.

Casey lui captura les bras et les tint loin de lui.

— « Au moins » ! Pour qui me prends-tu, un jouet grandeur nature ? Tu as passé toute la soirée à déclamer sur un homme que tu as failli épouser autrefois, tu invites ton amant du moment, la grande star Sam Butler, ici pour le Noël familial, et en plus tu viens te pelotonner contre moi pour me montrer comme tu es mignonne dans le pyjama que t'a offert ce vieux Pete chéri, tout transi de désir inextinguible !

— Oh, espèce de salaud !

Jazz bondit et s'assit dans le lit.

— C'est l'accusation la plus injuste, la moins fondée que j'aie entendue de ma vie.

— Ah oui ? Tu prétends que je ne voudrais qu'une seule chose de toi, mais tout ce que tu veux de moi est un baiser. Que fais-tu dans mon lit, à moins d'avoir envie que je te fasse l'amour ? Que je te fasse vraiment l'amour, que je te fasse sérieusement et pour de bon l'amour ? Mais tu ne veux pas, n'est-ce pas ?

— Qu'attends-tu que je réponde ?

Qu'il aille se faire pendre, ce salaud, c'était exactement ce dont elle avait eu envie, mais elle préférait aller brûler en enfer plutôt que le lui dire. Et jamais, jamais, même dans un million de milliards d'années, elle ne lui parlerait de son rêve. Ce taré ne connaissait donc rien aux femmes ?

— Tu es la pire allumeuse que j'aie rencontrée. Un nouveau scalp à ta collection, voilà ce que je serais. Tu peux laisser tomber. Je ne joue pas à ce jeu-là. Laisse-moi tranquille et retourne tourmenter l'adorable Sam, le gentil Pete et l'impardonnable Gabe.

— Va au diable ! s'écria Jazz en sautant du lit et en se ruant sur la porte. Espèce de porc fasciste !

*<br>* *

— Trouverais-tu appropriés les mots « péniblement polis » ? demanda Red à Mike en un sourd chuchotement.

Le couple précédait Jazz et Casey vers le restaurant de Laguna Beach. On était samedi soir.

— Je qualifierais plutôt cela de « triomphe de la dignité », répondit Mike.

— Ce n'est pas comme s'ils ne se parlaient pas, commenta Red en roulant des yeux.

— Leur silence serait déjà un progrès, murmura Mike. Qui a besoin de la jeune génération ?

Il était discrètement amusé par la conduite de Casey et de Jazz. Jamais il n'avait vu son imprévisible fille aussi affable, aussi uniformément polie, aussi franchement ennuyeuse. Quant à Casey, il était aussi raide qu'un diplomate effectuant sa première visite à l'empereur d'un pays étranger féru de protocole.

Comme Mike tirait une chaise pour Red, celle-ci se pencha pour lui soumettre son opinion :

— Soit ils l'ont fait et ç'a été un fiasco, soit il a voulu et elle pas.

— Rien d'autre ne peut expliquer la chose, acquiesça Mike. J'aurais préféré qu'ils restent à la maison pour une autre tentative. Ils ne s'attendent quand même pas à ce que ce soit parfait la première fois... ils sont trop jeunes.

Mike avait réservé une table à *L'Ambroise*, l'un des restaurants français les plus chers, les plus élaborés et les plus réputés du littoral. Normalement, ils auraient dû dîner à l'hacienda, mais Mike avait décidé de donner un jour de congé à Susie avant le grand branle-bas de combat du lendemain, quand le reste de la famille arriverait — dix personnes. La cuisinière avait engagé deux aides et deux serveuses pour la semaine à venir, mais Susie serait toujours Susie et refuscrait de laisser à quiconque les taches essentielles de ses préparations culinaires.

Il n'était pas bon de quitter son foyer le samedi soir précédant Noël, songea Mike. Ils avaient eu du mal à trouver à se garer aux alentours des magasins qui resteraient ouverts toute la soirée ; au moins dans ce restaurant, avec le pianiste qui connaissait tous les vieux standards, l'on pouvait compter sur des mets de qualité et sur une atmosphère qui excluait les jeunes enfants turbulents.

— Faisons la fête, chéri, suggéra Red. Caviar et vodka, qu'en dis-tu ? Et beaucoup.

— Bonne idée.

Devinant son intention, il lui pressa la main. Si Red pensait que l'alcool et la bonne chère allégeraient la tension entre Casey et Jazz, quoi de mieux et de plus prompt que caviar et vodka ? La combinaison devait posséder une inestimable qualité, celle d'adoucir les angles même entre les adversaires les plus hostiles, sinon les Russes n'y auraient pas eu recours pour briser la glace dans les occasions officielles.

— Que fêtons-nous, papa ? demanda Jazz après que Mike eut commandé.

— La vie, fillette. La santé, l'amour, l'amitié — toutes ces bonnes choses.

Sa fille devait vraiment être fâchée contre Casey, se dit-il, car elle s'était donné du mal pour se faire merveilleusement ensorceleuse. Elle portait une robe très courte qui, à une autre époque, eût difficilement été considérée comme un vêtement, à peine une combinaison, un séduisant tortillon de galons bruns tissés sur une mousseline de soie, avec seulement deux étroites bretelles pour retenir la robe au-dessus de ses seins. Elle avait, Dieu seul savait comment, arrangé ses cheveux dans le style Veronica Lake des années quarante, ils retombaient en vagues d'un côté de son visage. Quand elle s'était assise, elle s'était placée de façon à tourner à moitié le dos à Casey, lui offrant son dos nu, mais aussi son profil masqué par la chevelure.

Un serveur apporta des verres à pied en cristal qu'il emplit grâce à une carafe qui était arrivée enserrée dans un bloc de glace. Mike Kilkullen écouta avec attention le pianiste qui égrenait une mélodie de 1936, avant de lever son verre pour porter un toast à Red.

— « La nuit est jeune et tu es si belle », cita-t-il avant d'avaler sa vodka d'un trait.

— Tu me chantes la chanson ? suggéra Red.

— Pas moi... Je suis incapable de sortir une note.

Red leva son verre et reprit de sa voix traînante :

— « Puis-je être ta prochaine histoire, cette année sans attendre ? » Elle tendit son verre pour qu'on le lui remplisse.

— Hé, je veux jouer aussi, intervint Jazz en levant à son tour son verre. « Une adorable façon de passer la soirée » — non, attendez, j'ai droit à une autre chance : « Mon cœur appartient à papa », et à Red aussi.

Attentif, le serveur remplit leurs verres.

— A mon tour, fit Casey. « Tout ou rien du tout. »

Très contente de ses prévisions, Red envoya un coup de pied à Mike sous la table. Elle ne se trompait jamais quand il s'agissait de sexe, et si elle avait eu besoin d'une confirmation, elle la tenait.

C'était de nouveau le tour de Mike et tous trois se tournèrent vers lui.

— « Ta beauté et ton charme », souffla-t-il en contemplant le beau visage de Red.

Il était heureux. Les chanteurs, ceux d'autrefois, avaient vraiment parlé pour lui.

— « Quand le bateau de mes rêves revient à la maison », reprit Red.

— « J'ai mon amour pour me tenir chaud », lança Jazz en envoyant un baiser à Mike.

— « Les idiots se précipitent », avança Casey.

Sa proposition fut accueillie par un tollé de la part de Red et Mike, par le silence de Jazz.

— J'ai droit à un autre essai ? O.K., pour Red : « Il y a quelque chose de bien chez tout le monde, mais chez toi tout est bien. »

— D'où sors-tu cela ? s'enquit Red avec un rire incrédule.

— C'est de 1927, rétorqua mystérieusement Casey.

Mike leva de nouveau son verre.

— « Les jours heureux sont revenus — pour nous tous. »

Quand il porta le verre à ses lèvres, il se revit, année après année, depuis quarante-cinq ans, en train de seller son cheval à l'aube pour partir avec ses vaqueros vers les pâturages et le bétail ; il revit Sylvie, tenant Jazz sur ses genoux dans le vieux rocking-chair, chantant une berceuse suédoise à son bébé. Sa vie n'avait pas toujours été heureuse ni facile, mais il ne l'aurait échangée contre aucune autre au monde.

Le serveur fit une tournée. Cette fois, Jazz fut la première à lever son verre.

— « Je veux épouser tout un quartet. »

— « Cette dame est une fille facile », contra Casey.

— Une minute, vous deux, protesta Red. Nous nous égarons. Un peu de respect, s'il vous plaît.

Ayant remis de l'ordre parmi la jeune génération, elle revint à Mike.

— « Plus que tu ne sais. »

— « Avec une chanson dans mon cœur », fit Mike.

Leurs verres de cristal s'entrechoquèrent.

— « J'ai fait le rêve le plus fou », lança Jazz en portant un énigmatique toast.

— Refusé, tança Red qui s'était d'elle-même instaurée arbitre. Cela n'a pas de sens.

— Il faut que cela ait du sens ?

— Si tu veux jouer, oui.

— O.K. « Un citron dans le jardin de l'amour. » Non ? Allez, c'est de 1906, parole. Ah, Red, tu es dure. « La vie n'est qu'un bol de cerises », c'est mieux ?

— Beaucoup mieux, approuva Red.

— « Pas pour tout le thé de Chine », proposa Casey avec emphase.

— Casey, tu es autant hors sujet que Jazz. Tu as droit à une autre chance, décida Red dans un rire.

— « Elle ne voulait pas faire — ce que je lui demandais. »

— Tu as déjà cité celle-ci, accusa Mike.

— Écrite en 1923, même année que l'immortel « Je ne dirais pas oui mais je ne dirais pas non », tiré de *Little Miss Bluebeard*, musique de Gershwin. Voilà encore qui a dû faire frissonner les jeunes filles en fleur. Demande-moi n'importe quoi, Mike, c'est le domaine où j'excelle. Le bétail n'est rien en comparaison.

— Tu as un don pour l'inattendu, estima Red en portant un toast à Casey.

— Laissons tomber, pria Jazz en reposant brutalement son verre vide sur la table. J'ai besoin de caviar.

Son attention restait fixée sur Red et sur son père. Elle n'avait rien octroyé de plus à Casey qu'un hochement de tête.

— Nous avons tous besoin de caviar, approuva Mike.

A force de porter des toasts, ils avaient vidé la carafe de vodka si vite que les serveurs commençaient à peine à servir le caviar d'une grande boîte de métal bleu nichée dans une coupe d'argent emplie de glace pilée, attentifs à ne pas abîmer un seul des fragiles petits œufs gris.

Red pensa qu'elle s'était trompée en comptant sur les effets apaisants de la boisson sur Jazz et Casey. Il semblait que ce fût l'opposé. D'ici peu, ils sortiraient l'artillerie lourde. En tout cas, les adultes auraient fait décemment leur possible pour aider les enfants.

A dire vrai, reconnut Mike Kilkullen en promenant un regard songeur et heureux sur la tablée, il se réjouissait de voir une autre génération s'adonner aux variations de l'un des thèmes les plus classiques. Pourquoi auraient-ils dû trouver le chemin trop facile ? Son entêtée de fille était à son avantage quand elle se laissait aller à ses impertinences ; c'était bien pour Casey d'être si évidemment épris et si clairement repoussé. Ils s'en sortiraient ou pas, et quelle que soit la solution elle serait la bonne à ses yeux de père, car l'essentiel était que Red fût à son côté, sa Red, son amour, qui resterait toujours une femme adulte et adorable, quels que soient les coups et les cris qu'échangeaient les gosses en croyant réinventer le monde.

Mike Kilkullen sourit discrètement à la pensée de son propre détachement tout philosophique. C'était comme de se sentir au sein d'un cercle de lumière chaud, doré, comme s'il se reposait, en plein midi, sur les hautes terres du ranch, et qu'il regardait autour de lui les kilomètres et les kilomètres de son empire, depuis le lointain rivage bleu tant aimé jusqu'au Pic de Portola, en sachant que même au-delà de l'horizon, la terre appartenait encore aux Kilkullen. Il avait souvent fait cela, mais pendant des années ces instants de splendeur fugitive ne l'avaient pas marqué. A présent, et depuis des mois déjà, ce sentiment prévalait en lui. Il lui avait fallu des années pour parvenir à cette plénitude mais, maintenant, il faisait sacrément bon vivre ainsi.

Le reste du dîner se déroula plaisamment ; Casey et Jazz, en trêve temporaire, s'appliquaient à respecter l'esprit de fête qui régnait à la table.

— Où allons-nous après ? demanda Red à Mike tandis qu'ils s'apprêtaient à quitter le restaurant.

— A la maison, chérie. Il y a trop de monde en ville.

Lorsqu'ils atteignirent le parking, Mike décida que Casey et lui iraient seuls chercher la précieuse Mercedes blanche 1966 que Sylvie lui avait offerte. Jazz et Red attendraient sur le trottoir à l'entrée du parking. Il y avait une telle presse, avec tous les clients des magasins chargés de paquets comme des mulets et qui s'efforçaient de regagner leur véhicule, que la marche jusqu'à la voiture qu'il avait précautionneusement garée au bout du parking allait être pénible.

Red et Jazz attendirent donc dans un amical silence, bras dessus bras dessous, serrant contre elles leurs chauds manteaux.

Les minutes passèrent, beaucoup de voitures quittèrent le parking. Ce ne devrait pas être si long, se dit Jazz qui s'impatientait. Soudain, elle entendit la voix de son père criant au loin, un cri de colère. Puis il y eut un hurlement de Casey, interrompu par des coups de feu. Dans un même élan, les deux femmes se ruèrent au milieu du flot humain.

Elles arrivèrent en vue de la voiture et plongèrent dans la foule, griffant, poussant, bousculant les badauds qui s'étaient rassemblés. L'affolement les gagnait de seconde en seconde. Un peu plus loin, plusieurs hommes repoussaient les curieux pour les empêcher d'envahir un petit espace dégagé aux abords de la voiture de Mike, les empêcher de voir les corps gisant sur le bitume. Jazz et Red leur hurlèrent des mots dont elles ne se souviendraient jamais mais qui leur ouvrirent aussitôt le passage.

Casey était étendu sur le corps de Mike, les bras étirés comme pour protéger la tête de Mike, son propre visage abandonné dans la flaque de sang qui jaillissait de son flanc.

Mike Kilkullen était couché sur le dos, ses cheveux blancs trempés de sang, les yeux ouverts.

Jazz fixa le vide atroce de son regard et, bien avant Red, comprit la vérité. Elle glissa les doigts dans le cou de son père, juste sous le col, là où elle avait toujours aimé sentir palpiter la vie, si fort, quand elle était une petite fille dans ses bras. Il y avait encore de la chaleur mais plus le moindre battement. Elle entendit Red supplier qu'on appelle une ambulance, elle entendit les gens crier pour faire venir la police, mais comme si elle avait reçu un signal des confins les plus éloignés de l'existence, elle sut que son père était déjà mort.

Elle se tourna vers Casey. Il était encore vivant, il respirait, mais il était inconscient. Impossible de le bouger de sur le corps de Mike avant l'arrivée des ambulanciers, impossible pour Jazz de savoir s'il était gravement blessé. Elle ne pouvait que tenir sa main inerte et attendre la venue des secours qui finiraient bien par arriver. Même un samedi, deux jours avant Noël.

## 16

— M. White lit le testament cet après-midi à San Clemente, annonça Jazz à Red.

Toutes deux étaient assises sur un banc dans une aire de jeux pour enfants, déserte, qui donnait sur le littoral à Lido Island.

— Valerie et Fernanda n'ont pas l'intention de rester ici une minute de plus que nécessaire. Quand le père Joseph leur a dit qu'il ne procéderait pas aux funérailles le jour même de Noël, elles ne pouvaient décemment protester, mais tout le monde a pu lire sur leurs visages combien elles trouvaient cela désagréable. Elles voulaient que M. White donne lecture du testament ce matin, mais il a déclaré qu'il ne serait pas disponible avant cet après-midi. Il en impose par son grand âge. Il me paraissait déjà d'un âge vénérable la première fois que je l'ai rencontré, et je n'étais qu'une gamine. Toute la famille compte repartir pour New York demain matin à la première heure, voilà la seule bonne nouvelle que j'aie entendue.

Jazz s'écoutait bavarder tout en s'étonnant, du plus profond de sa désolation, de se montrer si prosaïque quand elle aurait voulu s'abîmer dans un chagrin aussi violent qu'insondable. Mais le rôle lui était échu de prodiguer le réconfort, elle qui venait de perdre l'être le plus important dans son existence, le père qui l'avait entourée d'un sûr amour du jour où elle était née. Red était encore moins capable qu'elle d'esquisser les gestes essentiels de la vie, et cette impuissance empêchait seule Jazz de sombrer dans le gouffre sans fond de la douleur après l'incompréhensible cruauté de la mort de Mike. Sa responsabilité vis-à-vis de Red lui avait permis de tenir, au cours des trois derniers jours si amèrement éprouvants, sans craquer, sans se jeter sur son lit pour hurler son affreuse souffrance.

Red et elle regardèrent sans les voir les voiliers et les yachts revenir au mouillage, sans percevoir autre chose que l'ombre grisâtre de cette matinée de vacances d'un 27 décembre ensoleillé et brillant. La veille, Mike Kilkullen avait été enterré dans le caveau de famille du cimetière de l'église catholique à San Juan Capistrano.

Tous les enfants et petits-enfants du défunt étaient présents ; tous les vaqueros, leurs épouses, leurs enfants, presque toute la population de la ville l'avaient accompagné à sa dernière demeure ; les dirigeants du parti démocrate étaient venus en avion de tous les coins du pays, ainsi que des propriétaires de ranch de tout l'Ouest qui avaient été les amis de Mike pendant plus de quarante années, le rencontrant aux ventes aux enchères du Cow Palace. Tous les camarades de Jazz à Flash étaient venus, à l'exception de Phoebe, terrassée par une grippe soudaine. Après les funérailles, il avait semblé que tout ce monde avait afflué à l'hacienda Valencia, en un défilé interminable de visiteurs répétant les mêmes paroles d'incrédulité et de regret.

Seuls deux des êtres que Mike aimait n'avaient pas assisté à l'enterrement. Le premier était Casey Nelson, toujours hospitalisé, qui commençait à se remettre de la balle qu'il avait reçue en plein poumon alors qu'il tentait de protéger Mike. Les voleurs armés avaient été surpris à l'instant où ils s'apprêtaient à voler la Mercedes vieille de vingt-quatre ans, attirés par la grande valeur des pièces détachées.

L'autre absente était Red Appleton, trop traumatisée pour supporter de voir ensevelir l'homme qu'elle aimait. Elle voulait se souvenir de lui riant et heureux, tel qu'il avait été quelques minutes seulement avant sa mort, avait-elle expliqué à Jazz d'une voix atone et hachée ; et Jazz, songeant à la froideur que Valerie et Fernanda ne manqueraient pas de manifester à l'égard de Red, avait admis que c'était mieux ainsi.

Depuis la nuit du meurtre, Jazz dormait chez Red à Lido Island. Pas plus que son amie, elle n'était à même de rester seule avec sa douleur, et Red avait besoin d'elle pour survivre au cours de ces premiers jours. Elle était allée chercher quelques affaires à l'hacienda avant de refaire la courte distance qui séparait San Juan Capistrano de Newport Beach.

— Le vieux M. White, reprit-elle lorsque Red n'eut pas répondu à son flot d'informations sur la lecture du testament, est ce banquier en retraite, le père du gouverneur. Papa faisait toutes ses opérations bancaires dans la banque de M. White à San Clemente, et pour une raison ou une autre, c'est à lui seul qu'il a confié son testament. Je suppose que c'est parce qu'il n'a jamais fait confiance aux hommes de loi.

— Oh, Jazz, murmura Red, tu n'es pas obligée de t'occuper de moi. Je sais que tu ne te sens pas de faire la conversation.

— Arrête, Red, c'est toi qui prends soin de moi. Je ne supporterais pas de rester à l'hacienda avec six ados qui connaissaient à peine papa, et qui essaient de bien rester polis tout en se demandant pourquoi on leur a gâché leur Noël. La pauvre Susie doit tenir le coup jusqu'à leur départ — c'est tout ce qui l'empêche de s'effondrer.

— Susie devait m'apprendre... à cuisiner, fit Red.

Sa voix éteinte donnait l'impression qu'elle s'efforçait de se souvenir de quelque chose qui était arrivé un siècle plus tôt, à quelqu'un d'autre.

— C'est plus qu'elle n'en a jamais fait pour moi. C'est dire combien elle t'approuvait.

— Nous avions prévu... des fêtes... Je n'offrirai jamais ses cadeaux de Noël à Mike...

— Red, Red! Donne-les-moi, je les rapporterai. Ce n'est pas bon pour toi de les garder.

— D'accord, acquiesça Red d'une voix morte. Les paquets sont tous dans le placard de l'entrée. Jazz, nous avions ouvert le service en argent. J'ai deviné ce que contenait cette boîte de chez Jensen quand elle est arrivée la semaine dernière, et je ne pouvais pas attendre Noël pour le montrer à Mike. Il était si... si fier de toi...

Red éclata en sanglots. Jazz la prit dans ses bras et la serra aussi fort que possible. Il n'était rien qu'elle puisse dire pour aider Red quand le chagrin la submergeait, mais elle espérait que l'étreinte lui procurerait un minuscule réconfort.

— Je rapporterai tout aux magasins, ne t'inquiète pas, ma chérie. Je rendrai tout.

Elle le répéta, encore et encore, sans y accorder d'importance, comme on fredonne quelque chose à un bébé, jusqu'à ce que Red reprenne le dessus et sèche ses yeux.

— Dieu, je suis tellement égoïste, se reprocha la jeune femme quand elle put parler. Tu es si courageuse.

— J'ai la chance d'avoir de quoi m'occuper, rétorqua Jazz, toi tu n'as rien d'autre à faire qu'à penser. D'ailleurs, il est temps que je parte pour San Clemente. Je ne veux pas faire attendre M. White.

— J'ignorais qu'on donnait encore lecture officielle des testaments, articula Red qui s'efforçait de montrer quelque intérêt pour les affaires de Jazz.

— Moi aussi. Je pensais qu'on recevait simplement une lettre de l'exécuteur, ou quelque chose comme ça. Mais M. White est de la vieille école. Je serai de retour aussi vite que possible et j'irai voir Casey à l'hôpital. Ce soir, nous prendrons un dîner décent — je ne te laisserai pas sortir de table avant que tu n'aies mangé. Allons, raccompagne-moi jusqu'à la maison.

Les deux femmes marchaient lentement. De façon distante, Jazz se demandait comment elle parvenait à mettre un pied devant l'autre dans son état de stupeur vide, hébétée, avec ce désir qu'elle avait d'être morte.

*
**

En dépit de son âge, M. Henry White avait conservé un bureau à San Clemente, proche de la banque qu'il avait si longtemps dirigée. Là, il se consacrait chaque matin à la lecture de cinq quotidiens; l'après-midi il étudiait ses investissements durant plusieurs heures, et maintenait par téléphone le contact avec son réseau politique. La combinaison de ces activités lui assurait une vieillesse allègre et satisfaisante, vieillesse qui s'était vu couronnée par la réélection de son fils au poste de gouverneur de l'État de Californie.

Après que M. White eut indiqué à Jazz, Valerie et Fernanda les sièges qui leur étaient réservés, il s'installa derrière son bureau. Pour s'être déjà adressé à chacune personnellement à l'issue des funérailles de leur père, il ne perdit pas de temps en condoléances de pure forme.

— Jeunes dames, je ne m'attendais pas à ce que cette situation se présentât, je ne pensais pas survivre à votre père, mais puisqu'il en est ainsi, j'aimerais préciser, avant de lire ce testament, que je le désapprouve. Je ne crois pas aux testaments olographes. Je les appelle « faits maison » et, légaux ou non, je ne me suis jamais fié à eux.

Irritée par ces manières pédantes et ces embarras, Valerie serrait les lèvres et balançait nerveusement son pied. Les poings crispés sur ses genoux, Fernanda chassa d'un souffle les mèches qui lui masquaient le visage. Jazz conserva une parfaite immobilité.

— J'ai maintes fois conseillé à votre père, poursuivit M. White, de rédiger ses dernières volontés avec un homme de loi, qui eût conservé le document, mais il refusait de m'écouter. Je m'étais déjà vu confier le testament olographe de son propre père et il estimait qu'il n'y avait pas de raison qu'il en aille autrement que par le passé. Je n'étais pas d'accord, mais c'est une question d'opinion.

Fernanda regarda Valerie et leva les yeux au ciel en une mimique agacée. M. White l'ignora et continua à son rythme.

— Ce document, en dépit de mes objections, est, je vous le garantis, absolument légal dans sa forme manuscrite, et j'ai une expérience considérable en matière testamentaire. Ha ! Il fut écrit il y a trois ans, le 15 janvier 1987, et je fus présent pendant toute la rédaction. Bien que la loi ne l'exige pas, j'insistai pour être assisté de deux témoins, ma secrétaire et l'actuel directeur de la banque. A ma connaissance, il n'existe pas d'autre testament.

Le vieil homme releva ses lunettes et observa ses trois interlocutrices, une à une, notant l'impatience flagrante inscrite sur le visage de Valerie comme de Fernanda. Il marqua une pause avant de poursuivre, avec la voix lente et distincte de qui veut se faire clairement comprendre.

— Commençons, jeunes dames, il y a plusieurs legs en numéraire, d'abord à Susie Dominguez, qui a cuisiné pour vous pendant tant d'années, ensuite à chacun des vaqueros qui ont travaillé toute leur vie pour votre père. Ces legs sont très généreux, mais non surprenants, si l'on considère le temps que tous ces gens ont passé au service de la famille Kilkullen. Néanmoins, aucun de ces legs n'est important dans le contexte de la succession, et je vous en donnerai lecture tout à l'heure.

» Ce que vous êtes anxieuses de savoir, jeunes dames, j'imagine, ce sont les dispositions concernant le compte à la banque de San Clemente ainsi que les trente mille hectares de terre connues sous le nom de ranch Kilkullen.

De sous ses paupières ridées, Henry White scruta les trois jeunes femmes. Seule Jazz lui adressa un regard amical. Elle savait que son père avait considéré le vieil homme comme son ami le plus digne de confiance ; elle l'avait rencontré maintes fois, petite fille, lorsque Mike l'emmenait avec lui à la banque et, malgré ses manières sèches, le devinait sincèrement peiné de la mort de celui-ci. Il finit par entreprendre la lecture du document qu'il tenait à la main.

— « En l'absence d'un héritier mâle, moi, Michael Hugh Kilkullen, laisse l'argent déposé sur mon compte à la banque de San Clemente en fidéicommis, afin d'assurer l'entretien de notre demeure familiale, l'hacienda Valencia. Ma fille Juanita Isabella Kilkullen décidera de la façon dont cet argent doit être dépensé.

» Je lègue l'hacienda Valencia, reconnue comme monument historique californien, tout son contenu, la totalité du terrain depuis la route jusqu'à l'hacienda, tous les jardins qui entourent l'hacienda, les étables, les dépendances, et les archives des photographies prises par mon grand-père, Hugh Kilkullen, uniquement et inconditionnellement à ma fille Juanita Isabella Kilkullen. L'hacienda Valencia a toujours été sa maison, et je sais qu'aucune de mes autres filles ne la considère comme telle. »

— C'est indécent ! explosa Valerie. Comment a-t-il pu décider que je n'aurais pas envie d'une demeure en Californie ? Ou bien Fernanda ? C'est on ne peut plus injuste !

— Valerie, fit sévèrement M. White, puis-je vous prier de réserver vos commentaires pour plus tard ?

— C'est une véritable honte, et je n'accepterai pas...

— Val, tais-toi, intervint Fernanda en tapant sur le genou de sa sœur. Je veux entendre la suite.

— Continuons, reprit M. White en revenant à sa lecture. « En l'absence d'un héritier mâle, je lègue tout le reste de la terre, connue comme le ranch Kilkullen, en trois parts égales destinées à mes trois filles, Juanita Isabella Kilkullen, Fernanda Kilkullen et Valerie Kilkullen. J'espère, j'ai confiance et je crois que mes filles sauront faire ce qu'il convient de cet héritage. »

Le vieil homme cessa de lire et reposa le document sur son bureau. Les trois femmes attendirent qu'il reprenne. Il les regarda calmement avant de briser le silence.

— C'est tout.

— C'est tout ? répéta Valerie, soupçonneuse. Aussi simple que cela ?

— Aussi simple. Hormis les legs que j'ai mentionnés plus tôt, lui assura M. White, vous venez d'entendre la totalité des dispositions testamentaires prises par votre père, Michael Kilkullen. Il m'a dit, lorsqu'il rédigea ce testament, qu'il avait été aussi juste avec ses enfants qu'il estimait devoir l'être, et que le reste des décisions vous revenait. Ha ! J'espère que vous vous montrerez à la hauteur de la tâche. A présent, je vais vous donner lecture des legs individuels à ses employés.

Valerie se leva brusquement ; une expression victorieuse avait remplacé sur son visage la rage qu'elle avait laissé voir en apprenant que Jazz héritait seule de l'hacienda. Maintenant qu'elle avait compris qu'elle héritait en tout cas d'un tiers du ranch, les mots jaillirent impérieusement :

— Pourriez-vous nous faire savoir tout cela par courrier, à ma sœur et à moi-même, monsieur White ? Nous sommes toutes deux pressées par le temps et n'avons nul besoin de connaître sur-le-champ le détail de ces petites donations, n'est-ce pas ?

Fernanda se leva à son tour et ensemble, sans s'embarrasser de cérémonies, elles se dirigèrent vers la porte.

— Un instant, jeunes dames, rétorqua sèchement Henry White. Revenez vous asseoir. Je n'ai pas encore terminé.

Valerie se tourna vers lui.

— Existe-t-il une loi qui nous impose d'assister à la lecture de toutes les dispositions testamentaires ?

— Non, cela n'a rien à voir avec les legs. Il est une ultime information qu'il est de mon devoir de vous fournir, afin que vous soyez en mesure de comprendre la position dans laquelle vous vous trouvez désormais. Dans le cas d'un testament tel que celui de votre père, qui fut rédigé sans que soient nommés des exécuteurs — ce qui était, une fois de plus, contre mon avis —, il faudra que, dès que possible, un administrateur temporaire soit désigné, en attendant la nomination d'un administrateur permanent.

— Pourquoi ? interrogea Fernanda.

— Le ranch Kilkullen est une entreprise en activité. Un administrateur intérimaire doit procéder aux dépenses inhérentes à son fonctionnement. Par exemple, des dizaines de personnes travaillent au ranch, le total des salaires est considérable ; diverses traites arrivent à échéance chaque semaine ou chaque mois ; il y a aussi la question des parcelles louées par les producteurs d'agrumes, et puis, bien sûr, la question de savoir comment disposer du bétail — reproductrices, veaux, taureaux. N'oubliez pas, jeunes dames, que je fus le banquier de votre père pendant de longues années, et ma mémoire fonctionne à merveille.

— Qui... qui désigne cet administrateur temporaire ? demanda Jazz, abasourdie.

Quatre mille vaches, des milliers de veaux à naître, des centaines de taureaux — cela totalisait bien un million de détails auxquels elle n'avait jamais songé.

— Le tribunal de grande instance d'Orange County. Normalement, la cour devrait nommer quelqu'un au sein du service des fidéicommis d'une banque dotée de quelque expérience dans l'élevage, Wells Fargo peut-être.

— Alors un étranger venu d'une banque... fit Jazz.

— Exactement. A moins, évidemment, que l'une d'entre vous demande à la cour à devenir elle-même administrateur, et que les deux autres donnent leur accord.

Jazz regarda Fernanda et Valerie. Aucune de ses sœurs ne semblait plus attirée qu'elle-même par cette suggestion. Elles secouèrent toutes trois la tête.

— Je crois que vous prenez une sage décision. C'est une tâche complexe. Bien sûr, cet administrateur temporaire n'est pas habilité à vendre quoi que ce soit des biens. Cependant, vous devez toutes trois être d'accord quant à cette nomination. Ce devrait être une question de quelques jours.

Henry White se renfonça dans son fauteuil.

— Vous êtes libres de partir maintenant.

— Jazz, j'espère que tu voudras bien nous héberger une nuit encore dans ton monument historique, fit Valerie, violemment dépitée de l'injustice qui la privait de l'hacienda. Les enfants et nous-mêmes débarrasserons le plancher demain à la première heure, n'est-ce pas, Fernanda ?

— Grands dieux, Valerie, s'exclama Jazz, vous êtes plus que les bienvenues et pouvez rester aussi longtemps que cela vous plaira ! Tu le sais très bien !

— Aucune envie. Nous aurons beaucoup plus de confort au *Ritz* de Laguna Niguel en attendant que cette question d'administrateur soit réglée.

Comme elles descendaient les escaliers, Valerie et Fernanda échangèrent des phrases brèves, commentaires sourds et surexcités que Jazz fut heureuse de ne pas comprendre. Elle resta assise, honteuse pour elles, sachant que le vieux M. White était bien trop sagace pour n'avoir pas remarqué l'allégresse instantanée, l'avidité cupide, âpre, presque incontrôlable qu'elle avait si clairement lues sur leurs visages, à la place de la tristesse de pure forme qu'elles avaient arborée ces derniers jours.

— Eh bien, ma chère Jazz, vous ne paraissez pas aussi pressée que vos sœurs. J'en suis heureux. J'avais deux ou trois choses à ajouter avant leur départ, quelques méditations de la voix de l'expérience, direz-vous, mais il m'a soudain semblé peu judicieux, voire impossible — ha ! — de les retenir davantage.

— J'aimerais entendre la voix de l'expérience, répondit gravement Jazz.

Fernanda et Valerie n'avaient pas même remercié Henry White pour ses services.

— J'espère que vous-même et vos sœurs êtes conscientes de la responsabilité que représentera cet héritage, reprit Henry White. Je suis désolé qu'elles aient éprouvé le besoin de partir si vite. Je les ai connues enfants, certes, mais à peine. Je connaissais bien leur mère. Elle et mon fils, le gouverneur, ainsi que ma belle-fille sont encore des amis très proches. Il me semble qu'elles auraient dû comprendre cela.

— Je suis certaine qu'elles ne voulaient pas être si brusques, répondit Jazz. Valerie était bouleversée pour l'hacienda.

— Un tiers du ranch Kilkullen représente un héritage princier. Mon impression est plutôt qu'elles avaient hâte d'aller répandre la nouvelle, avança White avec un regard aigu à l'adresse de Jazz.

— Ou bien de faire leurs bagages, rétorqua Jazz.

Valerie ne manquerait pas de se comporter comme si on la jetait dehors dans la neige avec un bébé sur les bras.

— Ce fut sur mon insistance que ce testament a été rédigé. Votre père niait l'idée de la mort. Comme beaucoup d'hommes, même parmi ces hommes de loi auxquels il n'accordait pas confiance, Mike

Kilkullen n'avait nulle intention de mourir. Il repoussait le moment de régler la succession de son ranch car il ne parvenait pas à admettre qu'un jour viendrait où il ne serait plus à même de décider. Ce testament fut écrit à la hâte, par un homme pressé de s'en débarrasser. Il contient la supposition implicite que vos sœurs et vous agirez de concert et tomberez d'accord sur le devenir de la terre.

— Nous n'avons pas l'habitude de nous mettre d'accord, soupira Jazz. Vous avez dû le remarquer.

— J'avais envisagé cette éventualité.

Henry White posa sur Jazz un regard pénétrant.

— J'étais le banquier de votre père pendant son premier mariage, son divorce et son remariage avec votre mère. Je sais que vos sœurs ont été élevées sur la côte Est, qu'elles y ont fait leurs vies, et qu'elles n'auront aucun intérêt pour le ranch, excepté le vendre le plus vite possible.

— Mais...

Jazz se tut d'elle-même, incapable de rassembler ses pensées. Sa peine violente lui ravissait toute clarté d'esprit. Elle s'efforça de trouver ses mots.

— Oui ? fit patiemment M. White, en se calant de nouveau dans son fauteuil.

— C'est que... vous parlez comme si... comme si le ranch *avait déjà été vendu* — si vite, comme ça, dit Jazz en claquant des doigts. Ce contre quoi mon père a passé sa vie à se battre... et maintenant... tout s'en va, envolé ! Vendu. Cela paraît si cruel, si... brutal, comme s'il avait vécu pour rien, comme si à présent... à présent qu'il n'est plus... ici, personne n'a son mot à dire.

Elle avait à peine commencé à réaliser que son père était mort. A peine en prenait-elle conscience qu'elle n'avait plus le temps de le pleurer ; ce vieil homme sage sous-entendait que le ranch de son père, cette terre immense qui avait appartenu aux Kilkullen, et aux Valencia avant eux, durant sept générations, était aux mains d'inconnus. Comme Mike Kilkullen eût enragé devant pareille idée ! Il n'était pas étonnant qu'il eût bataillé avant de se résoudre à faire ce testament, pas surprenant qu'il n'eût pas supporté d'envisager le temps où il ne serait plus en mesure de protéger sa propriété.

— Au lieu d'un étranger, ne serait-il pas possible que Casey Nelson, le régisseur, devienne l'administrateur ? questionna Jazz. Ce choix n'est-il pas logique ?

— Je l'ignore, Jazz. La décision dépendra du tribunal. Et de l'accord de vos sœurs. Également de l'acceptation de M. Nelson à tenir ce rôle. En tout état de cause, nous parlons d'une administration temporaire. La fonction réelle de la cour est de trouver un administrateur de succession qui puisse négocier la vente et la division des biens. Le tribunal s'efforcera de s'en acquitter aussi vite que possible ; cela prendra de six semaines à deux mois.

— Oh, pourquoi mon père n'a-t-il pas légué la totalité de la propriété à l'État pour en faire un parc ? s'écria Jazz du fond du cœur. N'aurait-ce pas été la chose la plus sage ?

Henry White, surpris, réfléchit un instant aux paroles de Jazz.

— Certes, cela eût résolu maints problèmes. Ha ! Mais il eût alors déshérité ses enfants. Peu d'hommes le font, à moins d'avoir une excellente raison pour cela.

— *J'aurais voulu qu'il ait une bonne raison !*

Henry White s'autorisa un sourire.

— Ma chère Jazz, si je puis me permettre de vous donner un conseil...

— Oui ?

— Prenez un avocat, Jazz. Et un bon.

*
**

— Casey, je n'arrive pas à m'éclaircir les idées, souffla Jazz encore sous le choc. J'essaie mais c'est en vain. J'ai bien compris ce qu'a dit M. White mais je ne parviens pas à l'accepter. J'ai l'impression qu'un géant m'a soulevée de terre et secouée comme une poupée de chiffon jusqu'à ce que je perde tout sentiment. Je... titube.

Désespérée, le visage terne et tiré, Jazz s'effondra sur une chaise près du lit d'hôpital de Casey. L'éclat doré de la topaze de ses yeux avait pris une teinte de fumée, sa peau était plus pâle que Casey ne l'avait jamais vue, ses cheveux retombaient avec une mollesse inaccoutumée autour de son visage, ayant eux aussi perdu leur éclat chatoyant. Elle portait un pantalon de flanelle grise et un vieux chandail à col roulé.

— Tu viens de vivre les pires jours de ton existence, dit-il gentiment. Tu ne peux pas t'attendre à tout absorber d'un seul coup.

— Casey, aujourd'hui je me sens... comme si j'avais perdu papa une nouvelle fois. Quand j'ai compris que la vente du ranch n'était qu'une question de temps... oh, Casey, je n'y avais jamais pensé avant. Je ne supporte pas plus que mon père de regarder le futur. Quand ma mère est morte, j'ai voulu croire que lui était immortel, sinon j'aurais vraiment été orpheline, vraiment seule.

Jazz s'exprimait d'une voix lente et atone.

— Quand j'ai grandi, j'ai continué à me dire qu'il était immortel. Et rien de ce qu'il faisait ne m'a jamais détrompée. Il ne croyait pas plus à la mort que moi.

Elle secoua la tête et, par un effort de volonté, parut sortir d'une rêverie angoissée.

— Peux-tu imaginer mon père laissant son testament à un homme aussi âgé que M. White ? Ce devait être sa façon de s'en acquitter sans l'admettre au fond de lui-même, souffla Jazz parlant autant à elle-même qu'à Casey.

— Mike pensait sans doute, au fond, que M. White prendrait ses dispositions pour que le testament soit mis en sûreté. Ton M. White m'a l'air d'un homme très pragmatique.

— Oh, il l'est. Il m'a dit de prendre un avocat. Pourquoi ai-je besoin d'un avocat ?

— Tu es une héritière, et tout héritier a besoin d'un avocat.

— Pourquoi ?

Casey jugea Jazz incroyablement enfantine. Admettre qu'elle avait besoin d'un avocat, c'était admettre que Mike était mort, comprit-il. Mais elle devait se raisonner.

— Je suis sérieux, Jazz. Je parie que la première chose qu'ont fait Valerie et Fernanda en rentrant à l'hacienda a été de téléphoner à leurs avocats.

— Pourquoi ? répéta Jazz avec obstination.

— Écoute, Jazz, je sais que tu n'as pas envie d'y penser, mais tu viens d'hériter d'un tiers des trente mille hectares de la terre la plus cotée entre Los Angeles et San Diego. Et tes deux sœurs ensemble contrôlent les deux autres tiers. As-tu jamais entendu parler de « protection de ses intérêts » ? Il y a des juristes spécialisés dans les héritages et la juridiction foncière. A un moment ou un autre, tu auras besoin d'avocats. Et pour toute ta vie.

— Casey !

— Je suis désolé — je ne devrais pas être si brutal. Mais tu ne peux pas te *permettre* d'être naïve, Jazz. N'oublie pas que je suis un homme d'affaires réaliste quand je ne joue pas au cow-boy.

— Réaliste et impitoyable ?

— S'il le faut.

— Je ne comprends toujours pas comment tu as persuadé l'hôpital de te laisser installer un fax dans ta chambre, reprit Jazz, désireuse de changer de sujet.

Elle ne voulait plus entendre parler d'avocat.

— Dès que j'ai pu, je les ai convaincus que je ne me retaperais jamais sans cela. J'ai trouvé une secrétaire intérimaire qui vient à six heures le matin pour faxer mes ordres. A l'heure du déjeuner la bourse de New York ferme, et moi je ferme boutique pour la journée. Mon médecin n'était pas emballé mais il me laissera probablement sortir dans deux ou trois jours. Je me suis levé six fois pour arpenter le couloir ce matin... je me sens plutôt en forme.

— Casey, je ne sais comment te le dire...

— Alors, ne le dis pas.

Il leva une main d'agent de police pour la faire taire mais Jazz n'y prêta pas attention.

— Tu as failli mourir en essayant de sauver papa. Le médecin m'a dit que tu aurais pu recevoir la balle en plein cœur au lieu du poumon. Ce n'est pas assez de te dire merci. Ce que je ressens est au-delà des mots, mais je ne peux pas *ne pas* te dire merci, bien que ce soit ridiculement peu.

— J'ai agi par réflexe. Je n ai pas réfléchi, seulement réagi. Il n'y a pas de mérite à cela, Jazz, et je ne veux pas de remerciements. Le seul sentiment que j'éprouve est le plus immense, le plus profond... le plus... vain regret d'avoir échoué.

— Tu... l'aimais.

La voix très sourde de la jeune femme répondait à une question qu'elle n'avait pas posée.

— Je ne savais pas, avant, à quel point. Je crois que nous étions devenus plus proches, en ces quelques mois, que je n'ai jamais pu l'être d'aucun autre homme. Parfois, nous parlions pendant la moitié de la nuit... c'était comme d'être revenu au lycée avec mon meilleur ami, et un meilleur ami qui aurait eu soixante-cinq ans d'expérience. Il me manquera toujours, toujours, Jazz, terriblement.

Jazz posa la main sur l'épaule de Casey et ils gardèrent pendant quelques minutes un douloureux silence. Finalement, elle s'arracha à la tristesse assassine des souvenirs. Si elle se mettait à pleurer maintenant, elle ne s'arrêterait plus.

— Casey, M. White m'a dit que le tribunal nommerait quelqu'un pour gérer le ranch avant la désignation d'un administrateur permanent qui s'occuperait de la vente. Accepterais-tu de cesser ton activité de régisseur pour assumer cette charge ? Je sais que c'est un travail de bureau, fastidieux, mais ce serait tellement bien que tu acceptes.

— Bien sûr. Je ferai tout ce que je peux pour aider. Comment me faire désigner ?

— D'après ce que j'ai compris, je peux demander au tribunal de te choisir.

— Alors, vas-y, demande. Surtout, Jazz, *prends un avocat*.

— Je le ferai. Mais ne m'en reparle pas.

On frappa à la porte de la chambre. Comme celle-ci s'entrebâillait, Jazz leva les yeux, s'attendant à voir une infirmière qui la prierait de-ne-pas-fatiguer-le-malade. Au lieu de quoi elle vit un bel homme d'âge mûr, vêtu d'un costume bien coupé qui, s'avançant vers le lit de Casey, la regarda en ayant l'air de la reconnaître.

— Jazz, je te présente mon père, Gregory Nelson, fit Casey.

Jazz bondit sur ses pieds et tendit la main.

Gregory Nelson la lui prit et la serra étroitement entre les siennes.

— Je suis terriblement, terriblement peiné, Jazz, murmura-t-il.

Et il la serra dans une chaleureuse étreinte. C'est donc là ce à quoi ressemblait un lionceau quand il prenait de l'âge, pensa vaguement la jeune femme, prise au dépourvu par cette attitude familière. Gregory Nelson, dont l'épouse était morte trois ans plus tôt, était un peu plus petit que Casey et ses traits étaient différents, mais il avait la même expression de souci sincère ; et pour Jazz, dont les émotions se trouvaient décuplées par le chagrin, il communiquait tant de bonté profonde et tant de force qu'il lui sembla avoir été soudain placée sous la protection d'un puissant allié. Elle dut refouler ses larmes devant le réconfort inattendu que lui prodiguait cet inconnu.

— Quand êtes-vous arrivé ? questionna-t-elle, cherchant refuge dans la banalité pour recouvrer son équilibre.

— Dès que j'ai su, répondit le père de Casey. J'ai voulu m'assurer que Casey obéissait aux ordres de la Faculté. Il me semble de nouveau bon pour le service, à présent. Si tant est qu'il l'ait jamais été.

— Voilà tout mon père, intervint fièrement Casey. Ce vénérable vieillard ne manque jamais de me rappeler que j'ai été un mauvais garçon.

— Pourquoi devrais-je te traiter mieux que tu ne me traites ? s'enquit Gregory Nelson.

— Vous m'ouvrez de nouvelles perspectives, fit Jazz. J'aurais aimé vous rencontrer plus tôt.

Elle se prépara à partir. Elle eût aimé rester encore pour parler avec Gregory Nelson, mais elle avait des questions à régler avec Fernanda et Valerie.

**
*

Jazz se rendit directement au ranch en quittant l'hôpital. Passé l'allée bordée des vénérables figuiers, elle gara sa voiture devant l'hacienda Valencia et l'observa un moment avant de pénétrer dans la maison, scrutant les lieux entre son pouce et son index comme si elle cherchait le meilleur angle pour photographier la façade. Elle essaya de se dire que tout lui appartenait désormais, mais cela n'éveilla en elle aucune résonance. Sa vision se fragmentait, comme si elle regardait des façades de bâtiments en trompe-l'œil cernés d'arbres et de fleurs en carton-pâte. A fouiller ainsi cet environnement familier qui, soudain, avait perdu son sens, elle fit le vœu de le conserver toujours comme il était aujourd'hui, comme il avait été du vivant de son père, et de ses ancêtres avant lui.

Lorsque Jazz finit par entrer dans la maison et qu'elle entendit le crépitement du feu dans la salle de séjour, son cœur se contracta violemment et elle faillit éclater en sanglots. Bien que l'odeur de la pipe de Mike Kilkullen flottât encore dans l'air, le ronflement d'un feu qu'il n'avait pu allumer lui dit, crûment, qu'il ne se lèverait pas de son fauteuil près de l'âtre pour venir l'embrasser en entendant le bruit de ses pas. Elle marcha résolument en direction du salon, s'efforçant de chasser de son esprit, avant que sa mission ne fût menée à bien, l'image adorée de ce grand chef aux cheveux blancs, avec son lent, son précieux, son aimant sourire.

Fernanda était confortablement vautrée dans le fauteuil préféré de Mike, ses bottes de lézard pourpre à hauts talons posées sur son ottomane, un verre à la main. Valerie était assise dans le fauteuil de cuir brun que Jazz considérait comme le sien, ses longues jambes fines croisées sous elle à la façon d'un yogi, ses chaussures plates abandonnées par terre, un verre en équilibre sur le large accoudoir.

— J'espère que tu n'y vois pas d'objection, Jazz, déclara froidement Valerie. J'ai pensé que tu ne nous reprocherais pas d'avoir pris quelques bûches pour le feu, et une larme de ton scotch.

— Soyez mes invitées, répondit Jazz.

Elle se servit elle-même à boire et s'installa dans un autre fauteuil. Elle était déterminée à ne pas répondre aux provocations de Valerie.

— Tu sais, Jazz, quelle que soit la somme que Père a laissée pour l'entretien de cette demeure, cela n'ira pas bien loin. Tu auras de la chance si tu arrives à la redécorer avec un semblant de style, même en *Southwestern*. Si j'étais toi, je réparerais les fuites du toit avant de toucher quoi que ce soit d'autre. C'est une simple suggestion.

— Je n'ai pas l'intention de refaire la décoration, Valerie.

— Il le faudra. Rien n'a changé ici depuis des années, depuis la mort de ta mère. Regarde, rien que ce fauteuil, le cuir en est tout craquelé.

— Je l'aime ainsi.

— Bon, ce n'est pas mon avis...

Valerie haussa les épaules.

— Que vas-tu faire de cette vieille maison ? interrogea Fernanda. Y vivre ?

— Je n'ai encore rien décidé. J'ai appris que j'en héritais en même temps que vous.

— Père s'attendait à ce que tu maintiennes ce monument en l'état, c'est clair, commenta Valerie. Comme il l'a écrit, c'est ta maison.

— Oui, Valerie, c'est mon foyer. Je suis venue pour que nous parlions de la nomination de cet administrateur temporaire.

— Je croyais que le tribunal s'en occupait, fit Fernanda.

— Exact, répondit Jazz. Mais j'ai une meilleure idée. Heureusement pour nous, Casey Nelson accepte de se charger de cette tâche. Je viens de le voir, et il sera sorti de l'hôpital dans quelques jours. Il connaît bien mieux le fonctionnement du ranch que quiconque dans la banque. Pouvons-nous convenir de lui confier ce travail ?

— Tu nous prends vraiment pour deux idiotes, Jazz, lança Valerie avec mépris. Casey Nelson, carrément !

— Il n'est pas seulement régisseur, Valerie, expliqua patiemment Jazz. C'est un homme d'affaires sérieux et compétent. Il a de gros investissements dans des domaines très divers. Il ne le ferait que comme une faveur.

— Une faveur ? A qui ?

— A nous toutes, Valerie. Casey maintiendrait le ranch en bonne marche jusqu'à ce que l'administrateur permanent prenne ses fonctions.

— Je vois trois femmes dans cette pièce, Jazz, railla Valerie, et une seule a baisé avec Casey Nelson.

— *Quoi ?*

— De mon point de vue, cela te donne un avantage tout à fait injuste. N'est-ce pas, Fernie ? N'as-tu pas été assez avantagée pour aujourd'hui, Jazz ? D'abord, tu te débrouilles pour nous priver de notre droit à avoir une part de la demeure familiale comme des économies familiales. Si tu espères qu'après cette charmante petite farce, nous allons te laisser placer ton mec au poste d'administrateur, atterris.

— Que crains-tu ? protesta Jazz avec virulence. Qu'il gonfle les factures ? Qu'il vole le bétail ? Qu'il pique l'argenterie ?

— Tout cela, et une centaine d'autres choses que tu n'as pas évoquées. Avec vous deux, l'endroit serait bientôt nettoyé.

— On t'a vue faire ton grand numéro avec Casey Nelson le soir de la Fiesta, ajouta Fernanda avec un prude et délicat froncement de son petit nez. Tu dois nous croire franchement stupides.

— A vrai dire, non. Je juge Valerie incroyablement stupide, et toi incroyablement jalouse. Ne devriez-vous pas être en train de faire vos valises ?

Jazz allait et venait dans la salle de séjour de Red tout en racontant sa journée à son amie.

— Et puis, s'exclama-t-elle avec indignation, Valerie, ce monstre sans menton, m'a accusée de baiser avec Casey.

— Elle a carrément dit cela ?

— Je n'aurais même pas pensé qu'elle connaissait ce mot. Peux-tu imaginer quelque chose d'aussi outrageant ?

— C'est simplement choquant. Je me demande comment elle l'a su.

— Toi aussi ! Jésus !

— Tu veux dire que...

— Jamais ! Mais je ne prétends pas qu'*elles* m'auraient crue.

— Mince alors, Jazz, qu'est-ce qui te retient ?

\*
\*\*

Lydia Henry Stack Kilkullen ne fut pas même légèrement surprise lorsque Jimmy Rosemont l'invita à déjeuner seule avec lui. Un jour avait passé depuis la lecture du testament de Mike Kilkullen, et elle savait qu'avec son intérêt avoué pour le ranch, l'homme d'affaires serait anxieux d'obtenir d'elle le plus de renseignements possible.

S'habillant pour sortir, elle se réjouissait à la perspective de le voir partir délicatement à la pêche de quelques miettes d'informations. C'était toujours un régal que de voir quelqu'un d'aussi riche que Jimmy Rosemont se mettre en quatre pour devenir plus riche encore.

Si tous ceux qui pouvaient vivre sur un grand pied avec une part infinitésimale de ce qu'ils possédaient devaient cesser de se battre pour obtenir encore plus, le monde se verrait privé d'un spectacle fort divertissant, songeait Liddy en passant en revue sa nouvelle garde-robe new-yorkaise avec l'œil froid et calculateur d'un bourreau qui étudie le cou de sa prochaine victime. Il n'y avait rien là-dedans qu'elle se soucierait de conserver une fois qu'elle commencerait à recevoir l'argent qu'elle attendait de ses filles. Non que ses vêtements ne soient plus portables, mais elle ne voudrait pour rien au monde avoir à se souvenir du temps où tout ce qu'elle mettait avait été acheté en solde.

Liddy écarta bon nombre de cintres avant de trouver le tailleur Bill Blass qui convenait pour l'occasion. Jupe et chemisier bleu marine, assortis d'une veste rouge, taillés avec la sobriété dont peu de couturiers savaient encore faire preuve avec succès — un ensemble pour femme fortunée en train de faire ses courses de printemps dans la Cinquième Avenue, si classique qu'elle était seule à savoir que le printemps en question n'était pas celui de 1991 mais remontait à deux ans.

Rosemont l'avait priée de le retrouver au *Stanhope* sur la Cinquième

Avenue. Liddy approuvait ce choix. Le restaurant de l'hôtel était cher et élégant, bien que sa situation, en face du Metropolitan Museum, fût trop éloignée du centre pour attirer les foules à la mode, les meutes assoiffées de commérages qui déjeunaient en grappe quelque vingt blocs plus bas au sud. Le *Stanhope* était, dans cette indiscrète cité, l'endroit le plus discret où déjeuner.

Certaine que Rosemont serait ponctuel, elle arriva au restaurant avec un retard calculé de quinze minutes. Ce n'était pas si souvent que l'on pouvait s'offrir ces petits plaisirs de l'ego, et aujourd'hui Liddy savait que rien n'était hors de sa portée. Hier, le coup de fil de Valerie et Fernanda avait effacé chaque échec, chaque trébuchement, chaque regret de sa vie. Elle savait que le triomphe la rajeunissait de vingt ans et elle aborda Jimmy Rosemont sans l'ombre d'une excuse.

Après qu'il l'eut admirée, après qu'il eut commandé, Liddy attendit en souriant, se préparant aux badinages auxquels Rosemont se sentirait obligé de sacrifier avant que d'aborder prudemment son but. D'après son expérience, les gens en venaient rarement au fait avant que le plat principal n'ait été débarrassé de table.

— Georgina et moi avons été désolés de lire que vos filles avaient perdu leur père, fit Rosemont.

— C'est très gentil à vous, rétorqua Liddy.

Pas un mot de trop, pas un mot de moins, elle n'aurait pas mieux fait.

— Maintenant, pouvons-nous parler affaires, tous les deux ?

— Affaires ?

— Liddy, nous ne nous connaissons pas aussi bien que nous le devrions. C'est une lacune qu'il nous faudra combler. Mais en attendant, venons-en au fait.

— Au fait ? répéta Liddy d'un ton aussi neutre que possible.

Elle avait sous-estimé cet homme.

— Le ranch Kilkullen va être vendu, comme nous le savons tous deux. Le tout est de savoir à qui. Je représente un groupe qui est prêt à le racheter au prix fort à Valerie et Fernanda. D'autres groupes seront intéressés par cette propriété. Plus il y aura de candidats pour renchérir, plus la vente sera longue. Cela peut durer un temps fou. Je veux faire une offre d'ouverture afin de m'assurer que ce sera mon groupe qui obtiendra le ranch.

— Vous ne gaspillez pas vos paroles, fit sèchement Liddy.

— Avec quelqu'un de moins intelligent, j'y serais contraint.

— Ce n'est pas moi qui ai hérité du ranch, Jimmy, mais mes filles. Plus précisément, de deux tiers des terres.

— Je le sais, Liddy. Fernanda a téléphoné hier à Georgina.

— Je vois, souffla Liddy en fronçant les sourcils.

— Je sais aussi que vous avez une grande influence sur vos filles. Elles n'ignorent pas que, sans vous, elles ne se seraient peut-être pas retrouvées héritières aujourd'hui.

— Rien de plus exact, acquiesça Liddy, adoucie.

— Puis-je être direct ?

— N'est-il pas un peu tard pour le demander ?

Liddy commença à sourire. Elle avait *gravement* sous-estimé cet homme.

— Extrêmement direct ?

— Allez-y.

— Si vous usez de votre influence sur vos filles afin de soutenir mes partenaires en leur assurant l'obtention du ranch, ils insisteront pour vous prouver leur gratitude.

— Ne pouvez-vous être encore plus direct ?

Elle rit, et Rosemont rit avec elle.

— Il serait question d'une commission, dès le marché conclu.

— Une commission de combien ?

— Un demi pour cent du prix de vente

— Ce qui ferait... grosso modo ? s'enquit Liddy.

— Grosso modo, quelque chose comme quinze millions de dollars. Probablement plus.

— Hmm. Intéressant. Dites-moi, Jimmy, connaissez-vous bien Orange County ?

— Suffisamment, Liddy.

— Pardonnez-moi mais j'en doute. J'ai surveillé la hausse de la valeur foncière à Orange County, semaine après semaine, pendant les trente années écoulées. Il ne s'est rien passé là-bas dont je n'aie suivi le détail. Je peux prévoir tous les problèmes que votre groupe d'acheteurs éventuels rencontrera. D'abord, ils auront à convaincre l'administrateur permanent, qui sera désigné par le tribunal, qu'ils sont les bons acquéreurs. Puis ils auront à faire face aux problèmes administratifs soulevés par l'État et diverses instances locales.

— Mes partenaires sont conscients qu'il ne sera pas facile de développer la terre. Ils s'attendent à devoir se montrer patients.

— Les choses peuvent leur être facilitées. Mais pas pour un demi pour cent.

— Oh ?

— J'ai un grand ami en ce monde. Un ami fidèle depuis quelque trente-cinq ans. Un ami qui fera tout ce que je lui demanderai.

— Oh ?

— Le gouverneur de l'État de Californie. Deems White. Il a le pouvoir de faire désigner l'administrateur de son choix. Il a le pouvoir de faire... disparaître les problèmes qui surgiraient du fait de l'administration et des instances locales.

— Je l'ignorais, fit Jimmy Rosemont avec respect. Évidemment, cela modifie les choses. Dirons-nous que cela les double ?

— Je préférerais que cela les triple, suggéra Liddy.

— Voilà qui me paraît équitable.

— Donc, nous nous entendons. Les détails peuvent attendre que l'affaire soit en marche.

— Ce ne sera jamais trop tôt, Liddy.

— C'est bien mon avis.

Jimmy Rosemont leva son verre vers elle. Il avait sérieusement sous-estimé cette femme. Mais elle avait sous-estimé la valeur de son influence. Si elle avait exigé cent millions de dollars pour garantir le marché, il eût accepté son prix de gaieté de cœur. L'affaire allait être la dernière de sa vie. Cent millions de commission auraient été un prix plus que raisonnable à payer pour l'acquisition de la terre la plus cotée de tous les États-Unis.

# 17

— Quel genre de coopération les Soviétiques vous apporteront-ils sur le tournage à Kiev? demanda Jazz en conversation téléphonique avec Sam Butler.

— Pourquoi es-tu si sûre qu'il nous faudra aller à Kiev? questionna Sam.

— Tu vas jouer au leader politique ukrainien, n'est-ce pas? Aux dernières nouvelles, Kiev était la capitale de l'Ukraine. Définitivement soviétique.

— Les lieux de tournage sont l'affaire de Milos. De toute façon, toutes les villes se ressemblent là-bas. Ce sera lugubre, Jazz, je te jure que le lieu de tournage sera lugubre. Je suis sacrément content.

— Tu parles, c'est exactement le rôle que tu cherchais. Je ne comprends toujours pas comment tu t'es débarrassé de ta prestation de mannequin.

— J'ai convaincu Guber et Peters qu'on ne peut contraindre un artiste à aller contre sa volonté. Quand je me suis rasé le crâne, ils m'ont cru.

— Tu n'as pas fait ça! s'exclama Jazz avec un rire naissant.

— Tu veux parier?

— Ont-ils déjà trouvé un remplaçant?

— J'aurais préféré que tu ne me poses pas la question, mais oui
L'effervescence de Sam parut en prendre un coup.

— Dis-moi qui, exigea Jazz.

— Daniel Day-Lewis, lâcha Sam avec dégoût. Tu aurais cru, toi, que Daniel Day-Lewis accepterait de jouer un mannequin? Après avoir décroché un Oscar pour *My Left Foot*?

— C'est un changement de vitesse pour lui, Sam, rien de plus, ne te mets pas dans tous tes états. Pense que Milos Forman t'a demandé, toi, en premier pour son film.

— Ouais, *cobber*, je ne l'avais pas vu sous cet angle-là, admit l'acteur, satisfait de l'opinion de la jeune femme.

— Tes cheveux repoussent? s'enquit-elle en s'efforçant de manifester un peu d'intérêt.

— Plus drus et épais que jamais.

— Quand tu étais complètement chauve, les gens te traitaient-ils différemment ? Se montraient-ils plus amicaux, moins intimidés ?

— Nan. Ils trouvaient ça bizarre. Ne nous voilons pas la face, Jazz. Pour transcender ton apparence, tu dois avoir une tête passe-partout. Bon, enfin, c'est peut-être un sale boulot, mais il faut bien que quelqu'un s'en charge. Les choses pourraient sans doute être pires.

— J'espère que le tournage se passera au mieux, Sam, conclut Jazz.

En prononçant ces mots, elle pensait que Daniel Day-Lewis était loin d'avoir un visage passe-partout, pourtant il le transcendait à chaque nouveau rôle.

— Tu vas me manquer, *cobber*. Et drôlement.

— Tu me manqueras aussi.

— Je te vois à mon retour ?

— Bien sûr, Sam. Amuse-toi bien.

Quand elle raccrocha, Jazz savait qu'elle ne reverrait plus Sam Butler qu'en ami. La distance avait dissipé un enchantement fragile ; l'absence, loin de consoler l'attachement, s'était révélée le remède à ce qui n'avait pas été un amour. Maintenant que Milos Forman emmenait Sam pour des mois à Kiev, ou dans quelque ville de substitution convenablement lugubre, elle pourrait l'oublier en toute bonne conscience.

Elle regarda le réveil sur la table de chevet de sa chambre à l'hacienda. Le début de matinée avait été ponctué d'appels téléphoniques inattendus, et elle avait été dérangée plusieurs fois alors qu'elle essayait de s'habiller en prévision d'une rencontre — non désirée — avec ses sœurs.

D'abord, il y avait eu le coup de fil du staff de Diet Pepsi. Dès qu'elle s'était aperçue qu'elle était loin d'être prête à reprendre le travail, Jazz avait appelé ses nouveaux amis pour résilier le contrat, à regret.

Aujourd'hui, à la mi-janvier de l'année 1991, ils venaient de lui téléphoner pour lui annoncer qu'ils avaient décidé de l'attendre, même si cela devait durer un mois ou deux. Leur campagne avait été taillée sur mesure pour elle, lui avaient-ils expliqué. Ils la considéraient comme aussi irremplaçable qu'une grande actrice ; ils ignoraient jusqu'à quelles limites elle parviendrait à mener l'art du portrait, mais son approche était trop innovatrice pour qu'ils envisagent d'engager un autre photographe.

Tandis que Jazz pensait encore au coup de fil de Pepsi, Red avait appelé ; pour la première fois depuis le soir où Mike avait été tué, elle ressemblait un peu à elle-même. Elles avaient pris rendez-vous pour dîner ensemble.

Casey était sorti de l'hôpital depuis plusieurs jours et se remettait autant que faire se peut sous l'œil vigilant de Susie. La semaine prochaine, il avait l'intention de reprendre son travail de régisseur, en se déplaçant en Jeep jusqu'à sa guérison complète. Casey n'avait pas été surpris lorsque Jazz lui avait fourni une version délicatement expurgée du refus de ses sœurs de l'accepter comme administrateur temporaire. Joe Winter, de Wells Fargo, homme raisonnable et aimable, avait été nommé par l'État pour remplir cette fonction. Il avait été ravi que Casey acceptât de rester régisseur jusqu'à ce que le bétail Kilkullen, un célèbre cheptel, fût vendu de façon satisfaisante.

Valerie et Fernanda s'étaient installées au *Ritz-Carlton*, tout près de Laguna Niguel, hantant les environs comme si elles craignaient que leur héritage ne s'évanouisse si elles ne demeuraient pas dans le voisinage. Jazz se demanda ce qu'elles lui voulaient aujourd'hui, et un sentiment de malaise se mêla à son inaltérable chagrin. Toute son existence était dominée par la perte de son père, à laquelle venait s'ajouter la crainte de l'inévitable vente des terres, ainsi qu'une nostalgie croissante, douloureuse de la vie au ranch qui allait prendre fin.

Elle s'était sentie incapable de retourner à Los Angeles pour reprendre son travail à Flash. Tant sur le plan psychologique que physique, elle était incapable de se séparer ne serait-ce qu'un jour du ranch tant qu'il existait encore comme il avait toujours existé, intact, hors du temps, majestueusement beau, avec ses centaines de *mesas* inchangées depuis que les accueillants Indiens Gabrielinos avaient reçu les premiers soldats espagnols ; ceux-ci étaient arrivés de la forteresse royale de San Diego en 1769, au cours de leur exploration des contrées nord d'une terre qui allait devenir la Californie.

Chaque matin, Jazz sellait Limonada et guidait la vive jument rouanne dans une nouvelle direction. Derniers regards, derniers adieux. Ici et là, la cavalière ne pouvait ignorer la trace d'une Jeep, un moulin à vent, un réservoir qui trahissaient la présence de l'homme moderne, mais une fois que sa monture avait grimpé la colline derrière l'hacienda, l'immense et superbe terre était intacte, qui allait se resserrant comme un éventail jusqu'au Pic de Portola, pour s'évaser jusqu'au littoral de l'océan Pacifique.

Lorsque Jazz poussait son cheval vers l'un des ruisseaux encaissés, le monde de 1991 disparaissait. Souvent, elle se laissait glisser à terre et s'allongeait sur un lit de feuilles sèches, regardant pendant des heures le soleil suivre sa course ; il lui semblait, chaque fois, que c'était la dernière fois qu'il lui était donné d'être seule dans cet abri naturel au doux parfum.

Elle savait qu'elle aurait dû souhaiter plus de pluie comme le faisaient Casey et Joe, mais les jours secs qui avaient succédé aux fortes pluies tombées plus tôt dans l'année paraissaient lui offrir un répit contre la réalité. Quand Jazz désirait de la compagnie dans sa tristesse, elle passait son temps dans les pâturages parmi les vaqueros qui surveillaient les troupeaux.

L'hiver avait toujours été la période la plus vivante dans le rythme annuel. Les taureaux, qui passaient dix longs mois solitaires au corral, avaient été mêlés aux vaches aux premiers jours de décembre, à raison d'un taureau pour vingt femelles. Le 1er février, ils seraient rassemblés et ramenés à leur chaste existence, mais pour l'heure ils s'ébattaient et folâtraient librement, remplissant leur devoir de fécondation de l'ensemble du troupeau. Chaque femelle avait encore son veau près d'elle, né l'automne dernier ; quelque quatre-vingt-dix pour cent d'entre elles avaient été saillies et mettraient de nouveau bas à l'automne prochain, cycle qui ne s'interrompait que si la vache n'était pas fécondée au cours de ces deux mois d'hiver, devenait improductive et devait alors être vendue.

Dès leur première entrevue, Casey et Joe Winter étaient rapidement convenus que la meilleure époque pour céder le troupeau serait la vente aux enchères de la fin du printemps, quand les veaux seraient sevrés et indépendants. Les vaches grasses seraient testées afin que l'on s'assure qu'elles étaient pleines. Si la vente se déroulait avant le sevrage des veaux, les femelles seraient vendues en « lots de trois », chacune étant flanquée d'un veau allaité et d'un autre à naître, mais le prix en était nettement moins intéressant.

Jazz se rendit compte qu'elle n'avait jamais été au courant des aspects crûment financiers de la vie au ranch, car Mike n'avait jamais parlé d'argent. Mais si la vue du bétail arpentant tranquillement les *mesas* immémoriales lui manquerait , c'était la terre qui parlait le plus à son cœur. Chaque chêne trois fois centenaire, chaque brindille bourgeonnante à chaque arbuste, chaque chant d'alouette entendu au matin, chaque ululement de hibou à la nuit, se gravaient dans son cœur comme autant de précieux rappels de son père.

*<br>**

Le gigantesque *Ritz-Carlton* de Laguna Niguel, entre Emerald Bay et Three Arch Bay, est situé sur une falaise particulièrement haute, en à-pic de deux cents mètres au-dessus du rivage. Bien que Jazz sût qu'il était vanté pour son caractère méditerranéen, elle ne vit rien de méditerranéen dans les larges couloirs de marbre ni dans les immenses halls décorés d'antiquités françaises et anglaises. L'endroit tout entier étourdissait par son ostentation ; tout était dix fois trop gros, jugea Jazz avec mépris, en parcourant les uns après les autres les interminables couloirs luxueusement moquettés à la recherche de l'ascenseur qui la mènerait à la suite qu'occupait Valerie.

S'il avait fallu construire sur la côte un hôtel aussi bouffi de prétention, pourquoi ne pas l'avoir fait dans un esprit qui rappelât sa situation californienne, au lieu de cette imitation disproportionnée du *Crillon* de Paris ? Quand bien même cet hôtel, comme le *Crillon*, se fût trouvé place de la Concorde, il eût été condamné à paraître plus prétentieux que grandiose. Dans l'ascenseur, Jazz admit qu'elle ne haïssait pas tant l'hôtel que le fait de devoir y rencontrer Valerie et Fernanda.

Elle s'était raisonnée après le dernier coup de fil de la matinée, décidée à en finir aussi vite que possible avec cette réunion. Se regardant dans le miroir, elle s'était soudain vue à travers l'œil critique de ses demi-sœurs. Sans maquillage, les cheveux en désordre comme un étendard écharpé par le vent de ses courses à cheval, Jazz avait reconnu qu'elle avait l'air d'un Huckleberry Finn au féminin, un gosse négligé, rustique, hâlé, débraillé, avec son vieux jean, sa chemise bleu délavé et le chandail préféré de ses années de lycée — son uniforme durant les jours passés à chevaucher.

Presque tous ses vêtements étaient restés dans ses placards à Santa Monica, mais elle se mit en chasse jusqu'à dénicher l'ensemble pantalon Yves Saint Laurent dans lequel elle était revenue de New York le jour de son ultime confrontation avec Phoebe à Flash. Elle était directement venue au ranch ensuite, cela faisait maintenant un peu plus de trois semaines, et n'était pas retournée depuis à son appartement.

L'ensemble Yves Saint Laurent était un smoking de jour, plus strict, sévère et impressionnant que tout ce que peut porter un homme à part un uniforme militaire, un classique que Saint Laurent répétait chaque année en une douzaine de versions, aussi indémodable qu'un tailleur Chanel. Tout d'étoffes noires, du satin au lainage, il répondait parfaitement au besoin d'une femme de posséder au moins une tenue qui puisse l'envelopper d'une impénétrable carapace et masquer tous les doutes qu'elle peut éprouver.

Ce fut avec déplaisir que Jazz opta pour ce symbole d'autorité à la coupe parfaite. Elle n'aimait pas avoir à se préparer en fonction du regard de Valerie et de Fernanda, mais elle savait cela nécessaire pour traiter avec elles.

Elle se brossa les cheveux et, avec du gel, les plaqua sur son crâne, rassemblant les mèches d'or sombre en un chignon serré qu'elle maintint d'un ruban de velours noir. Puis, vêtue d'un peignoir en éponge, elle s'attaqua à son visage. Elle appliqua un léger fond de teint sur sa peau abricot et se poudra de blanc, ainsi son visage serait-il un masque pâle sur lequel rien ne se lirait. Elle fonça au possible la ligne droite de ses sourcils, peignit de mascara noir ses cils dorés, passa sur ses lèvres un rouge qu'elle avait acheté mais jamais utilisé car il était trop sombre pour être flatteur. Quand elle eut fini, elle avait pris dix ans d'âge par rapport à la jeune femme vue dans le miroir une demi-heure auparavant, et cent années de dureté.

Lorsqu'elle eut passé le smoking Saint Laurent et chaussé des boots brillantes à talons plats, elle s'inspecta de nouveau. Cette élégante et importante dame aguerrie par les plus formidables épaulettes de la haute couture n'avait jamais entendu parler d'Huckleberry Finn. Jazz lui ajouta de grosses boucles d'oreilles et deux gros bracelets d'or massif.

*
**

L'ascenseur s'arrêta au dernier étage de l'hôtel, où se trouvaient les suites les plus coûteuses. Une jeune femme se leva de derrière un petit bureau et, quand Jazz lui eut donné son nom, s'empressa de l'escorter vers une porte à double battant qui, à l'exception de sa nouveauté, n'eût pas paru déplacée au Petit Trianon. A l'effleurement d'une sonnette, les portes s'ouvrirent sur le plus grand salon que Jazz ait jamais vu dans aucun hôtel au monde. Au bout de la pièce, quatre fenêtres en forme d'arche donnaient sur le ciel et la mer au loin. Jazz ne prêta pas attention au panorama mais au groupe de gens assis autour d'une table au milieu de la pièce : Valerie, Fernanda, et deux hommes qu'elle ne connaissait pas.

Elle s'immobilisa, sombre, tandis que les deux inconnus se levaient. Valerie n'avait pas parlé d'eux et Jazz fut contente de s'être composée une image qui ne trahît pas les battements affolés de son cœur ni l'intense sentiment de vulnérabilité dont elle ne parvenait pas à se départir. Elle resta plantée sur place, volontairement ; si elle n'allait pas à eux ils seraient forcés de venir à elle.

Après un temps de silence, Valerie se leva à son tour et guida les deux hommes vers sa demi-sœur afin de procéder aux présentations.

— Hello, Jazz, lança-t-elle avec plus d'aménité qu'elle ne s'était jamais sentie obligée de déployer. Tu as l'air merveilleusement en forme.

— Merci, répondit froidement Jazz.

A sa grande surprise, Valerie l'embrassa sur la joue de la manière la plus naturelle, comme si elle avait oublié leur dernière rencontre.

— Voici Jimmy Rosemont, reprit Valerie, et Sir John Maddox. Ma sœur, Jazz Kilkullen.

— Comment allez-vous ? fit Jazz.

Elle tendit la main avec un minimum de politesse.

— Viens donc, Jazz, dit Valerie.

La prenant par le bras, elle l'entraîna vers Fernanda qui restait assise, un sourire de bienvenue dans ses brillants yeux turquoise. Jazz songea que Fernanda avait l'air d'avoir été outrageusement gâtée par une marraine-fée.

— Non merci, répondit-elle en repoussant l'offre d'un café et en saluant Fernanda d'un geste mesuré.

Avec la précision sévère d'une lady victorienne venue faire une brève visite de courtoisie, elle prit place sur le seul siège qui n'était pas profond et moelleux et resta droite, le dos raide, sans s'appuyer au dossier.

Une table roulante en acajou se trouvait près de Fernanda, couverte de petits-fours, pâtisseries, thé et café.

— Veux-tu manger quelque chose, Jazz ? offrit Fernanda de son air le plus séduisant. Ces petits éclairs sont affreusement délicieux.

— Rien, merci.

Son smoking était-il masculin au point que Fernanda crût qu'elle avait changé de sexe ? Sa demi-sœur arborait la mine qu'elle réservait à tout ce qui portait pantalon.

— Comment vont les affaires au ranch ? s'enquit Valerie.

— Comme quand M. Rosemont l'a survolé en hélicoptère pour son inspection il y a quelques mois, répondit platement Jazz.

— Vous êtes donc au courant, souligna Jimmy Rosemont sans paraître surpris mais plutôt amusé.

Jazz n'aima pas plus que Mike son expression rusée, joviale, trop policée.

Quant à Sir John Maddox, il arborait la parfaite décontraction de surface que seuls les Britanniques semblent maîtriser. C'était un homme d'une bonne soixantaine d'années, dont les fins cheveux gris étaient juste assez longs pour indiquer qu'il ne se souciait pas du coiffeur ; son costume gris croisé, plus que classique, était immaculé et soulignait l'aisance de ses gestes ; sa belle tête avait la dignité et le maintien qui trahissent une longue habitude du pouvoir.

— J'avais pensé que l'altitude était la meilleure façon d'avoir une vue d'ensemble du ranch, ajouta sans vergogne Jimmy Rosemont. Avez-vous déjà essayé ? Une expérience étonnante, qui vous montre ce que vous n'avez jamais imaginé depuis le sol.

La voix comme les manières de Jimmy Rosemont pouvaient sans doute aucun être considérées comme charmantes, pensa Jazz, pour qui goûtait le charme aigu, malin, astucieux, ce qui n'était pas son cas. Elle négligea de lui répondre et attendit en silence, le menton haut, les genoux croisés, les bras de même, fixant l'assemblée avec une neutralité distante. Le langage de son corps était calculé. Elle était peut-être en minorité, cela ne l'empêchait pas d'adopter l'allure d'un général qui passe ses troupes en revue. Quelqu'un finirait bien par lui exposer le but de cette réunion.

— Jazz, commença Valerie, comme tu l'as appris quand Jimmy est venu pour la première fois voir Père, il était intéressé par l'achat du ranch. Dans la mesure où Jimmy et son épouse, Lady Georgina, sont de bons amis de Fernanda et moi, dès que M. White nous a expliqué que le ranch devait être vendu, nous avons toutes les deux naturellement pensé à lui, avant un quelconque étranger.

— Je comprends, Valerie. Ce que je comprends moins, c'est la raison de cette hâte. D'après M. White, rien ne peut être vendu avant que le tribunal ait nommé un administrateur permanent, ce qui peut prendre des mois. Père n'est mort que depuis trois semaines.

— Ce que vous dites est tout à fait exact, mademoiselle Kilkullen, intervint paisiblement Sir John Maddox.

Il eut une inclinaison de la tête et marqua une pause appuyée d'un regard, qui tendait à signifier tout à la fois un hommage muet à Mike Kilkullen, une compréhension du deuil de Jazz, et la nécessité d'en venir aux affaires.

— Néanmoins, poursuivit-il, l'avantage serait considérable si vous tombiez toutes trois d'accord et sans perdre de temps sur l'avenir du ranch.

— Vraiment ?

A quoi tenait exactement cette inflexion de voix toute britannique qui savait inspirer confiance ? se demanda Jazz. Cet homme distingué avait la mansuétude aristocratique d'un Sir John Gielgud ou d'un Sir Ralph Richardson. Deux acteurs consommés.

— Voyez-vous, mademoiselle Kilkullen, durant l'administration temporaire, vous continuez à contrôler la destinée du ranch.

Sir John se pencha légèrement en avant pour mieux s'adresser à Jazz.

— Vous, trois sœurs, agissant de concert, pouvez demander à la cour de vous passer d'administrateur intérimaire. Vous pouvez décider de vendre le ranch à un acheteur que vous avez personnellement choisi, quelqu'un en qui vous avez toute confiance. En revanche, une fois qu'aura été nommé l'administrateur permanent, vous ne serez plus en mesure de vous en débarrasser sinon, comme le précise la loi, « pour un bon motif », ce qui serait aussi difficile que néfaste. En d'autres termes, quels que soient les choix de l'administrateur permanent, ou le temps qu'il met à les mener à bien, vous serez entièrement entre ses mains, à sa merci.

— Êtes-vous homme de loi, Sir John ? questionna Jazz.

— En effet, avocat, mais je n'appartiens plus au barreau depuis longtemps.

Il eut un sourire gracieux et modeste.

— Sir John fut gouverneur à Hong-Kong pendant de nombreuses années, expliqua Jimmy Rosemont. Durant cette période, il présidait le conseil exécutif de la colonie ainsi que le conseil législatif de Hong-Kong. Pour avoir rempli de telles responsabilités, il est devenu un expert mondialement reconnu du développement foncier.

— Est-ce la raison de votre présence ici, Sir John ? Nous conseiller sur ce chapitre ?

C'était un acteur qui avait assassiné Lincoln, se souvint-elle.

— Pas tout à fait, mademoiselle Kilkullen, mais en partie, oui. Je suis également mandaté par un groupe d'hommes que je connais bien depuis quelque quinze ans. Ils forment un consortium de propriétaires des plus grosses banques de Hong-Kong.

— Vous travaillez pour des banquiers de Hong-Kong ?

— Précisément, mademoiselle Kilkullen.

— Et ces... vos clients... veulent acheter le ranch ?

— C'est cela, mademoiselle Kilkullen. A dire vrai, l'on pourrait avancer, sans craindre de contradiction, qu'ils le souhaitent plus qu'aucun autre acquéreur au monde. Comprenez, mes amis banquiers *doivent* faire sortir leur argent avant que Hong-Kong revienne à la Chine communiste. Dans six ans à partir du mois de juin prochain, l'accord par lequel Hong-Kong fut loué à la Grande-Bretagne expirera. Mes amis vivent dans la peur que les communistes n'attendent pas 1997. Le temps les presse, comme vous vous en doutez, et c'est la raison pour laquelle ils paieront *plus* que la valeur foncière réelle.

— Pardonnez-moi si je vous parais stupide, fit Jazz, mais si j'ai bien suivi, M. Rosemont a tenté d'acheter le ranch il n'y a pas si longtemps. Maintenant vous voilà avec M. Rosemont, seulement vous représentez des banquiers de Hong-Kong qui veulent la même terre que lui. Qu'est-ce que cela signifie, au juste ?

— Oh, Jazz, s'exclama Valerie, ne te hérisse pas pour un rien. Jimmy conseille les Chinois depuis le début. Sir John est un autre de leurs plus proches conseillers. Jimmy n'a pas parlé à Père de ces messieurs de Hong-Kong car l'entretien n'est pas allé jusque-là. Tu sais comme Père pouvait se montrer brusque quand il n'avait pas envie d'écouter.

Et Valerie savait quelle épine dans le pied Jazz allait être. Elle les avait avertis à son sujet, mais personne, hormis sa mère, n'avait pensé que cette tête de mule oserait faire temporairement obstacle à un projet aussi merveilleux. Chaque fois que Liddy avait appelé ses filles pour discuter de la situation, elle leur avait rappelé que Jazz avait passé des années à tisser sa toile dans le cœur de son père, et qu'il ne fallait pas sous-estimer la nuisance qu'elle risquait de représenter. Valerie et Fernanda devaient admettre qu'elles avaient figuré dans le testament de leur père grâce à l'insistance de leur mère à les expédier régulièrement au ranch. Quand Liddy leur avait affirmé que le mieux était de vendre aux Chinois, et qu'elles pourraient se fier à Jimmy, ç'avait été la voix de la raison qui avait parlé, comme depuis trente ans.

Valerie releva le menton et offrit son profil à Jazz, telle une garantie de son droit à servir d'intermédiaire entre Jazz et Jimmy. Fernie ne lui serait d'aucune aide.

— Mme Malvern parle d'or, reprit Sir John. Lorsqu'un puissant groupe de banquiers s'efforce de faire passer son argent d'un pays à un autre, ils sont contraints de dépendre d'un bon nombre de spécialistes divers. J'oserai dire que Jimmy fait affaire avec eux depuis presque aussi longtemps que moi-même. Nous travaillons tous deux, avec nos amis de Hong-Kong, à tenter de trouver une solution à leur problème, dont le bénéfice rejaillira aussi bien sur vous et vos sœurs.

— John, intervint rapidement Jimmy Rosemont qui avait vu le visage de Jazz se fermer aux paroles de l'Anglais, avant que nous abordions les détails, ne devrais-je pas donner à Mlle Kilkullen une idée de la façon dont le ranch sera développé ? Il est normal qu'elle souhaite le savoir avant d'arrêter son jugement sur les acquéreurs.

— Bien sûr, Jimmy.

— Mademoiselle Kilkullen, votre ranch ne sera jamais considéré comme une terre ordinaire. Le concept consiste à le transformer en un complexe résidentiel et de loisirs, le plus spectaculaire, le plus splendide au monde. Le nom n'en sera jamais changé, il s'appellera toujours le ranch Kilkullen, ou Rancho Kilkullen, ou tout autre nom que vos sœurs et vous-même préférerez, mais l'idée — eh bien, l'idée est tout simplement magnifique.

— Ah oui ?

Jazz se demanda pendant combien de temps elle allait endurer l'odeur sulfureuse du venin de ce serpent. Assez longtemps pour découvrir exactement ce que ce commerçant avait en tête, quand bien même elle devrait feindre l'intérêt ou même l'enthousiasme pour tout lui soutirer.

— Comprenez bien mon point de vue, mademoiselle Kilkullen. Nous savons tous que de grandes parcelles d'Orange County se sont vues couvertes de maisons, alignées côte à côte, semblables les unes aux autres, au point de ressembler aux demeures préfabriquées que l'on voit un peu partout. Ce sont de petits logements très confortables, je ne le nie pas, mais ils ne rendraient pas justice au ranch Kilkullen. Ils sont exactement à l'opposé de ce que nous envisageons.

— Je vois.

On passait donc au « nous » ? Nul ne pourrait accuser ses sœurs d'être longues à la détente. Tandis qu'elle traînait son deuil dans le ranch, lui adressant de longs et mélancoliques adieux, Valerie et Fernanda s'étaient acoquinées avec ce duo d'experts dévoués qu'elles avaient convié en Californie pour lui expliquer, à elle, où était son intérêt.

— Maintenant imaginez ceci : le ranch en son entier formant une seule communauté de pur luxe, une unique entité *parfaite*, un joyau qui damerait le pion à tout le reste, comme Monte-Carlo dame le pion à toute la Côte d'Azur, excepté que tout serait mille fois plus spacieux, mille fois plus gracieux qu'à Monte-Carlo qui, de mon point de vue, est définitivement surchargé. Ce que je vise, c'est une communauté dans laquelle aucune demeure ne vaudrait moins de dix millions de dollars — la plupart vaudraient beaucoup plus —, et toutes seraient entourées de parcs luxuriants afin que chacun garde son intimité.

— Pur luxe, vous avez dit ? répondit Jazz avec intérêt.

Elle n'achèterait pas à ce type deux billets pour un match des Lakers, même pour des places au premier rang et en milieu de terrain.

— Le luxe au-delà de ce que vous pouvez imaginer. Et, encore plus important, la *sécurité*, afin que les résidents soient libres de s'épanouir dans leur style de vie. Sur ce point, j'aimerais m'adjoindre un conseiller de Monte-Carlo, car le système de sécurité serait similaire — simplement meilleur — à celui qui fait de Monte-Carlo une ville au séjour si agréable. Nous emploierons un service de vigiles, des centaines d'hommes discrets mais toujours sûrs. Les femmes peuvent porter leurs bijoux quand elles le désirent à Monte-Carlo — elles peuvent se promener dans n'importe quelle rue de la Principauté, car elles se savent à toute heure en sécurité dans leur ville. Combien d'endroits au monde offrent cet avantage, mademoiselle Kilkullen ?

— Je n'en ai aucune idée, monsieur Rosemont.

Mais Jazz avait le sentiment qu'elle pouvait compter sur lui pour le lui apprendre.

— Aucun ! Absolument aucun. Ni à Beverly Hills ni à Bel Air, et certainement dans aucune des capitales cosmopolites du monde. Le ranch Kilkullen serait plus étroitement surveillé que les joyaux de la Couronne d'Angleterre. Aucun individu ne pourrait en franchir les portes sans être soumis à l'inspection de plusieurs gardes armés et sans l'autorisation verbale de la personne qu'il serait venu voir. Ce serait le refuge parfait contre les dangers toujours croissants de la vie moderne.

— Qui, exactement... vivrait... là ? interrogea Jazz.

— Nous arrivons au principal ! Les super-riches du monde entier. Aussi simple que cela. Ces gens-là afflueraient de partout pour acheter une maison ici, pas seulement à cause de l'extraordinaire facteur de sécurité, mais du fait des nombreux autres avantages de l'endroit. Nous jouissons du climat le plus clément du monde pendant les mois d'hiver ; l'anse naturelle sur le rivage du ranch Kilkullen est bien assez vaste pour y construire une marina susceptible d'abriter des dizaines de yachts de haute mer aussi bien que des centaines de bateaux plus petits ; il y a assez de place pour construire un aéroport, ainsi les résidents viendraient dans leur jet privé ; la communauté entretiendrait une flotte de quelques petits avions et hélicoptères, on pourrait faire un saut jusqu'à San Diego, ou Los Angeles, pour faire du shopping ou se rendre au spectacle, au restaurant, ou prendre un avion pour ceux qui n'en posséderaient pas encore. *Les transports*, mademoiselle Kilkullen — les transports faciles, instantanés —, voilà ce dont les gens très riches *doivent* profiter, ou alors à quoi leur sert leur argent ?

— Une question que je me suis souvent posée. Ces gens *doivent-ils* avoir des enfants, en plus de ces moyens de transports ?

Jimmy Rosemont se mit à rire.

— Nous y avons pensé. Pour cette raison, nous bâtirons une école, depuis le jardin d'enfants jusqu'au secondaire, un système privé comparable à ce qui se fait de mieux dans le genre. Uniquement pour les enfants des résidents, évidemment.

— Ces résidents ne devront-ils pas avoir aussi des domestiques ?

— Certes. La domesticité est aussi primordiale que le transport. Nous prévoirons des logements pour les serviteurs dans les résidences, si cela est souhaité, ou dans un village spécial qui sera construit à une distance convenable. Bien sûr, le passé de ces domestiques fera l'objet d'une enquête poussée de la part du service de sécurité. Nous ne prendrons pas de risques.

— Analyses d'urines quotidiennes ?

— Vous vous amusez à mes dépens, mademoiselle Kilkullen, mais je vais vous dire, l'idée n'est pas mauvaise du tout.

— Merci bien, monsieur Rosemont.

— Ce que nous visons pour la communauté du ranch Kilkullen est, très simplement, *le mieux, le mieux en tout !*

Jimmy Rosemont se leva et se mit à arpenter le salon d'un pas vif.

— Bien sûr, il y aura plusieurs terrains de golf conçus par les meilleurs designers de la catégorie, des sentiers équestres et toutes facilités pour les cavaliers, à la pointe de ce qui se fait ; la même prodigalité s'appliquera au club de tennis, au country-club, à la plage. Le Sporting-Club de Monte-Carlo fera tout de suite piètre figure en comparaison. Ces clubs seront au centre de tous les galas et fêtes qui attireront des invités de toutes les capitales du monde.

— Des invités ? Amis des résidents ? La famille ? Les parents pauvres ?

— Même les parents pauvres, acquiesça Jimmy Rosemont. Mais quand je dis invités, je parle des membres du jet-set international qui feront du ranch Kilkullen un fabuleux lieu de vacances, en plus de la communauté des résidents, des gens très spéciaux, habitués au luxe, qui refusent de frayer avec ce qui n'est pas le « must » de la magnificence. Et une fois qu'ils auront découvert ce que nous leur offrons, ils n'auront plus envie de partir.

— Le « must » de la magnificence ? questionna Jazz, saisissant les deux mots importants dans le flot de paroles de son interlocuteur.

— Les hôtels, mademoiselle Kilkullen, les nombreux et splendides hôtels qui seront bâtis sur le rivage. Celui où nous nous trouvons aura l'air minable en comparaison, je vous le garantis. Rien ne sera épargné pour attirer l'élite, à l'exception d'un casino, mais chaque après-midi des avions décolleront pour Las Vegas et reviendront au gré des usagers, aussi nul ne remarquera l'absence des jeux sur le site même.

— Comme c'est bien vu !

— Oui, je crois pouvoir affirmer honnêtement que nous n'avons rien négligé. Les hôtels, même les plus grands d'entre eux, seront conçus pour s'intégrer au paysage afin que nous puissions utiliser la plage autant que possible. Les immeubles en copropriété seront limités au Pic de Portola, où ils seront construits à partir de la base du pic, chacun plus haut que l'autre afin de ne pas obstruer la vue. Notre but est de maximaliser la propriété en éliminant toute idée de gaspillage de l'espace. Et cela, en créant de nouveaux espaces utilisables, comme le Pic de Portola, qui n'a encore jamais été exploité.

— Parlez-moi encore de ces immeubles en copropriété, pria Jazz. Copropriété ! Le mot le plus honni de Mike Kilkullen.

— Aucun des appartements ne comportera moins de douze pièces. Comparativement, ils seront estimés à la même échelle que les résidences et exigeront moins d'entretien. Je ne peux pas en être certain, mais j'estime en gros que nous pourrons construire deux douzaines de complexes avec, évidemment, piscines, centres de mise en forme et tous les aménagements indispensables.

— Ce ne sera pas donné.

Dans la voix de Jazz, la réflexion se mêlait à une sourde intonation d'envie.

— Je ne vous le fais pas dire, mademoiselle Kilkullen, intervint de nouveau Sir John Maddox. L'avantage d'avoir derrière nous nos amis chinois est précisément lié à l'énorme coût de cet ensemble. Les Chinois voient loin, une vue à l'échelle historique si l'on peut dire. Ils n'espèrent pas le rendement immédiat de leurs investissements. Ils préfèrent attendre patiemment que débute la construction, une fois que leur sera garantie la possession de la terre. De surcroît, ils sont en mesure d'acheter sans avoir à emprunter auprès des banques, puisqu'ils *sont* les banques. Mes amis ont plus que leur propre argent à sortir de Hong-Kong. Ils disposent également des fortunes de leurs dépositaires, tous aussi inquiets qu'eux-mêmes quant à leur avenir. Une fois que vous aurez pris votre décision, si tel est votre choix, vous n'aurez pas à attendre votre argent.

— Intéressant, commenta Jazz. Très intéressant.

— Qu'en penses-tu, Jazz ? s'exclama avidement Fernanda. N'est-ce pas l'idée la plus enivrante qui soit ? Moi-même j'aimerais avoir un pied-à-terre dans cet endroit, alors que je n'ai jamais eu envie de vivre en Californie.

— Jazz, tu comprends bien que l'hacienda resterait en dehors de tout cela, précisa Valerie, qu'elle serait absolument respectée, n'est-ce pas, Jimmy ?

Elle n'aimait pas que Jazz ne se soit pas départie de son attitude de petit Napoléon. Elle détestait l'admettre, mais elle n'était pas loin d'admirer la façon dont Jazz avait forcé Jimmy à montrer ses cartes. Sa description du projet avait comporté bien plus de détails qu'elle et sa sœur n'en avaient jamais obtenus, et la manière dont Rosemont discourait sur les gigantesques sommes en jeu lui rappelait violemment les gens qu'elle haïssait le plus à New York. Enfin, ce n'était pas le moment de se cramponner aux valeurs de Sainte-Philadelphie, se souvint-elle.

— Évidemment, Val, répondit Jimmy Rosemont. La propriété de mademoiselle Kilkullen ne sera vue d'aucune autre demeure — même les immeubles du Pic seront trop loin pour la gêner. D'ailleurs, nous serions ravis de vous céder une bande de terrain en plus et au-delà de la délimitation précisée dans le testament de votre père, afin de garantir votre intimité. Si vous ne pouviez demeurer chez vous, à cause de votre travail, nous assumerions à perpétuité l'entretien de l'hacienda Valencia et de ses environs, nous les maintiendrions en parfaite condition, comme un musée vivant de ce qu'était la vie d'un ranch, afin que l'esprit d'antan ne soit pas oublié.

— Hmm, fit Jazz en se levant.

— Enfin, Jazz, demanda Fernanda, tu ne crois pas que c'est une occasion unique dans une vie ?

— Je ne dirais pas cela, Fernanda. Non. Mais comment puis-je juger, dans mon état ? J'ai une envie terrible de vomir tout ça sur cette moquette grand luxe.

Jazz se dirigea rapidement vers la porte. Sur le point de sortir, elle se retourna.

— Avant que nous nous revoyions, je pense que j'aurai consulté mon avocat.

*
**

Deux jours plus tard, Jazz se retrouvait dans les bureaux de Johnson, O'Hara, Klein, Bancroft et Johnson dans l'Arco Building de Los Angeles, au cœur du centre des affaires de la ville. Elle avait rendez-vous avec l'associé le plus âgé, Stephen Johnson, qui lui avait été recommandé par Gregory Nelson.

— Il est l'un des meilleurs, sinon *le* meilleur spécialiste des successions, avait assuré M. Nelson quand il avait reçu le coup de fil affolé de Jazz. Ces gars-là constituent une étroite confrérie. Ils ont travaillé les uns avec les autres des dizaines de fois, quelle que soit la ville où ils exercent, et Steve Johnson est l'homme que je choisirais pour moi-même. Il vous dira franchement tout ce que vous voudrez savoir, comme ce que vous voudrez ignorer.

— Tout cela me paraît parfaitement régulier, fit songeusement Steve Johnson, après un silence durant lequel il avait réfléchi à ce que Jazz venait de lui raconter de la rencontre au *Ritz*. Je connais Sir John, c'est un homme bien, bien renseigné et honnête.

Derrière des lunettes à monture sombre, la face ronde de l'avocat était très sérieuse.

— Quant aux Chinois, ce serait leur acquisition américaine la plus importante, mais il n'y a pas de raison de douter qu'ils possèdent l'argent. Ils ont été très actifs au Canada pendant longtemps — ils ont tellement acheté dans ce pays qu'ils ne seront bientôt plus les bienvenus à Vancouver.

— Pourquoi ai-je eu le sentiment qu'on me menait en bateau ?

— Parce que c'était le cas. La procédure normale pour vendre le ranch serait d'attendre la nomination de l'administrateur permanent. Sa principale tâche consiste simplement à obtenir le meilleur prix possible. Ce qui implique une étude précise de la propriété, une estimation de sa valeur, l'engagement de commissaires-priseurs, la mise en vente sur le marché et la surveillance des enchères.

— Pourquoi tiennent-ils tant à ces Chinois ?

— Rosemont et Maddox toucheront une commission importante pour avoir permis à l'affaire de se conclure. Je suis certain que Rosemont investira aussi bien son propre argent dans l'achat.

— Oh !

— Écoutez, Jazz, vous n'êtes pas censée tout savoir, moi si. Premier point, si l'administrateur permanent entre en fonction, ils auront à s'inquiéter de la concurrence japonaise. Je ne doute pas que les Japonais se battront pour le ranch. Ils peuvent tout produire, sauf du terrain. Ensuite il faudra compter avec les gros consortiums américains, l'argent suisse, l'argent allemand, en tout une douzaine de candidats en perspective... mais les Chinois accepteront probablement de faire l'offre la plus haute, de payer plus que la valeur foncière afin d'obtenir la terre. Ils sont très motivés, comme vous l'a expliqué Sir John.

— Mais pourquoi étaient-ils tous à me presser ?

— *Le temps.* C'est un problème de temps. Les hommes de loi ont raison de penser que le temps est essentiel. Avant que l'administrateur estime qu'il a établi la valeur la plus haute, il peut s'écouler des années. Le simple débat sur le choix du meilleur commissaire-priseur peut durer encore au-delà. Et chaque année qui passe signifie beaucoup d'argent perdu pour toutes les parties.

— Pourriez-vous me donner un exemple concret ? demanda Jazz d'une voix tendue.

— Bien sûr. Disons que votre part du ranch atteint un milliard de dollars. Vous payez vos impôts là-dessus et il ne vous reste plus qu'un demi-milliard.

— D'accord. Un demi-milliard, répéta Jazz sans réaction.

— Bien. Vous placez votre argent en bons municipaux exonérés d'impôts, le placement le plus sûr que vous puissiez trouver, qui vous rapporte — et c'est un taux délibérément bas — six pour cent par an. Ce qui vous donne un revenu de trente millions de dollars par an, et vous pouvez le dépenser jusqu'au dernier centime. Si le ranch n'est pas vendu, c'est autant qui n'entrera pas dans votre poche pour chaque année qui verra différer la vente.

— Je perdrais chaque année trente millions que je n'aurais pas gagnés, résuma Jazz.

L'incrédulité lui donnait une voix atone. Même ses sourcils en oublièrent de se hausser.

— Exactement.

— Mon Dieu !

— A qui le dites-vous ! Vous n'arriveriez pas à dépenser une somme pareille, à moins de vous faire collectionneur d'art, auquel cas, et tout dépend de vos goûts, vous auriez peut-être même à entamer votre capital. Mais, normalement, vous réinvestiriez une partie de vos bénéfices et votre revenu ne ferait que croître et croître encore.

— C'est donc ainsi que les riches deviennent encore plus riches.

— Exactement.

— Maintenant je sais pourquoi on m'affirmait que j'avais besoin d'un avocat.

— Greg Nelson m'a dit que vous n'en aviez pas. Franchement, je n'y croyais pas.

— Moi non plus, à présent que je vous ai vu. Dites-moi, Steve, supposons que je ne sois pas pressée d'avoir trente millions de dollars à dépenser chaque année. Supposons que je n'en aie pas besoin, que je n'en veuille pas. Supposons que j'aime sincèrement gagner ma vie. Non, ne me regardez pas comme ça, j'ai dit « supposons ». Supposons que je ressemble à mon père et que je n'aie pas envie de vendre le ranch.

— Vous pourriez repousser offre après offre. Vous pourriez ériger des barrages successifs. Décréter opposition sur opposition. L'administrateur serait tenu d'écouter vos arguments, vous dépenseriez des millions de dollars — je dis bien des *millions* — en honoraires d'avocats. Vous auriez des équipes de types comme moi qui travailleraient à plein temps pour vous, et au bout du compte il vous faudrait quand même vous résoudre à vendre. Si vous traîniez trop longtemps les pieds, le tribunal vous *contraindrait* à la vente dans un souci de justice envers vos sœurs.

— Bon. D'accord, Steve. Permettez-moi de vous poser une autre question idiote. Si je décidais de me montrer raisonnable et de vendre rapidement, mais en refusant de voir le ranch transformé en État dans l'État pour les gens les plus riches du monde, en forteresse truffée de policiers, en prison ultra-moderne avec bateaux-mitrailleurs dans le port et mitrailleuses sur les toits pour garantir la sécurité des milliardaires ; si j'avais une autre idée sur ce que doit devenir cette terre ?

— Quiconque l'achète aura le droit de faire ce qu'il voudra. Vos idées n'entreront pas en ligne de compte. S'ils décident d'en faire un parking ou un cinéma de plein air, la loi est la même. Le ranch ira au plus offrant et deviendra son bien. Ni maisons de tolérance ni casinos, mais sinon le ciel est la seule limite.

— Me conseillez-vous de me ranger à l'avis de mes sœurs et de vendre aux banquiers chinois ?

— Je crois que vous finirez par le faire. Vos sœurs possèdent les deux tiers de la propriété, vous un tiers. Tôt ou tard, vous serez forcée de parvenir à un accord avec elles, quel qu'il soit, et elles m'ont l'air bien accrochées à l'offre chinoise. Alors, même si vous haïssez ce concept à la Monte-Carlo, Jazz, à moins que vous ne trouviez un autre acheteur prêt à payer davantage, je crains que vous ne perdiez cette bataille.

— Il y aura une contrepartie ?

— Vous serez extrêmement riche, que vous le vouliez ou non.

— Et si je ne veux pas ?

Jazz s'obstinait, malgré le petit sourire, sympathique mais narquois, que Steve Johnson ne savait dissimuler.

— Vous pouvez toujours distribuer vos richesses. D'après mon expérience, cela ne s'est pas souvent vu. L'argent... Disons simplement que la majorité des gens s'habituent plus vite qu'ils ne l'auraient cru à en avoir.

**
*

Alors qu'elle roulait en direction de Venice, Jazz s'efforça d'oublier l'entretien qu'elle venait d'avoir avec Steve Johnson. Elle prit un itinéraire peu familier, qui sinuait d'un bout à l'autre de la ville, mais pas assez déroutant toutefois pour chasser les paroles de l'expert. L'idée inadmissible d'être contrainte de vendre la harcelait, devenant de plus en plus intolérable, écartant toutes les autres déclarations de Steve Johnson. Jazz regretta de n'avoir pas fait réparer son auto-radio ; elle se serait branchée sur les ondes psy pour écouter les problèmes des autres.

La jeune femme se gara avec un sentiment de soulagement. Comme elle suivait la rue en direction de Flash, ses soucis l'abandonnèrent un instant, chassés par l'ambiance bohème et incongrue du quartier. Ici au moins, rien ne risquait de se retrouver sens dessus dessous en un clin d'œil ; Venice avait survécu à toutes les ruines, feux et dévastations divers, constamment rebâtie et toujours renaissante pendant les quatre-vingt-cinq dernières années, et sans perdre son petit cachet insolite.

Jazz fit un détour pour entrer à Flash par le studio de Pete, afin d'éviter d'être vue au travers des portes de verre de l'entrée principale. Elle n'était pas d'humeur à bavarder avec Sandy la réceptionniste, ni avec aucune des personnes qui travaillaient à Flash, à l'exception de Mel et Pete avec lesquels elle avait prévu de déjeuner.

Peu après la mort de Mike, lorsqu'elle s'était aperçue qu'elle ignorait quand elle recommencerait à travailler, Jazz avait offert un congé illimité à tout son personnel. La dépense valait largement l'assurance qu'elle aurait toujours Sis Levy, Toby et Melissa à ses côtés quand elle reprendrait le collier.

Jetant un œil dans le studio du photographe auto, elle vit Mel et Pete en grande conversation, en train de dresser la table pour le déjeuner qu'ils lui avaient promis, commandé en son honneur à la *Purple Tostada Grande*. Elle se mit à saliver en pensant aux quesadillas, aux burritos, au guacamole ; le petit déjeuner était loin.

— Pourrions-nous manger d'abord et parler après ? lança-t-elle depuis la porte.

Mel et Pete lâchèrent de concert leurs boîtes en carton sur la table et accoururent pour l'accueillir avec exubérance.

— Pile à l'heure! s'exclama Pete en lui broyant les côtes pour la soulever de terre.

— Si tu n'étais pas venue aujourd'hui, on serait allés te chercher, déclara Mel en l'embrassant ardemment.

— Vous me raconterez plus tard combien je vous ai manqué, fit Jazz, saisie d'un grand élan d'affection pour ses deux amis. Mais d'abord, nourrissez-moi!

L'eau à la bouche, elle les regarda disposer assiettes et serviettes en papier, ouvrir avec précaution les boîtes en carton... Elle s'attendait tant à voir des plats mexicains qu'il lui fallut quelques secondes pour s'apercevoir qu'elle avait sous les yeux une débauche de nourriture sans rapport avec l'art culinaire du sud de la frontière.

— Du riz? fit-elle faiblement, incrédule. Poulet au citron... porc à la sauce aigre-douce? *Chinois?!* Oh non!... Non, dites-moi que je rêve.

— C'est tout ce que nous avons pu trouver au pied levé, expliqua Mel d'une voix plaintive.

— Je savais que Phoebe était une garce diabolique, explosa Pete. Mais comment peut-on tomber si bas, voilà qui me dépasse!

— Tu aimes manger chinois, dis, Jazz? implora Mel.

— Normalement, Mel chéri, normalement. Mais pas aujourd'hui. Ne me demande pas pourquoi. Qu'est-il arrivé à la *Tostada*?

Les deux hommes la dévisagèrent avec incrédulité.

— Tu n'as pas vu? questionna Pete.

— Comment as-tu pu passer devant sans t'en rendre compte? renchérit Mel.

— Je suis venue par l'autre côté... qu'y a-t-il?

— C'est le coup fatal! Phoebe a fait détruire la *Tostada* en notre absence, pendant le week-end! expliqua Pete furieux.

— Tout est par terre, les bulldozers ont fait leur œuvre, se désola Mel. Rasée.

— Mais elle avait promis de la conserver en l'état quand elle l'a achetée! s'étonna Jazz. Nous dépendons tous de la *Tostada*, et elle le savait.

— C'est ce que je lui ai dit, enragea Pete. Mais Phoebe m'a rappelé qu'elle n'avait donné aucune garantie, qu'elle nous avait seulement proposé de marcher avec elle et que nous avions refusé. Malheureusement, elle a raison. Pire, elle l'a même écrit dans le compte rendu de la réunion.

— Que va-t-elle faire à la place? interrogea Jazz.

— Je le lui ai demandé, fit Mel, et j'ai appris qu'elle n'en savait encore rien, mais que, quel que soit le restaurant qui s'y dresserait, il ne serait jamais branché au point que je n'y aie pas ma table, à condition que je la réserve auprès d'elle avant quatre heures de l'après-midi. Elle a la chance que je sache me contrôler. J'ai failli la cogner.

— Après la façon dont elle a évincé Jazz de la soirée chez Magic, je lui ai déclaré la guerre, fit Pete d'un ton vengeur. Non que ça ait jamais été la paix, mais la *Tostada*... c'est le pompon !

— Pete, va-t-on la laisser s'en tirer ?

Le calme coutumier de Mel l'avait abandonné. Il n'avait plus du tout son allure de Bouddha paisible.

— Non, Mel, non. On va la virer, annonça Pete du ton satisfait et décidé d'un homme qui voit enfin clair. Une femme capable d'un acte aussi égoïste et hostile ne peut plus avoir ma confiance en tant qu'agent.

— Entièrement d'accord, déclara solennellement Mel.

Pete et lui se serrèrent la main par-dessus un carton de crevettes aux champignons.

— Pete, tu lui diras que je marche avec toi à cent pour cent.

— Moi ? Pourquoi lui dirais-je ? s'enquit Pete. Toi aussi, tu te débarrasses d'elle.

— Je ne supporte pas les confrontations, se plaignit Mel. Tout le monde le sait.

— Ce n'est pas une raison pour ne pas prendre tes responsabilités, se fâcha Pete.

— Tu peux t'en charger pour nous deux.

— Impossible. Phoebe a une façon... tu connais ses trucs. Elle se débrouillera pour me faire flipper, à moins que tu sois là pour me soutenir.

— Les gars, les interrompit Jazz, êtes-vous *absolument* certains de vouloir changer d'agent ? Sans l'ombre d'un doute ? Et sans rapport avec l'histoire de Magic mais pour vos propres raisons ?

— Absolument, clamèrent-ils en chœur.

— Et qui sera votre nouvel agent ? demanda-t-elle.

Ils se jetèrent un regard atterré.

— Nous ne sommes pas allés jusque-là, Jazz, admit Pete. Tu as une idée ?

— Je n'ai moi-même rien fait pour me trouver quelqu'un d'autre, répondit-elle. Mais quand je me déciderai, j'appellerai Trish Burlingham. Elle est futée, efficace au possible, mais plus important que ça, elle est gentille, vraiment gentille. Sinon, si vous préférez un homme doté d'une plus grosse agence, vous ne trouverez pas mieux que Daniel Roebuck, d'Onyx.

— Nous les appellerons tous les deux pour régler cette question, O.K., Mel ?

— O.K., mais d'abord tu dois virer Phoebe, lui rappela Mel.

— Arrête, Mel, fit Jazz. D'abord, nous devons prendre une décision pour Flash, Flash le studio, non pas Flash en tant qu'organisation. Avons-nous envie de conserver cet endroit en restant associés à Phoebe ou voulons-nous le lui acheter ?

— Elle ne vendra sans doute pas, rétorqua Pete. Pourtant qu'est-ce que j'aimerais qu'elle le fasse.

— Moi aussi, renchérit Mel. Je lui paicrais sa part sur-le-champ si je pouvais.

— Ah, mais nous pouvons la forcer à nous la céder, souligna

suavement Jazz. Quand nous avons acheté ensemble, l'une de nos règles était que si trois associés décidaient à l'unanimité d'acheter la part du quatrième, ce serait à sa juste valeur, valeur établie par trois experts indépendants.

— Tu causes comme un avocat, s'émerveilla Pete.

— Je viens de prendre un cours auprès d'un des membres de la profession, fit légèrement Jazz, mais je suis encore loin du diplôme.

— C'est donc conclu, soupira Mel avec soulagement. Pete lui dira qu'elle est hors jeu, je lui tiendrai la main pendant qu'il le fera, puis nous nous mettrons en quête des experts. Maintenant, pouvons-nous manger ?

— Non, répondit Jazz. Personne ne déjeunera avec un boulot inachevé sur la table.

— Aie un peu de cœur, Jazz, plaida Pete. Je ne veux pas lui parler alors que j'ai faim. Une mission pareille ne s'accomplit pas le ventre vide.

— Écoutez, je sais que vous êtes capables de vous débrouiller, tous les deux, reprit la jeune femme, mais si vous préférez, cela m'est égal de me faire votre porte-parole auprès de Phoebe. Ses petits airs de sainte nitouche ne marchent pas avec moi.

— Ce ne serait pas trop te demander ? fit Mel, radieux.

— Je te tiendrai la main à toi aussi, offrit Pete.

— Suivez-moi, les gars.

Et Jazz ouvrit la marche vers le bureau de Phoebe. L'agent s'y délectait de son déjeuner favori : faux fromage de cheddar à base de tofu, et biscottes.

— Tiens, tiens, qu'est-ce qui t'amène, Jazz ? s'enquit Phoebe avec une feinte surprise.

Elle avait toujours su que Jazz reviendrait ventre à terre dès que le souvenir de la grande soirée chez Magic se serait effacé. Elle avait décidé de se montrer alors indulgente mais ferme. D'abord, Jazz devrait renoncer à travailler pour la presse et consacrer au moins les deux tiers de son temps à la pub. Avec son cachet de vingt-cinq mille dollars la journée, plus les frais, Jazz ne pouvait continuer à perdre son temps à faire des portraits qui finiraient dans un « beau livre » à soixante-quinze dollars. Sa prédilection professionnelle représentait pour Phoebe un manque à gagner colossal.

— Je ne suis pas ici pour le plaisir, mais pour parler affaires, déclara Jazz en se plantant devant le bureau de Phoebe. Je représente Mel et Pete. Ils m'ont déléguée pour te révoquer. Leur décision prend acte immédiatement. J'ajoute que nous avons tous trois ensemble décidé d'exercer notre droit contractuel de racheter ta part de Flash. Ta destruction de la *Purple Tostada Grande* a prouvé que tu n'as pas nos intérêts à cœur. Nous choisirons nous-mêmes trois experts indépendants : tu en choisiras trois de ton côté. C'est trois de plus que ne le requiert le contrat, ce qui nous évitera de chipoter. Quand ils nous auront fait part de leur estimation, nous ferons une moyenne et parviendrons à un juste prix de ton quart d'immeuble. A moins que tu n'aies une meilleure façon d'estimer sa valeur, je suggère que nous lancions la chose dès cet après-midi. Le temps est essentiel. Nous avons besoin de ton local le plus tôt possible.

Jazz parlait d'un ton égal, neutre, avec une attitude froide et calculée.

— Mon local ! s'insurgea Phoebe, toutes mèches dehors. *Mon local ?*

— Pour la nouvelle *Tostada*, conclut Jazz.

Cela dit, elle tourna les talons et quitta le bureau de Phoebe.

— Ça s'est plutôt bien passé, annonça-t-elle.

Après avoir accepté les compliments ébahis de ses deux camarades, elle regagna avec eux le studio de Pete.

— Grands dieux, Jazz ! s'exclama Pete. Qu'est-ce qui t'arrive ? Tu me fais presque peur. Nos problèmes sont résolus et le déjeuner est encore chaud !

— Mon cher Pete, j'ai en ce moment à me colleter avec des choses bien plus compliquées. Oh, j'ai complètement oublié Gabe. Qu'allons-nous faire de son local ?

— T'inquiète, il est absent pour un moment. Il est parti en Russie pour un gros contrat, sera pas de retour avant des mois. Où a-t-il dit qu'il allait exactement, Mel ?

— Qui sait ? Il est parti avec les poches bourrées de pelloche, marmonnant quelque chose comme quoi il allait couvrir l'impact d'une grande aventure capitaliste sur le gouvernement ukrainien, affirmant qu'il boirait le truc jusqu'à la lie, même s'il devait y passer l'été. Je n'ai pas écouté les détails. Attends ! je m'en souviens... il est à Kiev.

— Ne serait-ce pas avec... Milos Forman ? demanda Jazz.

Le rire commençait à la secouer en imaginant Sam et Gabe se partageant les rares femmes de l'équipe pendant le long hiver russe.

— C'est ça ! C'est ce qu'il a dit... Mais pourquoi tu poses la question si tu le sais déjà ?

— Parce que... je... n'étais pas... tout à fait... sûre.

— Arrête de rigoler, Jazz — enfin, tu vas t'étouffer avec le riz !

**\*\***

— Comment s'est passé ton séjour dans la grande ville ? questionna Casey le lendemain, alors que Jazz traînait après le déjeuner.

— Édifiant. J'ai bien aimé Steve Johnson.

— Mon père savait que tu l'apprécierais. Les nouvelles étaient bonnes, mauvaises, ou ni l'un ni l'autre ?

— Plutôt ni l'un ni l'autre. Je peux devenir un gros bâilleur de fonds pour les grandes causes, ou alors consacrer vingt ans à des procès et devenir par là le principal client du Barreau de Los Angeles. J'hésite encore.

— Quelque chose me dit que tu n'as pas envie d'en parler maintenant.

— Je voudrais seulement que tout ça s'arrête.

— Tu viens faire un tour à cheval avec moi ?

— Qui a dit que tu pouvais remonter ? fit-elle d'un ton soupçonneux.

— Le médecin. Je l'ai vu ce matin, il a dit que j'étais comme neuf.

— Comment peut-il le savoir ?

— Oh, arrête de discuter et va te changer. Je veux sortir tant qu'il fait encore jour.

*<br>**

Ils atteignirent le rebord du creuset naturel où se tenait chaque année la Fiesta. Casey mit sa monture au pas, l'arrêta tout en scrutant les environs.

— Tu te souviens ? demanda-t-il à Jazz.

— La Fiesta ? Évidemment.

— Pas seulement la Fiesta. Cet endroit, exactement.

— Quoi ?

— C'est là que nous nous sommes rencontrés. Là que j'ai délibérément, avec une mauvaise intention, lancé une assiette de chili bien gras sur toi, là que tu m'as traité de « tête de nœud », ce que, d'une certaine façon, je préfère à « porc fasciste ».

— Hé, ne deviens pas sentimental !

— Je le serai si je veux, s'entêta Casey. Je n'oublierai jamais cette nuit-là.

— Non, fit Jazz, redevenue sérieuse, moi non plus... Je ne savais pas que ce serait la dernière Fiesta... Je suis heureuse d'avoir été incapable de lire l'avenir.

— *Moi, j'aurais voulu*, souffla Casey.

L'intensité fébrile de sa voix recélait une violente émotion réprimée. Il mit son cheval au trot. Jazz le suivit en l'observant, car en dépit de ce qu'il avait affirmé quant à la déclaration du médecin, elle craignait qu'il ne soit pas encore remis. Il se tenait bien en selle, sans faiblesse apparente du côté où la balle l'avait atteint. Néanmoins, Jazz décida que, pour un premier jour, il ne devait pas chevaucher trop longtemps sans faire de pause.

— Suis-moi, lui cria-t-elle.

Elle le guida à travers l'immense plateau jusqu'au bord d'une crevasse où un ruisseau coulait en contrebas. Elle y avait découvert un sentier qui descendait graduellement, sur lequel les chevaux ne risqueraient pas de glisser.

— Par là, indiqua-t-elle. Je connais un endroit où nous pourrons nous reposer un peu.

Elle laissa aller sa monture dans l'ombre majestueuse des chênes et des sycomores qui les protégeaient du soleil. Une fois en bas, elle sauta à terre — une terre rendue moelleuse par les couches de feuilles de sycomore qui s'y étaient accumulées pendant des milliers d'années. Casey la rejoignit et ils s'assirent, le dos appuyé contre un tronc d'arbre.

— Maintenant, exigea Jazz en se tournant vers lui. Je veux une explication de cette remarque. Pourquoi veux-tu connaître l'avenir ? Quel bien en tirerais-tu ? Ce n'est pas mieux de ne rien savoir ?

Casey la dévisagea en silence comme s'il essayait, à son cœur défendant, de la graver dans sa mémoire. Le soleil pleuvait sur elle en une brillance diffuse, et il distinguait le moindre de ses cheveux, certains d'or brun, d'autres d'or rouge, d'autres encore d'or pâle, formant cette couleur qu'il n'avait jamais pu nommer. Ses yeux suivirent la ligne droite, mystérieusement parfaite de ses sourcils, qu'à cet instant la curiosité redressait, l'impudence de son nez, la courbe délicate, précise de sa lèvre supérieure qui formait un contraste si fascinant avec la plénitude outrageuse de la lèvre inférieure. Aucune peau ne pouvait être d'or, pourtant celle de Jazz l'était, comme l'étaient ses yeux, pensa-t-il. Elle était une parfaite petite idole dorée de quelque passé primitif, une idole envoyée sur terre pour le tourmenter, le punir de crimes qu'il n'avait pas rêvé de commettre, le pousser aux confins de la raison, lui qui avait toujours été raisonnable et fier de l'être. Elle avait été conçue par le destin pour lui asséner les plus amères leçons, lui faire savoir qu'il ne contrôlait plus du tout la situation, lui démontrer qu'il n'avait su apprécier à sa juste valeur une vie antérieure dans laquelle il avait eu la chance incroyable de ne pas rencontrer quelque Juanita Isabella Kilkullen.

— Arrête de me regarder comme ça, lui ordonna nerveusement Jazz. Et réponds à ma question.

— Si j'avais pu voir l'avenir, je n'aurais jamais écrit à ton père pour lui demander du travail, fit lentement Casey.

— J'ignorais que ç'avait été tellement désagréable, rétorqua-t-elle, blessée par ses mots. Tu semblais content... ou alors tu es plutôt bon comédien. En tout cas, j'ai cru à ton numéro.

— Voilà *exactement* ce que je veux dire ! L'exemple parfait ! Chaque fois que je te dis quelque chose, je tombe à côté : je n'emploie pas les bons mots et tu interprètes tout de travers ; quand je fais quelque chose, je me trompe encore. Si j'ose t'embrasser, j'ai tort, si j'essaie de te séduire, j'ai tort, si je n'essaie pas de te séduire, j'ai encore tort ! Et même quand je me contente de me *tenir* près de toi, je saccage le châle de ton arrière-grand-mère ! Je n'ai pas le mode d'emploi !

— Tu veux dire que c'est *à cause de moi* que tu regrettes d'être venu ici ?

— Encore ! Tu déformes mes paroles, comme d'habitude. Tu écoutes mais tu n'entends pas. Ou si tu entends, tu ne comprends pas. Je n'ai pas dit que c'était ta faute, Jazz, j'ai dit que j'aurais aimé faire ce qu'il fallait pour... pour attirer ton attention. Et je sais que tu ne me croiras pas, mais je n'ai jamais eu ce problème auparavant. Avec personne, mâle, femelle ou autre. C'est quelque chose en toi — non, oublie ça, quelque chose en *moi*, je ne sais quoi, mais je cumule les maladresses avec toi. Je fais tout ce qu'il ne faut pas faire.

— Soyons clairs. Tu veux attirer mon attention, c'est bien cela ?

— Oui, fit misérablement Casey.

— Être moins maladroit ?

— Oui bis.

— Tu veux faire ce qu'il faut ?

— Oui, je plaide coupable.

— Pourquoi ?

— Ne sois pas stupide, maugréa-t-il.

De frustration, d'embarras, il se prit la tête entre les mains ; c'était lui qui se sentait idiot tandis que Jazz, dans son implacable interrogatoire, répétait ses paroles.

— Tu fais encore ce qu'il ne faut pas, l'avertit-elle.

Elle dissimulait bien son ravissement devant l'état pitoyable auquel elle l'avait réduit.

— Je sais. Je suis... merde, Jazz, je suis tellement timide ! Tu me rends timide, c'est entièrement ta faute si tu es si... si... oh, tant pis : je t'aime, O.K. ? Je suis dingue de toi, fou amoureux, O.K. ? Je veux vivre avec toi le restant de ma vie, je ne veux jamais te laisser partir, que tu ne regardes jamais un autre homme, je sais que je ne peux pas t'avoir mais je suis condamné à vie, condamné à t'aimer et à avoir besoin de toi même si je sais que c'est sans espoir, alors vas-y, marre-toi, savoure ta victoire.

— O.K., murmura Jazz.

— O.K. ? C'est tout ce que tu trouves à dire ? Même pas un ricanement ?

— Je t'aime aussi, O.K. ?

La voix de Jazz tremblait de joie, d'un soulagement longtemps différé, et le rire se mêlait à ses larmes. Il avait été si merveilleusement inconscient de ce que n'importe quel autre homme aurait compris depuis longtemps. Bien sûr, elle s'était montrée aussi obtuse, aussi fuyante, frivole et tentatrice qu'elle savait l'être, mais seulement parce qu'elle refusait de lui rendre les choses trop faciles, parce qu'elle ne voulait pas tomber à ses pieds, l'effrayer par une reddition prématurée, et de toute façon les hommes n'étaient-ils pas censés faire le premier pas, les lois de la nature humaine n'avaient-elles plus cours ?

Tandis qu'elle prononçait ces mots très simples, le regard baissé de Casey s'était fixé sur ses mains et il les regarda s'ouvrir vers lui, comme si elles acceptaient un cadeau, ou comme si elles l'offraient, qu'importait. Elle ne se moquait pas de lui, comprit-il en plongeant les yeux dans les siens, si transparents. Une mystérieuse alchimie avait mué la raillerie en une franche et claire déclaration que même lui ne pouvait manquer de comprendre. Le monde tournoya puis se stabilisa, le temps s'arrêta avant de reprendre son cours.

— M'épouseras-tu aussi ?

Il parlait vite, comme s'il craignait qu'elle ne change d'avis.

— Je t'épouserai *aussi*, lui assura Jazz.

Il la saisit dans ses bras dans un élan de triomphe et l'attira tout contre lui.

— Nous ferions bien de nous procurer un dictionnaire. N'essayons plus de parler. Oh, mon amour, embrasse-moi, c'est tout. C'est la seule chose pour laquelle nous ne nous sommes jamais trompés.

## 18

Désorientée, Jazz émergea à contrecœur d'un profond sommeil. Elle ignorait la date, l'heure, jusqu'au lieu où elle se trouvait. Le seul point dont elle était certaine était qu'il pleuvait, enfin, et l'averse martelait si lourdement le toit et les fenêtres qu'elle l'avait tirée du plus agréable sommeil. Vainement, Jazz essaya quelques secondes de se rendormir, mais elle prit conscience du fait que Casey Nelson était au lit avec elle, et que c'était d'ailleurs le lit de Casey. Quand elle eut écouté la respiration chaude et régulière, reconnu la présence solide, inéluctable du jeune homme, tout le reste lui revint à l'esprit et elle ferma les yeux afin de mieux savourer la plénitude de son bonheur.

Il était si évident, si fort, ce bonheur, si dépourvu d'ambiguïté, de nuance, d'interrogations. Ce n'était pas une impression de perfection, mais la perfection même, une donnée de la nature qui devait avoir toujours existé et l'avait attendue. Soit, il leur avait fallu assez longtemps pour le comprendre, des mois et des mois, quand ç'aurait dû être quelques heures — ou quelques minutes —, mais évidemment ils étaient trop civilisés pour cela, trop aveuglés par les jeux auxquels les gens se livraient, les masques derrière lesquels on se cachait, pour simplement se regarder et savoir — car ils *devaient l'avoir su* dès le début — et admettre l'un et l'autre qu'ils savaient.

Elle devait être la seule femme de sa génération à avoir accepté d'épouser un homme qui l'avait seulement embrassée, mais depuis hier ils étaient allés bien plus loin qu'un baiser. Casey était... Jazz chercha le mot juste et finit par le trouver dans un frisson : un *virtuose*. Il lui avait fait regretter d'avoir connu d'autres hommes avant lui, mais sans cela, comment aurait-elle su qu'il était un virtuose ? Jazz se glissa sous les couvertures pour respirer l'odeur de son amant. Était-ce mal pour un homme de sentir aussi bon ? En tant d'endroits différents ? Il fallait qu'elle le réveille, pour son bien à lui, car il gaspillait son odeur à dormir quand il aurait pu lui faire encore l'amour.

Ignorant si l'heure était décente ou non pour tirer Casey du sommeil, Jazz consulta le réveil et découvrit qu'il était près de midi. Ou alors, presque minuit. Ils étaient encore éveillés au milieu de la nuit dernière et ils ne pouvaient avoir dormi vingt-quatre heures. Il devait donc être midi, une mi-journée exceptionnellement sombre et humide. Par chance, on était dimanche, le jour de congé de Susie ; autrement la cuisinière eût fouillé l'hacienda de fond en comble à la recherche de ventres affamés, et eût été choquée de les trouver ensemble au lit. Jazz rit doucement en pensant à Susie : elle connaissait si bien la vie que la seule chose qui risquait de la choquer sincèrement était plutôt leur innocence.

Une goutte d'eau tomba sur le front de Jazz. Elle jaillit illico des couvertures et leva un regard indigné vers le plafond. D'autres gouttes suivirent la première et, tandis que Jazz secouait Casey, formèrent bientôt un filet d'eau régulier.

— Que... Quoi... chérie... marmonna Casey.

— Le toit est en train de fuir !

— Bon sang... Je vais... déplacer le lit...

— Réveille-toi, citadin !

— Non, tu as promis de ne plus jamais m'insulter... Viens par ici...

— Casey, chéri, je t'en prie ! Il n'a pas plu depuis des semaines — c'est un vieux toit, il y a peut-être des fuites partout, il faut regarder dans toute la maison...

— Vraiment ?

— On n'a pas le choix.

— Trouvons un autre lit et laissons celui-ci se faire tremper. Oh mon Dieu, le fax va être mouillé aussi !

Les brumes du sommeil se dissipèrent aussitôt.

— Casey !

— D'accord, d'accord, mais tu devras me dédommager.

— Avec plaisir, promit ardemment Jazz.

Elle essaya de trouver ses vêtements tandis que Casey sauvait son fax en l'installant sur la table haute de la salle de séjour.

Rapidement, ils parcoururent l'hacienda, vérifiant les nombreuses pièces ; ils ne trouvèrent pas d'autre fuite mais Jazz n'était pas rassurée. Elle avait l'impression singulière qu'il pleuvait dans la maison, et pas seulement dans la chambre de Casey.

— La pièce des archives, se rappela-t-elle. Comment ai-je pu oublier ? Où est ta clef ?

Dès qu'ils ouvrirent la porte, ils reconnurent incontestablement le son de l'eau qui goutte là où elle ne le devrait pas. Casey alluma la lumière, Jazz retint son souffle. La pièce des archives recélait le seul bien irremplaçable de l'hacienda ; c'était d'abord ici qu'ils auraient dû venir. Mais le soulagement succéda bientôt à la culpabilité quand ils eurent localisé la fuite. Elle se trouvait dans l'angle opposé aux étagères qui supportaient les albums ; le filet d'eau avait déjà formé une grande flaque sur le sol inégal, mais le mur derrière les portfolios ne portait aucune tache d'humidité.

— Dieu merci, ils sont sauvés, fit Jazz.

— La fuite va s'aggraver, estima Casey. Et d'autres peuvent apparaître. Nous ferions mieux de transporter les albums en lieu sûr, là où nous les garderons à l'œil.

— Les déplacer ? Rien que tous les deux ? Il y en a des centaines !

— Nous sommes assez costauds, répliqua-t-il avec un sourire.

— Je l'étais, marmonna Jazz, résignée, avant que tu t'en prennes à moi.

— J'aurai encore le temps de m'en prendre un peu à toi d'ici que le toit s'effondre.

— Grimpe à cette échelle et passe-les-moi, répondit Jazz. Quand tout sera fini, je préparerai le déjeuner. Ensuite, nous verrons.

*
**

Deux heures plus tard, fatigués mais avec le sentiment du devoir accompli, Casey et Jazz avaient déménagé tous les albums dans la salle de séjour de l'hacienda, où ils les avaient ordonnés à terre en respectant l'ordre des étagères. Jazz avait mis de côté le petit porte-documents brun de son arrière-grand-mère, sur le bureau de sa chambre. Elle s'était souvenue des charmantes et désuètes cartes de Saint-Valentin, et avait formé le projet secret de les recycler — la Saint-Valentin approchait et Amilia ne lui en voudrait certainement pas.

Il était tard, ce dimanche soir. Après le sauvetage, les jeunes gens avaient célébré leur acte héroïque avec un feu de cheminée, de quoi manger, de l'amour et du vin, sans pour autant oublier de se précipiter régulièrement dans la chambre de Casey comme dans la salle des archives afin de vider les seaux disposés sous les fuites. La journée avait été épuisante, et Casey dormait de nouveau, cette fois dans le lit de Jazz. Celle-ci le regardait avec perplexité. Existait-il une différence fondamentale entre les sexes qui permettait à l'homme de s'endormir sitôt après l'amour, au terme d'une journée pluvieuse qui les avait gardés en alerte, alors que la femme restait éveillée, à écouter le bruit décroissant de la pluie, lasse et excitée comme un enfant après Noël, désirant dormir elle aussi mais incapable de ne plus songer aux nouvelles merveilles de sa vie ? Il lui sembla qu'elle allait rester éveillée toute la nuit.

Peut-être un livre assommant ? Elle regarda autour d'elle et vit beaucoup de bouquins, mais aucun qu'elle eût acheté avec garantie d'ennui. Elle avait déjà pris un bain chaud ; elle essaya de compter des moutons, d'imaginer qu'elle descendait dans un ascenseur en visualisant les numéros des étages, ou qu'elle était sur une grande roue qui tournait doucement en arrière, mais aucune des ruses habituelles ne marcha.

Jazz finit par se glisser hors du lit, attrapa le portfolio d'Amilia et revint se nicher sous l'édredon. Elle se rappelait la lettre de son arrière-arrière-grand-mère et décida de mettre ses rudiments d'espagnol à l'épreuve. La traduction en anglais d'un document au style recherché devait être un excellent remède contre l'insomnie. Son cerveau déclarerait forfait devant l'effort et elle glisserait dans l'inconscience que réclamaient tous ses sens.

Moins d'une heure plus tard, ses yeux étaient à moitié clos et ses notes incompréhensibles. La lettre débutait dans un style chaleureux mais conventionnel, par lequel Juanita Isabella Valencia Kilkullen, la future belle-mère, souhaitait la bienvenue à Amilia Moncada y Rivera, la future mariée. Apparemment, les deux femmes étaient cousines au second degré, détail que Jazz avait ignoré jusqu'alors. Le cerveau de plus en plus las, Jazz avait traduit de plus en plus laborieusement, et l'avant-dernier paragraphe avait été si difficile qu'après l'avoir mis sur papier, la jeune femme s'obligea à le relire.

> A présent que vous vous apprêtez à (UN MOT UN MOT) votre famille et devenir une épouse Kilkullen, vous devez savoir que (UN MOT) serment (?) que ma famille, les Valencia, fit à l'endroit de (?) avec les saints pères (UN MOT) il y a (?). Je sens (UN MOT UN MOT) que vous serez aussi fière que je le fus (?) en découvrant que les Kilkullen (UN MOT UN MOT) pas espagnols, sont aussi (?) de Dieu que (UN MOT) les Valencia. Ils (?) conclurent ce pacte lorsque mon (UN MOT) époux (UN MOT) le ranch de mon père et le respectent avec le même (UN MOT) que les Valencia.

— Un mot un mot, point d'interrogation, un mot un mot, point d'interrogation, marmonna Jazz.

Elle éteignit la lumière, écarta bloc et lettre. Quand les papiers glissèrent à terre, elle dormait déjà.

**\***

Sa vendeuse de chez Bergdorf était une créature pétrie de tact, se disait Liddy Kilkullen, mais ce trésor de délicatesse n'avait pas réussi à dissimuler sa stupeur lorsqu'une cliente qui n'avait jamais acheté autrement qu'en solde s'était dirigée droit sur la nouvelle collection à peine mise en rayons, et avait demandé qu'on la lui porte dans le salon d'essayage. La vendeuse lui avait dit, l'avait *avertie* — le mot n'était pas trop fort — que ces vêtements étaient nouveaux et ne seraient pas démarqués avant des mois.

Bien sûr, elle s'était montrée gentille avec la petite idiote, se dit Liddy en s'étirant sur sa chaise longue dans le salon de Fernanda et en buvant une gorgée de thé. Elle avait passé sur la gaffe, feignant de ne rien remarquer, avait murmuré quelque chose de vague, et s'était mise à acheter, acheter, acheter. Elle ne s'était pas souciée de jeter le moindre coup d'œil aux étiquettes. Tenues pour le matin, l'après-midi et le soir, dix fois plus d'habits qu'elle n'en avait jamais acheté en une seule fois ; les dernières collections étaient très audacieuses, exactement ce qu'il faudrait quand elle s'envolerait pour la Californie afin d'aller surveiller ses filles.

Pour être franche, admettait Liddy en son for intérieur, elle n'avait pas vraiment *besoin* de ces vêtements tout de suite. La Californie en été ne jouissait pas d'un climat balnéaire, mais plutôt d'une température qui justifiait tailleur et chemisier, avec une veste chaude pour les soirées. Elle était tout à fait consciente de s'être servie de son voyage comme prétexte à ses folies ; elle s'était offert le plaisir de fondre sur les seuls vêtements de la ville qui ne fussent pas en solde après Noël, et elle s'en moquait.

C'était le seul moyen qu'elle connût de célébrer sa fortune. Amateur de chocolats, elle en eût consommé assez pour avoir une crise de foie ; portée sur la boisson, elle se fût abîmée dans les brumes éthyliques ; gourmande, elle eût pris dix kilos depuis son marché passé avec Jimmy Rosemont. Mais la discipline de toute une vie lui avait depuis longtemps appris à écarter toute envie de nourriture, d'alcool ou de friandises, et elle n'allait pas déjà acheter des bijoux, pas avant d'avoir complété sa nouvelle garde-robe.

Certaines femmes choisissent leurs vêtements pour mettre en valeur leurs bijoux, d'autres prennent les bijoux comme complément à leur tenue vestimentaire. Liddy n'entrait dans aucune de ces catégories, elle s'en rendit compte avec une soudaine volupté intérieure. Elle était l'une des rares femmes dont vêtements et bijoux, aussi brillants soient-ils, constitueraient toujours le parfait arrière-plan sur lequel elles demeuraient l'unique objet d'attention.

Voilà donc ce que permettait l'argent. Elle développerait son potentiel, comme elle n'avait pu le faire jusqu'alors, ayant trop à compter, à planifier la façon de dépenser le peu qu'elle possédait Toujours, elle avait été fascinée par ses amies très riches, se demandant ce qu'on éprouvait, *ce qu'on éprouvait réellement* dans leur peau, tout en sachant qu'il était impossible d'imaginer ou même de comprendre cette fibre si essentielle à moins de l'avoir soi-même et de ne dépendre de quiconque au monde.

Liddy se demanda ce que l'argent provoquerait chez Fernanda et Valerie. Certes, elles changeraient, mais comment ? Imprévisible. Peut-être tourneraient-elles d'une façon qui ne lui plairait pas. C'était cette perspective qui l'avait poussée à les rejoindre en Californie. Le téléphone ne suffisait pas pour communiquer avec ses filles. Désormais héritières, comme elle l'avait depuis si longtemps prévu, celles-ci avaient plus que jamais besoin de ses conseils. Pendant les trois dernières décennies, elle avait observé, épié le genre de vie qu'elle allait désormais mener, aussi en connaissait-elle les pièges.

Oui, songeait Liddy, s'il était un domaine dans lequel elle faisait autorité, c'était bien le mode de vie des gens richissimes. Personne ne pouvait se montrer aussi objectif que celle qui avait été contrainte d'être — pourquoi ne pas prononcer le mot le plus dur, puisqu'il n'avait plus le pouvoir de la blesser ? — un parasite. Certes, elle avait dû payer sa place dans le cercle des gens richissimes, la payer quotidiennement, mais elle avait été un parasite malgré tout, à demi patenté.

Mais de même que le légendaire tailleur anglais n'était pas censé harceler l'homme riche pour une note impayée, elle n'aurait plus jamais à équilibrer ses comptes. Plus jamais les charmants et rapides petits billets de remerciement, plus jamais les fleurs envoyées au lendemain d'une soirée, fini de se demander si elle devait une invitation à quelqu'un — dorénavant, ce serait les autres qui auraient l'impression de lui *devoir*. Comme une grande beauté, une grande star, un grand talent, une femme richissime pouvait vivre sans se soucier de personne, seulement quand et si cela lui plaisait.

Dans un sursaut, Liddy comprit qu'elle ne retournerait jamais à Marbella. Comme si sa décision avait été le fruit d'une mûre réflexion, elle connut tout à coup le lieu de sa future résidence : San Clemente.

Que c'était drôle, merveilleusement drôle ! A présent qu'elle était en mesure de vivre sur un grand pied où que ce soit dans le monde, elle bouclait la boucle pour revenir dans la petite ville californienne. Et aussi longtemps que Deems White serait gouverneur de l'État, aussi longtemps que Nora et lui conserveraient leur résidence secondaire à San Clemente, elle serait auprès de lui.

Apprendrait-elle jamais à être absolument honnête avec elle-même ? se demanda-t-elle avec un sourire de petite fille. Elle reposa doucement sa tasse de thé. Aujourd'hui, alors qu'elle essayait les vêtements dans le salon d'essayage, elle n'avait pensé à rien d'autre qu'à l'effet qu'ils produiraient sur Deems. Toutes les excellentes raisons qui la poussaient à se sentir indispensable à ses filles en cachaient une seule, une vraie : Deems. Valerie et Fernanda se débrouilleraient très bien toutes seules, mais son amour avait besoin d'elle, et elle était enfin libre d'aller à lui.

Au fait, qui était le meilleur agent immobilier de San Clemente ? Celui qui négociait les plus belles propriétés ?

*<br>**

— J'ai cru que je ne trouverais jamais le moyen de t'attirer loin de Valerie, dit à Fernanda Lady Georgina Rosemont.

— Je croyais que tu l'aimais bien, répondit Fernanda.

Toutes deux revenaient au *Ritz* en voiture. Georgina venait de faire une razzia sur les plus curieuses antiquités de la boutique de Gep Durenburger à San Juan Capistrano, laissant le charmant petit magasin dépouillé de ses meubles et objets les plus intéressants.

— C'est vrai, reprit Georgina, mais bizarrement nous ne nous amusons pas autant en sa présence que lorsque nous sommes toutes les deux. Je me sens de cent ans plus jeune que Val, pas toi ? Dieu soit loué, la très chère a décidé de ne pas nous accompagner. Attends que mes précieux assistants voient arriver à New York l'énorme caisse de chez Durenburger... il faudra qu'ils me montrent un peu plus de respect.

— Oh, Georgie, ils t'adorent, protesta Fernanda.

Elle regarda la petite Anglaise aux cheveux auburn avec un étonnement toujours renouvelé. L'insouciance avec laquelle Georgina portait sa mystérieuse beauté n'était jamais affectée, il n'y avait pas une once de fatuité en elle, et son sens de l'humour visait d'abord sa propre personne.

— Je suis honnête, Fernie. Tu sais aussi bien que moi que je ne suis pas une véritable décoratrice... Jimmy tient seulement à ce que je me consacre à une activité amusante. Dès que ce ne sera plus amusant, j'arrêterai et je trouverai autre chose. Peut-être une petite échoppe de fleuriste.

— Pourquoi pas un salon de thé ?

— Oh, splendide ! Je ferai griller les muffins et je préparerai les crêpes, toi tu t'occuperas des théières. Tu aimerais ? Nous pourrions lancer l'affaire ensemble. Sérieusement, Fernie, ce serait amusant de travailler ensemble, non ? Il faut que tu trouves quelque chose à faire, tu sais, tu ne peux pas rester passive à compter ton argent.

— Je n'ai jamais rien fait. Pourquoi devrais-je commencer, sous prétexte que je deviens atrocement riche ?

— C'est toujours mieux quand on fait un effort, pour la galerie et tout le tralala — tu ne veux pas te retrouver dans ces affreux comités de bienfaisance, n'est-ce pas ? Vendre des billets pour les bals, acheter des billets pour les bals, puis finalement se rendre aux bals, sans jamais en voir le bout ? Une activité fournit l'excuse idéale — « Désolées, mesdames, nous ne pouvons assister à ce déjeuner, nous devons faire cuire les pains au lait, sans parler de la vaisselle. »

— Je croyais que tu aimais ces soirées et ces bals... tu t'en acquittes si bien.

Fernanda confia la voiture au garçon de parking et les deux femmes se dirigèrent vers l'ascenseur du *Ritz*, où les Rosemont avaient leur suite, au même étage que celles de Fernanda et de Valerie.

— Oh, je le fais pour Jimmy. Je suppose que cela m'est égal, du moins cela m'était égal l'an dernier, quand c'était tout nouveau. Maintenant, je commence à trouver que c'est trop... ennuyeux, vain et épuisant. Je préférerais de loin leur envoyer l'argent et ne pas m'y rendre. Viens, beauté, nous allons commander du thé et voir s'ils le servent aussi bien ici que nous le ferons dans notre petite boutique.

— Où est Jimmy ?

— A San Francisco pour la journée. Il ne reviendra pas avant ce soir. Des réunions et encore des réunions... tu le connais.

Les deux femmes prirent le thé dans un silence relatif. Georgina semblait absorbée par l'idée du salon de thé ; ce fut du moins ce que pensa Fernanda et elle se contenta de la regarder et l'admirer. Georgina avait vingt-neuf ans, dix de moins qu'elle, calcula-t-elle à sa grande surprise, pourtant elles étaient tellement à l'aise ensemble qu'il était difficile de croire à cet écart d'âge. Soit Georgina était très mûre, soit elle, Fernanda, était puérile. Probablement les deux.

Quand le plateau du thé fut enlevé, Georgina passa dans sa chambre.

— Viens bavarder avec moi, Fernie. Je veux m'allonger un instant. Je crois que j'ai trop chiné.

— Je vais dans ma chambre si tu as envie de faire une sieste.

— Non, franchement, je n'ai pas sommeil, je suis juste lasse. Et je ne veux pas que Valerie te sache de retour.

Définitivement puérile, se dit Fernanda. Elle éprouvait la même chose. Toutes deux étaient pareilles à des gamines se cachant d'une gouvernante sévère. Dès qu'elle avait rejoint son mari au *Ritz*, quelques jours après l'entretien de Jimmy Rosemont et Sir John avec Jazz, Georgina et elle s'étaient efforcées de passer du temps ensemble, comme les y avaient accoutumées leurs fréquents déjeuners à New York, mais Valerie ne les avait pas lâchées.

Fernanda savait que la vente du ranch serait organisée par des hommes d'affaires plus au fait qu'elle de ces choses. Elle était contente de laisser Jimmy et Sir John agir pour elle. Le seul fait de quitter New York lui avait allégé le cœur, et la présence de Georgina lui donnait l'impression d'être en vacances.

Elle non plus ne souhaitait pas que Valerie sût qu'elles étaient revenues de leur expédition. Elle ne voulait pas... *partager* Georgina, comprit-elle. Seule avec elle, elle éprouvait un merveilleux sentiment d'exclusivité, qui s'évanouissait dès que Valerie, la capable, la sensée, la très organisée Valerie, les rejoignait — ce qu'elle avait souvent fait les jours passés. Ce devait être ce que ressentaient les gamines avec leur meilleure amie, pensa Fernanda. Jamais elle n'avait eu de meilleure amie au collège, celle à qui l'on chuchote dans l'oreille des choses sur les autres, à qui l'on confie ses secrets, de qui l'on est jalouse comme on le serait d'un garçon. Elle avait toujours été trop occupée d'elle-même et de ses désirs secrets pour se chercher une amie, il n'y avait pas eu d'autre fille comme elle à qui parler, ou s'il en avait existé, elles étaient aussi solitaires et secrètes qu'elle.

Elle suivit Georgina dans l'une des deux chambres de la suite. Georgina lui avait expliqué que son mari et elle ne partageaient jamais leur chambre, car il était souvent debout aux petites heures du matin ou de la nuit pour téléphoner à ses partenaires partout dans le monde.

— Viens ici et assieds-toi, ma douce, invita Georgina en tapant sur le lit. Je veux allonger mes jambes.

— Tu n'as pas l'air fatiguée.

— Je ne le suis pas vraiment. Maintenant que nous sommes là, je me sens bien. J'ai dit à la femme de chambre de laisser les rideaux fermés pour avoir une pénombre un peu décente. Tout ce soleil... c'est un choc pour mon système après la pluie d'hier. Au moins, New York a le bon goût de rester gris en hiver.

— Londres te manque ?

— Un peu. Du moins jusqu'à ce que je te rencontre. Tu es si drôle, Fernie, si coquine, si flamboyante, une enfant sauvage déguisée en cow-girl. Tu me rappelles quelqu'un que j'adorais... elle ne te ressemblait en rien mais elle était encore plus ensorceleuse.

— Qui était-ce ? s'enquit Fernanda, avec un pincement de jalousie devant la voix rêveuse de Georgina.

— Une fille au pensionnat... Claire. Elle était plus âgée que moi... quinze ans peut-être, quand je n'en avais que douze... mais nous sommes devenues de très grandes amies en dépit de cet écart. Je n'oublierai jamais Claire.

— Tu la vois toujours ?

— Je doute que je la reconnaîtrais aujourd'hui. J'ai su qu'elle était devenue une parfaite maîtresse de maison et la mère parfaitement guindée de quatre enfants parfaitement guindés... Promets-moi que tu ne feras jamais cela, Fernie.

— J'en serais incapable même si je le voulais. Je suis fondamentalement imparfaite.

— A l'école, Claire était différente. Nous étions dans le même bâtiment. J'ai eu le plus terrible béguin pour elle... Je la regardais pendant la chorale, et j'en oubliais de chanter. Aux repas, je ne la quittais pas des yeux, je l'espionnais chaque fois que j'en avais l'occasion, je sais que je n'ai jamais été aussi aveuglément amoureuse.

— Amoureuse ?

— Bien sûr, Fernie, amoureuse. Un pur amour, un premier amour, le plus douloureux, celui qu'on n'oublie jamais.

— Puis elle a eu son diplôme et tu ne l'as pas revue.

— Oh non... ç'aurait été trop cruel. Non, une nuit, alors que j'étais couchée, Claire vint dans la chambre — les grandes filles pouvaient faire tout un tas de choses interdites aux petites, par exemple veiller tard —, alors elle a refermé la porte et s'est assise sur le lit, exactement comme tu es assise, puis elle s'est penchée et m'a embrassée sur le front.

— A-t-elle dit quelque chose ?

— Qu'elle avait remarqué que je la regardais, elle voulait savoir pourquoi. Elle se moquait de moi, elle savait très bien pourquoi. J'étais comme paralysée, incapable d'articuler un mot, et elle m'a embrassée sur les lèvres... c'était la première fois qu'on m'embrassait sur les lèvres... oh, elle m'a embrassée et embrassée, encore et encore... elle savait ce qu'elle faisait.

La voix de Georgina était sourde et régulière, comme envoûtée par les souvenirs.

— Elle avait les lèvres les plus douces, Fernie, et quand j'ai fini par oser l'embrasser à mon tour, oh, bien plus tard, elle a relevé ma chemise de nuit et s'est mise à m'embrasser les seins... Je commençais tout juste à en avoir, ils étaient tendres et petits, je les touchais chaque matin à mon réveil pour voir s'ils avaient grossi pendant la nuit... Elle a continué à m'embrasser les seins, et à jouer avec, jusqu'à ce qu'ils soient comme gonflés, puis elle est venue dans les draps avec moi et j'ai senti ses mains qui se glissaient entre mes jambes et elle a commencé à me toucher là... si gentiment, si merveilleusement, Fernie, personne ne m'avait jamais fait cela sauf... enfin, moi, tout le temps... mais je ne savais pas combien c'était différent quand c'était quelqu'un d'autre... c'était... oh, difficile d'expliquer, mais rien, jamais, ne m'avait paru si... si *important*... comme si je n'avais pas compris, jusque-là, pourquoi j'étais vivante. Je ne l'avais pas compris avant que Claire me caresse entre les jambes jusqu'à... elle ne s'est pas arrêtée, Fernie, même pas quand j'ai commencé à... enfin, tu sais, je n'ai pas besoin de t'expliquer. Je n'avais pas la moindre idée sur la façon de lui dire combien c'était extraordinaire, alors elle m'a montré comment la rendre heureuse. C'était ma première fois. Ensuite, Claire est venue dans ma chambre chaque fois qu'elle en avait l'occasion, et j'ai appris... j'ai appris tant de choses différentes... j'étais une bonne élève.

Georgina eut un long rire de gorge.

— Sa meilleure élève.

— Que s'est-il passé quand... Claire a quitté l'école ?

Fernanda trouva sa propre voix étrange, comme venue de très loin.

— D'abord, je n'ai pas su quoi faire. Je pensais tout le temps à elle, je me le faisais toute seule, bien sûr, mais ce n'était pas pareil... J'en avais un tel besoin... je ne pouvais penser qu'à cela, j'étais incapable de me concentrer sur mes livres. Et puis j'ai remarqué une fille de mon âge, une fille qui me regardait comme j'avais regardé Claire — et une nuit je suis allée dans sa chambre.

— Oui ? fit Fernanda d'une voix rauque.

— Je lui ai fait l'amour, comme Claire m'avait appris. Après, il y a toujours eu une fille, jusqu'à ce que je quitte l'Angleterre, mais jamais personne n'a pu prendre la place de Claire, personne qui me fascine à ce point, personne que je désire autant, personne pour qui j'éprouve un coup de foudre si terrifiant... jusqu'à ce que je te rencontre.

La voix grave de Georgina trembla, mais elle ne modifia pas sa position étendue sur le lit, ne fit pas un geste en direction de Fernanda.

— Je ne... Je n'ai jamais... Je n'avais pas idée... balbutia Fernanda.

Elle n'osait pas regarder son amie. La surprise, le choc mêlé à une excitation involontaire mais irrésistible la jetaient dans une totale confusion. Assise ainsi dans la pénombre de la chambre, à écouter la belle voix rêveuse de Georgina, à imaginer la scène entre les deux filles, elle était devenue follement excitée. Mais comment était-ce possible ? Elle ne s'était jamais sentie attirée par une femme... Certes l'idée lui avait traversé l'esprit, maintes fois, mais pour être aussitôt supplantée par la certitude qu'il ne s'agissait que d'une curiosité intellectuelle, que tout le monde avait ce genre de pensée et que cela ne signifiait rien.

— Je sais que tu n'avais pas idée, mon oie blanche chérie. Pourquoi crois-tu que je t'aie parlé de Claire ? Tu ne penses pas que je raconterais cette histoire à quelqu'un d'autre, j'espère ? Fernie, tu n'as jamais trouvé l'homme qu'il te fallait, n'est-ce pas ? Les gens se disent que tu prends les hommes, que tu les épuises et que tu passes au suivant, mais je sais qu'on ne t'a jamais bien fait l'amour. Je me trompe ?

— Je... non... mais je crois que... c'est... à cause de moi.

— C'est impossible. Oh, ma douce, rien ne peut être ta faute. Écoute, je sais que je t'ai certainement horrifiée en te disant que j'aimais les filles, je te sais nerveuse et tendue, je me doute que tu as des tas de théories contre cela, mais quel mal y aurait-il à ce que tu essaies... avec moi ? Une simple expérience... juste une fois ? Si tu n'as pas de plaisir, nous ne recommencerons pas, nous oublierons ce qui se sera passé et nous resterons les meilleures amies. Je te le promets, car j'adore tellement être avec toi. Laisse-moi seulement te montrer. Tu n'es pas obligée de faire quoi que ce soit, tu n'as pas à bouger le moindre muscle, et si tu me demandes d'arrêter, j'arrêterai... Je te donnerai ta première leçon comme j'avais l'habitude de le faire à l'école.

Comment refuser, se demanda Fernanda, comment même parvenir à se lever et quitter cette chambre, alors qu'elle arrivait à peine à respirer ?

— Verrouille la porte, parvint-elle à articuler.

Tandis que Georgina s'exécutait, elle hésita à s'allonger sur le lit, mais elle était trop grisée pour bouger. Elle ne savait comment s'y prendre, constata-t-elle, affolée, puis Georgina revint, se plaça derrière elle et entreprit de lui caresser les cheveux, le front, d'une main si tendre et rassurante que toute tension dans ses épaules finit par l'abandonner.

— Oui, oui. C'est mieux. Oh, j'ai eu envie de toucher tes cheveux pendant tellement longtemps, murmura Georgina en attirant la tête de Fernanda contre sa poitrine. Je te regardais quand nous déjeunions et je me demandais comment ce serait — si doux, si parfumé, meilleur que je le rêvais. Viens chérie, c'est bien, allonge-toi et laisse-moi te regarder.

Elle passa un bras sous la tête de Fernanda et l'embrassa sur le front. Fernanda eut un frisson d'anticipation, au souvenir de la façon dont Claire avait débuté sa leçon. Elle laissa aller sa tête sur l'oreiller, ferma les yeux et laissa sa bouche recevoir les baisers de Georgina. Cette bouche exquise, se dit-elle, cette bouche à la forme merveilleuse que ne couvrait jamais aucun rouge à lèvres, cette bouche chaude, cette langue petite et pointue, audacieuse malgré ses incursions timides entre ses lèvres — pas du tout comme la langue brouillonne d'un homme, souvent trop grosse ou trop exigeante.

Elle fut consciente que Georgina avait cessé de l'embrasser pendant assez longtemps pour se dévêtir ; elle entreprenait de déboutonner elle-même sa chemise quand elle sentit sur elle la main de Georgina.

— Non, laisse-moi faire. Je veux être ton esclave.

— *Quoi ?*

— Ton esclave, chérie. Je veux te servir, tout faire pour toi, quoi que tu veuilles, il n'y a pas de hâte, nous avons tout le temps. Plus ce sera long de te rendre heureuse, meilleur ce sera. Oh, j'aime que ça dure très, très longtemps. *J'aime qu'on me dise ce qu'il faut faire.*

— C'est ce que Claire te disait ? murmura Fernanda.

— Non, j'ai compris bien après que c'était ce que je voulais... puis-je être ton esclave ?

— Oui... oh, oui...

— Puis-je défaire ta blouse ?

— Oui.

Comme Georgina défaisait un à un les boutons, Fernanda l'entendit respirer de plus en plus vite. Mais à l'instant où furent libérés du carcan de soie les seins arrogants et splendides, Georgina attendit pour les toucher d'en recevoir la permission. Alors seulement elle les caressa du bout de ses doigts habiles, expérimentés, souples, qui savaient donner le maximum de plaisir, tracer autour du mamelon des promesses de plus en plus précises ; et Fernanda sentait les pointes de ses seins se tendre douloureusement vers un contact qui ne venait pas, ne viendrait pas si elle ne l'ordonnait.

Elle s'arqua sous l'exquise torture, cambrant le dos et la nuque, s'obligeant à attendre que Georgina quête sa permission. Georgina, son esclave. Mais bien que celle-ci approchât de ses seins son souffle chaud, elle ne demanda rien, et Fernanda finit par comprendre qu'une esclave ne pouvait suggérer que certaines choses et que d'autres désirs intimes ne relevaient que d'elle seule. Elle mouilla un de ses doigts, en effleura brièvement son mamelon. A ce signal, la bouche ouverte de Georgina fondit sur son sein dans un mouvement ardent mais qui prenait le soin infini de ne pas la maltraiter jusqu'à la douleur, comme le faisaient tant d'hommes dans leur fièvre.

— Nous avons tout le temps... Plus c'est long, meilleur c'est... murmura Georgina.

Et Fernanda soupira d'extase. Elle avait toujours attendu que cette caresse dure longtemps, plus que ce que ne concédait aucun homme, et que l'on s'y prenne ainsi, la succion étant une fin en soi, pas un simple stimulant avant la pénétration. Elle se tourna sur le côté et ses seins s'abandonnèrent à leur lourde plénitude, et elle se livra aux lèvres gonflées de Georgina, à sa langue joueuse, à ses dents à peine mordantes. Elle n'avait pas une pensée pour son esclave, seulement pour elle-même et son plaisir, car il n'y avait pas d'homme avec un besoin urgent, un but à atteindre, simplement une belle esclave, une adoratrice qu'elle autorisait à lui complaire.

Beaucoup de temps, un temps voluptueux, concentré, un temps sans limite, s'écoula avant que Fernanda n'esquisse un geste vers la ceinture de son pantalon ; obéissante, Georgina défit l'unique bouton, ouvrit la fermeture et tira le pantalon. Fernanda ne portait qu'un mini-slip que, perversement, elle garda, pour éprouver le contrôle de Georgina. Elle n'avait pas touché le corps nu de Georgina mais elle le contemplait à travers ses paupières mi-closes. Jamais encore elle n'avait rencontré de femme qui eût un plus joli corps que le sien mais, pour une taille semblable, Georgina avait des seins plus gros et plus fermes, une chute de reins plus rebondie, une taille plus mince et des hanches plus pleines. Il n'était pas étonnant qu'elle paraisse un peu trop ronde dans ses vêtements. Nue, c'était une déesse.

Georgina ne reçut pas la permission d'ôter le slip de Fernanda mais un geste lui commanda de poser la bouche sur l'entrecuisse gainée de soie. Fernanda savait l'étoffe humide, elle voulait que Georgina le sente avec ses lèvres, avec sa langue, mais sans se donner pleinement. Pas encore. Georgina posa la bouche à cet endroit mais se contenta d'y presser les lèvres.

— Sers-toi de ta langue, esclave, murmura durement Fernanda.

Elle demeura allongée, essayant de ne pas bouger, tandis que la petite langue lapait chaudement la soie, mais bientôt elle se débarrassa vite de son slip et ouvrit largement les jambes, le souffle précipité, écartant elle-même ses lèvres pour guider Georgina vers son clitoris.

— Plus fort, ordonna-t-elle, plus fort, et ne t'arrête pas... Rentre aussi loin que tu peux.

Elle sentit la force surprenante de la petite langue qui la pénétra et tourna savamment en elle, puis se retira. Georgina ne s'interrompait que pour dégager de ses doigts le clitoris, faire courir sa langue autour de la chair gonflée et l'engouffrer dans sa bouche. Encore et encore, avec les grognements d'une faim toujours renouvelée, elle répéta ces deux gestes, pénétrant Fernanda aussi loin que possible puis se retirant pour la sucer ; et à chaque fois, Fernanda sentait son clitoris grossir et grossir, comme s'il devenait un petit pénis ferme. Elle s'abandonna à un délire croissant, passion uniquement possible parce qu'il n'y avait pas d'invasion de son corps, parce que Georgina savait si précisément ce qu'il fallait lui faire, parce que Georgina avait un corps de femme, un esprit de femme et savait donner à une autre femme ce qu'elle désirait exactement.

Lentement, venu de très loin, elle sentit l'orgasme monter, mais elle n'en livra aucun signe, sachant que son esclave n'arrêterait pas avant d'en avoir reçu l'ordre, que son esclave voulait que cela dure le plus longtemps possible, que son esclave ne demandait rien, que son esclave serait toujours là. Pas de hâte, il n'y avait pas de hâte, se dit Fernanda émerveillée, et elle plongea dans des sensations qu'elle n'avait jamais connues.

Peu à peu, les mouvements de langue de Georgina devinrent trop excitants pour être endurés en silence, et Fernanda s'entendit émettre des sons qu'elle n'avait jamais émis avec aucun homme, sons qui ne poussaient pas Georgina à ralentir son rythme. Rien ne la pousserait à cesser trop tôt, rien ne la forcerait à retirer sa langue adorable pour y substituer un dur et volontaire pénis, qui n'était pas voulu, qui n'était pas nécessaire. Fernanda se cambra encore plus haut, passa les mains derrière la douce tête de Georgina et poussa sa vulve distendue, gonflée, ouverte, vers la bouche avidement obéissante, la poussa avec urgence, avec folie, tandis que l'orgasme venu de très loin se faisait de plus en plus proche, arrivait ; elle ne pouvait plus le retenir, elle s'y livra toute — l'orgasme le plus puissant, le plus formidable, qui l'enveloppa et lui fit hurler sa joie.

*
**

— Tout... tout est différent maintenant, dit Fernanda quand elle put enfin parler.

— Je t'aime, Fernie.

— Toutes ces années... oh, Georgie... je n'ai jamais su ce que ça pouvait être... tu as été si... je ne peux pas te dire...

— Ne dis rien, blottis-toi contre moi, laisse-moi te bercer doucement, ma belle adorée.

Elle prit Fernanda dans ses bras et la berça doucement, l'étreignant étroitement sans désir. Mais Fernanda, qui venait de connaître le premier véritable orgasme de sa vie, libérée à présent du souci de sa seule personne et de ses besoins insatisfaits, prit soudain conscience de la fragrance épicée du corps nu de Georgina.

Sa curiosité s'éveilla, et l'émerveillement avec lequel elle avait tout à l'heure regardé la nudité de son amie se mua rapidement en autre chose. Cette plénitude luxuriante, opulente et jeune, cette peau blanche avec ses capiteuses ombres rosées, ces mamelons d'un brun lumineux sur les seins lourds, ces délectables boucles rousses qui abritaient sa vulve, tout cela inexploré, inconnu, jamais encore goûté et tellement, incroyablement tentateur. Sans penser à ce qu'elle allait faire, elle commença à caresser Georgina dont les yeux brillaient d'une soumission rieuse, Georgina dont tout le visage était de pêche, et ouvert, et joyeux, Georgina qu'elle aimait. Fernanda sentit en elle un embrasement inaccoutumé, violent, désir inconnu qu'aucun homme ne lui avait jamais inspiré, qui naquit au plus profond d'elle-même, et sans un mot, sans quêter la moindre autorisation, elle se redressa sur le lit, plaqua les bras de Georgina sur le matelas, enfourcha le corps magnifique qui s'étirait sous elle, ce corps encore mystérieux qui désormais lui appartenait. Fernanda se sentait devenir pressante, lourde, agressive. Encore, oh oui, *encore*.

— Tu n'as pas à... murmura Georgina. C'était pour te rendre heureuse...

— Chut et reste allongée. Je vais te baiser.

**
*

— Susie, sais-tu beaucoup de choses sur mon arrière-grand-mère Amilia ? demanda Jazz.

Elle s'assit à la table de cuisine en regardant la minuscule cuisinière s'affairer avec son efficacité coutumière.

— Comment en aurais-je entendu parler, Jazz ? Je n'ai commencé à travailler ici qu'en 1961. On ne va pas se remettre à se disputer sur mon âge, j'espère.

Susie darda sur la jeune femme un œil connaisseur. Il s'était passé quelque chose pendant ce dimanche pluvieux, sûr, et quoi d'autre que ce qu'elle attendait depuis longtemps ? Et parole, cela avait l'air de lui avoir fait du bien. Le moment était bienvenu. Mike Kilkullen aurait voulu que Casey et Jazz découvrent enfin qu'ils s'aimaient, quel que soit le chagrin qu'ils éprouvent de sa disparition.

— Tu parles espagnol chez toi, Susie, n'est-ce pas ? s'enquit encore Jazz.

— Ça dépend. Mes garçons parlent les deux langues, mon mari préfère l'espagnol, ma mère ne parle que l'espagnol, mes petits-enfants n'en comprennent que les jurons.

— Es-tu capable de lire l'espagnol traditionnel ?

— Juanita Isabella, sais-tu lire l'anglais ? lança Susie. Que crois-tu que j'ai étudié pendant quatre ans au lycée ?

— Assieds-toi, je t'en prie, et jette un coup d'œil là-dessus, fit Jazz en lui tendant la lettre.

— Oh, tu as des devoirs de vacances ?

— Pas tout à fait.

— Pourtant, ça ressemble à ce que tu faisais de tes devoirs autrefois. Quel fouillis ! Remarque, ce n'est rien à côté de la chambre de Casey et de la salle des archives. Les couvreurs sont déjà au travail, avant les prochaines pluies.

— S'il te plaît, Susie, aide-moi un peu. J'ai trouvé cette lettre, elle est de mon arrière-arrière-grand-mère à mon arrière-grand-mère Amilia. Je n'arrive pas à traduire ce paragraphe, il n'a aucun sens pour moi.

Jazz montra la partie de la missive qu'elle avait essayé de traduire pendant la nuit. Susie chaussa ses lunettes et parcourut les lignes d'encre brunie à l'écriture recherchée.

— J'ai compris en gros, dit-elle enfin. Tu veux un mot à mot ?

— Non, l'essentiel.

— Bon, autant que je comprenne, il semble que, quand les Valencia ont vendu le ranch aux Kilkullen, il existait une sorte de pacte à propos du ranch, que les Valencia avaient conclu depuis des lustres avec les moines franciscains, probablement les prêtres de la Mission, quand ils étaient encore là. Bref, les Kilkullen étaient aussi pieux catholiques que les Valencia, ils acceptèrent de respecter ce traité sacré. En gros, Amilia pouvait être assurée que les Kilkullen vivaient dans la crainte de Dieu tout comme les Valencia, et être fière de s'unir à cette famille.

— Comment est-ce possible ? Je n'ai jamais entendu parler d'aucun pacte, protesta Jazz.

— Peut-être ne lui donnait-on pas ce nom. Peut-être a-t-il à voir avec l'histoire de la Mission que ma mère me racontait. Elle la tenait de sa grand-mère, qui l'avait certainement entendue de sa mère, et ainsi de suite. Elles appelaient cela la « promesse de la montagne ».

— Tu ne me l'as jamais racontée.

— Quand tu étais assez petite pour écouter des histoires dans ton lit, tu avais ta mère... et puis... tu as eu Rosie pour s'occuper de toi, ton père aussi pour te raconter des histoires — tu ne traînais pas dans la cuisine à me déranger, et de toute façon j'avais du travail pour nourrir tout ce monde-là.

— Raconte-la-moi maintenant !

— Oh, c'est un joli conte au sujet de la construction de la Mission à San Juan Capistrano. Il fallut neuf ans pour bâtir la grande église de pierre. Elle ne fut achevée qu'en 1809. Le clocher était plus grand que n'importe quel monument jamais construit en Californie. C'était la merveille du pays. Tous, hommes, femmes, et tous les enfants assez grands, participèrent à la construction. Certains apportaient les pierres à mains nues, d'autres dans des charrettes, ils allaient chercher le bois de sycomore sur les *mesas*, grès et pierre à chaux étaient taillés à des lieues d'ici, on apporta même des pierres de la pointe Valencia. Lorsque la grande église de pierre fut achevée, les gens affluèrent de partout en Californie, soldats et dignitaires, et des centaines d'Indiens convertis, tous vêtus de leurs plus beaux habits, tous fiers et heureux. Ensuite, il y eut la plus grande fiesta qu'on ait jamais vue, et les gens festoyèrent pendant des jours et des jours. On pria, on fit des processions, on dansa, on chanta. Pour offrir une action de grâce en l'honneur de l'achèvement de la grande église, le vieux Teodosio Valencia et un groupe de Franciscains gravirent le Pic de Portola — que l'on appelait alors la Montagne de la Lune —, et on dit que Teodosio trouva un lieu sacré tout en haut de la montagne, où il fit une promesse solennelle aux saints pères qui avaient fait le pèlerinage avec lui. Il fit le vœu que la main de l'homme ne changerait jamais rien sur ses terres, aussi loin que l'œil pouvait embrasser depuis la Montagne de la Lune.

— C'était la « promesse de la montagne » ?

— Oui, l'histoire se terminait toujours par ces mots, « aussi loin que l'œil peut embrasser ». Mais tu connais ces vieilles histoires, Jazz. On dit aussi qu'il y a eu une autre Mission à San Juan, plus vieille que celle dont on voit les ruines aujourd'hui, mais personne n'a jamais découvert où elle était — *Mission Viejo*. Il n'existe sans doute pas plus de lieu saint que de ruines ou quoi que ce soit sur le Pic de Portola

— Mais cette histoire a survécu pendant près de deux cents ans !

— Comme toutes les bonnes histoires. Je pourrais t'en raconter des dizaines, chacune avec un miracle. Nous commencerons par la séparation des eaux de la mer Rouge.

— Susie, tu es cynique.

— Réaliste, ma cocotte. Travailler pour les Kilkullen a surmené mon sens du romanesque.

## 19

Lorsque Jazz se décida à raconter à Casey la discussion décourageante qu'elle avait eue avec Steve Johnson, la perspicacité du jeune homme en matière d'affaires le força à tomber d'accord avec le verdict de l'homme de loi : Jazz pouvait différer le développement de la terre, elle ne l'empêcherait jamais.

Elle ajouta ce qu'elle avait appris de Susie au sujet de la « promesse de la montagne », et mentionna l'obscure lettre adressée à Amilia.

— N'as-tu pas l'impression que tout cela est primordial ? demanda-t-elle pleine d'espoir.

— D'accord, chérie, cette idée d'un nouveau Monte-Carlo est terrifiante, répliqua Casey, mais on ne peut la combattre qu'avec des faits tangibles. Il faut trouver quelqu'un qui fasse le lien entre l'histoire et la lettre, sinon c'est se raccrocher à des brins de paille. Qui, hormis Susie, connaîtrait les légendes locales ?

— Peut-être... M. White, l'homme qui nous a lu le testament, bien qu'il soit trop jeune d'une petite centaine d'années. Mais sa famille a toujours eu des liens d'affaires avec la mienne.

— Prenons rendez-vous avec lui. Il n'est sans doute pas un grand guérisseur indien, mais il est notre seule carte.

**
*

Jazz s'arrêta à mi-chemin des quelques marches qui menaient au bureau de Henry White à San Clemente.

— Peut-être n'est-ce même pas un brin de paille auquel j'essaie de me raccrocher... Si je lui faisais perdre son temps ?

— Ridicule, protesta Casey en la poussant en avant. Il n'a pas si souvent l'occasion de voir une belle fille comme toi.

Henry White les reçut avec sa courtoisie coutumière, moins étonné par la présentation que Jazz fit de Casey comme de son « fiancé » que la jeune femme ne le fut elle-même ; elle n'avait jamais prononcé ce mot mais comprit qu'il n'y avait pas d'autre moyen de présenter correctement Casey au digne vieillard.

Quand elle lui eut montré la lettre d'Amilia et conté l'histoire de Susie, le banquier retraité s'appuya au dossier de son fauteuil et secoua pensivement la tête.

— C'est un puzzle plutôt romanesque que vous avez trouvé là, ma chère Jazz, mais je n'ai jamais entendu cette histoire auparavant; quant à cette lettre, elle peut signifier tout et rien.

— Je sais, mais... Teodosio Valencia reçut la terre de la Couronne d'Espagne en 1788.

— Ma chère, si nous remontons à l'origine de la distribution des terres, nous allons perdre notre temps. Il n'y eut qu'entre vingt et trente attributions réelles — les experts divergent quant au nombre exact —, et, à ma connaissance, il n'en existe aujourd'hui plus aucune trace et les documents ont tous été perdus ou détruits. Que je sache, nul n'en a jamais vu. Les manuscrits de la mer Morte sont moins mystérieux.

— Mais quand même, ce pacte doit signifier *quelque chose*, s'entêta Jazz, sinon Juanita Isabella n'en aurait pas fait mention dans une lettre, si importante aux yeux de sa destinataire qu'elle l'a conservée dans un porte-documents avec ses plus précieux souvenirs, ses lettres d'amour et les photos de son mari.

— S'il avait existé un traité réellement important avec les Franciscains, il eût été mentionné ailleurs que dans le trésor sentimental d'une épouse, fit remarquer Henry White. Non, ma chère, il eût été rédigé, enregistré sous les auspices d'une autorité légale, quelque part, d'une façon ou d'une autre.

— Ç'aurait été quel genre de document ? s'enquit Casey.

— Ha ! La question se pose, en effet ! Vous tombez en plein dans l'abîme de l'histoire californienne, une histoire sordide, injustice sur injustice, un gouffre de complexité et de confusion. Ha ! Je devine que vous n'êtes pas d'ici, monsieur Nelson.

— Non, monsieur, de New York.

— Enfin, cela ne ferait pas grande différence que vous soyez né ici. Personne n'étudie plus l'histoire des États-Unis, encore moins celle de la Californie.

M. White leur sourit à tous deux, en homme qui avait attendu pendant des années que deux idiots comme eux viennent le consulter sur ce qu'ils ignoraient et que lui savait. Ce fut en tout cas l'impression de Jazz que gagnait l'impatience.

— Monsieur White, pourriez-vous nous éclairer ?

— Ha ! Vous éclairer ! Pour ce faire, il convient de commencer au début, en 1769, lorsque le vice-roi espagnol établit une place forte royale à San Diego. Il envoya une expédition le long de la côte vers Monterey Bay, soixante-trois hommes et deux prêtres, guidés par don Gaspar de Portola. Ils allèrent leur chemin sur la côte, baptisant sans doute tous les enfants qui leur tombaient sous la main. Au bout du compte, le prêtre franciscain Fra Junípero Serra fonda vingt et une missions au nord de San Diego. La majeure partie des terres environnantes fut réclamée par ces missions, mais certaines attributions se firent au profit d'individus, et tout d'abord des vétérans qui avaient bien servi.

Jazz risqua un coup d'œil vers Casey. Si lui n'avait pas appris cela à l'école, elle si. La saga de Junípero Serra était impossible à ignorer même pour un simple touriste, à moins qu'il n'ait mis les pieds qu'à Disneyland.

— Nous en arrivons au moment le plus délicat. Ha! En 1821, l'Espagne perdit la Californie au profit du Mexique. Les colons installés, qu'on appelait les *Californios*, mélange d'Espagnols et de Mexicains, exigèrent que les domaines des missions soient laïcisés, et peu à peu ils grignotèrent le pouvoir des Franciscains. Entre 1833 et 1840, on s'arracha les terres. C'était chacun pour soi, croyez-moi. Si vous possédiez déjà un domaine, comme les Valencia, vous deviez solliciter la réaffirmation de votre droit de propriétaire devant un tribunal présidé par le gouverneur mexicain en quêtant la grâce de la cour, en prouvant que vous possédiez au moins deux mille têtes de bétail et une mission, en fournissant toutes les justifications possibles de la pérennité de l'attribution d'origine. Croyez-moi ou non, dans tous les cas ces procès durèrent en moyenne *trente ans*, trente années d'audiences et de témoignages, et pour quel résultat? La disgrâce! La plupart des anciens propriétaires perdirent leur terre et leur argent avant la fin du procès, tandis que des centaines de nouveaux propriétaires, fort le plus souvent de leurs accointances politiques, profitaient de la redistribution des terres par le Mexique.

— Mais les Valencia ont conservé leur domaine, s'exclama Jazz, sinon ils n'auraient pu le vendre aux Kilkullen.

— En effet, ma chère, ils comptèrent parmi les quelques heureux opiniâtres qui restèrent. Leur dossier, l'*expediente*, contenait la requête au gouverneur, une grossière carte topographique appelée un *diseño*, ainsi qu'un titre désigné sous le nom de *borrador*. L'ensemble de cet *expediente* a dû être conservé dans les archives provinciales. Officiellement et avec autant d'ordre qu'on en déployait à l'époque.

— Où serait cet *expediente* aujourd'hui? interrogea Casey.

— Je n'en ai pas la moindre idée, jeune homme, fit Henry White de son ton affable. De toute façon, il ne vous servirait pas à grand-chose, car à peine les Valencia se crurent-ils propriétaires en bonne et due forme que les États-Unis se constituèrent, qui déclarèrent la guerre au Mexique en 1846. Une guerre étonnamment courte, ai-je toujours pensé: les *Californios* cédèrent la totalité de l'État en janvier 1847, juste avant la ruée vers l'or de 1848. Ha!

— Si les *Californios* cédèrent tout l'État, demanda Casey, comment les Valencia conservèrent-ils leur domaine?

A leur narrer les horreurs des procédures par lesquelles passèrent les Valencia, M. White déploya une complaisance qui confinait à l'insensibilité, presque comme s'il se réjouissait de battre en brèche leur naïve quête.

— Ils durent de nouveau aller devant un tribunal, pour satisfaire à l'Acte de Gwin, un membre du Congrès en 1851, qui désignait trois commissaires pour statuer sur la question. En l'espace de deux ans, chaque titre de propriété — soit quelque huit cents — dut être soumis à la commission. Il y avait en jeu environ six millions d'hectares. Ce fut la plus totale confusion, ma chère Jazz. Je ne puis que trop bien l'imaginer.

Henry White se tut et secoua la tête, comme s'il se félicitait du fond du cœur de n'avoir pas vécu cet épisode de l'histoire californienne.

— Mais, monsieur White, les Valencia vendirent aux Kilkullen en 1865, insista Casey. Il *faut* qu'ils aient eu un acte en règle.

— Oh, je ne discute pas cela. Le premier des Kilkullen n'aurait pas payé sans un titre de propriété, c'était un type trop avisé pour cela, je n'en doute pas. Pour satisfaire la commission du gouvernement des États-Unis, les Valencia durent soumettre une autre requête pour la conservation de leur terre, un autre *diseño* plus complet approuvé par le Géomètre de l'État, avec toutes les pièces susceptibles de soutenir leur demande. Quand la requête fut approuvée, toute cette documentation constitua un autre *expediente*, qui fut copié sur un calque, et l'original fut certifié conforme par un adjoint du Géomètre de l'État.

— J'ai le pressentiment que je ne vais pas aimer la réponse à ma question, fit Jazz, mais où pourrait-on trouver ce deuxième *expediente* ?

— Cela me déplaît fort de vous l'apprendre, ma chère, mais la plupart des validations avaient été enregistrées à l'Office central de la Propriété foncière de — hélas — San Francisco.

— *Avant* le tremblement de terre, termina la voix blanche de Jazz.

— Avant le séisme et, pire encore, avant l'incendie. Je crains que tout n'ait été détruit par le feu.

— C'est injuste ! s'indigna la jeune femme.

— Voilà sans doute pourquoi on n'enseigne pas l'histoire californienne, commenta Casey en lui prenant les mains. C'est trop désolant.

— D'évidence, quand la terre changea de main, reprit M. White après réflexion, le titre dut être déposé au Bureau du cadastre de Santa Ana.

— *Pardon ?*

— Oh, je pensais que vous le saviez, sinon je vous l'aurais dit plus tôt. Oui, c'est sûr, l'acquisition du Rancho Montaña de la Luna par Michael Kilkullen devait être signalée au bureau du cadastre, pour être légale. Ha ! Tous ces documents originaux que nous avons mentionnés ne sont pas du tout indispensables... pas du tout...

Alors pourquoi ne pas l'avoir dit plus tôt ? pensa Jazz, furieuse. Pourquoi ne les avait-il pas tout de suite envoyés à Santa Ana ? Mais Henry White n'avait pas terminé ; de plus Casey lui tenait fermement la main, l'empêchant de bondir et de se ruer vers la voiture.

— D'autre part, rêvassait Henry White en ôtant ses lunettes pour fixer le plafond, titres, actes notariés, cartes... ce sont rarement les seules pièces du puzzle, n'est-ce pas ? C'est la raison pour laquelle nous avons des historiens, des bibliothécaires, des conservateurs, pas seulement des notaires. Ha ! Oui, vous pouvez toujours essayer la bibliothèque Bancroft à Berkeley, ou les archives de la Société historique de San Diego, ou le département des manuscrits du musée

Huntington à Pasadena, la Société historique d'Orange County, ou même la Société historique de San Juan Capistrano... Qui sait ce que vous dénicherez ? Ils ont toutes sortes de documents et de pièces... vieux papiers...

— Merci, monsieur White, déclara Casey. Vous nous avez été d'une grande aide. Jazz et moi vous sommes très reconnaissants.

— Je suis à votre disposition, monsieur Nelson. C'est toujours un plaisir de donner une leçon d'histoire aux jeunes gens. Je n'avais pas connu de matinée si plaisante depuis longtemps.

**\*
\***

— Oh, vous êtes là, je vous ai cherchées partout, fit Valerie, irritée de découvrir Fernanda et Georgina en train de déjeuner au bord de l'une des piscines du *Ritz*. Tu aurais pu me laisser un message, Fernie. Je suis affamée mais je ne voulais pas déjeuner toute seule.

— Désolée, Val. Je t'ai crue à Los Angeles avec Jimmy.

— J'y étais, mais John et lui avaient un autre rendez-vous d'affaires. Rien à voir avec nous. Je déteste quand chacun va de son côté sans me prévenir !

Valerie déployait plus d'indignation que le sujet n'en méritait, mais elle était encore en colère à cause de la conversation qu'elle avait eue plus tôt dans la matinée avec son mari. Billy ne semblait tout bonnement pas avoir compris sa nouvelle position d'héritière. Il la traitait comme il l'avait toujours fait, comme la brave vieille Valerie, la fiable épouse de tant d'années, qui venait d'acquérir un peu d'argent de poche.

William Malvern Jr. n'avait que des griefs. La cuisinière donnait son congé, une bonne était partie, le frigo marchait mal et les glaçons ne prenaient pas, chacune des trois filles avait un problème qu'elle espérait voir résoudre par son père, il n'en pouvait plus de jouer les célibataires dans les soirées, Valerie restait beaucoup trop longtemps en Californie ; bref, les détails mesquins se succédaient comme si Valerie était la même qu'avant la mort de son père.

Va t'installer à l'hôtel, avait-elle eu envie de lui hurler, prends tes repas à ton club, dis aux filles de cesser de faire les idiotes et, pour l'amour du ciel, arrête de râler ! Elle avait tenu sa langue, essayé d'arrondir les angles, sans pour autant promettre de rentrer à New York le jour même comme il le voulait.

Valerie avait échafaudé un plan mais elle n'était pas encore prête à le mettre en action, et d'ici là elle préférait ne pas affronter son époux, car près de vingt-deux ans de mariage lui avaient appris à apprécier la grande valeur d'un mari séduisant et agréable, aussi irritant soit-il.

Son plan consistait à couper les ponts, couper tous ces sales ponts qui reliaient la dégoûtante et surpeuplée île de Manhattan au reste des États-Unis, et les brûler si radicalement qu'à moins que Billy Malvern décide de la suivre sur l'autre rive elle ne le reverrait jamais. Elle n'était pas certaine d'être prête ; elle ne savait pas encore si elle aurait le courage de franchir le pas qui risquait de mettre fin à son mariage, laissant derrière elle tout ce qu'elle avait autrefois jugé important.

Mais, oh, qu'elle était tentée de jeter aux orties tout ce pourquoi elle s'était tant battue et de se retirer — car c'était ainsi que ses connaissances comprendraient les choses —, se retirer à Philadelhie, pour une existence aux plaisirs différents, aux habitudes plus douces, aux références nouvelles, une vie où il était impossible d'acheter sa position.

Ah, mais Valerie Malvern qui avait gagné un solide crédit dans la ville la plus impitoyable, Valerie Malvern qui comptait parmi les figures stables de l'*establishment* new-yorkais, Valerie Malvern se contenterait-elle de se transformer en une lady bon teint ? Après tant d'années passées au cœur brûlant de la mode et du glamour, dans l'équivalent américain de Versailles à l'apogée du règne de Louis XIV, la vie à l'écart du tourbillon se révélerait-elle une terrible déception ? Et si elle s'était fait tout un roman de Philadelphie du fait de ne pas y avoir vécu, sinon lors de visites occasionnelles, et de n'en pas connaître la réalité au quotidien ? New York créait peut-être une plus grande dépendance qu'elle ne le croyait, et Philadelphie se révélerait aussi ennuyeuse et morne que la vie de château en province avait pu apparaître aux aristocrates français qui se languissaient loin de Versailles.

Dès que l'on quittait New York, on y était oublié. Il y avait dans d'autres villes des États-Unis des femmes aussi riches qu'elle le serait bientôt, mais personne n'avait jamais entendu parler d'elles à New York, on ne les photographiait pas, on n'écrivait pas à leur sujet sinon dans les pages mondaines de la presse locale. A la rigueur, New York leur concédait une brève et dérisoire apparition au soleil lorsque *Town and Country* décidait de consacrer un numéro à leur ville ; leur nom apparaissait alors. Si ces femmes venaient séjourner à New York, leur arrivée ne causait aucun remous, elles dépendaient de leurs amis dans la cité pour s'amuser, et dès qu'elles partaient elles s'effaçaient de la conscience new-yorkaise.

Valerie prit place à la table de Georgina et Fernanda, commanda une salade aux crevettes et commença à se restaurer sans essayer de participer à la conversation. Apparemment, les deux amies discutaient des mérites comparés des différentes confitures et gelées.

Valerie s'efforça de faire le point sur sa nouvelle position dans une ville où elle avait consacré la dernière décennie à s'efforcer de paraître aussi riche que les gens le supposaient.

Maintenant, elle allait posséder une fortune inépuisable. L'origine de sa famille était aussi bonne que celle de n'importe quelle autre femme de la ville... non, *meilleure* à dire vrai, quand elle y pensait sérieusement. Son genre de vie n'avait jamais été discuté. Argent, famille, classe, elle avait tout pour devenir la reine de New York sans même avoir à lever le petit doigt.

*Mais Dieu, que la compétition était devenue dure !* Tous ces gens qui se pressaient pour apparaître sur la photo ne connaissaient que cela — compétition pour leurs vêtements, leurs bonnes œuvres, leurs achats d'œuvres d'art, leurs distractions, leurs vacances... Souhaitait-elle être leur reine ?

Billy Malvern goûterait chaque instant de ce nouvel état, elle n'en doutait pas. Jamais il n'y verrait aussi clair qu'elle. Accepterait-il de déménager ? Se laisserait-il déraciner ?

— Tu es bien silencieuse, Valerie, remarqua Georgina. N'approuves-tu pas notre idée de salon de thé ?

— Quel salon de thé ?

— Celui que Fernie et moi projetons d'ouvrir, expliqua Georgina en hochant la tête, incrédule. Nous ne parlons que de cela depuis que tu t'es assise.

— Je regrette, je n'ai pas écouté. J'ai des coups de fil à passer.

Valerie se leva rapidement. Elle ne supporterait plus les gens ridicules comme Georgina, avec ses ridicules velléités de décoration, ou Fernie avec ses ridicules problèmes matrimoniaux, non, pas une minute de plus. C'était trop lui demander que de prêter l'oreille à leur petit projet grotesque de salon de thé.

— Je vous verrai tout à l'heure, lança-t-elle sauvagement.

— J'ai dit quelque chose de blessant ? demanda Georgina à Fernie. Si c'est le cas, fais-moi penser à le redire.

— Val est parfois ainsi. Son mari lui a téléphoné ce matin et depuis elle est en ébullition.

— Les maris... souffla Georgina, non sans une certaine réserve.

— Pourquoi as-tu épousé Jimmy ?

— Fernie, chérie, quelle question !

— Eh bien... je pensais que pour avoir su si tôt ce que tu éprouvais pour les hommes... tu aurais pu, oh, je ne sais pas, t'en dispenser ?

— Tu veux dire que, puisque je n'avais pas besoin d'un homme pour ma vie amoureuse, je n'en avais pas besoin du tout ? Fernie, que tu es gamine ! D'abord, Jimmy est un chou, et dans la mesure où il était plus pratique d'être mariée, il m'a semblé être le bon choix. L'argent comptait terriblement... papa n'est pas un noble riche, plutôt le contraire, et il avait beaucoup d'enfants à établir. Aussi mes parents furent-ils très heureux que j'accepte Jimmy. Personne n'aurait compris que je ne l'épouse pas. Pire, on aurait commencé à se poser des questions à mon sujet, même à me soupçonner. Un mari est le meilleur des camouflages. Et qui sait, peut-être voudrai-je des enfants un jour, comme n'importe quelle autre femme.

Les lèvres de Georgina eurent une moue gentille, tendre à cette idée. Un jour, pourquoi pas, après tout ?

— Et puis, reprit-elle, il y a toujours ce problème inextricable de l'escorte. Des foules d'hommes insistaient toujours pour me sortir, m'emmener à des soirées, se plier à mes quatre volontés, mais naturellement chacun estimait qu'au bout d'un moment il méritait plus qu'un baiser sur la joue. Alors, je devais le laisser tomber. Cela devenait trop affreux et prévisible. Je commençais à avoir une réputation de flirt sans cœur... Invivable, non ?

— Et Jimmy ? Obtient-il plus qu'un baiser sur la joue ? s'enquit Fernanda, profondément intéressée.

Elle avait besoin de connaître la réponse, pourtant elle la redoutait.

Georgina baissa les yeux et une curieuse dureté s'imprima sur ses traits, lui donnant l'air beaucoup plus vieille qu'elle n'était. Elle se mordit les lèvres et, d'abord, ne répondit pas, comme si elle cherchait le moyen de détourner la question de Fernanda avec son ironie coutumière. Optant pour la vérité, elle finit par secouer la tête mais garda les paupières baissées en parlant :

— Quand j'ai dit tout à l'heure que Jimmy est un chou, je veux dire qu'il a toujours été extrêmement gentil avec moi. Mais le lit... c'est le prix à payer, et, oh Dieu, que je déteste ça ! Je suppose que je ne devrais pas me plaindre, n'importe quel homme attend la même chose, mais Jimmy... tu ne peux pas imaginer. Non qu'il abuse de moi, chérie — ne va pas penser cela —, il ne me fait jamais mal, mais il est tellement... vorace. D'une voracité révoltante, dégoûtante, si avide, si infatigable. Oh, je ne sais pas, Fernie, peut-être sont-ils tous pareils, je n'ai jamais dormi avec aucun autre homme alors je ne peux comparer, mais il n'a jamais l'air satisfait. Crois-tu que c'est normal ?

En posant cette question, Georgina osa regarder Fernanda dans les yeux.

— Normal ! jeta violemment Fernanda. Rien n'est normal avec les hommes. Tu es mariée depuis moins de deux ans ; je peux te garantir qu'il deviendra moins pressant tôt ou tard, je peux te le promettre.

Fernanda pensa à l'après-midi qu'elle avait passé avec Jimmy Rosemont, et si elle avait pu le tuer sur-le-champ, elle l'eût fait avec joie.

— C'est ce pour quoi je prie ! D'abord, tout le monde sait quel coureur il est. Même pendant notre lune de miel, il couchait avec d'autres femmes, Dieu merci. Plus il couche à droite à gauche, moins il me sollicite. Et quand il arrive dans la dernière ligne droite d'une grosse affaire, comme c'est le cas ces temps-ci, il me laisse à peu près tranquille. Évidemment, quand ce sera conclu, il voudra... célébrer, fit-elle dans un frisson. Et, Fernie, le plus étrange est qu'il est convaincu que je suis frigide et ça lui est complètement égal. Tu imagines ? Comment un homme peut-il s'imposer à une femme quand il sait qu'elle ne veut pas de lui ? En fait, je suis certaine qu'il *aime* cette idée. S'il ne peut me faire — enfin, tu sais —, alors personne d'autre ne le peut. Il considère ma frigidité comme une ceinture de chasteté invisible, une garantie. Oh, ne parlons plus jamais de lui, me le promets-tu, ma chérie ? Il n'a rien à voir avec nous... c'est un mal nécessaire.

Le sourire de Georgina quand elle regardait Fernanda était dévorant, dangereusement séduisant, brillant de souvenirs, d'adoration, de reconnaissance de son droit à toutes les émotions, tous les élans.

— Quand tu prononces ce « enfin, tu sais », comme une vieille fille prude, j'ai presque... enfin, tu sais, murmura Fernanda.

— Oh, ma chérie, demandons l'addition et retournons à la chambre, fit Georgina avec urgence. Je suis déjà si horriblement jalouse, c'est à peine supportable.

— Jalouse ! Tu ne crois pas que je laisserais un autre homme me toucher ! Je divorcerai dès mon retour à New York, quel qu'en soit le prix.

— Ce n'est pas des hommes que je suis jalouse. Maintenant que tu es... que tu n'ignores plus... que tu sais exactement ce dont tu as besoin, il y aura des femmes partout, des femmes dont tu n'aurais jamais soupçonné qu'elles préféraient les femmes, qui essaieront de t'entraîner dans leur lit. Et plus tu vieilliras, plus elles seront nombreuses à tourner autour de toi. Les femmes comme nous n'atteignent pas leur âge le plus désirable avant quarante ans.

— C'est fou ! C'est le contraire de la vraie vie ! protesta Fernanda.

— Attends et tu verras, Fernie chérie. Tant de femmes recherchent une figure maternelle, et qui peut y prétendre avant quarante ans ? Mais ne va surtout pas prendre du poids... cela te rendrait encore plus irrésistible.

— Pourquoi ? s'enquit Fernanda, fascinée.

— Tu aurais l'air encore plus féminine. Les femmes qui aiment les femmes adorent le corps féminin, et tu es encore beaucoup trop mince, trop effrontée, trop ingénue pour certains goûts.

— Grands dieux, comme c'est étrange, souffla Fernanda.

De sa vie, elle n'avait jamais reçu autant de bonnes nouvelles en une seule fois, mais elle n'allait certainement pas les mettre à profit. Pas avant des années et des années.

*
**

— Barbra adorerait cet endroit, dit Jazz à Casey.

— Qui ?

— Streisand. Quand je suis allée chez elle à Malibu la photographier pour *Vogue*, le système de sécurité était aussi perfectionné qu'ici.

Jazz désigna à l'entour la salle d'accueil du département des manuscrits du musée Huntington.

Elle n'avait pas besoin de lui faire la conversation, pensa Casey en contemplant son beau visage, dans lequel seuls les yeux battus trahissaient sa tristesse. Lorsqu'ils s'étaient rués au Bureau du cadastre de Santa Ana pour y découvrir l'acte de vente du Rancho Montaña de la Luna, propriété de don Antonio Pablo Valencia, à Michael Kilkullen, ils s'étaient plongés dans la page de description légale du domaine, datée de 1865 et signée des noms du cédant et du cessionnaire. Mais ils n'avaient rien trouvé, absolument rien qui fît allusion à un pacte quelconque.

— Je crois que tout s'arrête là, chérie, avait dit Casey.

— Impossible ! s'était enflammée Jazz. Je n'abandonne pas !

Casey avait délégué ses responsabilités au vaquero qui l'avait déjà remplacé au poste de régisseur quand il était à l'hôpital, pour passer la journée suivante à San Diego avec Jazz. Ils avaient essayé en vain de trouver, à la Société historique, les documents auxquels M. White avait fait allusion. Le lendemain, ils s'étaient tournés vers la Société historique de San Juan Capistrano, sans plus de succès, avant de consacrer un autre jour décevant à la Société historique d'Orange

County. Puis Jazz s'était mis en tête qu'ils auraient dû commencer par la bibliothèque Bancroft à Berkeley, persuadée que, pendant l'incendie de San Francisco, quelqu'un avait probablement eu la présence d'esprit de sauver les dossiers de l'Office central de la propriété foncière. Ils avaient pris l'avion pour San Francisco, étaient rentrés le soir même, non seulement bredouilles mais affamés pour n'avoir pas eu le temps, dans la Mecque de la bonne cuisine, d'aller se régaler *Chez Panisse*.

Ils avaient consulté plus de documents sur l'histoire californienne que Casey n'aurait cru qu'il en existait, mais rien qui fît allusion aux trente mille hectares qui s'étiraient de la montagne à l'océan pour former le ranch Kilkullen.

Ils arrivaient à présent à l'ultime destination mentionnée par M. White, le musée Huntington à Pasadena, connu pour abriter le *Blue Boy*.

Certes, ils pouvaient passer des semaines en Californie, à fouiller les archives de toutes les petites sociétés historiques jusque dans les plus petites villes, mais le conservateur qui avait été témoin de leur déception leur avait fait savoir qu'ils ne pouvaient espérer dénicher quoi que ce soit de sérieux en dehors des plus importantes collections.

Personne ne leur avait fait valoir que leur quête équivalait à trouver une aiguille dans une botte de foin, s'agaçait Casey, mais il était clair que tous leurs consultants le pensaient. Quand ils expliquaient qu'ils cherchaient un pacte, ce simple mot suffisait à les faire passer pour des cinglés, comme s'ils parlaient d'un pacte avec le diable. Non qu'on les envoyât promener mais les divers conservateurs et archivistes ne s'étonnaient pas outre mesure de l'inexistence d'une trace écrite d'un pacte avec les Franciscains.

Le lendemain de leur triste voyage à San Francisco, Jazz avait téléphoné au musée Huntington et pris rendez-vous avec William P. Frank, conservateur adjoint chargé des manuscrits.

Ils avaient été arrêtés à deux reprises par des gardiens en uniformes sur la route sinueuse qui serpentait au milieu des jardins et pelouses de ce qui avait été autrefois le parc du manoir Huntington, puis ils s'étaient garés devant le bâtiment moderne qui abritait la bibliothèque. Plusieurs escaliers, un nombre de portes incroyable, et ils s'étaient retrouvés dans une salle où ils étaient les seuls à attendre.

Casey n'était pas loin de regretter que Jazz ait trouvé cette lettre de son arrière-grand-mère, et qu'elle ait essayé de la traduire. Il aurait préféré que Jimmy Rosemont remporte une victoire immédiate afin que Jazz se détourne de son obsession furieuse et commence à penser à leur avenir commun.

Depuis le jour où elle avait accepté de l'épouser, Casey avait l'impression qu'ils n'avaient plus parlé que de cette lettre, de cette légende, de ce pacte. Jazz n'avait plus qu'une idée : empêcher les banquiers de Hong-Kong de faire main basse sur le domaine pour le transformer en un super Monte-Carlo. Toutes ses autres préoccupations étaient passées au second plan. L'amour, pas plus tôt reconnu, le mariage, pas plus tôt envisagé, avaient reflué loin derrière la mystérieuse « promesse de la montagne ».

Cette quête était-elle le moyen qu'avait trouvé Jazz pour ne pas s'autoriser à être simplement heureuse avec lui ? Estimait-elle, inconsciemment, ne pas avoir droit au bonheur si tôt après la mort de son père ? Très inquiet, Casey savait que plus vite ce fantasme s'évanouirait, plus vite ce dernier recours se déroberait, plus vite elle reviendrait au monde réel, et à lui.

— Chérie, fit-il, quand M. Frank te demandera ce que tu cherches, pourquoi, au lieu d'employer ce mot de « pacte », ne l'appellerais-tu pas une « entente territoriale privée » ? Je ne me sens jamais très à l'aise quand nous demandons à un inconnu de nous aider à trouver un pacte vieux de deux siècles.

— Je ne vois pas ce que cela a de déraisonnable, objecta Jazz.

— Fais un compromis et essayons ma méthode cette fois, d'accord.

— Compromis, répéta sombrement Jazz. C'est ce que Red m'a dit. Le mariage n'est qu'une série de compromis.

— Mais quand nous lui avons appris la nouvelle, elle était ravie...

— Évidemment, mais après, quand j'étais seule avec elle, elle m'a entrepris sur le fait que je devrais apprendre à faire des compromis. *Merde*, je hais ce mot ! Il est tellement moche et triste ! Juste quand il t'arrive l'événement le plus merveilleux de ta vie, tout le monde te saute à la gorge avec ce mot. Compromis ! Compromis ! Même Susie s'y est mise, et de toute façon elle est toujours de ton côté. Pourquoi ne m'a-t-elle pas demandé la date de notre mariage, pourquoi Red ne m'a-t-elle pas demandé comment je m'habillerais, pourquoi tout le monde n'est-il pas emballé ?

La seule réaction satisfaisante avait été celle de Pete. Il s'était mis à hurler qu'elle n'avait pas le droit de se marier avant de lui donner une chance de la faire changer d'avis, proposition dont elle n'avait pas informé à Casey.

— Je te propose un marché, rétorqua Casey. C'est *moi* qui ferai des compromis.

— Je croyais qu'il fallait être deux.

— Un seul suffit, si c'est un type fin, astucieux, et d'une grande classe.

— Je l'ai en face de moi, fit Jazz en riant.

Pendant un moment, ils oublièrent tous deux où ils se trouvaient et pourquoi.

Ils sursautèrent quand Bill Frank entra dans la pièce. Le conservateur était jeune, grand, avec une chevelure d'un blond sombre et une expression amicale. Exaspérée après son expérience à San Francisco, Jazz avait décrété que la gentillesse des conservateurs était inversement proportionnelle à l'importance de leur fonds. Cependant, histoire d'acquérir un peu de pratique en matière de compromis, elle laissa parler Casey.

— Une entente territoriale privée entre les Franciscains et les Valencia ? résuma Bill Frank. Hmmm ? Les Franciscains n'ont plus eu de pouvoir après 1833, mais qui sait ? Il n'existe pas mille endroits où chercher. Je vais voir ce que je trouve.

Il les fit entrer dans une pièce plus grande, meublée d'une longue table et d'un bon nombre de chaises. Il déverrouilla la porte de la salle des manuscrits, remit la clef dans sa poche, et disparut dans son antre. Jazz regarda les heureux chercheurs installés à la table, tous absorbés dans de vieux documents.

Une éternité parut s'écouler avant que Bill Frank ne revienne, portant sous le bras un immense dossier brun. Il le déposa sur la table et s'assit en face d'eux.

— Désolé de vous avoir fait attendre, mais il y avait bon nombre de pièces à éliminer d'office. Je n'ai rien trouvé de très prometteur excepté ce dossier, fit-il en ouvrant la chemise cartonnée. Nous avons là plusieurs documents concernant le sort de diverses propriétés *après* le traité de Guadalupe Hidalgo de 1848, qui mit fin à la guerre entre le Mexique et les États-Unis. Sans doute n'y aura-t-il rien ici qui remonte jusqu'aux Franciscains, mais j'ai eu envie de le vérifier avec vous. Je vous avoue que je suis assez curieux moi-même.

Le porte-documents contenait sept dossiers roses fermés chacun par un ruban.

— Ce sont des copies de sept *expedientes* dont les originaux furent détruits à l'Office central de la Propriété foncière lors du tremblement de terre de San Francisco, expliqua le conservateur. En d'autres termes, il s'agit de la réaffirmation par les États-Unis des attributions de terres par le gouvernement mexicain, qui pouvaient être elles-mêmes, mais rarement, la reconduite des attributions décrétées par la Couronne espagnole.

— Nous sommes déjà allés à San Francisco, lui apprit Jazz. Nous n'avons rien trouvé !

— Les documents ont l'étrange habitude de se perdre et de réapparaître ailleurs, c'est-à-dire n'importe où sauf à la place qui devrait être la leur.

Méticuleusement, Bill Frank défit le nœud de l'un des dossiers roses et examina avec soin les fins feuillets reliés, raidis et jaunis par le temps. Le *diseño* était une pièce à part, carte grossière avec une boussole dessinée dans le haut, le nom des lieux inscrits ici et là, parfois une rivière clairement tracée. Frank leur montra les requêtes, les pages contenant de nombreux témoignages quant à la légitimité de l'attribution du domaine par le Mexique. Le conservateur finit par hocher la tête.

— Cette terre-là est plus au nord.

Il fouilla dans plusieurs autres dossiers et ne trouva rien.

Le cinquième était semblable aux autres, mais Jazz et Casey sursautèrent lorsqu'ils reconnurent sur la carte la forme en éventail et les traits dansants qui indiquaient l'océan.

— Attendez ! s'exclamèrent-ils.

— Regardez ! poursuivit Jazz au comble de l'excitation. *Diseño del Rancho Montaña de la Luna,* c'est écrit en haut ! On y est !

Sa voix surexcitée avait porté dans toute la salle. Les lecteurs levèrent la tête. Bill Frank ramassa rapidement les documents, les prit sous son bras et invita les jeunes gens à le suivre dans son bureau. Là, il ouvrit l'*expediente* qu'ils avaient cherché avec tant d'entêtement, et entreprit de traduire en anglais moderne le texte en espagnol ancien.

— Ici, sur la première page, nous avons la requête datée de 1851. Elle est signée d'Antonio Pablo Valencia, citoyen natif de Californie, et adressée à la Commission foncière des États-Unis. Le signataire prie la Commission de confirmer l'attribution par le Mexique qui fut agréée en 1839. Il informe les commissaires qu'il est l'unique fils légitime de don Bernardo Valencia. Don Bernardo, son père, était également fils unique, son père à lui — le premier Valencia en Californie — étant Teodosio Maria Valencia, et ce fut Teodosio qui reçut la terre de la Couronne espagnole en 1788 — apparemment, il s'était retiré de la forteresse de San Diego au moment où il avait reçu le domaine des mains du gouverneur espagnol, Pedro Fages, pour ses bons et loyaux services.

Bill Frank leva les yeux sur Jazz.

— Une lignée d'héritage exceptionnelle pour l'époque, fit-il remarquer. Les Valencia n'avaient qu'un seul fils à chaque fois. Ce qui explique qu'ils n'eurent pas à diviser la terre. Voyons un peu ce qui suit. Il apparaît que Teodosio, l'ancien soldat, vécut au ranch jusqu'à sa mort survenue en 1816, à l'âge de soixante-treize ans. Il construisit une grande demeure en adobe, installa du bétail sur ses terres, environ deux mille cinq cents têtes, et deux troupeaux de chevaux et autres bêtes — les détails sont mentionnés ici, jusqu'au dernier mulet. Il planta également vignes et vergers, délimités par des arbres. Don Antonio affirme que son père, don Bernardo, améliora le corps d'habitation et ajouta d'autres bâtiments — école, laiterie, tannerie, etc. Hmmm... voilà qui est intéressant. Les affaires de don Bernardo semblent avoir prospéré, il employait beaucoup de gens, y compris un maître d'école, un vigneron, des charpentiers, jardiniers... et il parvint à maintenir le troupeau et superviser la culture fruitière...

Rapidement, Bill Frank acheva pour lui-même la lecture de la requête puis la reposa.

— Cette requête est autrement plus élaborée et détaillée que d'autres, mais au fond elle est semblable, hormis le fait qu'elle fait clairement valoir l'attribution de la terre par l'Espagne.

— Continuez, je vous en prie, supplia Jazz, impatiente.

Bill Frank déplia la carte sur le côté du bureau et, aussi vite que possible, parcourut les pages suivantes du dossier.

— Nous avons là les témoignages des citoyens crédibles de la région, établissant le fait que les Valencia occupaient le Rancho Montaña de la Luna aussi loin que remontaient les souvenirs de leurs ancêtres.

Jazz baissa la tête, la vue brouillée par cette ultime déception. Craignant qu'une larme ne tombe sur la carte, elle la déplaça sur le bureau.

— Je vais encore étudier la carte, si vous n'y voyez pas d'inconvénient, fit Bill Frank. Il y a ici, en bas, une mention inusitée.

Probablement une description plus détaillée des frontières, « bornes et mesures » comme nous les appelons dans notre jargon ; cependant, je n'ai jamais vu un descriptif aussi long.

Le conservateur étudia la carte un moment.

— Hmm. Eh bien... nous avons là une adjonction qui ne ressemble à rien de ce que j'ai jamais vu. Écoutez ceci :

> « *Au nom de la Sainte Trinité, du Père, du Fils et du Saint-Esprit, trois êtres distincts et un seul Dieu véritable, amen : Moi, Bernardo Valencia, déclare à tous ceux qui liront ceci, qu'en pleine possession de ma raison, je souhaite répéter et renouveler la promesse sacrée qui fut faite verbalement par mon père aimé, Teodosio María Valencia, à l'occasion de l'achèvement et de la consécration de la Mission de San Juan Capistrano, reine des Missions. Au quinzième jour de septembre de l'année 1806, mon père, alors dans sa soixante-troisième année, effectua un pèlerinage sur les hauteurs de la Montagne de la Lune et là, en présence de six pères de l'Ordre de Saint-François qui l'avaient accompagné en ce pèlerinage, fit le serment solennel de protéger à jamais de la main de l'homme toute la portion de sa terre que l'on pouvait voir depuis le lieu-dit des Trois Sentinelles de Pierre situé sur la Montagne de la Lune. Cette terre s'étend aussi loin que l'œil peut embrasser, d'une extrémité l'autre, à l'est jusqu'aux sables de la mer, à l'ouest jusqu'aux hauteurs de la montagne, au nord jusqu'au rocher qui a forme de tortue, au sud jusqu'au rocher aux pointes jumelles. Moi, Bernardo Valencia, répète et renouvelle le vœu fait par mon père, Teodosio María Valencia, aux pères de l'Ordre de Saint-François, devant les témoins Rámon Martínez et Leandro Serrano et les deux saints pères, Fra José López et Fra Juan Orozco, qui ont soussigné.* »

Bill Frank eut un large sourire

— La signature est celle de Bernardo Valencia, c'est daté du 9 janvier 1820. Les Franciscains étaient encore au pouvoir à l'époque. Si ceci n'est pas une entente territoriale privée, je ne vois pas ce qui pourrait l'être. La totalité de l'*expediente* dont fait partie cette carte fut acceptée et approuvée par la Commission Gwin, et nous trouvons ici, sur la dernière page, copie de la décision finale, qui reconnaissait don Antonio Valencia, fils de don Bernardo, pour propriétaire, le tout signé et scellé par l'huissier de l'Office central de la Propriété foncière, puis par le président des États-Unis de l'époque, Millard Fillmore, en 1853.

— La promesse de la montagne, murmura Jazz, émerveillée.

— Je crois que c'est ce que l'on peut appeler un pacte, fit tranquillement Casey.

**

— Trois pierres, haleta Jazz. Trois pierres ! Bernardo aurait quand même pu être plus clair !

En nage, elle s'assit brusquement sur une grande roche plate ; elle n'était pas certaine d'être capable de se relever.

— A l'époque, cela devait suffire, répondit Casey en essayant de reprendre souffle. En plus, il précise quand même « Trois Sentinelles de Pierre ».

Jazz se cramponnait à la certitude éprouvée lors de la visite à la bibliothèque du musée Huntington, quand il lui avait semblé que le dernier morceau du puzzle venait de trouver sa place. Car la découverte faite alors n'avait pas été la dernière pièce du puzzle, comme l'avait fait remarquer Bill Frank avec sa précision de vocabulaire, mais la pénultième, car à moins de trouver le lieu-dit des Trois Sentinelles de Pierre, ils n'avaient aucun moyen de savoir à quelle partie du ranch s'appliquait le pacte.

Il était dur de grimper au Pic de Portola. Jazz comprenait maintenant, en s'essuyant le front de son bandana trempé, pourquoi la montagne n'avait jamais été un lieu de pique-nique pour la famille Kilkullen, pourquoi on n'y montait jamais un tonnelet de vin ou un shaker à cocktails pour jouir de la toute beauté du soleil couchant. Cette hauteur qui, depuis l'hacienda, promettait une ascension presque trop facile se révélait, sur place, le genre d'épreuve d'endurance que Jazz avait particulièrement évitée depuis son incursion dans le photo-reportage.

Casey et elle étaient partis à cheval dans le petit matin encore frisquet. Mue par une impulsion de dernière minute, Jazz était allée chercher dans la pièce des archives deux robustes bâtons de marche taillés par Hugh Kilkullen que l'on gardait encore dans un porte-parapluies. Susie s'était occupée de les approvisionner en sandwiches et gourdes d'eau ; Jazz s'était enfin munie d'un appareil photo enfermé dans un sac accroché à sa taille. Ce qu'il leur aurait fallu, songeait-elle rétrospectivement, c'était un blindé, ou au moins des machettes, mais trop tard pour en parler à Casey.

Cela faisait bien deux heures qu'ils avaient été contraints d'attacher les chevaux à un arbre et de continuer à pied. Au-delà des plus hautes prairies du ranch commençaient les pentes douces du Pic de Portola — une petite aire d'entraînement avant la montagne proprement dite. A partir de là, la végétation, un fouillis de figuiers de Barbarie, de prosopis et de chênes nains, devenait trop dense et dangereuse pour les chevaux.

Ah, mais les humains, pensait Jazz en sentant la sueur lui couler dans les yeux, pouvaient aller là où les chevaux ne passaient pas. L'homme était capable de rester des mois dans des grottes humides et sombres, au milieu des stalactites et stalagmites ; l'homme pouvait aller folâtrer sous l'eau avec les méduses venimeuses et les poulpes affamés ; l'homme savait atteindre les pôles Nord et Sud et parler aux animaux, arriver sur la lune et y planter un drapeau ; aussi paraissait-il vraisemblable que cet homme et cette femme, bardés de leurs jeans, parviennent à se frayer un chemin dans ces bosquets sataniques, s'ouvrant le passage à la force de leurs bâtons.

Au début, la direction à prendre leur avait paru évidente, le contrefort étant si étroit qu'il apparaissait comme la voie unique et obligée. Mais à mesure qu'ils grimpaient, le flanc de la montagne s'élargissait de plus en plus, en une grande étendue sauvage de broussailles assoiffées, au parfum de sauge, qui se dressaient dans toutes les directions, masquant l'escarpement brutal du chemin déjà parcouru, et avec quel effort !

— Si tu étais un moine franciscain, demanda Jazz à Casey, par où continuerais-tu ?

— Si j'étais un moine franciscain, je porterais une longue bure et des sandales, et je ne serais pas ici, pas question, gente dame.

— C'est chouette de voir que tu restes optimiste face à l'adversité, souligna Jazz.

— Oh, mais je suis optimiste. Ces Sentinelles de Pierre sont quelque part. Je me félicite simplement que nous portions des bottes.

— A cause des serpents à sonnettes ?

Elle saurait faire face à un couguar, mais à un serpent à sonnettes ?

— Eux, et puis les tarentules. Mais elles ne peuvent mordre à travers le cuir. Il y a aussi les coyotes et quelques cactus très peu amènes.

— J'ai beau chercher ce qui ressemblerait à un sentier, je ne vois pas, se lamenta Jazz. A croire que nous sommes les premiers à nous lancer dans l'ascension de Portola.

— Nous savons de source sûre que Teodosio et six frères y montèrent en 1806, mais depuis... Notre petite virée n'a rien d'une balade dans un parc.

— Enfin, Casey, il y a bien dû y avoir d'autres pèlerinages depuis. Et quand j'étais petite, mon père m'a dit que son grand-père Hugh était monté au pic... ce qui fait bien une centaine d'années, si je fais le compte... Tu as raison, cela n'aurait pas laissé la trace d'un chemin.

— Pourtant...

Du bout de son bâton, Casey frappa quelque chose qui gisait au sol.

— Regarde ça... si ce n'est pas l'indice d'une récente incursion de la civilisation...

— Impossible ! souffla Jazz en fixant la boîte de Diet Pepsi qui gisait dans la poussière. C'est *impossible*.

— Je jure que je ne l'ai pas apportée avec moi.

— Mais qui ?

— Forcément quelqu'un qui s'est éloigné des sentiers de grande randonnée. Après tout, nous sommes cernés de parcs nationaux. Mais crois-moi, ce type descendait, il ne montait pas.

— Il faut que je prenne une photo. Larry Bush ne me croira pas sinon.

— Qui cela ?

— Un de mes potes chez Pepsi — le directeur des relations publiques.

Jazz se baissa, ôta un peu de poussière de sur la boîte de Pepsi et en prit plusieurs clichés, sur un fond majestueux s'étirant jusqu'à l'océan.

— Il aura un choc. Il y a aussi certainement des boîtes qui tournent en orbite autour de la terre. Quelle est la définition universelle du genre humain ? Qui jette des ordures n'importe où !

— Si tu as la force de prendre des photos, tu as la force de continuer à chercher les trois pierres. En route !

Casey en tête, comme précédemment, ils reprirent leur laborieuse ascension, s'arrêtant régulièrement pour scruter les environs. Il y avait des rochers partout, mais qui n'avaient rien de distinctif. A chaque pause, Jazz se retournait vers l'hacienda. Elle était devenue de plus en plus petite jusqu'à disparaître dans son écrin d'arbres et de jardins, et maintenant elle se trouvait entièrement cachée par une roche saillante couverte d'épineux.

Jazz écoutait Casey fredonner une mélodie ; elle s'aperçut qu'elle aussi avait un air en tête. Les paroles lui revinrent, amenant sur ses lèvres un vague sourire. « Comment vont les choses à Glocca Mora ? » Glocca Mora, le village dans *Brigadoon* qui n'apparaissait qu'une fois tous les cent ans puis se perdait de nouveau dans les brumes d'Irlande. Ou bien était-ce le village dans *La Vallée du bonheur* qui disparaissait dans les brouillards écossais ? Il faisait trop chaud pour se le rappeler. Tant pis.

Les Sentinelles de Pierre n'étaient pas un village, mais un lieu spécialement mentionné de la main de Bernardo Valencia sur une carte. Bernardo Valencia était le grand-père de Juanita Isabella, ce qui faisait de lui l'arrière-arrière-arrière-grand-père de Jazz, et si on ne pouvait se fier à pareil aïeul, alors à qui ? Sans compter que Millard Fillmore avait apposé sa signature sur la carte. Le souvenir de ce détail redonna un coup de fouet à Jazz. Millard Fillmore, un nom qui pouvait prêter à rire, mais qui sonnait en fait très présidentiel.

— Qu'est-ce que tu chantonnes, Casey ?

— Le thème de la musique d'*African Queen*. Impossible de me le sortir de la tête.

— Casey, pouvons-nous nous arrêter pour déjeuner ?

— Tu as faim ?

— J'ai envie de manger.

— O.K., mais seulement quelques minutes. Il faut trouver ces pierres et redescendre avant le coucher du soleil. Dans quatre heures, il fera nuit.

— Et si on ne les trouve pas ?

— Nous reviendrons demain. Nous chercherons jusqu'au bout.

— Mon guide, mon inspirateur, qu'ai-je fait avant de te connaître ? s'enquit Jazz en s'asseyant sur une pierre.

L'air était plus frais ici, bien que le soleil fût très haut. Elle ôta sa veste et sortit sa chemise de coton humide de son jean. Son bandana était tellement mouillé qu'elle l'étala sur une petite roche, laissant la brise lui sécher le visage, la nuque et les cheveux.

— Je me demande souvent ce que tu as fait exactement, répondit Casey. Tu n'as pas gaspillé ta vie, je parie.

— Non, pas gaspillé, acquiesça Jazz en lui tendant un sandwich. Mais pas vraiment rempli non plus.

Comment pouvait-on être à ce point amoureuse ? s'interrogea-t-elle en regardant Casey allongé sur un autre rocher. Amoureuse à ce point de quelqu'un qu'on *appréciait* tant ? Gabe — il l'avait submergée, marquée à vie, elle l'avait aimé d'un amour passionné, mais l'avait-elle réellement apprécié ? Non, ce mot ne cadrait pas avec Gabe. Sam — qui aurait pu ne pas l'apprécier ?... mais son ego empêchait l'amour. Quant aux autres — d'aucun elle n'avait été si proche.

Même s'ils ne repéraient jamais les Sentinelles, se lancer dans l'ascension de cette fichue montagne avec Casey était un profond plaisir — soleil, désagréments divers et effort compris — parce qu'ils étaient ensemble, parce qu'elle l'appréciait, parce qu'elle l'aimait et se fiait à lui. Elle avait trouvé l'homme de sa vie. Le seul, l'unique.

Ils burent un peu d'eau à la gourde, ayant soin de ne pas la vider, et, rafraîchis, repartirent. Les broussailles se firent plus rares sous leurs pas, plus faciles à contourner, mais les gros cailloux se multiplièrent, se dérobant sous leurs pieds et les faisant glisser. Jazz s'aidait du solide bâton de Hugh Kilkullen, mais elle dut bientôt se cramponner à Casey, même si cela les ralentissait. Elle ne voyait plus grand-chose avec la sueur qui lui coulait du front dans les yeux. Dommage qu'ils n'aient pas pensé à apporter une corde pour s'attacher comme les alpinistes et avoir ainsi les mains libres.

Des ampoules se formaient dans la gangue de ses bottes mais elle s'efforça de ne pas y penser, usant de toute son imagination pour se voir en vieille dame anglaise robuste, indestructible, visitant la région des lacs en Angleterre, le pas régulier et sûr, le bâton à la main, dans un paysage sauvage et vallonné de lacs mystérieux, au milieu de la végétation abondante, des arbres gracieux, des arbustes parés de fleurs printanières qui ponctuaient ici et là le sentier bien tracé que des centaines de milliers de gens avaient emprunté avant elle, en quête, sans doute, des druides d'antan. Ou les druides étaient-ils gallois ? En tout cas, c'était des magiciens, prophètes, sorciers, ça elle en était sûre, conclut-elle vaguement avant de trébucher et de s'affaler à terre.

Casey fut brutalement tiré en arrière et évita de justesse de tomber à son tour.

— Jazz, tu t'es fait mal ? s'inquiéta-t-il.

— Non, répondit-elle en s'asseyant. Je ne crois pas. J'avançais aveuglément et tout à coup...

Finalement heureuse de ce répit inespéré, elle chercha sur quoi elle avait trébuché. Quoi que ce soit, l'objet était recouvert d'une couche de pierres plates que Casey avait enjambées mais qu'elle n'avait su éviter.

— Aide-moi, s'exclama-t-elle, saisie d'une soudaine excitation.

Vite, ils écartèrent les pierres. En dessous, ils trouvèrent une croix, faite de deux branches liées ensemble par un lacet de cuir, et tachetées de peinture blanche.

— Elle est tombée, supposa Jazz. Elle avait dû être plantée dans ce tas de pierres, elle sera tombée et aura été recouverte par les roches qui dévalent pendant les tempêtes hivernales.

— Mais que fait-elle ici ?

— Je ne sais pas.

Très troublée, Jazz examina la croix.

— La légende dit qu'il y aurait un lieu de pèlerinage, un sanctuaire sur la montagne, mais la carte ne comporte aucune croix.

Casey s'assit près d'elle et regarda à son tour la croix grossière, comme s'il en attendait réponse à leurs questions.

— Regarde, reprit Jazz en pointant le doigt vers le lointain. A ton avis, ce rocher ressemble-t-il à une tortue ?

— Peut-être... un peu... vu d'ici. Je ne l'ai pas remarqué en marchant.

— Et ça, là-bas ? ajouta-t-elle en tendant l'autre bras.

— Les pointes jumelles ! Enfin, je crois.

— Mais où sont les Trois Sentinelles de Pierre ? implora Jazz.

Seul obstacle à son champ de vision, derrière elle, un haut talus, nu à l'exception de petites pierres. Mais impossible, d'ici, de voir ce qu'il y avait derrière.

— Viens. Il faut encore monter !

Le cœur battant, ils gravirent l'inclinaison, pas à pas, comme ils auraient traversé une dangereuse piste de ski, jusqu'au sommet. Et là, ils trouvèrent un petit plateau sablonneux.

Au milieu du plateau, trop loin pour être vus de plus bas, jaillis du sol et disposés en triangle, se dressaient trois rochers, fins et hauts d'environ deux mètres cinquante, trois rochers qui faisaient bel et bien figure de sentinelles veillant sur le panorama qui s'étirait en aval du plateau.

Jazz poussa un cri, comprenant seulement à cet instant combien elle avait espéré, combien elle avait douté. Le plateau était tranquille, isolé, pourtant il parut à la jeune femme que le tonnerre y grondait en sourdine, il lui sembla entendre des battements d'ailes, un chant qui vibrait dans l'air, comme venu du cœur même de la montagne. Elle se pressa étroitement contre Casey, éprouvant le besoin de se rassurer par la présence d'un autre être humain, face à ces trois rochers qui avaient monté la garde sur cette terre pendant des millions d'années.

Durant plusieurs minutes, les jeunes gens restèrent silencieux, serrés l'un contre l'autre, saluant les Sentinelles de Pierre, jusqu'à ce qu'ils se sentent acceptés, bienvenus en ce lieu. Alors seulement ils se retournèrent, debout à la lisière du plateau, les rochers derrière eux. De leur nouveau point de vue, la Roche de la Tortue ressemblait vraiment à une tortue, et les pointes jumelles étaient nettement dessinées.

— « Jusqu'aux sables de la mer », fit Jazz en portant son regard vers l'ouest.

Loin à l'horizon, l'océan et le ciel se mêlaient dans une passion de bleu. Plus proches, le port naturel et la pointe Valencia étaient clairement visibles, comme la plage vierge qui courait tout le long du ranch, un répit de pureté entre les constructions en pagaille au nord comme au sud du domaine.

Jazz se retourna. Derrière les Sentinelles de Pierre se dressait le Pic de Portola, distant encore, étincelant sous les rayons du soleil. Au-delà, les crêtes enneigées de la chaîne de Santa Ana se détachaient dans le lointain.

— Regarde au nord, conseilla Casey. On voit au moins la moitié d'Orange County... Bernardo a peut-être exagéré de ce côté-là.

— Mais, Casey, souviens-toi qu'il n'engageait que sa propre terre. Tu vois, au sud, après le Rocher de la Tortue, on aperçoit une longue ravine, et la terre disparaît. On ne voit guère plus loin que le Rocher de la Tortue. De là où nous sommes, nous embrassons du regard au moins les deux tiers du ranch. Oh, Casey, Casey, tout cela ne changera jamais — en tout cas pas par la main de l'homme !

Ils demeurèrent debout, main dans la main, à écouter le murmure du vent, murmure d'une promesse prononcée sur une montagne qui jamais n'appartiendrait à personne, pas même à l'homme qui avait fait la promesse, car la nature de la montagne est de limiter l'homme à sa propre mesure. En dessous d'eux s'étirait la Californie, alliance de la terre et de l'eau qui n'aurait pu exister nulle part ailleurs.

Se souvenant soudain de son appareil photo, Jazz prit des clichés de tout le périmètre à l'entour. Puis elle se plaça juste derrière les Sentinelles de Pierre et les photographia de façon que le cadre révèle les rochers au premier plan et la vue qu'ils dominaient. Ensuite, elle fit des prises de la croix couchée sur le sol d'où ils l'avaient déterrée, la croix qui les avait menés à la « promesse de la montagne ».

— Il faut commencer à redescendre, Jazz, l'avertit Casey. Il se fait tard.

— D'accord. De toute façon, je n'ai plus de film. J'ai juste une petite faveur... à te demander.

— Tout ce que tu veux, promit Casey.

— Oh, chéri, je savais que tu dirais oui ! s'exclama Jazz en se laissant aller avec soulagement dans ses bras. Porte-moi jusqu'en bas !

# 20

— J'ai mal partout, fit joyeusement Jazz.

Elle se prélassait dans une baignoire d'eau fumante, ses cheveux fraîchement lavés rassemblés dans une serviette.

— Mal à la racine des cheveux, aux pieds, aux genoux, impossible de lever les bras, sans compter les coups de soleil, je ne suis pas sûre de passer la nuit.

Casey venait de prendre une longue douche et s'assit sur le bord de la baignoire, vêtu d'un peignoir en éponge.

— N'empêche que tu es montée là-haut puis redescendue.

— Pas grâce à toi. Tu avais dit que tu ferais tout ce que je voudrais, et tu t'es rétracté. Descendre était pire que grimper.

— Veux-tu que je te frotte le dos ? offrit-il.

— Ne crois pas que ce soit si facile de rentrer dans mes bonnes grâces, l'avertit Jazz en fronçant les sourcils. Puis-je avoir une autre goutte, s'il te plaît ?

Elle tendit son verre pour recevoir encore un peu de vodka ; ils avaient célébré leur découverte des Sentinelles de Pierre. Lorsqu'ils étaient finalement revenus à l'hacienda, une heure après la tombée de la nuit, ils étaient aussi épuisés que survoltés. Ils avaient suggéré à Susie de rentrer plus tôt chez elle, et maintenant la maison leur appartenait. Après la chaleur et l'effort sous le soleil, la température hivernale les avait surpris au moment où ils retrouvaient leurs chevaux et ils étaient partis au galop dans une bise froide. Casey avait eu la bonne idée d'allumer un feu dans la cheminée avant qu'ils aillent se laver de leur fatigue.

Bien qu'ils n'aient mangé que des sandwiches, aucun d'eux n'avait faim. Trop exaltés par leur triomphe, ils n'avaient pas envie de se livrer à une activité aussi banale que le fait de se nourrir ; la vodka glacée dans le freezer convenait mieux à la saveur de la gloire.

— Quand vas-tu t'extirper de cette baignoire ? s'enquit Casey. Tu y es depuis une demi-heure.

— Quand j'en aurai la force, pas avant.

— Un coup de main ?

— Ha! comme dirait M. White. Ha! Tu ne m'as pas portée pour redescendre de la montagne mais tu veux m'aider à sortir d'une baignoire. Je soupçonne tes intentions, Casey Nelson. Tu veux zyeuter. Tourne-toi et passe-moi ce drap de bain.

— Je peux le tenir, si tu veux.

— Je suis trop modeste et trop comme il faut pour me montrer sans dessous. Tourne-toi.

— Mais nous allons nous marier, objecta Casey. Pourquoi est-ce que je ne peux pas te regarder?

— Et ferme les yeux. Tu pourrais me voir dans le miroir. J'ai l'intention de conserver mon mystère. Désormais, nous ferons l'amour dans le noir.

— Pas même avec une bougie?

— Même pas une allumette.

Casey se pencha vers la baignoire et souleva Jazz qui se mit à crier et rire. Il la plaqua contre lui bien qu'elle se débattît, indignée.

— Tu vois, ce n'est pas que je suis incapable de te porter. Mais ce n'était pas pratique dans une descente. Là, je pourrais te porter toute la nuit.

— Lâche-moi!

Il s'empara d'une grande serviette, assit Jazz sur ses genoux, et entreprit de l'essuyer tout en combattant ses efforts pour s'échapper. Quand elle fut sèche, il l'enveloppa dans un autre peignoir et la porta jusqu'au salon où régnait une douce chaleur, la déposa devant le feu, s'allongea près d'elle et la tint étroitement.

— Tu n'iras nulle part, l'informa-t-il.

— C'est justement ici que je veux être. Un peu plus de vodka?

— Sûr. Tu as faim?

— Non, je suis trop émue. Oh, Casey, c'est si difficile d'être amoureuse d'un type comme toi. Je me sens indigne. Je sais que je ne suis pas grand-chose, mais tu es si gentil avec moi. Tu prends soin de moi, tu ne fais pas attention quand je fais l'idiote, tu sais ce que je désire vraiment avant moi. Comment pourrai-je jamais mériter un homme si merveilleux?

— Ce ne sera pas facile, fit Casey en souriant.

— Surtout quand tu me rappelles tellement...

— Qui?

— Ce n'est pas tout à fait une personne... mais cet airedale...

— Un chien?

— Tous les airedales sont des chiens, lui rappela Jazz du ton le plus raisonnable en avalant une nouvelle gorgée de vodka. Un chien adorable, comme toi. Il ne connaissait pas la peur, il avait de très longues pattes, une fourrure épaisse, presque de la même couleur que tes cheveux, un bon caractère. Il était loyal, rigolo, fort, ses yeux étaient gentils, et il avait un museau drôlement mignon, avec des espèces de moustaches tombantes, et ses oreilles se dressaient très joliment. C'était un terrier, un peu chien de chasse, mais un *vrai* chien, le genre qu'on a quand on est petit.

— Moi, je n'ai jamais eu de chien comme ça.

— Moi non plus. C'est pour cela que je me sens si indigne de t'avoir. Je n'ai pas l'habitude d'avoir un aussi gentil chien.

— Le mariage n'est pas tout à fait comparable au fait de posséder un chien.

— Vraiment ? Mais alors qu'est-ce que c'est ?

— Je ne suis pas sûr. Tu as peut-être raison. Mon premier mariage était un peu comme avoir un méchant chien, et mon second comme posséder un oiseau rare ; le troisième, si j'y réfléchis, était comme d'avoir un cheval de course.

— Tu as déjà été marié !

— Trois fois.

— Pourquoi ne me l'as-tu pas dit ?

— Tu ne me l'as pas demandé.

— C'est un mensonge !

— Peut-être... peut-être pas.

— De toute façon, je m'en fiche. Tu pourrais avoir trois autres épouses, là, maintenant, que je t'épouserais quand même.

— Je n'arriverai donc pas à me débarrasser de toi ?

— Jamais.

— Jazz, fit Casey avec urgence, *quand* ?

— Casey, l'interrompit-elle en défaisant la serviette qui lui enveloppait les cheveux, je n'ai pas de serviette sèche. Tu permets que je me sèche les cheveux sur ton peignoir ?

— Tu peux essayer.

Une fois de plus, elle lui avait coupé la parole, comme chaque fois qu'il essayait de parler concrètement de leur mariage. Sans doute prenait-il une intonation particulière qui avertissait Jazz de son intention d'engager une discussion sérieuse, car elle changeait aussitôt de sujet. Pas une fois depuis qu'elle avait accepté de l'épouser ils n'en avaient sérieusement parlé. A croire qu'elle l'avait condamné à faire indéfiniment antichambre.

Jazz se montrait aussi expansive que fuyante ; elle était capable de lui dire qu'elle l'épouserait quand bien même il aurait eu trois femmes, mais elle ne savait dire si ce serait cette semaine, cette année, ou même cette décennie. Était-ce à cause de la mort de Mike ? se demandait Casey. Ou redoutait-elle de franchir ce dernier pas, de fixer une date ? Cette femme exceptionnelle — ou n'était-ce qu'une enfant ? — était parvenue à demeurer célibataire jusqu'à trente ans. D'évidence, elle avait peur. Elle lui glissait encore entre les doigts, insaisissable comme un poisson tropical dans un grand aquarium. Résultat : ils n'avaient pas fait un seul projet concret pour leur avenir. Ils savaient tous deux — *elle devait le savoir* — qu'ils ne pourraient continuer à demeurer toujours à l'hacienda. Peut-être était-ce le mot *quand* qui lui mettait la puce à l'oreille, conclut Casey. Il allait s'y prendre autrement.

Il attendit passivement tandis que Jazz se séchait les cheveux avec le bas de son peignoir, ce qui le chatouillait. Il finit par lui prendre le visage entre les mains.

— Question. Mariage. *Quand ?*

— *Oh, chéri, pas maintenant !* J'ai l'esprit en effervescence ! J'ai tant de choses à penser, je ne peux pas me préoccuper de l'avenir de deux personnes alors que je réfléchis à des milliers et des milliers de gens, répondit-elle dans un rire qui ne promettait rien.

— Combien de milliers au juste ? demanda Casey en se détournant avec un regard dur qu'elle ignora. Et pourquoi ?

— Eh bien, répondit-elle en s'allongeant contre lui, j'ai réfléchi... Tu n'as pas idée comme j'ai réfléchi depuis que nous nous sommes mis en quête des Sentinelles de Pierre. J'ai fait deux plans : plan A, que faire si nous ne les trouvions jamais, et plan B, que faire si nous les trouvions.

— Si on ne les avait pas trouvées, donc ? demanda Casey.

Malgré lui, il entrait dans son jeu, à cause de la magie de la voix de Jazz à laquelle il ne savait résister.

— J'ai été incapable de me concentrer sur l'hypothèse A parce que c'était impensable. Tu sais, ces blocages qu'on fait quand quelque chose est trop horrible ? C'était ça. Je ne me suis donc occupée que de l'hypothèse B. D'abord, j'ai pensé à ce que souhaiterait mon père s'il était en vie, et j'ai découvert quelque chose.

Jazz s'assit et regarda le feu.

— Il n'avait qu'à moitié raison. Il voulait garder la terre exactement comme elle était depuis toujours, or cela n'est pas possible de nos jours. De son temps... peut-être... mais plus maintenant. La famille Kilkullen ne peut posséder plus de trente mille hectares pour elle seule, à moins que ce soit dans un endroit si écarté que personne ne veuille y habiter. Mais en Californie, où tellement de gens veulent vivre, ce n'est pas juste. Nous devrions partager... mais de la bonne façon.

— Je n'aurais jamais cru t'entendre dire que tu étais prête à partager tes terres.

— Je ne l'avais jamais sérieusement envisagé avant. Mais maintenant... Je crois que la portion qui peut être développée est celle qui s'étend au-delà du rocher aux pointes jumelles. Il y a là environ douze mille hectares, on pourrait en prendre... disons, quatre mille ou cinq mille, et y bâtir une nouvelle ville pour soixante ou soixante-dix mille habitants qui serait encore entourée de campagne de toutes parts.

— Mon amour transformé en urbaniste !

— Inutile d'être urbaniste pour savoir cela — il suffit de lire les journaux. Ce sont les idées nouvelles qui importent, les idées qui restituent ce qui n'a été que trop souvent négligé.

— Quoi, par exemple ?

Casey était très intéressé par ce que Jazz avait à dire sur ce sujet qui lui trottait depuis longtemps dans la tête.

— *La communauté.*

— Comment veux-tu réinventer la communauté ? En supposant que tu construises une ville pour soixante-dix mille habitants, et que ce ne soit pas ce parking en or et platine pour Rolls-Royce dont rêvent Valerie et Fernanda.

— Sans la plage, elles n'ont pas une chance, et tout le littoral comme le port sont exclus de la carte. Écoute, Casey, comment on fait surgir une communauté. *Tu supprimes les centres commerciaux, les parkings, et tu fais de vraies rues !* En un clin d'œil, tu retrouves une communauté ! Chaque quartier a une rue principale, une vraie, bien honnête comme autrefois, avec des fontaines, des cinés, des boulangeries, des épiceries, de vrais bouchers, des quincailleries, des salles de bowling, des bars, des restaurants, pressings, traiteurs, coiffeurs, salons de beauté, librairies, pharmacies, et des piscines, et plein, plein de cafés, avec terrasses sur les trottoirs, des boutiques de toutes sortes et des endroits pour flâner, bavarder, des pistes cyclables partout parce que le vélo est le principal moyen de locomotion des gens pour se rendre d'un quartier à l'autre, quand ils ne marchent pas, ou ne vont pas à cheval.

— D'un quartier à l'autre ? releva Casey.

Jazz arpentait le salon, si exaltée par son projet qu'elle en négligeait la chaleur du feu, et la chaleur de Casey quand il était près d'elle. Il ressentit le besoin de la questionner pour tenter de rester en contact avec elle.

— Les gens n'habiteront pas dans des logements collés les uns aux autres ; ils auront des quartiers, comme dans certaines villes de Nouvelle-Angleterre, ou même San Juan Capistrano — quartiers où certains auront des maisons, d'autres des appartements ou des studios, où certains paieront un loyer beaucoup plus bas que d'autres, où d'autres seront propriétaires de leur maison, avec des vieux, des jeunes, des entre-les-deux, avec des enfants de tous âges... Mais, Casey, ils auront des porches et des vérandas, des bacs à fleurs et des jardins et des patios et des greniers — j'ai la certitude que les greniers sont très importants, je ne sais pas pourquoi —, et toutes les maisons seront assez proches les unes des autres pour que les gens aient des voisins, puissent s'asseoir sous leur porche et se saluer, et tout restera à l'échelle humaine ; il y aura aussi des endroits pour les pique-niques, des terrains de jeux et de sports, et des filets de basket partout !

— Que deviennent le ranch et les troupeaux ?

— Tu ne comprends donc pas, Casey ? Nous aurons toujours le ranch, avec un peu moins de bêtes, mais l'idée est de faire *coexister* le ranch et la ville, afin que tous les habitants de la ville puissent voir le bétail dans les prairies, devant les fenêtres. Ils pourront aller à cheval jusque dans les rues commerçantes, mais nous les découragerons d'essayer de procéder eux-mêmes au rassemblement.

— Comment vas-tu gérer cette ville ?

— Par des réunions du conseil municipal à l'hôtel de ville. T'ai-je parlé du jardin public ? ajouta-t-elle, écartant la question de la gestion. Il y aura une grande bibliothèque publique, un kiosque à musique avec des orchestres chaque week-end, ainsi tout le monde connaîtra tout le monde, beaucoup de fontaines pour qu'il y ait toujours le bruit de l'eau qui coule, et encore des cafés, des galeries d'art, des arcades à colonnades pour que les gens puissent se promener à l'abri du soleil. Et tout le monde pourra descendre sur la plage à pied, en vélo ou à cheval, pour nager, faire du surf, ou s'allonger et écouter les vagues, contempler le coucher du soleil, mais ils ne pourront jamais la changer, *jamais*.

— Des écoles ?

— Évidemment. Écoles, églises, synagogues, une industrie locale non polluante, des bureaux pour que les gens puissent travailler près de leur domicile. Les urbanistes réfléchissent toujours à ce genre de choses. Je lisais des articles là-dessus mais je n'y avais jamais prêté attention avant que Phoebe ne fasse abattre la *Purple Tostada Grande*...

Jazz s'arrêta devant la fenêtre et hocha la tête à ce souvenir.

— Reviens t'asseoir ici, invita Casey. Quel est le rapport ?

— Elle a amputé une partie du voisinage de Flash. Du jour au lendemain, comme ça ! Venice est un véritable quartier, un des derniers, et Phoebe en a détruit l'un des fleurons, qui comptait pour tout le monde, les résidents comme les promeneurs. Alors, quand j'ai entrevu que nous avions l'occasion de bâtir une nouvelle ville, j'ai su qu'il lui fallait des quartiers et des rues commerçantes. Et c'est facile, il suffit de se rappeler comment c'était il y a vingt-cinq ans... vingt-cinq ans, c'est à peu près à ce moment-là que tout a commencé à changer...

Elle était comme en transes, pensa Casey. Elle n'avait pas un instant réfléchi aux énormes problèmes de la construction d'une telle ville, problèmes financiers comme problèmes techniques, pas plus qu'elle ne s'était demandé une minute comment elle allait devenir le maître-concepteur de cette ville utopique, flanquée de deux sœurs dont la mentalité était à mille lieues de toute utopie.

— Jazz, sais-tu ce qu'est l'infrastructure ?

— Vaguement, répondit-elle, perdue dans sa vision.

Elle l'apprendrait, songea Casey. Il ne lui faudrait pas longtemps pour devenir maître ès-infrastructure. Elle rêvait peut-être un peu fort, elle avait peut-être un peu bu, mais il n'y avait rien d'impossible dans son projet. Cela avait même du sens. Un sacré sens. Il en savait plus qu'elle sur le développement foncier, et il savait que ses idées allaient dans le sens de l'avenir. Oh, elle s'emballerait pour le projet de cette ville nouvelle, elle l'était déjà tant qu'elle en oubliait sa carrière de photographe ; elle ne savait même plus que Casey était dans la pièce, sinon comme auditeur ; elle ne s'était pas demandé s'il participerait au projet, voire même s'il s'y intéresserait. Elle ne se souciait pas plus des trois ex-épouses inventées que du rôle qu'il jouerait éventuellement dans ce nouveau projet, comme si ses ambitions se limitaient à être régisseur. Jazz n'aurait jamais le temps de se marier, ni même d'en parler, très bientôt les urbanistes, architectes, constructeurs envahiraient sa vie, et après ? Était-ce le moment de lui rappeler ses sentiments ? Était-ce le moment de la ramener sur terre, alors qu'elle était dans cet état d'extase ? Non, il ne s'en sentait pas capable. Altruisme dû à l'amour, crainte de ce qu'elle dirait ? La réponse à cette question se révélerait peut-être si décevante qu'il faisait un blocage, tout comme Jazz n'avait pas voulu envisager le plan A. Pour l'heure, il n'avait besoin que de garder espoir, avec une force égale à celle dont Jazz faisait preuve dans cette affaire.

Ils n'allaient pas aimer, exultait Jazz en disposant papiers et photos sur le bureau de son père. Ils n'aimeraient pas du tout, mais ils ne pourraient le réfuter. C'était officiel, avec l'aval tout-puissant du gouvernement des États-Unis, pas un conte de bonnes femmes, pas un fétu de paille auquel on se raccroche désespérément. Rien ne manquait, même pas les photos de la boîte de Pepsi.

Jazz attendait la visite imminente de Jimmy Rosemont et de Sir John Maddox. Elle les avait convoqués — nul autre mot ne disait assez la manière avec laquelle elle leur avait signifié qu'elle avait certaines questions à discuter avec eux — dès qu'elle avait jugé sa documentation complète, six jours après la découverte des Trois Sentinelles de Pierre.

D'abord, Jazz avait envisagé de leur offrir le thé puis de les mettre devant l'évidence du pacte, mais elle avait repoussé aussitôt cette idée. Ni thé, ni café, ni même un verre d'eau à moins qu'ils ne le demandent. Il s'agissait d'affaires, pures et dures, et elle n'avait nulle intention d'y ajouter le vernis d'une fausse grâce féminine.

D'ailleurs, elle s'était habillée pour la circonstance, aussi masculine que possible, en rancher, en propriétaire. Elle portait un pantalon droit de cuir brun glissé dans des bottes Western en fin lézard, et une chemise d'homme en épais coton blanc avec une fine cravate de cuir noir. Sur la tête, elle arborait un vieux chapeau Western qu'un vaquero lui avait donné pour son dix-huitième anniversaire. Le couvre-chef était grotesque sur lui, mais sur Jazz il avait un sacré panache. L'ensemble, tel l'habit de lumière d'un toréador, lui donnait une allure martiale.

Aujourd'hui Jazz se mouvait sans une once de sa grâce coutumière ; les bottes lui assuraient une démarche sûre et autoritaire. Son insouciance, sa liberté légère de funambule se trouvaient écrasées par la sévérité frappante de son chapeau enfoncé jusqu'aux sourcils. Elle aurait presque pu passer pour un jeune homme car elle avait rassemblé tous ses cheveux en une tresse enroulée sur la nuque.

Elle s'était demandé si Casey devait assister à l'entretien mais, dans la mesure où il n'avait pas de lien officiel avec la propriété, y avait renoncé. Elle n'avait pas convié ses sœurs puisque Rosemont et Sir John agissaient d'évidence en leur nom ; elles auraient créé un désordre inutile à ce qu'elle avait à dire. Jazz se planta derrière le bureau de son père et frappa impatiemment du talon. Dans deux minutes, ils seraient en retard.

Non, une voiture arrivait, Susie ouvrait la porte d'entrée, les pas des deux hommes approchaient. Enfin ! Elle se planta plus fermement derrière le bureau, sans sourire, et les laissa venir lui serrer la main.

— Installez-vous, messieurs, ordonna-t-elle.

Elle prit place dans le fauteuil de Mike qu'elle recula loin en arrière afin de pouvoir croiser ses chevilles bottées sur le bureau, puis elle regarda autour d'elle les murs couverts de photos encadrées des cent dernières années, d'actes de vente de taureaux primés, et de précieuses lettres de divers leaders démocrates. Elle se sentit tout enveloppée par la présence de Mike Kilkullen.

— Quand nous nous sommes rencontrés pour la dernière fois, commença-t-elle en fixant un à un les deux hommes, vous m'avez exposé un plan concernant le développement du ranch Kilkullen, ou, comme il s'appelait autrefois, le Rancho Montaña de la Luna. Savez-vous pourquoi il portait ce nom, monsieur Rosemont ?

— Non, mademoiselle Kilkullen.

— Cela signifie la Montagne de la Lune. D'aussi loin que des hommes ont vécu sur cette terre, et cela remonte au-delà de ce qu'on imagine, ils ont vu la lune se lever derrière la montagne, celle que l'on nomme le Pic de Portola, et nul doute que certains d'entre eux dans leur ignorance pensaient que la montagne donnait naissance à la lune. Mais vous, monsieur Rosemont, et vous, Sir John, êtes des hommes intelligents, trop modernes pour verser dans ces anciennes croyances. Quand vous voyez une montagne, vous voyez une *opportunité* de la faire accoucher d'immeubles.

— Touché, mademoiselle Kilkullen, rétorqua Jimmy Rosemont. Mais les temps changent, et les montagnes avec eux.

— Pas autant que vous le croyez, monsieur Rosemont. Votre idée me répugnait...

— Nous avons remarqué, fit sèchement Sir John.

— Et me répugne toujours. Mais je ne savais pas alors comment contrecarrer vos plans. J'ai fait des recherches sur la légalité du testament olographe de mon père, et j'ai découvert une chose très, très intéressante. Il a légué à ses filles une terre qu'il n'avait pas le droit de nous donner.

— Vous plaisantez, dit Jimmy Rosemont.

L'homme d'affaires arborait un petit sourire condescendant et narquois.

— Une terre, poursuivit Jazz d'un ton égal, sur laquelle il n'avait pas de droit, une terre qu'un traité territorial privé lui interdit de laisser à quiconque sans y inclure les termes de ce pacte.

— Qu'est-ce que cette absurdité ? s'enquit Sir John avec une amabilité distante.

— Pas une absurdité, Sir John, rétorqua Jazz en se levant. J'ai un certain nombre de pièces à vous montrer. D'abord, une lettre de mon arrière-arrière-grand-mère, Juanita Isabella Valencia Kilkullen, à sa future belle-fille.

Lentement, Jazz leur donna lecture de la traduction de la missive, traduction établie par un professeur d'espagnol de l'Université et dûment notariée. Puis, en quelques points rapides et précis, elle leur résuma l'histoire des diverses attributions de terres californiennes et leur expliqua la signification de l'agrandissement noir et blanc du document que Casey et elle avaient trouvé à la bibliothèque Huntington, avec la traduction du serment de Bernardo Valencia et les signatures des quatre témoins. Toutes ces pièces avaient également été authentifiées Elle leur montra le sceau présidentiel qui validait définitivement le droit des Valencia sur le domaine, ainsi qu'une photocopie de l'acte de vente de la propriété signé par Antonio Valencia et Michael Kilkullen. Ensuite, elle étala les photographies prises depuis les Trois Sentinelles de Pierre. Pour finir, elle leur indiqua, sur une carte topographique actuelle, la limite tracée en rouge de toute la partie des terres qui devait rester « protégée à jamais de la main de l'homme », pacte qui avait été respecté par les Kilkullen avec autant de fidélité qu'il l'avait été par les Valencia.

Son exposé terminé, elle se tint derrière le bureau, s'efforçant de réprimer un sourire insolent. Jimmy Rosemont et Sir John Maddox échangèrent un regard dont elle ne saisit pas le sens. Le premier à briser le silence fut Sir John.

— Voilà qui est tout à fait fascinant, mademoiselle Kilkullen, je vous félicite pour votre travail de détective.

Ses manières restaient aussi affables qu'auparavant.

— Clair et intelligent, renchérit Jimmy Rosemont. Demandez-moi un emploi quand vous voulez.

— Une fort intéressante histoire, ajouta Sir John, charmante de surcroît, romanesque, généreuse et certainement, n'hésitons pas à le dire, profondément pieuse. Je vous suis reconnaissant de m'avoir permis d'entendre cela.

— Sir John, n'avez-vous pas *encore* compris ce que cela signifie ?

Jazz s'était préparée à tout sauf à cette satisfaction dédaigneuse. Elle savait qu'ils ne se montreraient pas bons perdants. Mais pourquoi n'étaient-ils pas plus troublés ? Le serpent de la peur se lova dans son cœur.

— Ce que cela *pourrait* signifier, chère mademoiselle Kilkullen, pourrait... s'il n'existait cette pièce.

Sir John Maddox se pencha en avant et s'empara de l'un des documents sur le bureau.

— Cet acte de vente du ranch, enregistré au bureau du cadastre de Santa Ana, se trouve être la seule pièce *exécutoire*.

— Que racontez-vous ? fit Jazz, haussant le ton. L'attribution des terres par le Mexique est tout autant valide, *c'est la clef de voûte*, la preuve sur des années et des années que le ranch a appartenu aux Valencia de 1788 jusqu'à ce qu'ils le vendent aux Kilkullen. N'essayez pas de me dire que ce n'est pas *exécutoire* !

— C'est pourtant ce que nous vous affirmons, intervint Jimmy Rosemont, nettement plus sec que son compagnon. Ce vieux morceau de papier n'a aucune valeur légale. *Il n'a jamais été enregistré à Santa Ana.* Certes, s'il l'avait été, nous nous retrouvions pieds et poings liés. Mais ce n'est que de la spéculation, une simple spéculation. Le fait est qu'il ne l'a pas été.

— Vous êtes fous ! C'est impossible ! Et je...

— Mademoiselle Kilkullen, je comprends votre détresse, déclara Sir John, et je compatis complètement. Mais vous n'avez pas le moyen d'empêcher la vente de ce domaine au nom d'un accord *verbal* qui peut avoir été passé entre deux hommes, Antonio Valencia et Michael Kilkullen, disparus tous deux, s'engageant à respecter le serment de

Teodosio María Valencia, disparu lui aussi depuis longtemps, serment mentionné dans une correspondance entre deux femmes qui, elles non plus, ne sont plus de ce monde. Même le sceau de Millard Fillmore est complètement inutile.

— Sir John a raison, acquiesça Jimmy Rosemont d'un ton presque nonchalant. Votre père avait parfaitement le droit de léguer librement la totalité de sa terre à vos sœurs et à vous. Rien à l'enregistrement au cadastre ne va à l'encontre de ce legs, et c'est le seul point qui nous occupe.

— C'est forcément impossible, se débattit encore Jazz.

Mais le serpent de la peur resserrait son étreinte. Un froid glacé l'envahit à mesure qu'elle entrevoyait la faille, l'injuste et hideuse faille de son dossier.

— Nous ne vous demandons pas de nous croire sur parole, déclara Jimmy Rosemont, franchement impatient à présent. Nous perdons notre temps à discuter de choses dont seuls vos avocats sauront vous convaincre. Consultez-les et demandez-leur si nous avons raison.

— Je n'y manquerai pas, monsieur Rosemont, n'ayez crainte ! Une des choses qu'ils m'ont déjà dites est qu'il existe des dizaines de façons de retarder et d'empêcher la vente du ranch, quand bien même le pacte s'avérerait non valide, ce que je ne crois pas une seconde.

— Sur ce plan, vous avez presque raison, fit Sir John. J'estime qu'avec de bons avocats, vous pourriez faire traîner la vente pendant vingt ou trente ans. Mais en fin de compte, vous perdriez, vous le savez. Vous auriez gâché votre vie dans un combat sans espoir. Et comment paieriez-vous vos avocats pendant cette longue bataille ?

— C'est mon problème !

Elle haussa les épaules pour chasser cette question ; la panique la gagnait et il lui semblait que sa poitrine allait exploser.

— Un problème, en effet, mademoiselle Kilkullen, même pour une femme très riche. Cependant, mes amis de Hong-Kong possèdent d'inépuisables ressources, ils peuvent assumer tous les procès possibles, ils n'abandonneront jamais, car ils travaillent pour l'avenir comme je vous l'ai expliqué lors de notre première rencontre, mais votre vie à vous... oh, je détesterais voir une jeune femme si charmante gâcher ainsi son existence.

— J'hypothéquerai ma part sur la terre, le défia Jazz. Dieu sait qu'elle vaut cher.

— Alors vous n'aurez pas seulement perdu la bataille, railla Jimmy Rosemont, mais aussi votre héritage.

— Ne croyez pas que vous n'aurez que moi à combattre, cria férocement Jazz. La Californie est pleine de groupes organisés qui vous contreront pas à pas ; les écologistes, par exemple, protecteurs de l'environnement, opposés au surdéveloppement, militants pour la conservation des sites, pour la préservation de la vie sauvage...

— Nous nous en débrouillerons, assura sereinement Sir John.

Il avait toute confiance en l'appui de Liddy Kilkullen qui avait le gouverneur dans sa poche. Jimmy avait été très habile de traiter avec elle.

— Et si nécessaire, nous leur donnerons quelque chose. Quelques centaines d'hectares ici et là... Vous seriez stupéfaite de voir comme ces... « verts » — c'est ainsi qu'on les appelle, je crois — finissent par entendre raison dès qu'on leur cède un petit morceau du gâteau.

Et aucune aide à attendre, ajouta mentalement Sir John, très satisfait, du gouvernement de l'État qui avait déjà, sous une autre administration, réduit le pouvoir autrefois décisif de la Commission du Littoral à une relative bénignité.

— Nous ferions mieux de nous en aller, John, j'attends un coup de fil.

Les deux hommes se levèrent pour partir. Après un regard vers Jazz dont le visage était contracté par la détermination, ils convinrent tacitement de ne pas essayer de lui serrer la main. Ils se détournèrent et se dirigèrent vers la porte.

Abattue, la jeune femme s'affala dans son siège. Son cœur s'était déchiré, il lui semblait que son énergie vitale était écrasée par une force incontrôlable. Saisie d'une ultime idée, désespérée, elle bondit et courut vers la porte.

— Sir John ! Quand les Chinois entendront parler du pacte, qu'en penseront-ils ? Je les sais très superstitieux. Ce serait peut-être tenter le mauvais sort que de bâtir sur une terre protégée par un pacte ?

— Beau coup d'essai, commenta Jimmy Rosemont, entre le rire et le mépris.

— Vous avez raison, mademoiselle Kilkullen, répondit courtoisement Sir John. Mais mes amis sont plus superstitieux au sujet de leur fortune. Ils prendront le risque, oh oui, et ils le prendront... avec joie. Il n'existe pas de meilleur remède contre la superstition qu'un milliard et demi de communistes qui se pressent à votre porte.

# 21

— Pour la dixième fois, Fernie, déclara Valerie alors que les deux sœurs se rendaient en voiture à l'hacienda Valencia, j'ignore pourquoi Jazz veut nous voir aujourd'hui, mais je ne vois pas comment nous aurions pu refuser alors qu'elle affirmait que c'était important. Jimmy dit qu'elle finira par être obligée de vendre, mais qu'elle peut aussi bien traîner les pieds pour rendre la chose plus difficile.

— Je suppose que tu as raison, marmonna Fernanda, mais tu aurais pu la faire venir à l'hôtel au lieu d'accepter que nous allions chez elle. Georgina et moi avions prévu d'aller faire du shopping à Beverly Hills.

— Ne faites-vous jamais rien d'autre que courir les magasins ?

— Qu'y a-t-il d'autre à faire ? murmura Fernanda.

Mille mercis à ce prétexte. Nul n'irait soupçonner, quand deux femmes prévoyaient de faire du shopping, qu'elles avaient une chambre réservée dans un hôtel où elles pouvaient passer ensemble tout l'après-midi. Et personne n'irait s'étonner qu'elles ne reviennent pas les bras chargés de paquets. Fernanda était si riche désormais qu'elle pouvait feindre de courir les boutiques sans jamais trouver ce qui lui convenait.

Dès qu'elles seraient rentrées à New York, quand Jimmy aurait conclu la vente au mieux, Georgina et elle seraient ensemble autant qu'elles le désireraient. Elles achèteraient un petit appartement dans un immeuble moderne et impersonnel sans garçon d'ascenseur, à mi-chemin de leurs deux domiciles, où elles se retrouveraient en toute liberté, sans avoir à s'inquiéter des domestiques, des maris, des coups de téléphone.

Fernanda frissonna des pieds à la tête en songeant combien Georgina et elle étaient parfaitement accordées.

— Tu as froid ? s'enquit Valerie.

— Il doit y avoir du pollen dans l'air.

— Hmmm.

Valerie n'acquiesça ni ne discuta, ni même n'écouta la réponse de sa sœur. Elle se sentait si agréablement calme, comme si quelque problème chronique et irritant s'était estompé.

Pour elle, ce séjour obligé en Californie du Sud, aussi pénible soit-il, avait été comme le lent étirement et le claquage final d'une corde trop tendue. La vie de New York, vue de loin, lui apparaissait comme un énorme carrousel criard, brillamment peinturluré, avec des chevaux de bois plus larges que nature, coiffés de plumes multicolores et drapés de mètres d'étoffe clinquante. Le manège tournait si vite qu'elle distinguait à peine les spectateurs ; son monde s'était réduit aux autres cavaliers, montant et descendant le long des piquets qui tenaient les montures de bois, et riant en s'adressant de sauvages et joyeux saluts.

Puis le manège s'était arrêté, elle était descendue. Valerie s'étonnait de la profondeur de son soulagement. Bien qu'elle entendît encore les cris des cavaliers par-delà la musique de bastringue, chaque jour le carrousel s'éloignait davantage, chaque jour la piètre musique s'amenuisait ; les cavaliers s'étaient mués en une bande d'étrangers.

Elle avait finalement compris qu'il lui suffisait de lever le petit doigt et le manège s'arrêterait de nouveau pour elle. Elle pourrait y remonter à son heure. Mais le voulait-elle ? Cela valait-il la peine de repartir dans la danse ? Être très, très riche permettait de ne se soucier de personne, car les autres étaient trop occupés à vous envier pour avoir le temps de vous juger. Peut-être était-ce là le luxe ultime.

— Mère t'a-t-elle appelée aujourd'hui ? questionna Fernanda.

— Juste pour dire bonjour. Elle allait visiter des maisons avec une agence et estimait en avoir pour longtemps. Le ciel soit loué qu'elle soit restée à San Clemente avec les White. Si elle était à l'hôtel, je l'étranglerais.

— On dirait que nous sommes de vraies gamines, vu la façon dont elle nous pousse à conclure la vente du ranch avant la désignation de l'administrateur permanent, remarqua Fernanda. S'imagine-t-elle que nous n'y avons pas pensé ? Cela me rappelle quand elle me grondait pour que je me tienne droite. Elle surgissait brusquement pour me surprendre affalée, ou en train de lire le dos voûté, et elle s'écriait : « De la tenue, Fernanda, de la tenue ! »

— T'a-t-elle jamais parlé de Père ? demanda Valerie.

— Pas un mot. On aurait pu penser qu'avec Père assassiné et ses meurtriers derrière les barreaux en train d'attendre leur procès, Mère aurait enfin dit quelque chose, même si elle ne le supportait pas.

— Elle est trop aigrie. Elle le sera toujours, réfléchit Valerie. C'est dire à quel point elle a dû le haïr. Je me suis demandé comment ç'aurait été s'ils étaient restés en meilleurs termes après le divorce... comment ç'aurait été pour nous.

— Je crois qu'il nous a aimées, fit lentement Fernanda. J'ai toujours eu le sentiment qu'il nous aimait, à sa manière autoritaire, exigeante, bourrue. Comment un homme n'aimerait-il pas ses enfants ? Mais nous aurions été... oh, plus *à l'aise* avec lui... moins... glacées. Nous aurions pu essayer de nous rapprocher de lui sans nous montrer déloyales envers Mère.

— Même quand je lui en voulais, reprit Valerie, j'ai toujours dû admettre qu'il était... une force. On savait qu'il était là. Il semblait qu'il y serait toujours. Mais Mère nous l'a fait apparaître si méchant, si inaccessible... elle s'est arrangée pour que nous ayons peur de lui.

— Ce n'était pas bien de sa part, souffla Fernanda, étonnée.

— N'essaie pas de le lui dire.

— A quoi bon ? C'est trop tard maintenant, alors pourquoi chercher des ennuis ?

— En effet, acquiesça Valerie.

Elle pensa que c'était la première fois que Fernie et elle parlaient de leur père depuis sa mort. Il y avait eu le choc puis le brouillard des funérailles, si vite suivies de la lecture du testament puis de l'arrivée de Rosemont et Sir John ; elles avaient rarement été seules assez longtemps pour avoir ce genre de conversation. Elles n'avaient pas vraiment eu le temps de le pleurer. Et comment ne pas pleurer son père ? C'était bon de parler de nouveau avec Fernie. Leur profonde compréhension, qui se contentait de quelques mots, lui avait manqué. Fernie était peut-être un tantinet évaporée, mais pas stupide.

*<br>**

Valerie obliqua dans l'allée qui menait à l'hacienda Valencia et roula lentement entre les arbres gigantesques. Comme elle freinait devant l'entrée de la maison, Jazz courut les accueillir, prévenant le malaise qu'elles éprouvaient à l'idée d'entrer dans la demeure familiale qui désormais lui appartenait. Elle leur offrit tout un choix de mets et de boissons.

— Merci, nous venons de déjeuner, répondit Valerie, volontairement abrupte. De quoi voulais-tu nous parler ?

— A vrai dire, il s'agit plus d'une démonstration que d'un entretien formel.

— C'est-à-dire ? demanda Fernanda, soupçonneuse.

Au souvenir de la façon dont Jazz avait raflé Casey Nelson, raflé l'hacienda, elle voulait ne rien lui passer. Bien qu'elle n'ait envie de réclamer ni l'homme ni la maison, elle n'appréciait pas de se les être fait piquer.

— Voici ma proposition, reprit Jazz. Vous venez à cheval avec moi, vous écoutez ce que j'ai à vous dire, et puis, si cela ne vous dit rien, je signerai tout ce que vous voudrez et chacune repartira de son côté. Vos tenues de cavalières sont toujours ici, dans vos anciennes chambres.

— Un tour à cheval ! s'écria sévèrement Valerie. Quel stratagème as-tu inventé ?

Elle redoutait Jazz quand celle-ci avait l'air sans peur et sans reproche, comme maintenant, en dépit de la fatigue qui étirait ses yeux.

— Rien d'autre que ce que je viens de dire. Une balade. Écoutez, je suis obligée de traiter avec vous. Je n'ai pas le choix, vous le savez. Faites-moi seulement cette faveur et je ne vous demanderai rien d'autre.

Valerie réfléchit rapidement. Jimmy Rosemont lui avait assuré que rien d'important ne s'était dit quand Sir John et lui avaient vu Jazz quelques jours plus tôt. Mais elle sentait confusément qu'il y avait à gagner en se pliant aux méthodes fantaisistes de sa demi-sœur. Après tout, elles signeraient la vente ensemble. Et un peu d'exercice ne lui ferait pas de mal. Il n'était plus sûr de monter à Central Park, et cela depuis des années.

— D'accord, répondit-elle. Viens, Fernie, allons nous changer.

Tandis qu'elles passaient jeans et bottes, Jazz fit nerveusement les cent pas autour de la fontaine du patio. Le ciel était d'un profond et pur bleu turquoise, clair après les pluies des derniers jours ; des gouttes tremblotaient encore sur les pétales rouge vif des géraniums, minuscules prismes de lumière quand le soleil les caressait ; l'air était électrique dans sa fraîcheur ; les dernières roses, qu'elle n'avait pas encore eu le cœur de tailler, déployaient leurs corolles rouges et blanches, et les troncs des vieux arbres dans les allées étaient presque noirs d'humidité.

La semaine écoulée avait été sinistre. Steve Johnson et son escadrille d'avocats avaient étudié tous les documents pour en venir à la même conclusion que Rosemont et Maddox. Elle pourrait vouer ses plus belles années au combat, le pacte resterait non exécutoire.

Les conclusions sans appel de ses avocats avaient poussé Jazz à se renfermer complètement sur elle-même. Son enthousiasme l'avait portée si haut qu'elle se sentait mille fois stupide et idiote pour son outrecuidance et sa certitude de remporter la victoire. L'issue des événements l'avait jetée dans une terrible colère, puis dans une tristesse sans fond, et elle n'avait plus été capable de se supporter. Elle refusait même de parler à Casey de ses sentiments en loques. Durant ces interminables et lourds jours de pluie, elle avait erré dans l'hacienda comme un prisonnier honteux et abattu tandis que Casey et Joe Winter officiaient à la bonne marche du ranch depuis leur bureau commun.

Jazz se sentait très détachée de Casey. Il avait pris la nouvelle de sa défaite avec stoïcisme, comme s'il s'y attendait. Comme un coup du hasard. Évidemment, pensait-elle, il n'avait pas de raison d'y attacher une réelle importance. Il s'était simplement mis au diapason de son humeur depuis qu'elle avait découvert la lettre, mais au fond de son cœur il n'avait aucune raison de s'en soucier. Ce n'était qu'un épisode de sa vie. L'hacienda n'avait jamais été son foyer, Mike n'avait pas été son père, sa vie n'avait pas été liée à cette terre aimée. Pourquoi lui avait-elle fait confiance ?

Maintenant, un mur invisible se dressait entre eux, haut, épais, fait de sentiments inexprimés, de questions non formulées, de chagrins muets, de réconfort inexistant. Jazz n'avait même plus le désir d'y penser. Le mariage avec Casey Nelson semblait aussi improbable que la nuit de leur rencontre, mais il lui manquait tout simplement l'énergie de résoudre le problème sur-le-champ. Elle traitait Casey avec une froideur abrupte dès qu'il essayait de l'approcher, montrant son amertume, son ressentiment silencieux, son indifférence. Elle ne pouvait, en toute justice, le ranger parmi ses ennemis, mais son amour

— ou ce qu'il affirmait être son amour — ne semblait plus qu'un souvenir.

La veille à midi, la pluie avait cessé, remplacée par une brise tiède, et Jazz avait décidé de sortir en bateau, espérant trouver l'apaisement dans le rythme des flots. Mais toujours le vent l'avait repoussée vers la côte, toujours elle s'était retrouvée face à la majesté du Pic de Portola, et son cœur avait tressailli alors qu'elle imaginait les bulldozers en train de raser les Trois Sentinelles de Pierre, la montagne abîmée, massacrée, taillée en espaliers d'où jailliraient une vingtaine d'immeubles.

Elle était rentrée, brûlée par le soleil, échevelée, mais déterminée à faire une dernière fois appel à Fernanda et Valerie, face à face. Elle ne s'imaginait pas les faire changer d'avis, mais au moins, lorsqu'elle penserait plus tard au Pic de Portola, elle n'aurait pas le sentiment de n'avoir pas tout fait pour le sauver.

Avant l'arrivée de ses demi-sœurs, Jazz avait demandé à un vaquero de seller trois chevaux, dans l'espoir qu'elles accéderaient à sa requête. Elles finirent par sortir de la maison et se dirigèrent vers les écuries, en jeans et coupe-vent, marchant aisément avec leurs vieilles bottes qu'elles n'avaient pas pris la peine d'emporter après l'enterrement.

— Où allons-nous ? interrogea Fernanda.

— Au-dessus du vallon, dans les hautes terres.

— J'imagine, fit Valerie en s'installant sur son cheval bai, que tu vas jouer la carte de l'attachement à la terre, je me trompe, Jazz ?

— Plus ou moins. Suivez-moi.

Jazz partit sur Limonada, ses sœurs lui emboîtèrent le pas. Quand elles atteignirent le vallon, elle lança la jument rouanne au petit galop. Si ses sœurs et elle partageaient une chose, c'était leur capacité à monter à la manière des vaqueros.

Le but de Jazz était un sycomore solitaire, treize kilomètres plus au sud, duquel on jouissait d'une vue grandiose sur l'immensité du ranch. Il était assez éloigné de Portola pour que l'œil embrasse la montagne mieux qu'il ne le faisait depuis son pied. Le vieux sycomore était peut-être le seul amer à peu près central sur la terre en forme d'éventail, terre que Jazz pouvait parcourir tout un jour à cheval sans en atteindre la limite.

Tandis qu'elles allaient au milieu des collines verdoyantes où paissait le bétail, saluant au passage les vaqueros qu'elles rencontraient, Jazz regardait de temps en temps derrière elle. Ses sœurs ne se laissaient pas distancer — Valerie devant, Fernanda fermant la marche, leurs cheveux volant dans le vent, bien à l'aise en selle, si différentes de ce qu'elles étaient loin des grands espaces. Jazz n'avait jamais chevauché ainsi avec elles, pas une seule fois en trente ans, s'aperçut-elle, et son cœur se serra.

— D'accord, Jazz, et maintenant ? s'enquit Valerie dès qu'elles eurent atteint le vieux sycomore.

Les prés qui dévalaient tout autour d'elles étaient déserts, l'herbe nouvelle commençait tout juste à poindre. Au-dessus d'elles, quelques écharpes de nuages s'étaient accrochées aux hauteurs empourprées du Pic de Portola. On voyait la mer qui roulait ses flots furieux contre la pointe Valencia, mais on ne l'entendait pas. Dans le silence vaste et tranquille, bleu et doré de ces hautes terres, le monde n'était plus à portée de main.

Jazz déroula une couverture et l'étala sur l'herbe humide.

— Autant nous mettre à l'aise.

— De plus en plus curieux, marmonna Fernanda.

Mais elle s'assit sur la couverture.

— Ne me demande pas de respirer profondément, Jazz, prévint Valerie, s'installant dignement à son tour, je suppose que tu ne nous as pas amenées ici pour une classe verte.

— Je voulais vous conduire ici parce que c'est le meilleur endroit pour vous montrer ce que le pacte englobe et n'englobe pas, sans avoir à vous faire grimper aux Sentinelles de Pierre.

N'ayant rien à perdre, Jazz avait opté pour la vérité toute crue.

— Un pacte ? interrogea Valerie.

— Quelles sentinelles ? s'entendit demander Fernanda.

— *Mon Dieu, vous ne savez pas ! Ils ne vous ont rien dit !* Ils n'avaient pas le droit, *pas le droit...* Je n'arrive pas à croire qu'ils vous l'ont caché !

— Jazz, aurais-tu dit quelque chose à Sir John et Jimmy qu'ils ne nous auraient pas rapporté ? fit durement Valerie.

— Et comment ! Ce n'est pas exécutoire, pas valide légalement, mais comment ont-ils osé ne même pas le mentionner ! Vous êtes tout autant concernées que moi, nous avons le même héritage !

— Attends, intervint Fernanda. C'est peut-être à cela que Georgina faisait allusion. Elle m'a dit que Jimmy lui avait parlé d'une histoire bizarre que tu lui aurais racontée, une « anecdote folklorique » comme il l'a appelée, mais que c'était négligeable, et Jimmy avait à cœur de ne pas y accorder plus d'importance que cela n'en méritait.

— Cet insupportable salaud ! Cet excrément arrogant et malhonnête ! Il a osé prendre sur lui de ne rien vous dire !

Furieuse, Jazz alla chercher les papiers qu'elle avait attachés à sa selle, au cas où Fernanda et Valerie auraient montré assez de curiosité pour demander à voir les documents. Ses mains tremblaient de rage quand elle étala la copie du *diseño* sur la couverture et entreprit d'y joindre les autres pièces et les photos.

— Grands dieux, il ne vous a même pas parlé de la lettre de notre arrière-arrière-grand-mère ! « Anecdote folklorique », mon cul !

L'intérêt que Valerie portait à ses ancêtres s'était éveillé, d'autant que Jazz avait tout de suite annoncé que rien n'avait valeur légale.

— Commence du début, Jazz. Arrête de brandir toutes ces paperasses et raconte-nous tout, ordonna-t-elle.

— Seulement si vous promettez de ne pas m'interrompre.

Soudain, Jazz entrevoyait une lueur d'espoir sur l'écran gris de son esprit. Son père lui avait peu à peu narré l'histoire des Valencia quand ils s'asseyaient tous deux dans la salle des archives, mais elle n'avait aucune raison de penser que ses sœurs avaient bénéficié d'aussi longs développements. Mike Kilkullen n'avait jamais été du genre à fabriquer des légendes, même sur sa propre famille.

Elle entreprit de leur relater l'histoire de sa recherche, commençant par le début et les menant pas à pas à la découverte de la carte dans la collection de manuscrits du musée Huntington, ainsi qu'à la traduction du pacte de Bernardo Valencia, qui renouvelait le serment fait par Teodosio Valencia en 1806.

— Michael Kilkullen, dit-elle en montrant le tracé de la carte, notre arrière-arrière-grand-père, respecta ce pacte, et son fils après lui. La lettre en est la preuve. Il y a une raison importante pour laquelle le ranch n'a jamais été vendu, pour laquelle il est demeuré intact. Père me disait que, lorsqu'il était enfant, son grand-père lui avait fait promettre de ne jamais vendre même un hectare de terre.

— Je me souviens qu'il le disait... mais c'est un point de vue complètement obsolète, insista Valerie.

— Oh, Val, protesta Fernanda, ne sois pas si prosaïque. C'est l'histoire de la famille.

— Vous m'interrompez, fit remarquer Jazz.

Et elle reprit, leur racontant sa recherche des Sentinelles de Pierre, jusqu'au jour où elle avait rencontré Rosemont et Sir John et appris que tout cela n'avait aucune valeur devant un tribunal.

— Puisque tu croyais que nous étions au courant, souligna Valerie, pourquoi nous as-tu amenées ici aujourd'hui ? Quel est ton but ? Nous faire sentir que nous faisons quelque chose de mal ? Que nous trahissons le passé ? Mon Dieu, ce vieux serment a été fait voilà près de deux siècles - à une époque où cela ne coûtait rien à Bernardo Valencia de faire une telle promesse. Tu sais aussi bien que moi que personne ne la referait aujourd'hui, dans le monde moderne.

— Val, je n'ai jamais eu l'intention de vous culpabiliser. Je voulais vous faire *sentir* quelque chose et ce ne pouvait être qu'ici, avec le ranch tout autour de nous, pas dans une suite d'hôtel. Valerie ! Fernanda ! s'exclama-t-elle d'une voix plus intense. Avez-vous pensé qu'une fois cette terre vendue, elle ne sera *jamais remplacée* ? L'une des plus précieuses propriétés de la planète va disparaître sous des millions de mètres carrés de béton, de pierre et de marbre. Pensez à tous ces gens qui achètent des objets chers : antiquités, toiles de maîtres, porcelaines chinoises et tapisseries d'Aubusson. Ils en remplissent leur maison pour montrer à tout le monde comme ils sont riches. Ils achètent des châteaux, des îles, des vignes. Mais aucun d'entre eux, même pas ces gens qui figurent dans la liste de *Forbes* des plus grosses fortunes d'Amérique, ne pourrait acheter notre ranch sans y engloutir la totalité de sa fortune, et plus encore. Regardez autour de vous ! Cette terre est notre berceau, et quand elle aura disparu, rien au monde ne saura la remplacer. Si nous ne la vendons pas, nous serons riches au-delà de ce que l'on peut imaginer.

— L'imagination n'est pas une monnaie sonnante et trébuchante, fit platement Valerie.

— Jazz, renchérit plaintivement Fernanda, cette terre représente trop d'argent pour qu'on la garde.

— Une minute ! Ne me faites pas dire ce que je n'ai pas dit. Je ne suggère pas que nous gardions, pour nous seules, jusqu'au dernier hectare. C'est évidemment hors de question. Mais je vous demande de réfléchir à une alternative.

Jazz pointa le doigt au sud, vers l'espace qui s'étirait au-delà de la protection du rocher aux pointes jumelles.

— Là-bas, près de l'océan, mais pas sur la côte, nous pourrions toutes les trois développer une ville entièrement nouvelle, une sorte de village urbain, pour des dizaines de milliers d'habitants. Jusqu'à quatre-vingt mille personnes pourraient vivre ensemble entourées de toutes parts d'un paysage immuable. Cela produirait un gros revenu, qui prendrait de plus en plus de valeur chaque année, et vous pourriez en être fières comme vous ne serez jamais fières du projet que Jimmy Rosemont m'a exposé au *Ritz*.

— Puis-je savoir ce qui te gêne dans ce plan ? articula Valerie, sur la défensive.

— Oh, Valerie, Valerie, je ne te connais sans doute pas aussi bien que Fernanda, mais je suis absolument certaine d'une chose — tu ne voudrais pas mourir en cet endroit ! Tu ne voudrais même pas y être *malade*.

— Ce projet n'est certes pas fait pour m'attirer, admit Valerie, un peu vexée. Mais quel rapport avec sa valeur commerciale ?

— Les maisons et les immeubles en copropriété rapporteront, je n'en doute pas. Le système haute-sécurité séduira tous les marchands de canons internationaux, les gros trafiquants de drogue — ceux qui ne vont jamais en prison —, les blanchisseurs de fric, les milliardaires du pétrole. Ça deviendra un refuge pour gens riches et peureux venus du monde entier. Vous imaginez ce que Père aurait pensé à l'idée de voir le ranch qu'il aimait transformé en ce genre de truc ? Tu ne peux le nier, Valerie, ce plan équivaut à la création d'une citadelle pour protéger des gens qui ont en commun le mode de vie le plus prétentieux et le plus ostentatoire — cela ne *te* correspond pas, Valerie.

— Je n'ai jamais dit que je voulais y habiter, lança Valerie. Mes choix personnels n'ont rien à voir.

— Ah ! Mais notre nom ? « Rancho Kilkullen », comme ce salaud de Rosemont l'a appelé. Et même si nous lui donnons un autre nom, crois-tu que les gens ignoreront que les sœurs Kilkullen ont vendu leur héritage des terres de la Couronne espagnole, un morceau de l'histoire de l'Amérique qui remonte à *huit générations*, l'ont vendu à des banquiers de Hong-Kong ? Nous aurons à endurer la publicité la plus vile, comptes-y — et qui nous poursuivra le reste de nos vies, et tes enfants ensuite. Tu les auras privés de leurs racines. Quant à nous, nous poserons bêtement pour la presse, trois petites Barbara Hutton ou Christina Onassis. Les trois sœurs qui auront obtenu chacune un milliard de dollars pour leur terre. Les médias nous suivront pas à pas, Grands dieux ! C'est la raison pour laquelle les vieilles fortunes de ce pays — de n'importe quel pays — se dérobent à l'œil du public. Entendez-vous souvent parler des Mellon, ou des Goelet, ou de Betsy

Whitney, ou des Brown de Providence, ou des Biddle, ou des Mather, ou des Pennock ?

— Oh, merde, lâcha Valerie qui flanchait sous la véracité des paroles de Jazz.

— Jazz, tu es horrible, gémit Fernanda.

— Oh, je sais, Fern, il y a quelque chose de presque... presque irrésistible dans tant d'argent. C'est affreusement tentant. Quasi impossible de le refuser. Plus exactement, d'en repousser l'*idée*. La réalité nous rendrait folles. Père nous aimait trop pour permettre qu'une telle chose nous arrive... mais il a fait un testament terrible, son amour n'a pas su l'en empêcher.

— Mais je pensais que... *plus*... serait merveilleux, argua faiblement Fernanda.

— Par exemple ?

— Oh, zut, Jazz, je n'ai pas passé mon temps à me demander comment je le dépenserais. J'ai juste vu que ce serait drôle et terriblement prestigieux d'être une vraie héritière, et tu essaies de me gâcher le plaisir.

— Non, non ! Pas du tout. Nous *sommes* des héritières... nous sommes les dernières Kilkullen. Rien ne peut changer cela, Fernie. Dans son testament, Père écrivait qu'il croyait que nous saurions que faire de notre héritage. Il a dû avoir foi en notre sagesse — quand bien même ce testament ne nous a pas rendu les choses faciles.

Jazz fixa ses sœurs l'une après l'autre, les obligeant à la regarder en retour, à l'écouter et à comprendre la vérité.

— Quand je pense qu'il essayait toujours de vous donner envie de venir ici, combien vous lui avez manqué quand vous grandissiez si loin de lui, et comme il était triste quand vous repartiez, cela me brise le cœur. La seule occasion pour laquelle il se permettait d'insister pour que vous veniez, c'était la Fiesta. Le reste du temps, il n'aurait jamais réclamé ; il était trop fier pour vous montrer ce qu'il éprouvait, et c'est ce même entêtement qui le poussait à refuser de céder un seul hectare. C'est grâce au caractère de papa, aussi difficile qu'il ait pu être, que nous avons hérité de cette belle et immense parcelle de Californie — une terre qui a atteint une valeur incroyable, du seul fait de sa situation. Ce qui compte... c'est ce que nous allons décider d'en faire.

— Jazz, tu nous fais un discours, soupira Valerie, et je déteste qu'on me fasse la morale.

— Je ne peux faire autrement, Val. Je dois tenter ma chance tout de suite, je n'en aurai plus jamais l'occasion. Écoutez-moi encore un peu. Souvenez-vous, j'ai dit que, si je n'obtenais pas gain de cause, je signerais tous les papiers que vous me demanderiez de signer. O.K. ?

— Il ne semble pas que nous ayons le choix.

— Nous pouvons nous montrer cupides, égoïstes, agir sans aucun respect pour notre héritage et ce que nous savons des volontés de papa, et vendre au plus offrant, reprit Jazz. Dans quelques mois, les bulldozers commenceront leur œuvre et nous serons trois femmes *inutilement* richissimes. Chacune de nous aura tant d'argent qu'elle ne saura comment le dépenser et se retrouvera sous la coupe de cette fortune — le propre de la surabondance d'argent étant de produire encore et encore plus d'argent jusqu'à n'avoir plus le moindre lien avec la vie humaine ou un quelconque désir humain. C'est un choix.

Jazz se leva et tendit les bras comme si elle tentait de rassembler dans une étreinte le ciel, l'océan, la montagne, les prairies, et de les offrir à ses sœurs dans toute leur beauté primitive.

— Nous pouvons dire au monde que notre héritage n'est pas à vendre, s'écria-t-elle. Nous pouvons décider que nous n'avons pas à l'exploiter au maximum. Nous ne sommes obligées de vendre à personne, nous pouvons exercer notre pouvoir pour protéger cette terre qui a protégé sept générations de notre famille. Nous pouvons en user sagement et bien. Ne le voyez-vous pas, toutes les deux ? Ne le sentez-vous pas ?

— Écoute, Jazz, fit Valerie à contrecœur. Je ne peux pas nier que tu sois plutôt convaincante... mais nous ne savons rien de concret de ces choses dont tu as parlé, les villes nouvelles, les villages urbains. Tu n'es pas urbaniste, nous ne le sommes ni l'une ni l'autre, nous n'avons aucune expérience en ce domaine. Tu es juste une rêveuse idéaliste qui sait bien parler.

— Valerie, Fernanda, levez-vous, toutes les deux et dites-moi si vous voyez ce gros caillou au sud.

Elle désignait un rocher qu'un glacier avait abandonné là, trop énorme pour être déplacé par un homme, clairement distinct à cinq kilomètres au sud et qui se trouvait beaucoup plus proche de l'océan que le sycomore près duquel elles se tenaient.

Fernanda et Valerie se levèrent, scrutèrent l'horizon et hochèrent la tête.

— A partir de ce rocher, expliqua Jazz, il y a des prairies hors de notre champ de vision, exceptionnellement grandes et bien boisées. Elles descendent vers l'océan en une pente douce et généreuse, et occupent peut-être cinq mille hectares en tout. C'est là que pourrait se construire la ville nouvelle, depuis ce rocher, et en toutes les directions hormis le nord.

— Mais, Jazz, c'est loin de tout ! s'exclama Fernanda. On ne l'aperçoit même pas.

— Une impression, Fernie. Au bas de la descente, tu tombes quasiment sur la route qui longe la côte Pacifique, derrière une large bande de chênes et de buissons. J'ai parcouru le ranch à cheval pendant des années, et je ne suis allée aussi loin qu'une dizaine de fois. Même si toute cette zone était construite, nous aurions encore plus de vingt-cinq mille hectares pour l'élevage.

— Quel genre de revenus tirerions-nous d'une ville située là-bas ? voulut savoir Valerie.

— Au départ, rien. Mais ensuite, plusieurs millions de dollars chaque année. A mesure qu'elle s'étendra notre revenu croîtra. Les gens qui vivront là n'auront pas chaque jour plusieurs heures à passer en voiture pour aller travailler — il y aura assez d'emplois pour tout le monde.

— Tout cela m'a l'air assez... ordinaire, si tu veux mon avis, commenta Fernanda, déçue. Tu avais parlé d'un village urbain, et tu nous sors un truc typique d'Orange County : zones résidentielles et bureaux.

— Ce sera Orange County, Fern, aucun doute. Mais typique... pas du tout.

— Explique, la pressa Valerie qui n'y tenait plus.

— Je suis contente que tu me le demandes. Même si ce n'avait pas été le cas, vous y auriez eu droit.

Le rire de Jazz jaillit, triomphal. Il lui avait été plus difficile de tirer cette requête de Valerie que de réussir à faire sourire Woody Allen, mais à présent que sa sœur avait entrebâillé la porte...

Jazz parla rapidement, avec des mots précis et positifs, révélant les axes principaux, allant à l'essentiel, avec un choix de quelques détails particulièrement vivants et évocateurs. Quand elle eut fini d'exposer à ses sœurs ses idées sur la ville nouvelle, celles-ci gardèrent un silence obstiné qui sans doute reflétait le travail de leur esprit. Elles s'égaraient dans le torrent d'images que Jazz avait fait jaillir, stupéfaites d'en éprouver un enthousiasme inattendu ; elles n'échangèrent même pas un regard. Enfin, Valerie prit la parole :

— Je peux te dire une chose, Jazz, je ne vois pas les choses tout à fait comme toi. Par exemple, il est impossible de ne pas prévoir de boutiques de cadeaux, avec tant d'habitants — une boutique de cadeaux décente serait une mine d'or, surtout avec tous les bébés qui naîtraient tôt ou tard. Et tu as besoin aussi de quelques très bons fromagers, et de fleuristes corrects, enfin quoi ! Les gens aiment faire la fête, tu sais, s'amuser. Et as-tu pensé que tout le monde ne portait pas des baskets ? S'il n'y a pas de bonne cordonnerie, les gens iront avec des semelles battantes.

— Oh, Valerie, tu as absolument raison !

Jazz la prit dans ses bras et la serra étroitement.

— On n'y arriverait pas sans toi.

— Tu n'as même pas parlé d'un salon de thé, seulement tous ces cafés, protesta Fernanda.

Jazz était intelligente, mais elle n'avait certes pas pensé à tout.

— Rien de tel qu'une bonne tasse de thé quand on en a besoin. Et j'insiste pour qu'il y ait un port de plaisance, pour tous les gens qui aiment s'éloigner un peu de la terre. Je ne crois pas ce que tu dis comme quoi il faut laisser le littoral vierge... nous ne pouvons tout simplement pas construire des maisons avec vue imprenable sur l'océan et empêcher les gens d'aller faire du bateau.

— C'est vrai, Fernie, tu parles d'or, nous ne pouvons pas faire une chose pareille.

Jazz les étreignit toutes les deux, les serrant contre elle, et toutes trois rirent et rirent, et pleurèrent un peu, en partie à cause de leur exaltation, en partie parce que, pour la première fois de leurs vies, elles se sentaient sœurs.

**
*

— Qui va annoncer la nouvelle à Mère ? demanda Fernanda alors que Valerie et elle quittaient l'hacienda en voiture.

— Je te délègue, répondit Valerie dans un rire. De toute façon, tu as toujours des ennuis avec elle. Un peu plus, un peu moins...

— Certainement pas ! Tu es l'aînée. Tu devrais prendre tes responsabilités.

— Autant nous en acquitter ensemble. Ou alors écrivons-lui un petit mot et quittons le pays pour un mois.

Valerie était la proie d'une multitude d'émotions pétillantes qu'elle n'avait pas encore entrepris d'analyser.

— Ou pour un an.

— Merde, je n'ai pas peur de Mère, décréta Valerie. Contrairement à toi. Je m'en charge.

— Moi non plus, je n'ai pas peur ! protesta Fernanda en secouant ses cheveux d'un air de défi. Je le ferai.

— Bien. Je te surveillerai.

— Oh, garce. Tu m'as piégée.

Fernanda se pencha et embrassa Valerie sur la joue.

— J'aurais dû me souvenir de tes méthodes.

— Écoute, Fernie, sérieusement, il faudra que nous lui versions une sorte de pension. Nous savons depuis toujours qu'elle espérait recevoir sa part de notre héritage.

— Mais nous ne ferons pas un centime de profit pendant des années, fit valoir Fernanda.

— Il faut quand même faire quelque chose pour elle. Une petite chose.

— Une très très minuscule petite chose. Symbolique. De toute façon, elle adore Marbella, et sa villa lui appartient, ce n'est pas comme si elle avait besoin de beaucoup d'argent. Son idée de s'installer à San Clemente est une aberration.

— Tu as raison, admit Valerie. Évidemment, cela veut dire qu'elle continuera à venir à New York pendant les soldes. Mais elle sera obligée de s'installer chez toi.

— Comment, « obligée » ?

— Je ne serai plus là, mais à Philadelphie.

— Valerie ! Un rêve sorti tout droit du pays imaginaire, une petite rêverie que tu te ressers chaque fois que tu en as marre de New York. Tu ne parles pas sérieusement.

— *Oh, mais si.* Du fond du cœur, Fern. J'ai enfin compris que je désirais réellement partir quand j'ai su que je pourrais m'installer à Philadelphie sans... oh, sans... perdre la face à New York, je suppose qu'on peut dire ça ainsi, aussi dégoûtant que ce soit. Mais ma terreur de perdre la face s'est évanouie avec les milliards de Hong-Kong. Cela me pesait, avant. C'est une sorte de maladie. On l'attrape dans l'air de New York. Ou dans l'eau.

— Tu sais qui d'autre disait : « Je préférerais être à Philly ?

— Non, mais je suis d'accord.

— W. C. Fields, pouffa Fernanda. Sur sa pierre tombale.

— Fernie, le pauvre homme n'avait sans doute ni famille ni amis là-bas, fit Valerie avec un sourire serein et heureux qui la transformait en une femme adorable.

— Mais tu vas drôlement me manquer ! Qu'est-ce que je vais faire sans toi ?

— Nous nous téléphonerons, aussi souvent qu'avant, et tu viendras me voir, je viendrai aussi, quelques jours... nous ne serons séparées que par une heure et demie de trajet.

— Mais des années-lumière question mode de vie.

— Voilà pourquoi je m'en vais. Oh, ce sera le paradis de se détendre à Philadelphie. C'est si divinement *douillet*. Dès que l'appartement de New York est vendu, je prends l'argent, je trouve une maison *parfaite* — je sais exactement comment je la veux —, je m'y installe, je me laisse pousser les cheveux, et je retrouve mes vieux amis, avant de me relancer dans la décoration. Ou alors je ne fais plus de décoration. Ce sera plus en accord avec l'ambiance de la ville. La béatitude !

— N'es-tu pas en train d'oublier Billy ?

— Il n'aura qu'à accepter. Je l'ai suivi assez longtemps. Il peut changer s'il le faut, et s'il veut rester mon mari il le fera. Sinon... je vivrai sans lui et je m'en sortirai très bien. Qui voudrait d'un homme incapable de mettre le pied hors de cette ville sinistre et *malsaine* ?

— Tout juste !

— Pour ne rien te cacher, Billy me téléphone deux fois par jour. Le pauvre est perdu sans moi, et il le sait. Je ne crois pas qu'il fera des histoires quand il aura compris que je suis sérieuse. Je me sens si sûre de moi, Fernie. C'est drôle comme le seul fait d'imaginer qu'on sera beaucoup plus riche un jour donne l'impression qu'on l'est déjà. Riche et puissante.

— C'est une question de disposition d'esprit, fit Fernanda, songeuse.

A écouter Valerie, elle réalisait qu'elle ne souhaitait rien au monde qu'elle n'eût déjà. Elle avait eu soif de richesses immenses pour la simple raison que l'idée de vieillir sans capturer un certain type de satisfaction la terrifiait. Comment avait-elle pu croire qu'un jeune homme la lui donnerait ? Ou un homme ? Georgina. Sa Georgina... elle aurait aimé pouvoir le dire à Val, mais elle savait cela impossible. En tout cas, pas maintenant, pas pendant des années, peut-être jamais.

— J'annoncerai la nouvelle à Jimmy et Sir John, offrit-elle, sortant de son silence.

— Ah non... je refuse de manquer ça ! Nous le leur dirons ensemble. J'ai hâte de confondre Jimmy avec ses mensonges et ses supercheries. Je me demande à combien s'élevait sa commission pour qu'il ait déployé tant de zèle dans cette affaire... Le pire est qu'il y soit presque arrivé. Quand je pense à son projet... Fernie, je te l'avoue, à toi mais à personne d'autre, j'ai toujours désapprouvé son idée de Monte-Carlo, mais je me suis laissé entraîner. Nous avons été tellement crédules... c'est impardonnable.

— De sa part ou de la nôtre ?

— Les deux, répondit ardemment Valerie.

— Hmmm.

Le petit sourire malicieux de Fernanda releva les coins de sa bouche. Jimmy Rosemont était si détestable, et sans espoir d'amélioration ! Elle avait hâte de voir sa tête quand elles lui apprendraient qu'elles ne vendaient pas, qu'elles étaient toutes trois d'accord pour demander au tribunal de congédier l'administrateur temporaire et de leur rendre la gestion du ranch. Georgina avait toujours laissé entrevoir qu'elle jugeait le projet de son mari... vulgaire, pour le moins. Elle serait enchantée d'apprendre qu'elles s'étaient décidées à aller contre ce plan, et l'immense déception émousserait même la libido de Jimmy pour quelques mois.

— Val, me trouverais-tu folle si je te disais que... oh, rien.

— Quoi ? Tu me le diras de toute façon.

— Je n'éprouve plus le même sentiment pour Jazz. Je... je l'aime bien. Je l'aime beaucoup.

— Moi aussi. *Il faut* beaucoup aimer la personne capable de te convaincre de tourner le dos à un milliard, et en plus avec le sentiment de bien agir, répliqua Valerie, avec un sourire amusé.

— Pas un milliard entier, la réconforta Fernanda, pas après les impôts.

— Pourquoi ergoter ? Je veux savourer tout le bénéfice d'avoir eu le goût et la sagesse de repousser un vrai milliard de dollars, pas un sou de moins.

— Valerie Kilkullen Malvern, Notre-Dame de l'Équilibre Écologique et de la Préservation des Valeurs Traditionnelles, Reine de la Conservation du Patrimoine et de l'Environnement, Nouvelle Héroïne de l'Usage de la Terre.

— Bravo, Fernie. Je ne l'aurais pas mieux exprimé. A propos de Jazz... j'avoue en toute honnêteté que je ne la connaissais pas avant aujourd'hui. Je suis fière qu'elle soit ma sœur, et heureuse à l'idée que nous construisions ensemble une ville nouvelle... toi et moi nous nous sommes conduites comme des enfants, en persistant à la considérer comme une ennemie, une rivale — encore merci à Mère. Tu n'as pas honte quand tu te rappelles comment nous la plaisantions ? Mon Dieu, nous étions minables. Tu te souviens qu'on l'appelait l'Orphelinette ? Deux vraies petites garces.

— Tu dis ça parce que nous sommes orphelines nous aussi maintenant, fit tristement Fernanda.

— N'est-ce pas une assez bonne raison ?

— Est-ce qu'on ne devrait pas lui dire... lui dire ce que nous ressentons ? Que nous sommes désolées ou je ne sais quoi ?

— Oh, Fernie, es-tu aveugle ? Enfin, tu n'as pas compris ? Jazz le sait déjà.

— Oui, tu as raison, n'empêche... bon, un jour je lui dirai quelque chose. Je trouverai le moment. Oh, Val, n'est-ce pas merveilleux pour Casey et elle ? Tu me diras, je savais depuis le début, bien sûr, qu'elle ne le laisserait pas repartir. Mais tu as compris ce que cela veut dire ?

Il va falloir qu'on revienne ici pour le mariage dans quelques semaines alors que nous serons à peine rentrées chez nous.

— Pour l'amour du ciel, Fernie, arrête de geindre. Ce sera formidable. J'ai un certain penchant pour les mariages. Et surtout, n'oublie pas que nous sommes sa seule famille.

## 22

Dès que la voiture de Valerie eut quitté l'hacienda, Jazz se mit à la recherche de Casey. Joe Winter lui apprit qu'il était parti pour Los Angeles pour ses affaires alors qu'elle était sortie à cheval, et ne reviendrait que dans la soirée.

— Savez-vous où je pourrais le joindre ? implora Jazz qui avait hâte de lui faire part de la merveilleuse nouvelle.

— Pas la moindre idée. Il peut être n'importe où.

Profondément dépitée et ne voulant rien dire à Joe avant d'avoir parlé à Casey, Jazz retourna à l'hacienda et téléphona à Red. Elle avait négligé son amie comme elle avait négligé tous ceux qui lui étaient chers, mais elles convinrent de se retrouver pour dîner tôt à Newport Beach.

Jazz raconta toute l'histoire, avec tant de débordements que Red resta assise à manger en l'écoutant, hochant la tête et s'étonnant, s'étonnant et hochant la tête aux instants appropriés. Vers la fin du dîner, le débit de Jazz finit par ralentir.

— Dis-moi ce que tu deviens, Red, invita-t-elle enfin.

— Qui, moi ? Ma petite personne ?

— Tu as bien fait quelque chose pendant que j'avais l'air d'oublier ma meilleure amie.

— J'ai lu des livres que j'avais toujours eu envie de lire, je me suis livrée à de plus ou moins nobles réflexions, à de longues promenades, j'ai écouté de la musique, mis des pensées en pots, des cornichons en bocaux...

— Je ne te crois pas.

— Pourtant c'est vrai, hormis les cornichons. Je me suis lentement accoutumée à vivre sans Mike. Ce n'est pas comme si j'avais le choix, n'est-ce pas ? La vie doit continuer. Ç'a été assez bien, Jazz, pas la grande forme, mais pas le noir total, et c'est un peu plus facile de semaine en semaine. Parfois, je sors dîner avec des amis, parfois je les invite... j'ai très agréablement déjeuné avec Gregory cette semaine quand il est venu...

— Gregory qui ?

— Oh, Jazz, tu es aberrante ! Gregory Nelson, ton futur beau-père.

— Le père de Casey était ici cette semaine ?

— Et toi, où étais-tu pour tomber ainsi de la lune ?

— Je... Je... honnêtement, je l'ignore. Dans une quête, je suppose. Je me sens comme un chevalier médiéval qui est parti en quête du Graal, et lorsqu'il revient enfin chez lui, cent ans plus tard, tous ceux qu'il connaissait ont disparu, et plus personne ne se souvient de lui ni de la raison pour laquelle il était parti.

— Cela ne fait qu'un mois. Et crois-moi, on ne t'a pas oubliée, plaisanta Red.

— Mais je n'ai même pas su que le père de Casey était ici !

— Il a fait l'aller-retour en avion sur un jour ou deux pour affaires et il m'a appelée.

— Peux-tu me dire comment il a eu ton numéro ?

— Je suppose que Casey le lui aura donné. Jazz, c'était simplement un déjeuner amical. Après tout, nous vous avons en commun, Casey et toi.

— *Un déjeuner* ? murmura Jazz, fort intéressée. Comment se fait-il que ce déjeuncr me paraisse beaucoup plus significatif qu'un dîner ?

— Ne commence pas, l'avertit Red.

— Oublie ce que j'ai dit ! Il est beaucoup trop tôt pour voir les choses de cette façon.

— Beaucoup trop tôt, acquiesça sévèrement Rcd.

— Je ne sais pas ce qui m'est passé par la tête.

— J'accepte tes excuses.

— Où t'a-t-il emmenée ? De quoi avez-vous parlé ? Est-il aussi charmant que je le crois ? Vas-tu le revoir ?

— Jazz !

— Simple curiosité — je ne le connais même pas, je ne l'ai vu qu'une fois. De toute façon, Red, quel mal y aurait-il à ce que tu te fasses un nouvel ami ? Tu l'as dit toi-même, la vie continue...

— Rentre chez toi avant que je te morde.

— D'accord. D'accord ! Je file.

*
**

Jazz était de retour à l'hacienda à neuf heures du soir. Elle se précipita aussitôt à la cuisine, pour n'y trouver qu'une seule lampe allumée au-dessus de la cuisinière, avec un plat de chili accompagné d'un mot bref de Susie qui disait l'avoir laissé là au cas où, avant de rentrer chez elle, bien qu'il semblât que personne ne dîne jamais plus à la maison. Il n'y avait pas de message de Casey, pas un bruit ne venait des nombreuses pièces de la grande demeure en adobe ; pas de vases emplis de fleurs, pas de feu dans la cheminée pour éclairer la sombre salle de séjour, où les massifs meubles espagnols étaient tapis dans la pénombre. Jazz ouvrit une porte qui donnait sur la véranda, mais même la nuit avec ses bruits secrets, le soupir des plantes, le dôme de cathédrale du ciel étoilé, lui parut distante.

La jeune femme s'assit sur une chaise de la cuisine. Plusieurs faits en s'ajoutant formèrent soudain une constellation de mauvais présage. Le père de Casey était venu en Californie, et Casey ne lui en avait soufflé mot. Casey était parti pour Los Angeles pour affaires plusieurs fois cette semaine, et elle le remarquait seulement maintenant. Aujourd'hui, il avait disparu sans laisser d'explication, sans dire au revoir. Il dormait dans l'une des chambres d'amis depuis plusieurs nuits ; combien ? Elle avait perdu le compte pour ne pas s'en être souciée.

*Casey*. Il avait été auprès d'elle à chaque pas dans sa quête de la carte et des Sentinelles de Pierre. Pour l'en remercier, c'était sur lui qu'elle avait déversé sa colère impuissante après le verdict des avocats. Elle s'était conduite avec lui comme si, pour quelque obscure mais indéniable raison, c'était *sa* faute si elle n'avait pas remporté son combat. Elle n'avait su partager sa défaite avec lui, seulement son triomphe. Casey devait savoir que l'on peut célébrer une victoire avec n'importe qui, même un inconnu, mais que, lorsqu'on perd, on ne se tourne que vers celui qui vous aime.

Pourquoi avait-elle banni Casey de sa vie quand elle avait le plus besoin de lui ? Assise dans la sombre cuisine, Jazz fondit soudain en larmes. Il fallait qu'elle comprenne ce qui s'était passé. Lentement, avec beaucoup d'hésitations, beaucoup de refus, beaucoup de mauvaise volonté et de douleur, elle réalisa que, bien qu'elle ait mûri, elle était encore terrifiée à l'idée de se laisser aller, de faire confiance à l'homme auquel elle avait le plus besoin de se fier. Il ne l'avait pas déçue — pas encore —, mais si elle se trompait ? Si Casey devait finir par l'abandonner ? D'autres l'avaient fait. Ne serait-ce pas plus sûr de s'éloigner de lui avant ?

Mais pourrait-elle survivre en refusant sa confiance à tout le monde, à présent que son père n'était plus ? N'était-il pas préférable de courir sa chance — au risque de perdre — plutôt que de se préparer à une existence où elle n'oserait compter que sur elle seule ? Allait-elle laisser la crainte d'être abandonnée régner sur son avenir comme elle avait assombri son passé ?

Résolue, Jazz se leva. Elle venait de se poser bon nombre de questions, avait entrevu quelques réponses, mais assez d'introspection pour ce soir. Pour l'heure, il n'existait qu'une seule solution immédiate à un problème vital : où était le fax de Casey ?

**

Une heure plus tard, lorsque Casey rentra enfin, une seule lumière brillait dans l'hacienda, qui venait de la cuisine. Il s'y rendit et trouva Jazz en train de surveiller un plat sur la cuisinière.

— Que fabriques-tu exactement ? questionna-t-il, surpris.

— Je réchauffe le chili. Je pensais que tu en aurais envie à ton retour.

— J'ai dîné depuis des heures, rétorqua-t-il par automatisme.

— N'as-tu pas toujours un petit creux avant d'aller te coucher ? Moi, si.

Jazz fit soudain volte-face. Elle était affolante, ravissante et romantique au possible dans sa longue robe blanche finement plissée. Des dizaines de mètres de mousseline de soie oscillaient légèrement autour d'elle comme pendant une danse, révélant une épaule nue et lisse, l'autre drapée d'un large jeté d'étoffe aérienne qui évoquait l'aile d'un ange.

— Qu'est-ce que... ?

Les yeux d'or de Jazz s'agrandirent face à l'étonnement de Casey, et elle secoua sa précieuse cascade de cheveux fauve d'un tel air de reproche qu'une ondulation courut sur toute sa chevelure, des racines jusqu'aux pointes ambrées.

— C'est ma robe de chez Madame Grès, tu ne la reconnais pas ? Celle que tu as failli saccager. Elle est de nouveau parfaite. J'ai dû l'envoyer à Paris après la Fiesta, car il ne reste que quatre personnes vivantes au monde capables de nettoyer une robe pareille, et toutes vivent là-bas. Il leur a fallu des mois de travail ; ce n'est pas tout à fait comparable à la restauration de Mona Lisa, mais enfin...

— Suis-je censé deviner pourquoi tu la portes pour cuisiner ?

— Tu pourrais émettre une supposition. Non ? Bon, d'accord, il va donc falloir que je te le dise. Quand tu l'éclabousseras de nouveau de chili, comme tu ne peux manquer de le faire, je sourirai gracieusement, comme une vraie dame, et je te dirai : « Oh, ce n'est rien du tout, chéri, n'y pense plus, ce n'est pas comme si c'était une nouvelle robe. »

Elle revint à ses fourneaux et se remit à tourner le chili.

Casey traversa à grands pas la cuisine et la saisit par les épaules.

— Pose... cette... cuillère, ordonna-t-il, et fais-le très doucement.

Dès que Jazz eut obéi, il recula, sans la lâcher, jusqu'à ce qu'ils se trouvent à distance raisonnable de la cuisinière.

— Bien, pourquoi tout ça ? demanda-t-il gentiment.

— J'ai décidé que le seul moyen de redresser la barre avec toi était de tout reprendre au début, de zéro, déclara-t-elle.

Sa voix était parfaitement raisonnable même si ses yeux trahissaient une nervosité certaine.

— Et il y avait tout ce bon chili qui allait être gaspillé, plus une robe inestimable que je ne porte jamais, alors je me suis dit, pourquoi ne pas montrer à Casey que je suis bien meilleure qu'il ne le pense ? Les actes parlent mieux que les paroles, et, quand il laissera tomber son chili, ou même s'il me le jette à la tête, comme il l'a fait la première fois pour attirer mon attention, je resterai tout à fait sereine... et inutile de me regarder comme si j'étais devenue folle, je suis parfaitement saine d'esprit.

— *Je ne te l'ai pas jeté à la tête !*

— Oh, je te crois. Ou plutôt, je crois que *tu* le crois, ce qui revient au même. Disons qu'il y aura toujours deux versions de cet épisode, vraies toutes les deux.

— Dieu, je t'en supplie, implora Casey en levant les yeux au plafond, ne laisse pas cette femme me rendre fou.

— Mais, chéri, il faut que je fasse quelque chose de remarquable pour que tu t'aperçoives que je suis meilleure que je n'en ai l'air, s'entêta Jazz.

— Je ne veux pas de quelqu'un de meilleur. Ce serait un être différent. Je veux l'ancienne version, l'imparfaite, l'impossible.

— Mais tu me veux, tu en es sûr et certain ? La façon dont je me suis conduite ne t'a pas donné envie de changer d'avis ? Oh, Casey, je sais que j'ai été horrible avec toi, froide, injuste, indifférente — et j'ai eu si peur que cela t'ait éloigné. Si je n'avais pas trouvé ton fax encore branché, j'aurais pensé que tu en avais eu marre de mes douches écossaises et que tu étais parti.

Toutes les craintes de Jazz vibraient dans sa voix.

Abasourdi, Casey secoua la tête. Elle était vraiment cinglée. Pourvu que ce ne soit pas contagieux. Une seule dans la famille suffisait.

— Jazz, tu te souviens quand nous avons décidé de nous marier ? énonça-t-il patiemment, comme on s'adresse à un jeune enfant. Cela ne fait pas si longtemps, n'est-ce pas ? Dis : « Non, Casey, pas si longtemps. »

— Non, Casey, pas si longtemps, répéta Jazz avec un immense soulagement qui fit trembler sa voix.

— Gentille petite fille. Bon, ne t'ai-je pas dit que je voulais vivre avec toi pour le restant de mes jours ? N'ai-je pas dit que je ne te laisserais jamais partir ? Si tu crois que le fait d'être distante change quelque chose à mon amour, il faudra réviser tes conceptions. Ça ne changera jamais rien.

— Jamais rien.

Jazz se jeta à son cou, dans le froufrou d'une mousseline de soie que personne en Californie ne savait comment nettoyer. Elle pensa qu'elle pourrait rester ainsi des heures dans les bras de Casey. Si confiante, tellement en sécurité...

— C'est mieux, fit Casey.

— C'est mieux.

— Tu peux arrêter de répéter maintenant.

— Et si je n'ai pas envie ? questionna-t-elle, mutine, entrevoyant une nouvelle façon de le tourmenter.

— N'y pense pas une minute de plus.

La voix de Casey recelait un très sérieux avertissement.

— C'est toi le patron, lui assura-t-elle très vite.

Et elle le lâcha, se souvenant du chili sur le feu. Il l'aimait vraiment, et elle avait la très nette impression de l'aimer en retour.

— Je vais faire un feu pour réveiller cette maison toute noire, annonça Casey, et tu viens avec moi. D'abord, tu ne t'échapperas pas avant de m'avoir montré par quel système compliqué on te libère de cette robe.

Doucement, il la poussa vers le salon, l'installa dans un fauteuil et s'accroupit pour allumer le feu.

— Pour commencer, dis-moi où tu étais toute la journée, exigea Jazz.

— Grands dieux, tu es si terrible que j'ai oublié le plus important ! Il ne reste plus qu'un moyen d'empêcher la vente du ranch : racheter leurs parts à tes sœurs, et damer le pion aux banquiers de Hong-Kong. J'ai passé la semaine à mettre le plan au point. Mon père est venu de New York, nous avons été en communication non-stop avec nos banquiers ici et dans l'Est. La chose est parfaitement faisable.

— Racheter à mes sœurs, souffla Jazz d'une voix blanche.

— Oui, et construire la ville nouvelle. Mon père, moi et l'un de nos associés mettrons un tiers cash, les banques sont d'accord pour nous prêter l'autre tiers, le dernier est déjà à toi...

— Mais ton père est dans les remorqueurs, balbutia Jazz qui avançait pas à pas dans ce surprenant rebondissement.

— Les remorqueurs ne sont qu'une petite part de ses affaires. Il est prêt à changer de voie. Il aime les perspectives qui se présentent ici, et de toute façon il se sent seul à New York — il songe à s'installer en Californie.

Casey plaça une grosse bûche dans l'âtre et le feu se mit à crépiter.

— Mais, Casey, et toi ? Tu as toujours voulu posséder un grand ranch, avança Jazz, troublée. En termes d'élevage, celui-ci est petit.

— J'ai toujours eu envie de m'occuper d'un ranch, mais après avoir été régisseur, j'en ai appris assez pour savoir que je ne serai pas éleveur à plein temps — je ne suis pas heureux sans un fax sur ma selle.

Il se tourna vers la jeune femme et sourit, satisfait des flammes qui s'élevaient dans le foyer.

— Et il y a autre chose... de très important. J'aime cette terre, celle-ci en particulier. C'est lié à mon amour pour toi et à ce que j'éprouvais pour ton père, les conversations que nous avions sur son histoire, la façon dont toi et moi avons essayé de la sauver. Je n'imagine plus partir d'ici un jour pour m'installer ailleurs.

— Mais, chéri, Casey, je...

— Tu te souviens de ce soir où tu rêvais à haute voix de ta nouvelle ville, le jour où nous avions découvert les Sentinelles de Pierre ? Ton idée a pris vie dans mon esprit comme rien encore ne l'avait fait ! Je suis impliqué dans une douzaine de grosses affaires, mais celle-ci est la seule dans laquelle je veuille m'investir personnellement. Écoute, Jazz, ne va pas croire que je le ferais pour te rendre heureuse. Aucun financier ne mettrait autant d'argent — et autant de son temps — dans un tel projet s'il n'avait une vraie foi en son avenir.

— Et ton père et toi avez cet argent... pour acheter un tiers ?

— Avec une petite aide d'un autre gars qui veut en être, oui.

— Je ne te savais pas... enfin, tu n'as jamais dit... que tu étais *aussi* riche.

— Assez... on s'est bien débrouillés.

— Et si tu n'avais pas à acheter ? Si tu pouvais bâtir la ville sans avoir à acheter la terre ?

— Question investissement, ce serait le rêve... Moins on a à emprunter... mais pourquoi te torturer avec ce genre de question ?

— Eh bien... Eh bien...

Les yeux de Jazz brillaient d'amusement.

— « Eh bien » ? Tu ressembles à une poule qui cacherait des œufs d'or...

Soupçonneux, il scruta son visage rayonnant.

— J'ai eu une chouette petite conversation avec Val et Fernie aujourd'hui. Elles ne vendront à personne. Elles veulent aussi bâtir la ville nouvelle.

— *Répète un peu !*

— Tu m'as entendue.

— Mais comment... *comment diable ?*

— C'est compliqué. Je leur ai tout bien expliqué. Ce qui donnait un peu : « Hé, les filles, si on faisait dans le grandiose ? »

— Sorcière !

— Le mot en vaut un autre, acquiesça Jazz, très contente d'elle.

— Mais qu'as-tu dit quand elles t'ont demandé quels partenaires financiers tu amenais, comment tu construirais la conduite d'eau sur cinquante-cinq kilomètres depuis Yorba Linda, le quota de constructions industrielles dans le plan d'occupation des sols, l'organisation des transports locaux...

— Détails, souligna Jazz d'un ton léger. Nous ne nous sommes attachées qu'au concept, pas aux détails.

— Aucune de vous ne connaît rien à rien à la façon de construire une ville !

— Évidemment, fit majestueusement Jazz. C'est mon idée, plus ou moins, mais cela ne veut pas dire que j'aie envie de me plonger dans le problème du cubage de l'écoulement des eaux. L'infrastructure — c'est le mot ? — est du domaine des hommes. Vous êtes tellement forts là-dedans. Non que les femmes ne le seraient pas, si elles décidaient de l'être, mais certaines d'entre nous ont mieux à faire. D'ailleurs je crois bien avoir laissé à entendre à Val et Fernie que tu serais chargé de l'infrastructure.

— Tu veux dire que c'est ce que tu leur as affirmé ?

— Elles étaient rassurées de se retrouver entre des mains si sûres.

— Une minute, Jazz. Tu leur as dit cela *avant* que je t'apprenne que je n'avais plus l'intention d'acheter un grand ranch ?

— Sans doute ai-je pris mes désirs pour la réalité... fit-elle d'une voix insouciante.

Sainte-Mère, Casey avait la manie redoutable de traquer le moindre mot. Il faudrait qu'elle s'en souvienne à l'avenir.

— C'était une duperie, une pure duperie.

— Rétrospectivement, non ! s'indigna Jazz.

— Ensuite, tu m'aurais dissuadé d'acheter un ranch et persuadé de rester ici, supposa-t-il, ignorant sa protestation.

— J'aurais essayé — après tout, mon métier me retient ici, pas dans le Montana ni au Texas, ni nulle part où se trouvent les grands ranches — mais si tu avais insisté pour acheter ton ranch, je serais évidemment partie avec toi, pas sans rébellion ni quelques cris, mais je ne t'aurais *jamais* laissé t'en aller sans moi. Je peux travailler où je veux en tant que photographe, et quand je veux. C'est pour cela que les avions existent.

— Hmmm

Casey songea à ce qu'il savait de Jazz, créature résolue, rusée, complexe, déterminée, terrienne autant qu'aérienne, impétueuse, incroyablement sûre d'elle et incroyablement peu sûre, créature qu'il avait capturée alors qu'il ne l'espérait plus.

— Tu ne me crois pas quand je dis quand j'irais n'importe où avec toi ?

— En fait... si.

— Comme Marlène Dietrich, murmura rêveusement Jazz.

Elle entreprit de détacher l'une après l'autre les minuscules agrafes cachées de sa robe que les doigts de Casey auraient été trop larges pour défaire.

— Dietrich ? demanda-t-il sans la quitter des yeux.

— Dans *Morocco*, quand elle laisse derrière elle une douzaine d'hommes qui l'adorent malgré ses vilaines, vilaines manières, parce qu'elle est amoureuse de Gary Cooper. Lui s'en va avec la Légion étrangère, alors elle enlève ses talons hauts et le suit, pieds nus dans les sables brûlants du désert... Tu sais.

— Chaque fois que je vois ce film, j'ai une minuscule larme au coin de l'œil, avoua Casey, mais ne le dis à personne.

Jazz soupira, toute à la félicité de cette harmonie sans limites.

— C'est si merveilleux, murmura-t-elle. Nous sommes aussi fleur bleue l'un que l'autre.

Ses paupières étaient presque closes quand elle vit Casey quitter soudain la pièce sans une explication. Étonnée, elle attendit, sa robe encore retenue par une dizaine de minuscules attaches facétieuses. Il revint avec une pile de couvertures qu'il jeta au sol devant le feu.

— Maintenant, ordonna-t-il, déshabille-toi vite. Quand tu seras nue, complètement, je veux que tu t'enroules dans l'une de ces couvertures et que tu t'assoies, que tu attendes patiemment, sans bouger, sans geindre, et surtout *sans* discuter.

— Oui, monsieur.

— Je viens de repenser au chili. J'ai faim, tout bien réfléchi. Je vais dans la cuisine m'en servir une pleine assiette, puis je l'apporterai ici pour le manger, et s'il se produit quoi que ce soit d'imprévu, la seule qui en pâtira sera cette vieille couverture. Me suis-je bien fait comprendre ?

— Oui, monsieur. S'il vous plaît, monsieur, ai-je droit à un peu de chili moi aussi ? demanda Jazz d'un ton pathétique.

Non, décidément, elle n'aurait jamais épousé un homme qui ne fût pas romantique. Elle pensa un instant conseiller à Casey de vérifier que le chili était encore chaud mais y renonça. « Sans discuter », avait-il dit. Et elle avait la très étrange, très curieuse et très heureuse certitude qu'il avait pesé ses mots.

*Cet ouvrage a été composé
par l'Imprimerie BUSSIÈRE
et imprimé sur presse CAMERON
dans les ateliers de B.C.A.
à Saint-Amand-Montrond (Cher)
en février 1992
pour France Loisirs
123, boulevard de Grenelle, Paris*

N° d'édition : 20690. N° d'impression : 92/66.
Dépôt légal : février 1992.
*Imprimé en France*